HET VOORSEIZOEN

David Pefko

HET VOORSEIZOEN

Staatsliedenbuurt

2011 Prometheus Amsterdam

De auteur ontving voor het schrijven van dit boek een werkbeurs van het Nederlands Letterenfonds.

'Loneliness has followed me my whole life. Everywhere.
In bars, cars, sidewalks, stores. Everywhere. There's no escape.
I'm God's lonely man.'

PAUL SCHRADER, *Taxi Driver*

I

De gemiddelde man kijkt ongeveer één pornofilm per week. Het overgrote deel daarvan doet dit – dat zal u vast niet verbazen – als smeermiddel tijdens de zelfbevrediging. Ook blijkt die gemiddelde man tijdens het kijken doorgaans in totale eenzaamheid te verkeren. Dit alles heb ik een keer gelezen in een tijdschrift dat in de wachtkamer bij de tandarts lag. De pagina waarop het stond lag al open, de patiënt voor mij moet waarschijnlijk hetzelfde hebben gedacht: hierin verschil ik niet van de doorsneeman.

Echte passies heb ik niet. Als ik diep nadenk, kan ik slechts de porno en het eten bedenken. Het 'bunkeren', zoals Susan dat noemde.

Vroeger was tuinieren mijn passie. Op een nog zeer jeugdige leeftijd heb ik een huis gekocht aan Britford Avenue in Wigston, een buitenwijk van Leicester. Bij het bezichtigen ervan was ik blind geweest voor de sombere stucwandjes, de aluminium ramen, de vloer van goedkoop vinyl, en bovenal voor de troosteloze buurt waar het huis stond. De tuin, daar ging het om. Hij was ruim twintig meter diep en wel vijftien meter breed. Het was een droom, ik had geen moment getwijfeld.

In de begintijd van mijn huwelijk, toen alles nog fijn was en er geen vuiltje aan de lucht leek, wroette ik op vrije dagen uren achtereen in de aarde, verwelkomde de kleine sprankjes zonlicht die achter de wolken vandaan kwamen met opengesperde armen en plantte komkommers en bietjes terwijl mijn vrouw knabbelnootjes en bier bracht. Soms aaide ze over mijn kale hoofd of kwam ze plots uit de keuken gelopen om me een zoen te geven.

Wat was ik toen gelukkig.

Zoals in veel huwelijken hadden we elkaar na een paar jaar al niets meer te zeggen. Ik zag de huwelijkse verbintenis zelf als de grote boosdoener, hield me voor dat onze relatie, als we niet getrouwd waren, tot op de dag van vandaag stand had kunnen houden. Als geliefden, als partners. Nog steeds ben ik daar rouwig om, soms maakt die gedachte me zelfs gek, want ik ben ik nooit opgehouden van haar te houden.

De dag dat ze vertrok en me achterliet met een redelijk grote bankschuld en een fikse maagzweer, was een sombere dag. Het was ook de eerste keer dat ik vol walging door mijn tuin liep, de groente met wilde gebaren uit de grond trok, in het rond smeet en diezelfde nacht weer herplantte. Die nacht zal ik nooit meer vergeten, die nacht stond voor de verandering die ik zou gaan doormaken. De manier waarop ik in mijn pyjama gehurkt zat boven de gitzwarte aarde – de zaklamp in mijn mond geklemd – en de groente herplantte, had niets meer te maken met de liefde voor de tuin en zijn gewassen, of enig schuldgevoel van mijn vernieling, nee, het ging om het repareren, het redden wat er nog te redden viel.

Susan was vreemdgegaan. Niet een keer, nee, waarschijnlijk nog vele malen meer dan zij opbiechtte op de avond 'dat het niet meer ging'.

Ik was verbaasd geweest, althans, zo deed ik het voorkomen. Ik had al langere tijd het idee dat ze tijdens de avonden met haar vriendinnen heel andere dingen deed dan glaasjes wijn drinken, kletsen en de andere dingen die vrouwen in elkaars bijzijn doen. Nee, het kwam niet echt als een verrassing, maar toch: om het op die avond zo te horen te krijgen was een klap in mijn gezicht, een beschadiging waarvan ik het vermoeden had dat die voor altijd zichtbaar zou blijven, en juist de tuin, waarin ik zo gelukkig was geweest, leek de wond van het verlies van mijn vrouw open te houden. Elke blik die ik erop wierp zorgde voor diepe, doffe steken in mijn maag.

Ochtenden stond ik voor het raam te kijken hoe de komkommers aan het verleppen waren, hoe de stugge bladeren van de bieten slijmerig werden en het onkruid tot angstwekkende hoogte steeg. Het deed me bijna goed te zien hoe de ooit prachtige tuin veranderde in een gigantische composthoop.

Susan was direct bij haar nieuwe vriend ingetrokken, een loodgieter die Peter Bird heette en specialist was in siergoten en versierde regenpijpen. Op Somerset Drive woonde hij. Ik kende die straat, het was een van de betere in Glenfield, Peter Bird moest in een mooi vrijstaand huis wonen.

Al na een week na onze ontbinding als man en vrouw had ze me haar nieuwe adres doorgegeven in een briefje dat op een ochtend op de mat lag. Ze had het zelf afgeleverd, de postbode was nog niet geweest.

'Hier kun je mijn post naartoe sturen. Val me niet meer lastig,' stond erin.

Gaf dat doorslag? Was dat het moment dat ik besloot mijn huis te verlaten en mijn intrek te nemen in dit kleine appartementje in The Montfort House in Oxford Street? Misschien wel, ik vond dat briefje het bewijs dat ik beschadigd was, in bepaalde opzichten zelfs vernederd, want zou ik mijn ex-vrouw ooit lastigvallen? Gaan achtervolgen terwijl ze haar boodschappen deed? Ik heb er vaak over gelezen, over mannen die zelfs een detective inhuren om hun ex-vrouw in de gaten te laten houden, maar zo zit ik niet in elkaar. Dat ik het huis wilde verlaten, stond vast. Ik voelde me zelfs even opgelucht bij het idee nooit meer mijn auto in de straat te parkeren.

Mijn werk bood geen afleiding. De keuze om bij de politie te gaan was vanaf het begin al tweede keuze geweest, maar toen ik van de middelbare school kwam was ik volkomen de kluts kwijt. Wat wilde ik doen? Ik wilde iets goeds doen, werk waar ik iets mee kon betekenen voor de wereld, of om te beginnen voor het land waarin ik woonde. Natuurlijk wilde ik ook een aardige boterham verdienen. Het leger was geen optie door mijn postuur, politieagent wel.

Het viel me tegen... Toen ik ruim tien jaar in het korps van het Leicester City District zat, begon ik gewoonweg aan het idee te wennen dat werk nu eenmaal niet leuk is.

Nu ik zo dicht bij het bureau woon, moet ik mijn leven anders indelen. Was de reistijd vroeger een halfuur, nu is het maar vijf minuten. Dit zorgt voor spanning, want ik heb de ritjes in de auto, op weg naar mijn werk, altijd heerlijk gevonden. De ijzige dauw bij het verlaten van ons huis, de autoverwarming op mijn koude gezicht... Ik kon op de A6 tussen Wigston en het centrum soms eindeloos het gaspedaal indrukken; het had allemaal iets van een goedmaker voor de dag die komen zou, een dag die gevuld was met geweldenaars, drugsverslaafden en winkeldieven, met angstige blikken en hevige scheldpartijen. Soms met tranen.

Het nieuwe appartement is klein en bevindt zich in een angstaanjagend, hoog grijs flatgebouw met achttien verdiepingen. Het biedt uitzicht over de hele stad, maar in niets is er iets gedaan om het enige grandeur te geven. De muren zijn bekleed met panelen van plastic die panelen van hout moesten voorstellen, er hangen tl-buizen in de gang en de plafonds zijn laag, de ramen klein. Er is een inbouwkast in de slaapkamer met afgeronde deurtjes met plastic sierstrips en de keuken bestaat uit een nisje waarin in één enkel meubel een ijskast, gasfornuis, gootsteen en magnetron zitten, dat alles afgeschermd door een gecapitonneerd gordijn met bloemmotieven, omdat de nis zich midden in de huiskamer bevindt. De verhuurder had me verteld dat door dat gordijn de keuken min of meer aan het zicht onttrokken kon worden, maar dat ik door het open te schuiven juist kon pronken met mijn kookkunsten binnen mijn vriendenkring.

Ik bezat noch een vriendenkring, noch enige kookvaardigheid dan wel -kunst, maar ik zei: 'Ik doe het.' En riep de verhuurder op zijn beurt: 'Een uitmuntende keuze!'

Ik ben dit jaar negenenveertig geworden, mijn buik heeft een omvang van honderdvierentwintig centimeter als ik hem inhoud en ik ben zo kaal als een biljartbal. De laatste maanden zijn er dikke opgezette wallen onder mijn ogen ontstaan, met pijnlijke rode bultjes die op stressvolle dagen doortrekken naar mijn wangen en kin. Ik kleed me altijd sportief, draag in huis joggingbroeken en een van mijn tien voetbalshirts. Ik besteed weinig aandacht aan mijn lichaam. Meestal eet ik opwarmmaaltijden van Iceland en drink ik op sommige avonden, als ik me neerslachtig voel, veel en veel te veel bier. Ik denk wel eens: als ik een beetje aan mijzelf zou werken, een *betere* man zou proberen te worden, heb ik vast nog wel kans een vrouw als Susan tegen het lijf te lopen. Maar alleen al daaraan denken voelt als een soort overspel.

Als ik stevig aan mijn geslacht sjor, mezelf hijgend tot een hoogtepunt werk tijdens het bekijken van porno op internet, dan kan ik Susan vergeten. Als ik de jonge soepele lichamen op het scherm van mijn computer zie en de gewillige kreten van de vrouwen hoor, het gegrom van de gespierde mannen en daarna mijn zaad in een zakdoek spuit, valt er een last van me af. Helaas duurt dat maar enkele seconden, want vrij plotseling word ik somber en zelfs boos, was de zakdoek stampvoetend uit in de keukennis. Ik vind het vreemd: hoe ik eerst nog zo vol lust kan zijn, en een ogenblik later als een overwerkte huisvrouw boven de gootsteen hang om de sporen van mijn zaad weg te spoelen...

Het voelt dwangmatig, en ik herhaal het ritueel elke avond een paar keer totdat mijn geslacht rauw en slap is, mijn ballen pijn doen en ik geen geschoren kut of volgespoten gezichten meer kan verdragen en wil slapen.

Op een avond bedacht ik dat ik nu veel vaker porno keek dan de gemiddelde man. Maakte me dat dus een uitzondering? Nee, vast niet, want wie van de geënquêteerde mannen in het tijdschrift zou nou durven toegeven dat ze vaker, misschien wel veel vaker naar porno keken dan slechts eenmaal per week?

Ik kon geen uitzondering zijn.

2

Leicester is een stad zoals bijna elke andere in Engeland. In de buitenwijken heerst ongekende saaiheid, een bijna afgedwongen rust die zich
weergeeft in monotone rijtjeshuizen met opvallend nette tuinen. Hier
in het centrum is het anders, het is een plek waar duizenden auto's per
dag passeren, waar mensen naar hun werk gaan, boodschappen doen en
weer naar huis vertrekken. Overal heerst de drukte van bestelbussen en
openbaar vervoer. Van rennende mensen, ambulances en politieauto's
die af en aan rijden. Sommige delen van de eeuwenoude stad zijn erg
vervallen en vervuild. Als je lang in het centrum woont, schijn je dat niet
meer te zien, maar ik verbaas me er nog elke dag over.

Tot de jaren zeventig was Leicester een industriestad die bekendstond
om zijn levendige handel in vleesproducten en textiel, maar tegenwoordig
staat een groot deel van de oude fabrieksgebouwen leeg. Tegen een uur of
acht in de avond krijgt het geheel iets grimmigs; de rode bakstenen tegen
de grauwe lucht, de brandtrappen die slap langs de muren hangen, in combinatie met de honderden fastfoodrestaurants die het centrum telt. Stuk
voor stuk laten ze hun neonlicht door de straten schijnen. Er is een levendige drugshandel in Leicester. Als je goed kijkt, zie je dealers op straathoeken staan waar ook de camera's van City Eye hun rondjes draaien.

Ooit hoorde ik een oudere man zeggen dat Leicester een plek is om
sneller te sterven, dat je, als je echt een hevig doodsverlangen koestert, je
in deze stad moet vestigen.

Uit onderzoek is gebleken dat mensen in Leicester vaak van baan veranderen, maar bij mij is dat nog nooit opgekomen. Nu ik negenenveertig
ben, is volgens de statistieken de kans bijna 60 procent dat ik niet gemakkelijk een nieuwe baan zal vinden. 40 procent mag niet niets zijn, maar ik
denk daar anders over: er is meer dan de helft kans op werkloosheid.

Toen ik nog met Susan was, deed mijn werk er niet zoveel toe. Ik verdiende inmiddels een aardig salaris als rechercheur, en eigenlijk zag ik mijn baan meer als een bijkomstigheid. Op de eerste plaats stonden mijn vrouw, mijn huis en tuin. Nu ben ik dus alleen nog maar rechercheur, niet meer dan dat.

Tussen een herenkapperszaak en een sandwichshop met de naam Titanic staat het moderne bureau van de politie. Op een plastic plakkaat op het hek staat: ALL VEHICLES ARE PARKED AT OWNERS RISK, NO RESPONSIBILITY IS ACCEPTED FOR ANY INJURY, LOSS OR DAMAGE CAUSED ON THESE PREMISES.

Dat zijn veel woorden voor iets heel simpels.

Mijn werkzaamheden zijn voornamelijk het behandelen van aangiftes van aanranding, misbruik en geweld, zowel binnen- als buitenshuis. Ik weet door de tien jaar waarin ik werkzaam ben als rechercheur, dat geweldsdelicten meestal binnenshuis plaatsvinden. Ik heb ooit een berekening gezien waaruit bleek dat het buiten aanzienlijk veiliger is dan binnen. Dat was een vreemd idee, vond ik.

Dat de wereld een wrede plek is, weet natuurlijk iedereen, maar omdat ik er elke dag, zonder uitzondering, getuige van ben, is die wreedheid iets normaals voor me geworden. Zo gewoon als de IT'er het vindt om te programmeren, zo normaal ben ik het gaan vinden om een verkrachter op te pakken.

'Ieder zijn werk,' zeg ik vaak tegen mezelf. 'Iemand moet het doen,' zeg ik trouwens net zo vaak.

Er zijn natuurlijk uitzonderingen. Enkele jaren geleden heb ik een moeilijke zaak behandeld waarin een oudere vrouw van haar gouden tanden beroofd was. Ik had haar aangifte opgenomen, haar glaasjes water gebracht, en was op zoek gegaan naar aspirine. Ze was achtenzeventig jaar oud, een leeftijd waarop mensen zulke dingen niet meer zouden moeten meemaken. Ik had de zaak niet op kunnen lossen. De vrouw zag slecht en kon met geen enkele omschrijving van de dader komen.

Een jaar nadat ze in mijn kantoortje had gezeten, heb ik haar opgezocht. Ik heb een middag vrij genomen, bloemen gekocht en ben naar haar huis in Clarendon Street gereden.

Wat was mijn bedoeling, vroeg ik me in mijn auto af. De vrouw zou natuurlijk veronderstellen dat er vordering in de zaak was gekomen, dat Steve Mellors, de dikbuikige rechercheur van politie die haar die middag in september had getroost en verteld dat alles wel goed zou komen, de dader had weten op te sporen. Misschien zelfs de juwelen, haar tanden.

Ik gruwelde bij het idee van de gouden tanden die uit haar mond getrokken waren, en vooral van de manier waarop. Met een tangetje was dat gedaan. Knipex was het merk geweest, dat had de vrouw namelijk wél kunnen lezen terwijl ze bezig waren. 'Knipex,' mompelde ik toen ik aanbelde.

Het bezoek was geen succes. De vrouw was duidelijk overstuur, ze had inderdaad verwacht dat er nieuws was, en toen ik haar de bos chrysanten overhandigde, en met mijn hoofd naar de grond gericht vertelde dat de daders nog altijd op vrije voeten waren, was de vrouw in woede uitgebarsten.

'Wat komt u dan in hemelsnaam doen?' riep ze overstuur.

'Ik wilde weten hoe het met u is en u deze bloemen brengen, dat kwam ik doen.'

'Als ik een politieagent over de vloer krijg dan verwacht ik nieuws, dan verwacht ik íets,' stamelde ze.

'Politierechercheur,' mompelde ik, nog altijd naar de grond gericht.

'Vind de dader, meneer de politierechercheur, breng me geen bloemen, breng me de dader, kijk, kijk dan!' riep ze en duwde haar onderlip naar beneden. Toen ik voorzichtig opkeek zag ik de stompjes.

Vind de dader, mompelde ik in de auto op weg naar Mario's Chippery, een van de laatste *fish and chips*-shops in Leicester. De hamburger was de laatste tien jaar zo in populariteit gestegen dat er haast geen fish and chips meer te vinden was. Hoe had ik ook zo stom kunnen zijn om haar te bezoeken, en wat was eigenlijk de reden? Mijn schuldgevoel? Ik dacht onder het eten van mijn patat aan de woorden die ik had geleerd op de politieacademie: 'Je kunt niet meer doen dan mogelijk is.' Vroeger leken die woorden me te makkelijk, maar nu geven ze me voldoening en rust.

Ik ga op weg naar mijn werk, behandel aangiften, ga lunchen en maak mijn verplichte ronde door het centrum. Elke rechercheur moet zichzelf op straat laten zien, om een aanspreekpunt te zijn, om de band met de burger te versterken. In de hal van het bureau hangt een fotocollage met alle dienstdoende agenten en rechercheurs. De dag dat ze mijn foto namen, had ik een enorme kater en rode vlekken op mijn wangen en voorhoofd. Elke werkdag herinnert die poster me aan mijn eenzaamheid.

Na mijn scheiding voelde ik me zwakker, meed de gang langs de cellen waarin de verdachten moesten wachten op een verhoor, of op de komst van het transport naar het hoofdbureau, of het huis van bewaring. Sommigen spogen tegen de glazen deuren, anderen begonnen hysterisch te schreeuwen, of kwamen direct naar het glas en drukten snel op het belletje. Het spel was simpel. Je werd verzocht altijd hetzelfde te zeggen, namelijk: 'Er komt zo iemand bij u, ik kan u niet helpen.' Ik kon het niet langer verdragen, dus liep ik soms vele trappen op om via een andere weg naar de wc's of de uitgang te komen.

Toen ik verhuisde, heb ik een vrije dag genomen. De dag daarop werd ik bij de korpschef geroepen. Hij wilde met me praten, het was niets ernstigs, verzekerde hij me.

Bill Morgan heet hij. Een lange, aantrekkelijke man met een dikke bos zwart haar en een klein leesbrilletje dat altijd om zijn nek bungelt. Ik ben altijd een beetje jaloers op hem geweest, niet dat ik ambities heb of op zijn functie aas, nee, meer omdat Bill Morgan eigenlijk nooit in contact komt met verdachten. Zijn werkzaamheden beperken zich tot het aannemen van nieuwe krachten en het zetten van handtekeningen onder processen-verbaal. Heel af en toe, als er echt iets ernstigs is gebeurd, verschijnt hij in een mooi pak op lokale televisiezenders.

'Ik weet dat je een moeilijke tijd hebt gehad,' begon hij, 'en weet je, ik kan er ook over meepraten.'

Bill was getrouwd met Laura, een mooie jeugdige vrouw, te jeugdig voor Bill, Bill kon haar niet bijbenen. Het liep natuurlijk stuk, en vrijwel iedereen zag dat aankomen. Er waren zelfs weddenschappen afgesloten tussen mijn collega's hoe lang Bill gelukkig zou blijven.

'Het is zwaar ja,' mompelde ik.

'Loeizwaar… maar over een paar maanden kom je erachter dat je ook iets gewonnen hebt, Steve, iets heel belangrijks.'

Ik keek naar de grond, en toen naar de foto van Laura op zijn bureau, daarna weer naar Bill. Ik hoopte niet dat hij zou zeggen: 'Dat je nu single bent', of: 'Je bent nog jong, je vindt een ander', of nog erger: 'Je vrijheid, je bent vrij!' Maar natuurlijk sprak Bill over vrijheid, en over single zijn, en verzekerde hij me dat ik absoluut een nieuwe vrouw tegen het lijf zou lopen, natuurlijk zei Bill dat allemaal. Iedereen binnen het korps wist van mijn scheiding, van mijn verdriet.

'Ik weet heel goed hoe het is,' zei hij tot slot.

Ach ja, dacht ik. Mijn collega's zijn goede mensen, ze hebben het goed met me voor. Dat ik *zielig* gevonden werd, kwam toen nog niet bij me op, dat kwam pas later.

Ik liep terug naar mijn kantoor, sloot de deur, keek op mijn horloge en zag dat het zes uur was. Ik tuurde naar buiten en dacht aan Susan die nu, vele kilometers verderop, worstjes stond te bakken voor Peter Bird, de siergootspecialist.

3

Op mijn computerscherm wordt een vrouw door twee mannen *genomen*. Ik heb er een kunst van gemaakt om precies op hetzelfde moment klaar te komen als de pornoacteurs en verbeeld me met opengesperde ogen hoe ik, Steve Mellors, in het gezicht van deze vrouw spuit en hoe, zoals op mijn scherm, ze mijn geslacht in haar mond neemt om de laatste resten zaad weg te likken.

Nu Susan er niet meer is, zie ik eigenlijk geen reden meer om na mijn werk iets te ondernemen. Ik herinner me hoe Susan me vaak het hemd van het lijf vroeg over wat ik had meegemaakt op mijn werk. 'Niets bijzonders,' zei ik dan.

Ze was dan teleurgesteld, gooide soms boos haar halve kop thee in de gootsteen en vertrok naar bed om daar een thriller te lezen of uren achtereen, zonder een woord te zeggen, naar *The Jeremy Kyle Show* op televisie te kijken.

Had ik haar moeten vertellen over Dolly de heroïnehoer die in elkaar geslagen was door ene Fred, al wist ze dat niet zeker? Over de ramkraak bij Mark Jarvis Racing? Of over de dood gevonden zwerver die altijd ellenlange verhalen vertelde aan de portier, om tussendoor een aantal bekertjes koffie te kunnen drinken? Over een man die zijn vrouw zo in elkaar sloeg dat ze niet meer kon lopen, maar daar absoluut geen aangifte van wenste te doen? Over al die gruwelijkheden?

Misschien wel, misschien wilde Susan het allemaal horen, maar ik had haar willen beschermen voor die wrede, achterlijke wereld buiten de muren van mijn huis, dus vertelde ik haar zelden iets.

Als ik geen porno kijk, dan zit ik te eten boven de salontafel. Ik gebruik inmiddels alleen nog maar een vork, want al het voedsel dat mijn huis binnenkomt is al klaar, zit in plastic bakjes die lichter zijn dan het serviesgoed. Op deze manier kan ik mijn eten in mijn ene hand houden en mijn blik bier in de andere zonder echt moe te worden. Ook zorgt het voor weinig afwas.

De verhuisdozen heb ik nog altijd niet uitgepakt, het lijkt alsof iets me tegenhoudt.

Men zegt dat je pas over een relatie heen komt als je met een andere vrouw naar bed bent geweest. Dat je als je in de armen ligt van desnoods een wildvreemde, een onenightstand, je oude liefde kan vergeten. Ergens moet het met wraak te maken hebben, dat weet ik zeker, en als ik daarover na begin te denken komt steeds het idee bij me op om haar te bellen, haar te vragen waarom ze vreemd is gegaan, en hoe vaak, en hoe het was.

Ik durf het niet. Ik ben vooral bang om Peter Bird aan de lijn te krijgen, bang gekwetst te worden door een persoon die ik alleen van naam ken en die ooit wat klussen voor ons heeft gedaan.

Ik surf uit verveling rond op internet. Ik weet dat relaties tegenwoordig tot stand komen tussen de megabytes en chatrooms en niet meer in de pub zoals vroeger, dus surf ik vanavond rond op Flirtbox, een serieus ogende datingsite voor veertigplussers.

Ik maak contact met een vrouw van zesenveertig jaar. Haar nickname luidt: Mooievrouw46.

Ze omschrijft zichzelf als: 'Gezellig, spontaan, vol humor, gek op de zon en katten, rubensvrouw.'

Ik lees verder. Het mooiste aan zichzelf vindt ze haar rondingen. Zou ik dat ook het mooiste vinden? Vrouwen vinden het fijn als je zegt hun ogen het mooiste te vinden, en geen opmerkingen maakt over borsten en billen; in de beginfase zijn ze meestal allergisch voor seksuele toespelingen.

Ons eerste contact verloopt goed. We hebben zeer afwijkende interessegebieden, maar ik praat met haar mee. Ik ben enthousiast, eigenlijk alleen al omdat deze vrouw met me wil praten.

Of ik langdurige relaties heb gehad? Ja. Of ik een romanticus ben? Ja-zeker.

Onze profielen matchen van geen kant, maar ze lijkt me leuk te vinden. Uit het niets schrijft ze: 'Ik zou je in het echt willen zien, willen voelen.'

Ik trek me af terwijl ik typ. Ergens schaam ik me een beetje, maar ik neem toch aan dat de vrouw ook aan zichzelf zit, waar komt anders de stortvloed aan geile praat vandaan die over mijn scherm rolt?

Als ik haar om een foto vraag, stuurt ze die vrijwel direct. Ik bedenk hoe ze al een aantal flatteuze foto's heeft uitgezocht, om direct in te kunnen gaan op het verzoek van haar mogelijke nieuwe levenspartner.

De foto is onthutsend eerlijk. De vrouw lijkt als twee druppels water op mijn vroegere buurvrouw Lilly Browne: kortgeknipt rood haar, doorlopende kin, roze gebreide trui met twee witte poezen erop. Gouden kettingen om haar gerimpelde nek. Als ik per ongeluk klaarkom, voel ik de lust als een steen wegzakken, sterker nog, ik voel me vies. Opeens is ook de omschrijving totaal niet aantrekkelijk meer. Dat 'rubensvrouw' zit me dwars, ik had niet verwacht dat ik dat zo letterlijk moest nemen. Eigenlijk vind ik de hele omschrijving een leugen. Ik kokhals bij het idee dat deze vrouw met zichzelf zit te spelen voor haar computer.

Ze wil afspreken. Ik zeg dat dat goed is. Ze begint allerlei vunzigheid te schrijven, alsof ze me nóg meer wil overtuigen, maar ik heb er geen zin meer in. Op het moment dat ik mijn computer uit wil zetten lees ik nog: 'Lieverd, waar precies woon je dan in Leicester, en krijg ik je telefoonnummer nog?'

Ik sluit af. Haar telefoonnummer heb ik al.

Ik bedenk opeens dat ze mijn naam niet eens heeft gevraagd, of ik de hare.

4

In het kader van terrorismebestrijding krijgt het hele korps een cursus. De cursus heet: 'Hoe een terrorist te herkennen'.

Ik zit vooraan, tussen Jim Urbels en Arnold Rydal, mijn directe collega's. Het zijn degenen met wie ik vroeger invallen deed bij belastingontduikers en met wie ik soms een marihuanaplantage oprolde. Jim speelt cricket in zijn vrije tijd en praat graag over sportauto's die hij niet kan betalen. Arnold is een voetbalfreak en berucht moslimhater. Hij vindt dat er in Engeland veel te veel toegelaten wordt, dat de landsgrenzen gesloten moeten worden en het vuil moet worden geruimd. Zoals je een vuilniszak op straat zet, moet volgens Arnold de moslim op straat worden gezet. Sinds de aanstelling van een aantal moslims bij het bureau – wat volgens Bill nodig was omdat ongeveer een derde van de stad door moslims wordt bevolkt – houdt Arnold zijn mond.

De cursus is slechts het begin van een reeks en ik word al moe als ik eraan denk. Op televisie heb ik een keer gezien hoe Amerikaanse politieagenten opgeleid worden in het herkennen van zelfmoordterroristen. Ik zag hoe de cursusleider een bomriem omdeed, daaroverheen een regenjas. Inderdaad, dacht ik toen ik de man zag staan, het is een gevaar, als je het zo laat zien is het absoluut een gevaar.

Er is speciaal voor de gelegenheid een cursusleider uit Londen overgekomen. Hij heet Paul Bullow en spreekt op een rare monotone wijze, alsof er binnen in Paul geen mens zit, maar een computer. Zijn woorden zijn raak en maken de cursisten bang, en dat is duidelijk de bedoeling.

'We beperken ons niet alleen tot hun mogelijke doel, wat natuurlijk Londen zal zijn, maar we willen zorgen dat het hele land zich ervan bewust is waar de gevaren schuilen, en hoe we die gevaren zo goed mogelijk een halt toe kunnen roepen,' zegt Paul. Hij kijkt hierbij steeds iedereen aandachtig aan, met een mechanische manier van hoofd bewegen; van rechts naar links, een kleine pauze en weer van links naar rechts, als een ruitenwisser.

Ik zie hoe Arnold aandachtig zit te luisteren en hoe hij, als Paul het woord 'aanslag' uitspreekt, zijn vuisten gebald houdt.

Paul spreekt over screentesten op de vliegvelden, over onze beveiligingsdiensten die tot op zeer grote afstand bommen kunnen ontdekken, en over speciaal opgeleide honden. Het is een moderne tijd, zegt hij, een tijd waarin we – als we zouden willen – álles kunnen zien. Hij vertelt dat sinds 9/11 25 procent minder mensen gebruikmaken van het openbaar vervoer. Dat de grote metrostations hun beveiliging hebben verdrievoudigd. Hoe er al vele miljarden zijn geïnvesteerd in de veiligheid van de burger, maar dat het nog niet genoeg is.

'Het is toch godgeklaagd,' mompelt Arnold en stampt met zijn voeten op de grond.

Arnold heeft geen enkele slechte ervaring met moslims, dat weet ik vrij zeker, maar toen we met z'n allen aan de televisie gekluisterd zaten toen de vliegtuigen in de Twin Towers verdwenen, heeft hij het licht gezien. De tijd daarna begon het onderwerp 'terrorisme' zijn werkdagen te beheersen. Als de gelegenheid zich voordeed, sprak hij nergens anders over.

'Alles wat wij opgebouwd hebben zullen ze kapotmaken!' had hij een keer geroepen vanachter zijn bureau. Er was geen echte aanleiding, geloof ik. Ik vroeg me af of hij zijn net verbouwde huis, zijn leaseauto en seizoenskaart bedoelde, of de hele westerse beschaving.

Is het verlangen om de wereld te behoeden voor het kwaad een raar verlangen? Is wat hem bezighoudt niet juist heel normaal? Was ik niet ooit bij de politie gegaan om iets goeds te doen voor mijn land en zijn inwoners? Misschien vergis ik me en is terrorismebestrijding gewoon de opvolging van nazismebestrijding en wordt Arnold op een dag net zo'n held als Churchill ooit was. Misschien heeft de wereld het ook nodig om bang te zijn, moeten mensen zich inzetten voor hogere doelen, of die nou realistisch zijn of niet, gewoon om jezelf bezig te houden, omdat er niet zo heel veel is tussen de geboorte en de dood, maar toch, was het 'terrorisme' op straat niet genoeg? Waren alle 'gevallen' die hij elke dag te behandelen kreeg niet erg genoeg? Die week had hij twee verkrachtingen, vier gevallen van diefstal, autokaping, tasjesroof en vele caféruzies mogen behandelen. Hij had zich volledig in kunnen zetten voor de bescherming van de westerse wereld, hij had deel uitgemaakt van criminaliteit en geweldsbestrijding. Was dat, op zijn eigen niveau, niet gewoon voldoende?

Natuurlijk hield ik mijn mond. Vooral omdat ik had gehoord wat hij een week geleden tegen Jim had gezegd bij de koffieautomaat. Ik was op weg naar de wc's op de bovenste verdieping. Als aan de grond genageld stond ik stil op de negende trede. 'Mellors, ja, die is zielig, hè, die heeft zijn beste tijd gehad,' hoorde ik Arnold tegen Jim zeggen. Ze moesten allebei lachen, zo niet proesten. Ik kon niets zien, maar ik hoorde hoe een van de twee een gek loopje deed. Ze moesten nu schaterlachen. 'Die is goed, man, trouwens, je bent zelf ook wat aangekomen,' zei Arnold.

Ik was toen maar snel naar boven gelopen, naar de wc's, om daar een paar sudoku's op te lossen.

5

Als ik met mijn hoofd in mijn nek mijn zesde blik bier leeg en de stroompjes vocht langs mijn mondhoeken voel sijpelen, weet ik zeker dat alles mislukt is. Dat ik, Steve Mellors, mislukt ben.

Vroeger kon ik na mijn werk nog genieten van mijn tuin, mijn vrouw, sommige amusante televisieprogramma's, een lekkere Indiase maaltijd; nu kan ik bijna nergens meer van genieten.

Ik heb overwogen naar een psychiater te gaan, me langdurig ziek te melden, ik heb tal van dingen overwogen, maar het is allemaal slechts bij een overweging gebleven.

Ik rangschik mijn sportschoenen en stop wat kleren in de wasmachine. Ik vermijd de spiegel in de gang. Als ik me somber voel, maakt het zien van mijn gezicht alles nog erger dan het al is.

Ik eet een *stew* van lamsvlees en koolrabi die maar één pond kost bij Iceland. Eet een zak chips leeg en daarna nog een aantal energierepen. Ik voel me beter als mijn maag gevuld is.

De ergste momenten zijn als ik mezelf van een afstand zie zitten in de weerspiegeling van de ramen. Ik zie een dikke, kalende man in een voetbalshirt, lubberende joggingbroek en voeten in instappers gestoken. Ik probeer een moment te lachen, te schaterlachen zelfs, net als Jim en Arnold dat om mij deden, maar het effect is dat ik tranen in mijn ogen krijg. Ik sluit de gordijnen steeds vroeger op de avond.

Ik weet niet of je over een passie kan spreken, maar als ik later op de avond mijn computer aanzet en met mijn koude handen mijn geslacht hard probeer te krijgen, voel ik toch iets wat lijkt op hoop. Echt zin heb ik niet, maar ik moet wát. Als ik een close-up van een natte kut zie, kijk ik met verbazing hoe mijn piemel meteen rechtovereind gaat staan. Dat is het dus, dat is dus het enige waar ik nog goed voor ben.

Ik bekijk een filmpje dat ik al honderden keren heb gezien. Ik word nog altijd opgewonden van deze brunette met haar mooie borsten. Ze heeft een klein buikje, wat ik heel sexy vind. Ik spoel verder en zoek ondertussen naar een tissue, maar kan die niet vinden. Als ik geen tissue bij de hand heb om in klaar te komen, kan ik me niet goed concentreren. Met mijn stijve geslacht loop ik naar de keukennis en scheur een stuk keukenpapier af, hol terug, met mijn joggingbroek om mijn enkels. Dan, als ik in het gedeelte zit waarin de brunette van achteren wordt genomen en de man zijn ballen tegen haar schede laat kletsen, loopt mijn computer vast. Eerst probeer ik nog een nieuw filmpje te openen, maar tussen de bestanden klik ik per ongeluk op de foto van Mooievrouw46 en krijg die vervolgens niet meer van mijn scherm.

'Vuile trut!' roep ik naar mijn computer en blijf ondertussen hardhandig aan mijn lul trekken; ik weet dat ik onmogelijk nog klaar kan komen als ik nu stop.

In paniek pak ik de telefoon en toets het mobiele nummer van Susan in.

Ik krijg haar direct aan de lijn, ze zegt: 'Met Bird, met wie spreek ik?'

Ik voel mijn geslacht verslappen, en als reactie daarop trek ik nog harder.

'Susan, het is Steve,' zeg ik met overslaande stem.

'Steve?' zegt ze duidelijk verbaasd.

'Susan,' begin ik en bevochtig mijn piemel met wat speeksel, 'Susan,' zeg ik nogmaals. Het voelt nu niet prettig meer, hij lijkt in brand te staan, toch trek ik verder.

'Ik had je iets gevraagd, Steve,' zegt ze een beetje nijdig. Het is de stem van iemand die gewend is geraakt aan paniek, dat herken ik maar al te goed, het overslaan van de stem halverwege de zin, mijn naam die hard en onherkenbaar uit haar mond klinkt, alsof het niet mijn naam is, maar die van een callcentermedewerker die beloofd had niet meer te bellen.

'Ik weet het, Sue, maar ik moet je iets belangrijks zeggen.'

'Noem me geen Sue, ik heet Susan. Als je nu met een zielig verhaal komt, of met dingen die in jouw hoofd o zo belangrijk zijn maar er totaal niet toe doen, of met vragen, met van die domme vragen, dan hang ik meteen op, Steven!'

Ze noemt me Steven... Mijn geslacht verschrompelt, ik kijk er verdrietig naar. Mijn piemel is rimpelig en schandalig klein.

'Ga je me nog vertellen waarom je me belt? Ik heb nog heel veel te doen vandaag, mijn man komt zo terug, ik heb het druk.'

'Ben je nu getrouwd met hem?' vraag ik terwijl ik mijn joggingbroek omhoogtrek.

'Ja,' zegt ze. Nu hoor ik door de nijdigheid een sprankje geluk in haar stem. Dat sprankje verscheurt me.

'O,' zeg ik en tuur door de kamer, laat mijn blik over de eettafel, de boekenkastjes, de tv-stoel, het computermeubel en tot slot het computerscherm gaan. Mooievrouw46 lacht naar me. Vanaf deze afstand is ze een grote roze vlek met blosjes op de wangen.

Susan zucht, ze zegt: 'Blijf even hangen, ik krijg een wisselgesprek.'

Tijdens het wachten zoek ik naar iets van haar. Een foto, of een kledingstuk dat ik achterover heb weten te drukken, maar ik vind alleen een kleine teddybeer aan een gebroken koordje. Die hing in haar auto, aan de achteruitkijkspiegel. Zelfs van die teddybeer heeft ze afstand gedaan. Ik zet het beest naast me op de bank. Dan komt ze weer aan de lijn.

'Oké. Klaar. Zeg het maar, wat is er zo belangrijk?'

Ik stamel, weet niet wat ik moet zeggen, eigenlijk belde ik om me af te kunnen trekken bij haar stem, net zoals ik dat deed als we samen in bed lagen, toen was haar rustige ademhaling al genoeg om me binnen korte tijd te laten komen. Ik herinner me hoe ik voorzichtig trok om haar niet wakker te maken, zonder geluid te maken klaarkwam en daarna mijn onderbroek met minuscule trekjes omhoogschoof en een paar minuten zo bleef liggen, wachtend op de opdroging van mijn zaad, om me daarna tegen haar aan te vlijen en in een diepe slaap te vallen.

'Hallo?' zegt ze, 'ben je er nog?'

'Ja, ik ben er,' zeg ik.

'Ga je me nog vertellen waarvoor je belt of is dit wat ik denk dat het is?'

Ik luister naar de hatelijke spanning tussen de woorden. Ik zeg niets.

'Zal ik het je zeggen? Je belt omdat je eenzaam bent, je denkt dat alles wel weer goed komt, en nu je gehoord hebt dat ik getrouwd ben met Peter weet je niet meer wat je moet zeggen.'

Ik denk na. Ik overweeg het contact onherstelbaar te maken door te vertellen over mijn intenties, maar in plaats daarvan zeg ik: 'Nee, ik wilde je laten weten dat het huis is verkocht.' Waarom ik dat zeg weet ik niet, want het is niet zo, maar het was het eerste wat bij me opkwam.

Het wordt stil aan de andere kant van de lijn. Ik hoor getik op de achtergrond. Misschien is ze ondertussen broccoli aan het snijden, of bloemkool.

'Hoor je me? Ons huis is verkocht!' Ik merk dat ik de woorden bijna schreeuw.

'Rustig maar, ik hoor je. Gefeliciteerd, Steven, hartelijk gefeliciteerd.'

Ze hangt op zonder me dag te zeggen, zomaar. Ik luister een paar minuten naar de ruis op de lijn. Het zoemt en knettert in mijn oor, het is een heel rustgevend geluid. Dan sta ik op en loop naar mijn computerscherm en grijp hard in mijn kruis. Mijn piemel is nog steeds verschrompeld. Zal ik de computer opnieuw opstarten en me aftrekken bij een filmpje? Als ik Mooievrouw46 in de ogen kijk, zakt de lust weg. Ik sjok naar mijn slaapkamer en plof neer tussen de dekens en kussens die rommelig over de matras verspreid liggen.

6

Hoewel we ons niet voortgeplant hebben, en ik ook geen alimentatie of iets dergelijks hoef te betalen, is het huis iets wat ons bindt. Meteen na de scheiding kwam Susan met een stapel gekopieerde bankpapieren: het was waar, ze had de helft van de hypotheektermijnen betaald en was in feite mede-eigenaar van het huis aan Britford Avenue. De kans is vrij groot dat zij, of misschien zelfs de siergootspecialist, binnenkort om het geld zou komen vragen, dus besluit ik Karl Schurmann te bellen; ooit een schoolvriend, nu makelaar te Stoneygate.

'Het is natuurlijk geen echt *hot item*, dat weet je zelf ook wel, toch? Het is ook niet echt een buurt waar mensen tegenwoordig in willen investeren,' zegt Karl aan de lijn.

'Ik ben er toch ook ooit gaan wonen? Er zijn vast mensen die het willen kopen, een familie, of iemand die van tuinieren houdt.'

'Van tuinen houdt natuurlijk iedereen,' zegt hij, 'staat er nog iets in, heb je een fontein of een mooi terras?'

'Het was een moestuin.'

'Kas?'

'Nee.'

Er wordt gezucht aan de andere kant van de lijn. Het huis is geen plaatje en inderdaad geen hot item, maar het is redelijk groot, van alle gemakken voorzien, het heeft twee badkamers en een flinke zolder, leg ik Karl uit.

'Ik stuur wel iemand naar het adres, ik ga het een en ander uitrekenen, ik moet hier een prijs aan toekennen, dat snap je toch wel?'

Dat snap ik maar al te goed.

Als ik heb opgehangen, zie ik hoe Arnold in de deuropening staat. Hij lurkt van zijn bekertje koffie. Bij ons drinken rechercheurs uit mokken en politieagenten uit plastic bekertjes. Verschil moet er zijn.

'Ben je je huis aan het verkopen?' vraagt hij.

Ik knik.

'Zal moeilijk worden, zal heel moeilijk worden,' zegt hij terwijl hij naar de grote stapels papier op mijn bureau kijkt. Hij wijst er achteloos naar, maar zegt niets. Ik haal mijn schouders op, om beide dingen; het huis en de stapels papier.

'Het zijn slechte tijden, banken geven geen hypotheken, mensen raken vaker huizen kwijt dan dat ze huizen kopen, en daarnaast, de buitenlanders pikken al onze banen in. Zo kan Ahmed de bommengooier wél een huis kopen en Arnold de politieagent niet, snap je?'

'Ik heb geen haast,' zeg ik en kijk in Arnolds koele groene ogen. Ik heb al langer het gevoel dat er iets aan deze jongen niet klopt. Als een politieagent iets te fanatiek is, iets te bevooroordeeld, vormt die meteen een maatschappelijk gevaar, heb ik op de politieacademie geleerd.

'Ik ga vanavond naar Walkers Stadium,' zegt hij dan.

'O,' zeg ik en tuur naar mijn computerscherm. In de rechteronderhoek springt een pop-up van een pornosite omhoog. Ik krijg hem niet weggeklikt, steeds zie ik een foto van een blondje die dingen schrijft als: 'Kom je ook uit Leicester, lieverd?' en: 'Ik heb een kletsnat kutje.'

'Heb je hulp nodig?' vraagt Arnold en loopt naar me toe. Ik druk snel met mijn knie tegen de aan en uitknop van de computer. Er klinkt zacht gezoem.

'Nou houdt hij er helemaal mee op,' mompel ik en tuur samen met Arnold naar het nog naknetterende computerscherm.

'Gewoon even opnieuw opstarten, Steve,' zegt hij terwijl hij naar de deur loopt. Onderweg gooit hij zijn lege bekertje in de prullenbak en hij slaakt een kreet. Iets als: 'Yes!', omdat hij raak gooide, omdat hij gewoon een enorme eikel is.

Als ik weer alleen ben, zet ik de computer weer aan. Hij geeft een aantal foutmeldingen. Ik heb niet netjes afgesloten en krijg ongevraagd een kleine cursus hoe ik dat in het vervolg wel kan doen. Ook moet ik zo snel mogelijk een virusscan laten uitvoeren, want ik loop groot gevaar. Mijn computer kan overgenomen worden door virussen met exotische namen die al mijn gegevens zullen vernietigen. Waarschijnlijk komt het door de porno. De laatste maanden kijk ik tussen de aangiften door naar porno zonder geluid. Het is vreemd als het gekreun ontbreekt, een stuk minder opwindend ook, maar hoe dan ook kom ik op deze manier mijn werkdag beter door. Nooit heb ik me afgetrokken in dit kantoor, nooit zal ik dat ook doen. Wel kneed ik tegen vijven zachtjes mijn lul door de stof van mijn broek, wat me in principe nog geiler maakt; zodra ik thuis ben ren ik naar de computer, rits mijn gulp los en begin al te sjorren als hij bezig is met opstarten.

Aan het einde van de middag, als ik alle aangiften netjes in het centrale basissysteem heb ingevoerd, open ik mijn e-mail. Er is een privébericht in mijn Flirtbox-inbox van Daniella84. Het onderwerp van het bericht luidt: 'Mijn kutje is een plek om gelukkig te worden'.

Ik surf snel naar de datingsite en open het bericht.

Hey nieuwe *member*,
Ik ben Daniella, 24 jaar en kom uit Roemenië. Ik studeer economie en heb sinds een paar dagen een bijbaantje. Ik heb grote borsten en mooie benen. Misschien iets voor jou?
Hopelijk tot snel!
Liefs en natte zoen,
Daniella

Op haar profiel is slechts één foto te zien. Ze heeft donkere, dromerige ogen en kijkt een beetje onzeker in de camera, houdt haar lippen licht getuit. Aan de rechterkant van de foto zie ik dat ze online is.

Om met haar te kunnen chatten moet ik een *full member* worden, dus voer ik het nummer van mijn creditcard in, mijn woonplaats en geboortedatum. Ik moet een aantal gegevens invullen, zoals mijn geslacht, leeftijd, lengte en gewicht. Ik vind honderd kilo wel een mooi streven, dus vul ik dat maar in. Nu mag ik aangeven waar ik naar op zoek ben. Elke wens in uiterlijk en afkomst is al voor mij aangevinkt, ik hoef alleen maar af te vinken waar ik geen belangstelling voor heb. Het kost te veel tijd en dus laat ik het zoals het is en klik snel verder.

'Mijn kutje is een plek om gelukkig te worden,' fluister ik zachtjes en ga terug naar het bericht en open haar profiel. Ze is gelukkig nog online.

Ik druk op de knop 'Chatten'.

Een klein venster verschijnt op het scherm, in de hoek zie ik haar foto weer, nu een stuk groter.

'Hey jij,' typt ze meteen.

Ik typ: 'Hey, ik kreeg je bericht net, ik zag het binnenkomen.'

'Hoe heet jij?'

'Arnold,' typ ik.

'En jij heet Daniella?' vraag ik.

'Yep,' schrijft ze.

'Mooie naam,' typ ik.

Meteen staat er in mijn scherm: 'Thanks Arnold.' Dan: 'Ik wil jou wel zien.'

Ik schrijf haar dat ik hier geen webcam heb, maar thuis wel. Dat ik over een halfuur thuis kan zijn en dat ze me dan kan zien als ze dat wil.

'Nee, suffie, in het echt, bedoel ik,' schrijft ze.

'Waar zit je dan?' typ ik, gevolgd door een smiley.

'Ik zit in het centrum, maar lieverd, wil je echt met me afspreken?'

Net nadat Susan opgebiecht had vreemd te zijn gegaan, was ik een avond naar een bordeel in Liverpool gegaan met het idee haar terug te pakken. Ik was expres de stad uit gegaan omdat ik toch bang was iemand tegen te komen. Ik had verstijfd aan de bar gezeten en bier gedronken en was daarna onverrichter zake weer naar huis gekeerd. Het idee dat het toch weer goed zou kunnen komen en dat ik het dan zou verpesten, maakte me doodsbang.

'Ja,' schrijf ik, 'ik wil met je afspreken.'

'Oké, zeven uur?' schrijft ze.

'Prima,' schrijf ik. 'We hoeven niet echt iets te doen hoor,' schrijf ik er snel achteraan.

'Lieverd, het is fun, echt, ik wil je heel graag ontmoeten. Het is makkelijk te bereiken vanuit het centrum. Lower Brown Street, ken je die?'

Ik schrik. Lower Brown Street is de straat pal achter mijn huis, een straat vol verweerde fabrieksgebouwen en schimmige parkeerterreintjes.

'Waar op Lower Brown Street?' vraag ik.

'Midden op Lower Brown Street staat een grote fabriekshal, met kleine schoorsteentjes en een puntdak. Twee grote blauwe fabrieksdeuren. Kun je niet missen. Je moet aan de zijkant aanbellen bij het bordje Roma Trading Co.'

'Oké,' schrijf ik, 'tot zo dan.'

'Tot zo lieverd, en neem een goed humeur mee!'

Altijd voltrok alles zich eendimensionaal. Ik koos een filmpje en trok me af op iets waar ik geen invloed op had. Nu voelt het meteen al anders, vooral omdat de toon al is gezet; hier gaat het niet om dating, het gaat om seks. Dat idee zorgt voor rillingen over mijn rug. Ik druk de website weg, verwijder de browsergeschiedenis en sla van opwinding hard op mijn nietmachine. Wie had dat ooit gedacht. Hier vlakbij, eigenlijk tegenover waar ik woon, is een plek waar mannen met vrouwen neuken. Terwijl ik thuis aan mijn lul trek, is het echte werk nog geen honderd meter van mij verwijderd!

Ik trek mijn jas aan en verlaat mijn kantoor. Op de gang houdt Bill me staande en vraagt hoe het gaat.

'Goed,' zeg ik, 'ik moet weg.'

'Ga je naar voetbal?'

'Nee, ik ga naar huis,' zeg ik en steek mijn hand naar hem op. Hij roept me nog iets na wat ik niet kan verstaan, maar Bill kennende was het iets als: 'Heerlijke avond, beste man!'

7

Ik neem een douche en haal de dikke laag eelt van mijn voeten, poets mijn tanden meerdere malen, trek met een pincet gemiste haartjes van mijn net geschoren schedel. Ik zoek naar een nette trui, of een hemd, maar die zitten allemaal in vuilniszakken in de berging, beneden in het gebouw. Ik besluit een spijkerbroek met spijkerhemd aan te doen, en als ik in de spiegel kijk, vind ik dat ik iets weg heb van een cowboy. Een moderne cowboy, en eigenlijk voel ik me ook zo, ik voel me de enige cowboy op de prairie, een die iets goed te maken heeft met zichzelf en de wereld, maar alleen nog niet weet hoe.

Om precies vijf voor zeven verlaat ik mijn appartement. Ik knars met mijn tanden en pulk nerveus aan mijn nagelriemen als ik op de lift wacht. Mijn handen ruiken gelukkig heel fris.

Als ik buiten ben, zie ik onmiddellijk de twee blauwe schuifdeuren van het fabrieksgebouw. Ik bedenk opeens dat het helemaal geen fabrieksgebouw is, maar een voormalig slachthuis. Zou ze dat weten? Vroeger was het eigendom van Walker's en werden daar varkens geslacht. Leicester staat vol met slachthuizen, ze zijn te herkennen aan een lange diepe geul die onder de deuren door de straat op loopt. Zo konden ze begin twintigste eeuw makkelijk het bloed afvoeren. Die geulen zijn er nog steeds, en deze loopt helemaal richting Wellford Road, buigt dan ergens af en houdt, zoals bij oude treinsporen, opeens op.

Als ik aanbel bij de deur aan de zijkant van het gebouw stijgt de spanning. Ik zie Montfort House omgeven door zwarte, kolkende wolken. Ook zie ik dat ik het licht in mijn appartement vergeten ben uit te doen.

'Ja?' hoor ik een krakerige stem zeggen.

'Goedenavond, ik kom voor... Daniella,' fluister ik.

De deur wordt opengedaan. Ik stap een lange gang in, bekleed met stalen platen. Er hangen schroeven los en hier en daar staan dozen met pluggen op de grond, alsof ze nog niet klaar zijn met een verbouwing.

'Hallo!' roep ik als ik in de grote fabriekshal sta. Overal liggen autobanden en autowrakken. Vroeger stonden hier de bestelbusjes van Walker's.

'Goedenavond meneer,' zegt een stem ergens aan het einde van de ruimte. Ik weet niet goed waar het geluid vandaan komt en zeg: 'Waar bent u?'

'Recht voor u,' zegt de stem.

Het is donker, de betonnen vloer is ruw en onregelmatig. Met mijn voet voel ik de rand van de geul. 'Godvergeten bloedstad,' mompel ik.

'Kan ik ergens over vallen? Kan ik ergens mijn nek over breken?' stamel ik.

'U bent er bijna,' zegt de stem.

Dan zie ik een langgerekte balie van hetzelfde plaatstaal als in de gang. Er staat een gestalte maar ik kan hem nauwelijks zien. 'Nick, dat is mijn naam,' zegt hij.

'Arnold,' zeg ik, 'aangenaam.'

Hij is geen Engelsman, dat hoor ik aan zijn accent. Ik zie zijn handen, maar zijn gezicht kan ik niet zien. Misschien is dat ook de bedoeling; op deze manier kan ik Nick niet tegenkomen in de Tesco of bij Starbucks.

'Ik heb een afspraak met Daniella,' zeg ik.

Ik betaal hem zeventig pond en loop achter hem aan naar een ruimte die ingericht is als bar. Er hangen kroonluchters en aan de roodpluchen wanden hangen vergulde spiegels in krullende lijsten; de rijen drankflessen schitteren in het licht.

'Mijn collega zal u wat inschenken, het meisje komt u vanzelf ophalen, als u even geduld hebt,' zegt hij. Nog steeds heb ik zijn gezicht niet kunnen zien, zelfs zijn kleding zou ik niet kunnen omschrijven. Er is hier iets met het licht gedaan, ze hebben geprobeerd een plek te creëren waar iedereen anoniem is.

Een grote donkere man achter de bar schenkt bier in. Ik vroeg om een halve pint, ben bang dat ik niet de tijd heb hem op te drinken.

Er verstrijken vele minuten en ik begin steeds zenuwachtiger te worden. Stink ik? Krijg ik mijn piemel überhaupt omhoog? Had ik me niet eerst af moeten trekken om zeker te zijn dat mijn lul nog omhoogkomt? Opeens wordt het idee om juist hier, in dit bordeel, impotent te blijken het meest beschamende wat ik me voor kan stellen.

Dan voel ik een hand op mijn schouder. De hand lijkt haast door mijn huid te gaan, ik voel een aangename warmte waarvan ik niet weet wat het is. Ik ben al in geen tijden meer door een vrouw aangeraakt. Dit is het begin, zeg ik in mezelf. 'Dag Arnold,' hoor ik dicht bij mijn oor. 'Ik ben er,' stamel ik en draai me voorzichtig om. Ik kijk naar een zo volmaakt onschuldig gezicht dat ik spontaan tranen in mijn ogen krijg. Ze draait een rondje en kijkt me aan. Ik ben een beetje verslagen en haal onhandig mijn schouders op, weet niet goed wat ik moet doen. Misschien moet ik iets zeggen?

'Je bent mooi,' besluit ik te zeggen.

'Dank je, kom je mee?'

Snel veeg ik mijn zweterige hand af aan mijn broek, zoek in de duisternis de hare, en vind die heel gemakkelijk. Met gemak leidt ze me door een nog donkerder ruimte dan de fabriekshal. Ik ben niet bang meer, voel de kleine warme hand in mijn handpalm en weet dat alles goed zal komen. We lopen samen een trap op en bereiken een lange gang die het meeste weg heeft van een goedkoop, ordinair motel. De deuren zijn bekleed met rood pluche, net als de wanden beneden in de bar.

'Ik woon hier ook nog eens, hoe vind je dat?' zegt ze als we in haar kamer staan.

Ik kijk rond terwijl ze wat kaarsjes aansteekt. De toilettafel is uitbundig ingericht, er hangen spiegels, een rijtje knuffelbeesten staat op een plank. Verder een oude koffer, een fles drank en kleine glaasjes, waxinelichtjes in felgekleurde plastic bakjes. Aan de muur hangt een reproductie van *De kus* van Gustav Klimt en daarnaast een poster van *Pocahontas* van Disney.

'Waar kom je vandaan?' vraag ik.

'Uit Roemenië,' zegt ze. Haar stem is zacht maar schor, klinkt ergens een beetje triest; je zou het doorleefd kunnen noemen.

'Hoe oud ben je?' vraag ik.

'Vierentwintig, en jij?'

'Negenenveertig, oud hè?' Ik leun ongemakkelijk tegen de deur.

'Shtt,' zegt ze, draait zich om en kleedt zich langzaam uit. Ik zie hoe prachtig haar huid is, haar rug heeft kleine kuiltjes als ze zich buigt. Alles is even aantrekkelijk, alles is even overweldigend; ze draagt teenslippers.

'Heel vervelend, maar ik moet heel nodig naar de wc,' zeg ik, 'sorry, moet al heel lang eigenlijk.' Ik heb buikpijn, van de spanning waarschijnlijk.

'Dat kan, als je de gang door loopt de laatste deur aan de rechterkant,' ze wijst naar de deur, verbergt haar blote borsten met haar armen.

Ik glimlach zenuwachtig en zeg: 'Ik schiet op hoor.'

Op de wc hou ik mijn piemel in mijn hand. Echt levenloos ziet hij er niet uit, maar wel opvallend klein. Ik wiebel er een moment mee maar laat het dan voor wat het is, ik word er alleen maar moedeloos van. Ik voel in de zakken van mijn spijkerbroek, die rond mijn enkels zit. Er zit wat kleingeld in en een verwassen briefje van vijf pond. In de achterzak zit een papiertje dat een boodschappenlijst moet zijn geweest. 'Bonen, brood, meel, wasverzachter, dikke bleek, kaas, allesreiniger, wattenstaafjes' kan ik lezen, de rest is weggevaagd. Onderaan staat slechts een deel van een woord: 'pons', staat er. Terwijl ik mijn billen afveeg, bedenk ik dat het tampons moeten zijn. Het zal dus al meer dan een jaar in mijn broek zitten, stamt nog uit de tijd dat ik op donderdagavond na werktijd boodschappen deed.

Er zijn mensen die het gênant vinden om tampons of maandverband te kopen, maar ik niet, ik heb het altijd als een compliment gezien; het bewijst dat ik niet alleen ben, dat ik een vrouw heb.

Als ik terugloop naar Daniella's kamer, moet ik opeens aan de film *Taxi Driver* denken. Aan Iris.

'Sweet Iris,' zegt Travis Bickle als hij haar voor het eerst bezoekt.

'Zo,' zeg ik als ik de kamer binnenkom en de deur zachtjes sluit. Overal in de kamer branden kaarsjes en zij ligt onder de dekens, haar dekbed tegen haar kin gedrukt. Ik denk in het kaarslicht een glimlach te zien, maar als ik dichterbij kom weet ik dat niet meer zeker. Ze kijkt bezorgd.

'Je gulp staat open,' fluistert ze en wijst naar mijn kruis.

'O god,' zeg ik en doe mijn gulp snel dicht.

Ze moet lachen. 'Eigenlijk mag je hem weer opendoen, Arnold. Je mag alles uittrekken en hier komen,' ze tilt heel langzaam haar dekbed omhoog, dan weer omlaag. Ze is naakt en knipoogt naar me.

Hij raakt haar niet aan. Travis raakt Iris niet aan.

Als ik mijn sportschoenen uittrek, mijn spijkerjasje over een stoelleuning hang en mijn spijkerbroek netjes opvouw, zie ik opeens onze echtelijke slaapkamer voor me. Susan vond het heel vervelend als ik mijn kleren zomaar op de grond gooide. Ik moest ze netjes opvouwen en op de ladekast leggen.

'Ik kan daar niet tegenop strijken,' zei ze dan vanuit bed.

Mijn schoenen moesten altijd op de gang, omdat ze stonken.

'Zo,' zeg ik en voel hoe mijn hart bonst. Mijn handen trillen, maar ze kan dat niet zien, daarvoor is het te donker in de kamer.

Terwijl ik gespannen naast haar ga liggen, probeer ik te denken aan wat een schoolvriend me ooit vertelde: dat van heel dichtbij alle vrouwen op elkaar lijken, dat er eigenlijk weinig verschil is.

'Je bent koud,' zegt ze als ze tegen me aan kruipt.

'Sorry,' zeg ik.

8

Op andere vrije dagen sta ik vroeg op om iets van mijn dag te maken, maar vandaag lig ik langer dan gebruikelijk in bed. Ik krijg het meisje niet meer uit mijn hoofd. Elke keer als ik me omdraai, draait ze met me mee en wikkel ik me gelukzalig in mijn dekbed, zoen de binnenkant van mijn arm; de enige huid die niet ruw is, die op haar huid lijkt. Gedurende de ochtend ga ik een paar keer naar de keukennis voor wat lekkers: ik eet *mellowcakes* en een halve zak chips in bed, blader door de YellowPages op zoek naar een bezorgrestaurant voor iets hartigs, maar alles is nog gesloten.

In de middag loop ik dromerig door The Highcross Mall, een groot winkelcentrum midden in de stad. Ik kijk een tijd naar twee enorme insecten van plastic die in de centrale hal staan. Een dertig keer vergrote sprinkhaan en een gigantische vlieg, zijn het. Pas na een paar minuten valt me op dat ze heel langzaam bewegen.

Als ik Highcross uit loop, wordt me een creditcard aangeboden. Ik neem vriendelijk een folder in ontvangst en zeg dat ik er thuis even rustig over na wil denken.

In Granby Street eet ik een kipburger met patat. 'Chicken Street' noemde Susan die straat altijd, omdat er wel tien restaurants zitten die alleen maar kipgerechten verkopen.

Die avond doet mijn internet het niet en trek ik me af bij een video die *Sticky Fingers* heet. Hij is oud en ik vind hem saai. Vooral het decor werkt op mijn zenuwen. Er is in oudere porno nog te veel aandacht besteed aan de aankleding van de kamer, ook zit er een heus verhaal in, alsof de regisseur eigenlijk hogere ambities had. Nee, geef mij maar porno waarin de kleren al lang en breed uit beeld zijn, nergens omheen wordt gedraaid, niet gezoend of gestreeld wordt, waarin meteen aan pikken wordt gezogen.

Ik kan me niet concentreren, zie steeds de donkere ogen van het meisje voor me, haar dikke zwarte haar, de olijfkleurige schouders, de kleine moedervlek onder haar neus, de donshaartjes die daar groeien... Er is daar iets bijzonders gebeurd, dat weet ik nu wel zeker. Ik denk aan hoe ze met haar vlakke handen over mijn rug wreef, haar voeten gekromd tegen mijn onderbenen. Toen ik ze even vastpakte zei ze: 'Ah, dat kriebelt', met een stem zo zacht en lief dat mijn geslacht nu verslapt.

Ik denk aan de scène in *Taxi Driver* waarin Travis Betsy, een activiste van een senator op wie hij later een aanslag wil plegen, op hun eerste date meeneemt naar een peepshow. De verbazing die op zijn gezicht te lezen is als ze beledigd de bioscoop verlaat, die verbazing vind ik angstaanjagend mooi. Dat is het begin van de vereenzaming die haar intrede doet als de *do's and don'ts* van de maatschappij je vreemd zijn geworden, als je zo vervreemd bent dat die do's and don'ts er gewoon helemaal niet meer toe doen.

Dan bel ik Susan.

'Steven, dit is de tweede keer in één week tijd dat je belt, ik had je iets gevraagd, weet je dat nog?' Haar stem klinkt als die van een peuterleidster die een kind uitlegt dat het niet gebruikelijk is om op haar schoot te kruipen.

In mijn rechterhand hou ik mijn ineengekrompen lul, in mijn linker de kleine teddybeer van Susan. Opeens word ik kwaad. Kwaad om mijn slappe geslacht, kwaad op haar. Ik smijt de teddybeer naar een plantje dat even gevaarlijk wankelt, maar niet valt.

'Luister naar me, alsjeblieft Susan, luister naar me,' zeg ik.

'Ik zit hier niet alleen, Steven, wat is er nu weer?'

'Ik wil weten of ik echt zo slecht ben als je zei, of ik echt niet weet wat een vrouw wil, dat zei je toch?'

'Steve... alsjeblieft, dit heeft geen zin, en je wordt hier niets beter van.'

Ik raap de teddybeer op en loop naar het raam. Ik ben spiernaakt en de gordijnen zijn open. Ik kijk naar mijn geslacht dat ineengekrompen onder mijn buik hangt, zoals het er nu uitziet belooft het niet veel goeds meer vanavond.

'Ik wil het godverdomme weten, Susan!' schreeuw ik en probeer met mijn vrije hand mijn lul stijf te krijgen.

'Ik ga ophangen, ik heb hier geen zin in, echt niet,' zegt ze.

'Alsjeblieft, vertel het me, ben ik zo slecht, zo'n ondermaatse bedpartner... Ben je dan alles vergeten?' Ik merk dat ik tranen in mijn ogen krijg als ik dat mompel, toch sjor ik als een bezetene door, maar er komt geen verandering.

'Waarom doe je dit? Waarom wil je dat weten, wat maakt het nu nog uit wat ik van je vond? We zijn uit elkaar!'

'Het maakt álles uit, Susan, ik moet het weten, anders word ik gek, anders ga ik gekke dingen doen,' zeg ik en plof weer neer op de bank. Ik ben er klaar voor, denk ik, kom maar op, nu ga je het me allemaal haarfijn vertellen.

'Wacht, wacht,' zegt ze zachtjes.

Ik probeer aan natte kutjes te denken, aan lullen die erin stoten, aan grote borsten, maar in plaats daarvan zie ik mezelf boven op Susan liggen die zich dood houdt en zegt: 'Ben je nou al gekomen of hoe zit het?' Die woorden had ik uit alle macht geprobeerd uit mijn geheugen te wissen, maar nu liggen ze weer voor me, samen met de gespannen sfeer, de slaapkamer in het huis aan Britford Avenue, de schaamte en het verdriet, ja met werkelijk alles eromheen.

Opeens hoor ik haar stem, duidelijk vanaf een plek buiten. Ik hoor het ruisende geluid van de wind in de bomen: 'Je was vreselijk, Steve. Je was lief, gevoelig en zo, maar niet gepassioneerd, je bakte er gewoon niets van. Sorry, maar ik heb er nooit van gehouden om met je te vrijen,' zegt ze.

'Zo,' zeg ik.

'Wat?'

'Ik zeg: zo, dat is eruit.'

'Nee, waarom doe je dit? Waarom in godsnaam?'

'Omdat ik van mijn vragen af wil, omdat ik het recht heb om het te weten.'

'En ben je nu blij, Steven, ben je blij dat je weet dat je er nooit iets van hebt gebakken tijdens die paar minuten die je het volhield?'

Ik pak mijn geslacht vast. Het is gek, denk ik, mijn lul en ballen passen tezamen in mijn handpalm.

'En Peter, Peter Bird, neukt die je wel gepassioneerd, Susan, houdt die het wel lang vol?'

'Je gaat te ver; ik hield van je, Steven, ik hield echt van je, maar je was ook gewoon een kind, je was aandoenlijk, een beetje...' Ze schraapt haar keel.

'Een beetje wat? Maak af,' fluister ik.

'Laat me met rust! Laat me nou met rust, ik ga ophangen!' roept ze.

Ik ga weer staan en druk de hoorn tegen mijn oor. Ik ben me pijnlijk bewust van mijn naaktheid, van mijn dikke buik, scheve benen en kale kop, van alles. Ik loop naar het raam en doe het open.

'Luister, ik sta hier poedelnaakt, voor een open raam midden in het centrum van de stad. Ik probeer me af te trekken op je stem maar krijg mijn lul niet stijf. De vorige keer dat ik je belde deed ik precies hetzelfde, ook toen lukte het me niet. Ik wilde naar de hoeren gaan, maar kreeg hem daar ook niet stijf, alles mislukt, Susan. Ik ben naakt. Wat was ik een beetje, vertel me wat ik een beetje was?'

'Een beetje zielig, je was een beetje zielig, Steven,' zegt ze met een piepende stem. Ik hoor haar opeens snikken. Dan begint ze te schreeuwen.

'Je huilt, je hebt toch nog een klein beetje gevoel voor me,' zeg ik, 'op dit moment laat ik mijn verschrompelde lul aan heel Leicester zien en jij bent mijn getuige!'

De verbinding is verbroken. Ik trek een sprintje naar de keukennis, trek een blik bier uit de ijskast en drink het leeg. Nu kan ik dan eindelijk afscheid nemen, nu is de toon gezet.

9

Er zit een man met sluik blond haar tegenover me die ik bijna dagelijks vanuit mijn raam naar zijn werk zie gaan. Hij is monteur bij British Gas en woont ergens in de kleine arbeidershuisjes, bij mij om de hoek.

Ik heb koffie voor hem gehaald en start mijn computer op. Deze handeling voer ik nu al zo'n tien jaar precies op dezelfde manier uit: ik haal koffie of thee waar de aangever bij staat. Ze zien me onhandig op verschillende knoppen op de automaat drukken en lopen daarna met me mee de trap op naar mijn kantoor, gaan in de stoel tegenover mijn bureau zitten en zuchten meestal aanstellerig. Dan start ik mijn computer op en log in op het aangiftesysteem en vraag met de handen in elkaar gevouwen: 'Hoe kan ik u helpen?' Het klinkt misschien wat dramatisch, maar dit ritueel vat misschien wel mijn hele tegenwoordige leven samen.

'Ik woon in Sanvey Gate, en ik heb enkele vreemde bevindingen gedaan, meneer...'

'Mellors,' zeg ik, terwijl ik intyp: 'Heeft enkele vreemde bevindingen gedaan.'

'Meneer Mellors, ik ben elektrotechnicus van beroep. Ik werk al ruim twintig jaar voor British Gas en aangezien ik hier in de buurt voor alle aansluitingen verantwoordelijk ben, weet ik het een en ander méér dan de meeste mensen. Stroomverbruik is een open boek. Ik kom soms vreemde dingen tegen... Onthutsende dingen.'

'Aha,' zeg ik. Arme man, denk ik, arme elektrotechnicus. Ik bekijk hem terwijl hij zijn verhaal doet, typ: 'Heeft onthutsende bevindingen gedaan' en voel diep medelijden. Wat zielig, denk ik, wat triest dat zijn werk zo weinig afleiding biedt dat hij nu aangifte komt doen van grootverbruik, oftewel: een wietplantage.

'Op een middag word ik naar een adres gestuurd op Soar Lane, vlak bij de Soar River, een gebouw waar vroeger de melkwagens van Kirby & West vertrokken, weet u wel?'

'Dat ken ik, ik woon er zelf vlakbij,' onderbreek ik hem snel.

'Nou kijk! Ik ging daar dus heen omdat de nieuwe huurder twee nieuwe aansluitingen nodig had, en ik kom daar binnen in de hal waar vroeger de wagens stonden, weet u wel, die groen met bruine wagens vol melkflessen van Kirby & West. Ik liep daar even rond en zag zelfs lege melkkratten op de grond staan met het embleem van Kirby & West erop, ik weet dus waarover ik spreek, en daarnaast, bijna iedereen weet dat Kirby & West daar vroeger zat.'

'Ouwehoer,' typ ik in. 'En wat was het dat u aantrof waar u nu mee bij mij komt, als ik vragen mag?'

'Een moment, meneer… Ik werd naar een ruimte geleid, achter de koelcellen. Daar trof ik toch wel een heel vreemd bouwwerk aan. Opgebouwd uit isolatieplaten en blauwe zeilen, zeg twee meter hoog, en zeker tien meter breed. Het rook er heel vreemd, meneer…?'

'Mellors,' zeg ik weer.

'Pardon, meneer Mellors. Maar goed, ik kreeg de kans niet om verder onderzoek te doen, want de eigenaar vroeg of ik koffie wilde en loodste me snel naar de machinekamer, waar de aansluitingen van gas en elektra zitten, mijn terrein zogezegd. Ik zag daar een aantal gloednieuwe luchtafvoersystemen staan, en twee krachtstroommeters. Pas toen ik die zag, kon ik de geur thuisbrengen die ik in de hal ook rook, waar vroeger dus de wagens van Kirby & West stonden. Snapt u waar ik naartoe wil, meneer Mellors?'

'U denkt dat het een wietplantage is?'

'Een heel grote zelfs,' zegt hij met blosjes op zijn wangen. Hij kijkt me triomfantelijk aan, knikt een paar keer en zegt dan: 'Ja, ja, wie had dat ooit gedacht, hè.'

'Niet te geloven,' zeg ik en vertel de man dat ik dit ga bespreken met de korpschef. Dat we dan wellicht tot actie overgaan en dat ik hem op de hoogte zal houden. Dan zeg ik dat de politie hem dankbaar is voor het doen van zijn burgerplicht. Ik walg zo langzamerhand van die woorden. Wat zou het fijn zijn als ik niets te maken had met aangiften, processen-verbaal en invallen, met verhoren en diepgaande onderzoeken, wat zou het toch fijn zijn als alles teruggebracht werd tot een versimpeling van de dingen.

'Ik ben blij dat het van mijn hart is, agent,' zegt hij en steekt zijn hand uit.

'Rechercheur,' zeg ik en schud zijn hand.

'Ach, een echte rechercheur, wel heb ik het ooit! Nou, ik hoop dat jullie ze bij de kladden pakken!'

Zodra ik de man heb uitgelaten, doe ik mijn deur op slot en surf naar Flirtbox. Er hebben vele honderden vrouwen naar mijn profiel gekeken, en dat verbaast me, want ik heb geen foto toegevoegd. Het zal wel komen doordat ik elke mogelijke wens in uiterlijk, afkomst en leeftijd aangevinkt heb gehouden. Als ik mijn profiel goed bekijk, moet ik concluderen dat ik van alle markten thuis ben. In wezen maakt het me geen ene fuck uit wie mijn nieuwe partner zal worden.

Daniella is online. Ze heeft een nieuwe foto toegevoegd waarop ze zwoel in de camera kijkt.

'Hey,' typ ik in het chatscherm.

'Hey Arnold,' schrijft ze.

'Hoe is het met je?'

'Goed, heel goed, met jou?'

'Ik verveel me een beetje,' schrijf ik.

'Wil je langskomen? Ik heb een plekje vrij om zes uur precies.'

'Oké,' schrijf ik, 'zal ik om zes uur langskomen?'

'Prima, *love*, ik wacht hier op je.'

Als ik de internetbrowser wegklik, zie ik dat het interne systeem een verbindingsfout heeft gemaakt. De aangifte van de elektrotechnicus is onvindbaar. Ik probeer heel in het kort de feiten weer op papier te zetten, maar kan me nu al weinig herinneren van wat hij vertelde, sterker nog, ik kan niet eens meer op de naam van de man komen. Ik zet mijn computer uit. Als het écht belangrijk is, zullen meer mensen aangifte doen, en dat is heel waarschijnlijk; de inwoner van Leicester is een zeer oplettende burger die met alle plezier zijn of haar buurman verlinkt.

Het is lief, het is bijna vertederend om ons samen te zien zitten op dat bed, omgeven door waxinelichtjes en zachte muziek. Ik gestoken in mijn werkkloffie, zij in een van de veelkleurige negligés die haar baas voor haar kocht.

Terwijl ze mijn broek losknoopt, moet ik weer aan *Taxi Driver* denken.

'Misschien is dit toch niet zo'n goed idee,' zeg ik en knoop mijn broek weer dicht. Ze gaat verslagen op het bed zitten. 'Vind je me niet mooi?' vraagt ze.

Travis Bickle knielt neer voor Iris en zegt: 'Dat is het niet, dat is het niet.'

Ik zeg hetzelfde, alleen staand, haar blik ontwijkend.

'Wat wil je dan, je bent hier toch om plezier te maken?' Ze loopt naar me toe en knijpt zachtjes in mijn kruis.

Ik ben een cowboy. Ik duw haar hand weg en zucht.

Als we weer naast elkaar op haar bed zitten, aait ze me over mijn hoofd. Ik leg mijn hand op haar warme rug. Wat miste ik die warmte, wat hunkerde ik naar de warmte van een vrouwenlichaam.

'Sommige dingen zijn niet goed,' zeg ik na een lange stilte.

'Zoals?'

'Zoals dit, dit is niet goed.'

Ze geeft een zoen op mijn wang. Ik tuur naar het wollige rode tapijt. Het is niet goed gelegd. Overal zijn bulten te zien.

Heb ik haar nu geholpen? Waarschijnlijk niet echt. Als ik de enige ben die haar zeventig pond betaalt voor een broek die aan blijft, dan heeft het natuurlijk niet veel zin, maar je moet ergens beginnen.

'Het is voor mijzelf,' zeg ik.

'Ik snap het, je hoeft het niet uit te leggen, je bent een goed mens, Arnold.'

'Steve,' mompel ik.

'Anca,' zegt ze. Haar bruine ogen glinsteren. Ik hoop stiekem van tranen, of geluk, ik hoop haar verdriet te zien, zodat ik haar kan troosten. Als ik voorzichtig over haar been aai, trekt ze snel haar dijen uit elkaar, pakt mijn hand en leidt hem naar haar kruis. 'Wil je toch, love?' zegt ze.

'Nee,' zeg ik en trek mijn hand weg, 'ik wil zo blijven zitten, niets doen. Ik wil rust, dat alles weer normaal is, ik wil verder met mijn leven.'

Het is eruit voordat ik het weet en ik heb direct spijt, maar dan drukt ze me voorzichtig tegen zich aan en aait over mijn hoofd, als een moeder die haar zoon troost nadat hij haar verteld heeft waar het allemaal mis is gegaan, en hoe, en vooral: waarom.

10

De werkdag begint met het tweede deel van de cursus 'Hoe een terrorist te herkennen'.

Met een glimlach op mijn gezicht luister ik naar Paul Bullow, die deze keer vertelt over de 'drie M's': *men*, *munition* en *money*. Deze drie onderdelen zijn volgens Paul het begin van de opsporing van terrorisme. Ergens moeten de terroristen gerekruteerd worden, moeten ze hun wapens vandaan halen, en op een nader te onderzoeken manier komen ze aan het vermogen om die wapens te kunnen kopen. De drie M's zijn slechts ingangen, zegt Paul. Door een wapenhandelaar op te sporen kun je de terroristen achterhalen, door internationale geldtransacties te volgen en veranderingen in gedrag in de gaten te houden kun je de terrorist achterhalen. Dan is er nog de verblijfplaats, de papieren, ga zo maar door. We moeten een terroristische organisatie zien als een heus bedrijf. Met sollicitanten, richtlijnen en een salaris, ja, zelfs met een bonusregeling. Iedereen moet lachen, behalve Arnold, die zich duidelijk zit op te winden en steeds afkeurend zijn hoofd schudt.

'Men moet niet denken dat de terrorist van vandaag zich in een djellaba hult, een lange baard draagt en met een koran onder zijn arm door het centrum loopt. Nee, de terroristen van vandaag zien er net zo uit als iedereen, zijn meestal al jaren ingeburgerd, hebben vaak een familie, een koophuis in Oadby, ze doen alles om maar niet op te vallen,' zegt Paul, 'ze zijn taaier, voorzichtiger. Het zijn professionals.'

'Het kan dus je buurman zijn,' zegt Arnold met zijn armen over elkaar gevouwen.

Paul knikt. 'Je buurman, of een medewerker van de supermarkt, de schoonmaker van de school waar je kinderen op zitten. Iedereen kan het zijn. Zelfs je baas zou een terrorist kunnen zijn.' Iedereen blijft stil tot achter in de ruimte de lach van Bill Morgan klinkt. Dan beginnen ze te brullen van plezier.

Paul heeft een voorhoofd vol diepe groeven en donkere wallen onder zijn ogen. Hij ziet er bepaald niet gezond uit. Zou een dreigende aanslag in de metro hem uit zijn slaap houden?

'Vorige maand gaf ik deze zelfde cursus in Birmingham en toen is er iets heel interessants gebeurd.' Paul kijkt langzaam door de zaal, van links naar rechts, van voor naar achter; iedereen kijkt hij priemend in de ogen, hij slaat geen agent over. Ik vraag me af of hem dit zo geleerd is, of hij jaren geleden in een zaaltje zat bij de cursus 'Hoe neemt men u serieus in het bedrijfsleven' of 'Aankijken met een vast hoofd en zonder trillende handen'.

'Zoals ik net al vertelde, zijn de drie M's het begin van de opsporing. Het laatste onderdeel, money, is een van de moeilijkste, omdat geldstromen nu eenmaal makkelijk te maskeren zijn. Na afloop kwam er een rechercheur naar me toe die even met me wilde praten. Of ik daar tijd voor had. Natuurlijk had ik daar tijd voor! Deze beste man vertelde dat hij zich bezighield met de opsporing van verdovende middelen en dat hij al een paar maanden transporten in de gaten houdt die van Liverpool naar Londen en andere steden gaan. Cocaïne en xtc, daar ging het volgens hem om. Nu zullen jullie je afvragen: "Paul, wat hebben drugs met terrorisme te maken?"'

'Inderdaad,' klinkt er uit de zaal. Ik vermoed dat het Arnold is, maar weet het niet zeker.

'Precies, dat is wat iedereen in eerste instantie zegt, maar waar kwam ik achter met hulp van deze oplettende rechercheur? Dat money natuurlijk geen terrorist op de rug groeit, dat het érgens vandaan moet komen. Ik startte een onderzoek en kwam erachter dat jullie eigen Leicester een rol speelt in de financiering van terroristische organisaties.'

Iedereen is doodstil, zelfs ik moet toegeven dat het verontrustend klinkt. In Leicester, denk ik, in deze doodsaaie stad staat iets te gebeuren.

Bill gaat naast Paul staan, met zijn handen in zijn zij. Hij veegt een lok haar uit zijn gezicht en kijkt dan net zo strak en serieus de zaal in als Paul doet.

'Bill hier wist er al van, maar om geen onnodige onrust te veroorzaken en zo voorzichtig mogelijk te werk te gaan, zo *volledig* mogelijk ook, krijgen jullie het nu pas te horen. Anders dan gangbare criminaliteit is terrorisme zeer gevoelige materie, het ontglipt je zo.' Paul knipt onhandig met zijn vingers. Ik moet erom lachen, maar gelukkig merkt niemand het.

'In onze stad?' hoor ik Arnold vragen.

'In jullie stad ja. Wat is jouw naam?' vraagt Paul.

'Rydal, meneer, Arnold Rydal,' antwoordt hij zenuwachtig.

'In jóuw stad, Arnold!' zegt Paul en slaat met zijn hand op de stadsplattegrond aan de muur.

'We weten nog niet precies waar, maar op dit moment zijn verschillende opsporingsmedewerkers naar ze op zoek,' zegt Bill.

Hier en daar buigen hoofden zich bijeen en er worden handgebaren gemaakt. Ik hoor dingen als: 'Niet te geloven!' en: 'Had jij dat ooit gedacht?'

Ik let op de gezichten van mijn collega's. Kijk naar hun slecht zittende uniformen en de manier waarop ze zenuwachtig met hun handen op hun knieën tikken. Als rechercheur mag ik gelukkig dragen wat ik wil. Als je bij de politie je gewone kleren draagt, heb je een goede functie. Bill bijvoorbeeld draagt een double-breasted pak met een gestippelde stropdas en mooie glimmende schoenen. Ik draag meestal een nette broek en een overhemd met een trui. Heel af en toe een jasje, maar alleen als het officieel is. Vandaag draag ik de spijkerbroek en het spijkerjasje die ik voor Anca had aangetrokken.

'Twee weken geleden hebben we op Heathrow een verdachte opgepakt die met een groot geldbedrag op weg was naar het Midden-Oosten. Hij had dertigduizend pond in een gordel om zijn buik en borst en zoals jullie misschien wel weten zijn de medewerkers van de douane zeer doortastend. Het geld werd onmiddellijk ontdekt en de man reageerde gelaten, verzette zich nauwelijks. Hij was gewoon een loopjongen, vertelde hij. Wie zijn opdrachtgevers waren? Geen idee, hij kende ze niet bij naam, kreeg alleen een rijtje adressen waarover het geld verspreid moest worden. Doodlopende zaak, zou je zeggen, maar toch maakte de organisatie waar hij voor werkte een cruciale fout, heren: de verdachte had een bankrekening waar elke twee weken een bedrag op werd gestort. Samen met mijn collega ben ik op onderzoek uitgegaan en stuitten we op een zakelijke rekening van een bouwbedrijf in Liverpool. Toen we verder zochten naar hun activiteiten vonden we een vertakking aan geldstromen die door ons hele land liepen. Het meest opvallende was een steeds terugkerend bedrag van een ons toen nog onbekend bedrijf in jullie stad. Mijn collega van de narcotica hield dus al een tijd transporten in de gaten die vanuit Liverpool geregeld werden. Steeds raakte hij de ladingen uit het oog, wel noteerde hij de data van aankomst en de data waarop hij de ladingen kwijtraakte. Steeds een dag na aankomst van de lading maakte het bedrijf in Leicester een groot geldbedrag over op de rekening van het bouwbedrijf. Het was een heel constante relatie die de twee bedrijven met elkaar hadden, al jaren ging het precies op dezelfde manier. Het bedrijf in Leicester stond in het handelsregister en had een lopende rekening bij Barclays. We zijn naar Barclays gegaan en hebben daar de rekeninggegevens opgeëist. Nergens waren namen te ontdekken, wel kregen we inzage in de bij- en afschrijvingen en ik kan zeggen, het zijn professionals, mensen die weten wat ze doen, en toch, heren, toch maakten ze weer een cruciale fout…'

Paul kijkt triomfantelijk de zaal in, sommige agenten grijnzen naar hem: het is toch fantastisch hoe Paul Bullow die cruciale fouten weet te ontdekken!

'Een ons toen nog onbekende figuur doet op 17 september vorig jaar een kasstorting van vijfduizend pond op de rekening van het bouwbedrijf. De man wordt gevraagd zich te legitimeren, en dat schrikt hem af, voorheen was dat namelijk niet nodig bij een contante storting. De medewerker van de kas heeft er verslag van gedaan: "14:33: Meneer kan zich niet legitimeren, zegt niet te weten dat dat verplicht is bij het doen van een kasstorting. Na een beetje zoekwerk in zijn jas overhandigt hij ons toch zijn rijbewijs. Folder meegegeven over de nieuwe legitimatiewet."'

Iedereen moet lachen, en hoewel ik het helemaal niet grappig vind, lach ik maar mee.

'Wat een idioot!' roept Arnold naar Paul.

'Inderdaad, en het mooiste is dat deze man zich nergens van bewust is. De kasstorting is een jaar geleden gedaan en hij heeft er niets van gehoord. Mogelijk is hij iemand die helemaal geen grote rol speelt in deze organisatie en heeft hij het hele voorval bij de bank verzwegen voor zijn baas. Maar het mooie is wel dat deze meneer ingeschreven staat in de stad. Hij heeft een adres, een vast telefoonnummer en zelfs een internetverbinding met een snelheid van 56 MB per minuut.'

'Dat is sneller dan ik heb,' zegt Bill. Weer moet iedereen gieren van het lachen.

'We gaan dit gezamenlijk aanpakken,' zegt Paul, 'ik hoop dat jullie je bewust zijn geworden van wat er gaande is en melding maken waar nodig. Dat jullie je ogen openhouden.' Hij maakt een gebaar met zijn vinger, van zijn rechteroog naar de agenten in het zaaltje en weer terug. Ik zie hoe Arnold enthousiast hetzelfde gebaar naar Paul maakt. Misschien is dit Arnolds roeping, is het zelfs beter dat hij bij terrorismebestrijding aan het werk gaat. Hij is ambitieus, zeker, maar ambitie is soms totaal overbodig binnen een politiekorps. Je hebt veel meer aan menselijkheid, aan een logische manier van denken. Je moet natuurlijk scherpzinnigheid bezitten, maar tegelijkertijd moet je zo onbevooroordeeld zijn als een pasgeboren kind.

Ik denk aan Anca. Aan de kleine kraaienpootjes en haar gelakte teennagels. Aan de pluchen knuffelkoe die ik vanmorgen voor haar gekocht heb bij de supermarkt.

'Zoiets liefs heeft nog niemand me gegeven, en helemaal niet iemand van jouw leeftijd,' zal ze straks zeggen.

'Een knuffelkoe is voor alle leeftijden, dat weet je toch wel?' antwoord ik dan. Ik bedenk dat ik eraan toe moet voegen dat hij maar drieënhalve pond kostte, en dat ik gewoon boodschappen deed en hem opeens zag staan; benadrukken dat het niets bijzonders is, maar ik weet dat dat er natuurlijk totaal niet toe doet, dat het om het gebaar gaat.

Als Paul is vertrokken, keert Arnold zich naar me toe.

'Steve, had jij niet een aangifte van een wietplantage in de stad? Ik hoorde dat van Evan, de man van British Gas.'

Tact, *tact*, denk ik.

'Ja,' zeg ik, 'maar dat heeft hier denk ik niets mee te maken.'

'Je weet het nooit, straks is er toch een verband,' zegt hij.

Ik schud mijn hoofd. 'Nee, dit gaat om harddrugs,' zeg ik. Hoe kon ik zo dom zijn om die aangifte te laten verdwijnen in een stad waar iedereen iedereen kent. In ieder geval weet ik nu dat die zielepoot Evan heet.

'We pakken ze allemaal, de smeerlappen, de varkens,' zegt hij zonder te schreeuwen, zonder dat in zijn gezicht enige boosheid te zien is, alsof hij gewoon al een hele tijd zo over van alles en nog wat denkt, zo tegen zichzelf tekeergaat in zijn badkamer, voor de spiegel. Hij neemt een teug van zijn koffie, dan loopt hij weg.

Hij is dit jaar zesentwintig geworden. Hij woont in een klein appartement net buiten de stad. Hij vertelde een keer tijdens de lunch dat hij als scholier al bij de politie wilde. Voor hem was het een jongensdroom die in vervulling was gegaan, heel anders dan bij mij dus.

Toch is er een overeenkomst tussen ons: ook hij wilde iets doen waarmee hij kon laten zien dat hij een goed mens was.

11

'Wat lief,' zegt ze als ik de knuffelkoe onder mijn jack vandaan trek. Ze zet hem aan het voeteneinde van haar bed, naast een grote roze beer en een vaalgroene krokodil. 'Die twee heb ik op straat gevonden,' zegt ze, 'zomaar bij het vuilnis lagen ze.'

We doen nog steeds niets, en nog belangrijker, vind ik: ze stelt het niet eens meer voor. Ik laat haar praten tegen het honorarium van een advocaat. Als ze iets over dat bedrag zegt, zeg ik stellig: 'Het maakt me geen moer uit, echt geen moer!'

Ik bedenk hoe ik nu al dagen achter elkaar elke avond naar het slachthuis sluip en door Nick naar de bar word gebracht. Daar gespannen in de hoek wacht tot ze me komt halen, zelfs de drankjes de laatste dagen oversla; ze heeft brandewijn op haar kamer.

Ik vertel weinig over mezelf. Hoewel ze me tussendoor een heleboel vragen stelt, weet ik ze kundig te omzeilen door heel diep te zuchten en naar de grond te kijken. Als ze me op een moment vraagt wat mijn werk is, zeg ik zonder erbij na te denken: 'Drie keer raden.'

'Je ziet eruit als een...'

'Als een wat?' zeg ik.

'Taxichauffeur!'

'In één keer raak,' roep ik, 'hoe doe je dat?'

Ze haalt haar schouders op. 'Gewoon,' zegt ze trots.

Ik voel me ongemakkelijk, probeer me te concentreren op dingen in haar kamer, staar een hele tijd naar de Disney-poster aan de muur.

'Waar wil je het over hebben?' vraagt ze na een korte stilte.

'Over jou.'

'Wat wil je weten?'

'Nou, bijvoorbeeld: waarom zit je in Leicester, *of all places*?'

'Ik studeerde economie in Boekarest, maar toen werd ik ziek en kon daar niet geholpen worden. Ik vertrok naar Duitsland omdat mijn grootouders vroeger prachtige verhalen over Duitsland vertelden en we bij ons thuis vloeiend Duits spraken, maar in Duitsland konden ze me ook niet helpen, eigenlijk konden ze me nergens helpen, behalve hier. Medische zorg is onbetaalbaar in Roemenië. Als je ziek wordt en je hebt geen geld, ga je gewoon dood. We waren erg arm thuis. Op mijn twaalfde verjaardag bijvoorbeeld kreeg ik van mijn ouders een kistje met fruit. Ik kan het me nog goed herinneren: twee granaatappels, twee gewone appels, een peer en zeven gele pruimen. Ik was er dolgelukkig mee, vooral omdat ik weet hoeveel moeite mijn ouders daarvoor hadden gedaan. Nu zie ik ze in groten getale in de supermarkt liggen, is dat niet gek?'

'Overal is het anders,' fluister ik en ga met mijn handen door haar haar.

'Door de armoede zijn mijn ouders uit elkaar gegroeid. Mijn vader was leraar op een basisschool. Hij bracht elke maand zijn kleine inkomen naar een bureau om een familieschuld af te betalen. Hij wilde ons huis niet kwijt, dat huis was heiliger dan welke kerk ook... wacht...' Ze staat op en pakt een ingelijste foto van de kaptafel en stopt hem in mijn handen.

'Dat is het huis,' zegt ze. Ik kijk naar een vergeelde foto van een vervallen, bakstenen gebouw omgeven door fruitbomen. De witte luiken voor de ramen hangen allemaal scheef en naast de voordeur staat een man met een grote zwarte snor.

'Dat is mijn vader,' zegt ze, 'toen hij nog een snor had.'

'Mooi,' zeg ik zachtjes en hou de foto een stukje van me af, alsof ik het dan nog beter kan beoordelen, 'mooi', zeg ik weer.

'Mijn moeder werkte vijfhonderd kilometer van huis,' gaat ze verder, 'ze sliep in haar kantoor. Ze had daar een klein butagasje waar ze thee op zette. Ze leefde op blikken tomatensoep. Ik ben daar als kind maar één keer geweest, maar ik mocht niet naar binnen van haar, ze wilde niet dat ik zou zien hoe ze leefde. In mijn dromen sta ik vaak voor de deur van haar kantoor, maar die deur blijft altijd gesloten voor me.'

'Wat deed je moeder dan?'

'Ze was dokter, wetenschapper. Ze deed onderzoek naar baarmoederhalskanker onder jonge meisjes. In Roemenië krijgen heel veel jonge meisjes dat, maar ze weten nog altijd niet waarom. Ze kreeg geen subsidie. Ze deed het denk ik voor mij, omdat ik het ook kreeg.'

In mijn hoofd formuleer ik vragen, vragen als: 'Je bent slim genoeg, kun je geen ander werk doen?' en: 'Word je slecht behandeld door je baas?' Maar de enige die ik stel, is: 'Eet je gezond?'

'Ik eet hier veel beter dan thuis,' zegt ze, 'veel kaas en groente, dingen die goed voor mij zijn, al krijg ik vast een buikje.'

'Maar nu is alles goed?' vraag ik.

'Ik denk het wel, maar kinderen zal ik nooit kunnen krijgen, dus ik ga kinderen adopteren. Ik ga in een groot huis wonen met een heleboel katten en kinderen. Ik heb een vergunning om in Engeland te wonen. Ik mag mijn studie overal ter wereld afmaken. Of dat nu in Engeland of Noorwegen is, dat maakt niemand iets uit. Elke dertig dagen meld ik me bij de immigratiedienst, elke dertig dagen krijg ik een verlenging. Het is alsof ik elke dertig dagen mijn geluk af mag halen,' zegt ze.

Ze streelt de knuffelkoe en zegt dat ze misschien wel in jaren nog nooit zoiets liefs heeft gekregen van iemand.

Ik haal mijn schouders op en zoen haar op haar wang.

'Het is tijd,' zegt ze, 'het spijt me.'

'Geeft niets,' zeg ik.

's Nachts word ik wakker van het onweer. Toen ik nog met Susan was, sliep ik door alles heen. Niets kon me uit mijn slaap halen. Op sommige ochtenden stond ze stilletjes op, deed de afwas en stond in de gang te strijken als ik strompelend in mijn badjas de trap af kwam. Ze vertelde dan al uren op te zijn, ze had al zóveel gedaan, wat een heerlijke ochtend had ze gehad.

Sinds ik in Montfort House woon, word ik wakker van werkelijk alles: het getik van de radiator, zacht geschuifel over de vloer boven mijn hoofd. Van geluiden van buiten krijg ik trouwens niet veel mee; deze appartementen zijn gebouwd als bunkers: driedubbele ramen, en muren van een halve meter dik beton.

12

Ik wandel ontspannen door de straten, draag een kort, grijs windjack, een spijkerbroek en mijn *desert boots*. Als ik in de weerspiegeling van de etalage van een telefoonwinkel kijk, zie ik dat ik er helemaal niet zo slecht uitzie.

'Het gaat nu om zoveel meer... Om liefde en een hoop andere belangrijke dingen,' mompel ik terwijl ik Charles Street in loop.

Het is maandag. Op deze dag vliegen de aangiften me om de oren. Het is een algemeen bekend feit dat veel geweldsdelicten die net voor of tijdens het weekend plaatsvinden, pas op maandag gemeld worden. Net zoals in de wachtkamer van de huisarts zit het politiebureau vanochtend vol met problemen.

Tegen tienen, als ik mijn vierde beker thee opheb, een boterham met worst en een Twix, zit er een vrouw tegenover me. Ze is aan het schelden op van alles en nog wat. Alice Mcintosh heet ze. Ze is een bekende van het bureau, een drugsverslaafde die al menige auto in de binnenstad heeft opengebroken in de jaren die ze nu in Leicester doorbrengt. Ze zwierf eerst door Londen en maakte zich daar schuldig aan winkeldiefstallen in supermarkten. Daarna gaf ze zich een periode uit voor collectant van het kankerfonds. Met een kaalgeschoren hoofd ging ze langs de deuren. Toen dat uitkwam, werd ze op verzoek van de Kankerstichting enige tijd vastgezet, ze zou op die manier haar lesje leren. Toen ze vrijkwam, zag ze dat sommige supermarkten een foto van haar in de etalage hadden gehangen met haar naam en leeftijd erbij en de boodschap dat ze een veelpleger was. Dat werd haar te veel. Ze pakte haar biezen en vertrok naar Leicester, waar niemand haar kende, waar nog van alles mogelijk was.

Ze moet vroeger een schoonheid zijn geweest, dat is aan alles te zien.

Nu heeft ze ingevallen wangen, jukbeenderen die uit haar gezicht steken en talloze wonden op haar voorhoofd. Een halfjaar geleden werd kanker bij haar geconstateerd en nu is ze daadwerkelijk kaal door een reeks chemokuren. Mijn collega's moesten allemaal lachen toen ze dat hoorden, maar hoe ironisch het ook mag zijn, ik vind er niets grappigs aan.

Ze komt een stapel autoradio's terugbrengen, iets wat ze geregeld doet om te laten zien dat ze niet van kwade zin is, en vooral omdat ze als de dood is weer te worden opgesloten.

'Dit land gaat naar de verrotting, net als mijn tanden!' schreeuwt ze terwijl ik de autoradio's bestudeer.

'En hoe kom je nu weer aan deze radio's, Alice?' vraag ik.

'Hoe denk je? Gevonden natuurlijk, maar ik breng ze weer eerlijk terug, Steven, ik heb er ook echt helemaal niets aan, tegenwoordig willen de mensen cd-spelers, mp3-apparaten en dat soort dingen, wat moet ik ermee,' zegt ze en ontbloot haar zwarte tanden, het ontstoken tandvlees.

'Alice, je moet echt eens ophouden met die onzin. Je kunt hier een maaltijd krijgen als je wilt. Heb je al nagedacht over dat programma voor verslaafden waar we het vorige keer over hadden?'

'Ik ben niet verslaafd! Ik rook soms een beetje base, en als ik de kans krijg spuit ik wat heroïne, maar verder ben ik zo clean als het maar kan. Het zijn barre tijden, ook voor mij, Steve. Heb jij een sigaretje voor me, love?'

'Het zijn zeker barre tijden,' zeg ik en open mijn bureaulade.

'Heb je een sigaret, love?' vraagt ze nogmaals.

Ik geef haar een sigaret uit een pakje dat daar ligt voor verhoren. Het zijn absoluut de goedkoopste sigaretten die er bestaan.

'Je mag hier niet binnen roken, dat weet je,' zeg ik met de sigaret tussen mijn vingers.

'Ja. Thanks,' zegt ze als ze de sigaret uit mijn hand grist. Haar nagels zijn vuil, ook op haar handen zitten wonden, zie ik.

'Heb je je recentelijk laten nakijken?'

'Nakijken? Op wat?' vraagt ze.

'Ziekten.'

'Ach, ik ben toch niet meer te redden, het is toch allang einde verhaal met mij. Daarom breng ik die radio's ook terug, voor een beetje rust in mijn kop.'

Het is niet onmogelijk dat ze ook aids heeft. Er zijn ontelbaar veel gevallen van aids onder gebruikers, maar ik weet ook dat dit een vrouw met twee gezichten is. Ze kan liegen als geen ander. Ik acht haar er zelfs toe in staat de wonden open te houden voor het bedelen rond Granby Street.

'Hou je sterk, Alice,' zeg ik.

'Moet ik nu al weg?' zegt ze beduusd en nipt van haar koffie.

'Ja, ik heb van alles te doen. Ik zal de radio's proberen te linken aan de aangiften van de afgelopen maanden, het komt wel goed, maar je mag het nooit meer doen, anders moeten we je vasthouden.'

'Natuurlijk doe ik het nooit meer, ik hou me wel koest hoor, jongen,' zegt ze, raapt haar supermarktzakken bijeen en verlaat het kantoor.

Op weg naar de wc kijk ik naar de lange muur in de gang die vol hangt met 'lopende zaken', zoals Bill ze noemt, de zaken die onopgelost zijn. Het merendeel bestaat uit aanplakbiljetten voor vermiste kinderen, maar er zitten ook een paar internationaal gezochte criminelen tussen. Elke keer als ik door de gang loop, lees ik dezelfde kreten, zie dezelfde vinderslonen en waarschuwingen. Even hou ik stil bij het aanplakbiljet dat ze voor Alice hebben gemaakt. Het hangt er als grapje, omdat ze zo vaak op het bureau komt. Zelf zei ze een keer dat het een Wall of Fame is. Op de korrelige foto zie je haar voor een schap met chocoladerepen staan. Haar boodschappentassen staan in een groepje om haar heen. Ik ken die winkel, hij zit in Silver Street en ze verkopen er honderd soorten snoepgoed. De beveiligingscamera heeft deze 'veelpleger' op een onbewaakt moment vast kunnen leggen met een hand vol Mars-repen die even later in haar tas verdwijnen. '*Be aware of this woman*', staat onder de foto.

Op de wc denk ik aan het gesprek met Anca gisteravond. Hoe ze in armoede opgroeide en hier in deze stad kwam om geopereerd te worden, en dan Alice, die nu doodziek door de straten loopt op zoek naar eten en drinken. Als ik de wc uit loop, zie ik Arnold voor de spiegel staan. Hij knijpt een puisje op zijn neus uit.

'Zo,' zeg ik als ik mijn handen was.

'Roemenen zijn het,' zegt hij en wrijft voorzichtig over zijn neus.

'Wie zijn Roemenen?' vraag ik.

'Dat onderzoek van Paul, met die terroristen. Dat zijn Roemenen.'

'O,' zeg ik en droog mijn handen aan mijn broek.

Als hij vertrekt, fluit hij een liedje. Ik hoor hoe hij het ritme op de muren in de gang tikt, kan zelfs horen hoe hij een klein sprongetje maakt. Hij heeft er duidelijk zin in, hij is bezig met een onderzoek dat hem behoorlijk wat voldoening zal geven, hij zal er nog jaren over kunnen opscheppen bij zijn vrienden. Ja, de dag dat Arnold een terroristische organisatie ontmantelde, dat was waarschijnlijk een dag die hij nooit meer zou vergeten. Om halfdrie trek ik mijn jack aan en meld me bij de receptie af. Ik vertel dat ik me helemaal niet goed voel en thuis snel mijn bed in kruip.

Ik wandel Charles Street uit, neem de route door de drukke winkelstraten, langs de Clocktower, High Street in. Op de hoek zak ik neer op het terras van Starbucks. Vanaf dit punt is een onvoorstelbaar eerlijk beeld van Leicester te zien: een zonnig plein met in het midden een kiosk van de *Leicester Mercury*. Groepjes studenten die op de bankjes zitten te kletsen. Een meisje dat haar vader aan de hand naar de Toys 'R Us aan de overzijde van de straat sleept. Een felrode Royal Mail-bus en als klap op de vuurpijl een vrolijke dikke man die met een steekwagentje vol kisten met appels op weg is naar de markt. Het enige wat niet klopt is de Poolse alcoholist die midden op het plein ligt, maar die zal wel binnen enkele minuten door een agent uit het beeld worden gehaald. Er is vast al iemand aan het bellen.

Terwijl ik rustig van mijn chocolademelk drink, zie ik haar opeens op nog geen drie meter afstand, Alice Mcintosh. Ze staat te praten met een man en een vrouw met een kinderwagen. Ik hoor haar zeggen dat haar portemonnee is gestolen, dat ze ten einde raad is, of ze misschien een paar pond voor haar hebben. 'Een paar pond? Hoor ik dat goed?' zegt de man en draait zich meteen om naar zijn vrouw. 'Kom, we gaan,' zegt hij tegen haar. 'Wat een tuig tegenwoordig,' zegt de vrouw met de kinderwagen als ze langs me lopen.

'Ik heb kanker!' roept ze de mensen na.

'Alice!' roep ik vanaf de hoek.

'Steven!' schreeuwt ze terug, en gebaart me te komen.

Ik schud mijn hoofd en maak een handgebaar dat ze juist naar mij toe moet komen.

Langzaam komt ze aangestrompeld. Ze lijkt een stuk minder tassen mee te sjouwen dan vanochtend. 'Wat is er aan de hand, Steven, heb ik iets verkeerd gedaan? Let je nu op me? Ga je een drankje voor me kopen?' zegt ze, tegen mijn tafel aan geleund.

Later zitten we samen in een pub in Rutland Street. Ik drink bier en Alice eerst koffie, dan bier en later nog een glas whisky.

'Ze hebben hier *pork pie* met aardappels voor maar zes pond,' zegt ze en houdt de menukaart voor mijn neus.

'Red je je?' vraag ik.

'Red jij je wel?'

'Ik red me prima,' zeg ik.

Ik zit naar haar te kijken terwijl ze de pork pie in stukjes snijdt. Haar gebit is in zo'n slechte staat dat ze alleen nog maar met haar linkerkiezen kan kauwen. Ze grijnst tijdens het eten steeds naar me, kijkt me aan met een mengeling van schaamte en onverschilligheid, alsof ze denkt: ik weet het, ik ben smerig en volkomen rot, maar ik ben nu eenmaal zo.

'Waarom ben je eigenlijk niet aan het werk?' vraagt ze.

'Ik voel me niet zo lekker,' zeg ik en wijs naar mijn buik.

Dan kijkt ze langdurig naar mijn gezicht. Ik hou daar niet van. Ik ben altijd bang dat je, als je goed naar mijn kop kijkt, kan zien dat ik niet goed ben. De wallen onder mijn ogen, de diepe groeven rond mijn mond, de rimpels van het fronsen, mijn schilferige huid en de uitslag in mijn nek, het zijn allemaal slechte tekenen. Mijn kale hoofd is een soort kers op de taart van mijn lelijkheid en dan ben ik nog niet eens over mijn lichaam begonnen.

'Volgens mij gaat het helemaal niet zo goed met jou, je ziet er vermoeid uit.'

'Het kan beter ja,' zeg ik zachtjes, de helft van mijn gezicht verbergend achter mijn hand.

'Waarom zit je niet met een leuke vrouw in de pub, love? Heb je een vrouw?'

'Nee,' zeg ik.

'Goed rondkijken, altijd goed om je heen kijken.' Ze draait zich naar de bar en ik kijk de andere kant op, naar het stoffige vloertje in het midden van de pub die 's avonds verandert in een dansvloer voor studenten. Voor een pond kun je hier een pint drinken; het is hier dag en nacht happy hour, overal op de muren staan aanbiedingen van shotjes en mixdrankjes. Als ik omhoogkijk, zie ik de gekleurde discolampen en schijnwerpers die om negen uur aangaan.

Ik kan me een avond herinneren waarop ik hier zat met een krant en een pint toen opeens twee jonge meisjes naar me toe kwamen. Ze droegen strakke jurkjes die in het licht van de lampen reflecteerden. Ze waren erg jong, maar hadden sensuele lichamen. Toen ze voor me stonden waren ze aan het giechelen. Ze vroegen me iets maar ik kon het door de muziek niet verstaan. Mijn hart ging als een bezetene tekeer als ik naar ze keek. Toen een van hen dichter bij me kwam staan en dicht bij mijn oor de vraag herhaalde, rook ik een heerlijk zoet parfum.

Ze wilde alleen maar een vuurtje, maar ik rook niet.

Alice port in mijn zij en zegt: 'Is die niet iets voor jou?'

Ze wijst naar een dikke vrouw aan de bar die een trainingspak en sportschoenen draagt. Ze ziet eruit alsof ze twintig jaar geleden wel eens een rondje door Victoria Park jogde en daar nog altijd niet overheen is gekomen.

'Nee, alsjeblieft,' zucht ik en kijk naar mijn bierviltje.

Ze staat op en ritst haar jas dicht. Ik voel snel in mijn zak of ik nog wat kleingeld voor haar heb, maar wat ik voel zijn briefjes van tien en twintig pond, te veel dus.

Ze leegt snel haar glas, legt haar hand op mijn schouder en zegt: 'Je bent zo verdrietig, Steven, zo vreselijk verdrietig.'

13

's Ochtends zit er een lijkbleke jongen tegenover me. Hij bijt op zijn nagels en zucht zo nu en dan diep. Hij heeft grote bruine kringen onder zijn ogen en een opvallend grote neus vol mee-eters.

'Spreek je Arabisch?' vraag ik terwijl ik het dossier doorblader. De jongen schudt zijn hoofd. 'Hoezo man? Zie ik eruit als een moslim?' vraagt hij.

De zaak die ik vanmorgen voor me kreeg, gaat om creditcardfraude. Een maand geleden werd er een creditcard uit de post van een bedrijfspand gehengeld. Helaas voor de gedupeerde bleek bij de Kamer van Koophandel alle vereiste informatie voorhanden om de kaart te kunnen activeren. Alles was heel gemakkelijk te achterhalen. Pas een week geleden kreeg de gedupeerde een telefoontje van zijn bank: of hij zijn kredietlimiet misschien wilde verhogen. Er was toen al voor ruim tienduizend pond gepind.

De jongen die tegenover me zit, kwam in beeld toen hij op zijn eigen adres in Spinny Hills een partij fitnessapparaten bestelde via internet. Men vroeg hem om zijn creditcard op te geven, en toen was het balletje gaan rollen. De reden dat wij dit klusje krijgen, is omdat op de camerabeelden van de pinautomaten te zien is dat de verdachte steeds een bubbeltjesenvelop in zijn mond geklemd houdt om zo zijn gezicht te bedekken. Met een zwarte marker waren er hatelijke Arabische leuzen op geschreven. Soms een regel uit de koran, een andere keer een zin die toevallig net op de voorpagina van de dagbladen had gestaan.

Ik laat de jongen een foto zien waarop iemand pint bij een automaat in Horsefair Street. In de mond zit weer zo'n envelop.

De jongen schudt zijn hoofd. 'Waarom zou ik dat doen? Ik ben toch geen moslim, ik heb jullie al tien keer verteld dat ik gedwongen werd door drie moslims om die halters te bestellen! Hoe vaak moet ik dat nou zeggen? Zoek het bij de moslims!'

'Jij bent dit dus niet?' vraag ik rustig en wijs naar de foto. De jongen maakt een klakkend geluidje met zijn tong en schudt alweer zijn hoofd. Of hij koffie kan krijgen, vraagt hij dan.

'Je krijgt zo koffie, eerst wil ik je een andere foto laten zien,' zeg ik. Dit is misschien wel het enige redelijk bevredigende onderdeel van mijn werk. Ik heb als rechercheur altijd meer informatie dan de verdachten denken. Onder het stapeltje papier op mijn bureau ligt een foto van dezelfde pintransactie, maar dan als de verdachte wegloopt. De gigantische neus van de jongen die nu voor me zit is dan duidelijk te zien achter de bubbeltjesenvelop. Onmiskenbaar, dacht ik nog toen hij in mijn kantoor plaatsnam.

Ik trek de foto onder de stapel vandaan en vraag hem of hij misschien iets herkent.

'Nee man,' zegt hij en kijkt de andere kant op, 'en nu wil ik koffie.'

'Dit is jouw neus, jongen,' zeg ik en hou de foto in de lucht. 'Nu krijg je koffie, zoals beloofd, en dan ga je maar eens heel goed nadenken. We hebben nog zeker tien van deze foto's, dat zeg ik er maar even bij.'

'Fuck you,' mompelt hij en pulkt velletjes van zijn vingers.

Als hij opgehaald wordt en mijn collega de deur achter zich dichtdoet, zucht ik diep. Ik weet hoe het nu gaat: hij wordt weer in een cel gestopt met een bekertje slappe koffie en zit daar dan uren en uren te wachten. Hoewel het gebouw er vanbuiten modern uitziet, zijn de dagcellen koud en vochtig, is het lamplicht fel en zijn de bankjes net te smal om erop te kunnen liggen. Iedereen breekt hier op een bepaald moment. Ik walg er stiekem van, maar als Jim mijn kantoor binnenloopt, laat ik daar natuurlijk niets van merken.

'Best slim,' zegt hij, 'moslims de schuld geven.'

Ik knik, slim is het zeker.

'Hoe ver is hij?' vraagt Jim.

'Vrij ver. Ik denk dat hij morgenochtend wel gaat bekennen,' zeg ik.

'Mooi man,' zegt Jim, 'vanavond mist hij het eerste transport naar de nachtverblijven – *bad for him!* –, moet-ie uren wachten op het tweede, dan heeft hij maar drie à vier uurtjes slaap en dan brengen we hem vroeg hierheen. Dat doet het hem vast, hij is dat niet gewend. Toen we hem gingen halen, hebben we hem letterlijk van zijn bed moeten lichten. Om *drie* uur 's middags was dat.'

Als Jim weg is, blader ik door het dossier van de jongen. Hij is negentien, woont nog bij zijn moeder die al jaren arbeidsongeschikt is. Iets in haar rug en depressies, lees ik. De jongen heeft astma en op een losse memo staat dat de moeder vanmiddag huilend naar het bureau heeft gebeld dat hij niet zonder zijn medicijnen kan, dat hij lenzen draagt en dat ze zijn bril niet hebben meegenomen. Daaronder staat in Jims handschrift: 'Medicijnen, bril en enkele kledingstukken opgehaald.'

Ik zucht, sla het dossier dicht en log in op Flirtbox waar volgens een bericht in mijn inbox 'talloze nieuwe vrouwen' op mij wachten.

Met een paar klikken kom ik bij haar. Ze is online en heeft haar profiel een beetje veranderd. Er staan nu meer interessegebieden bij, zoals een rijtje favoriete muziek. 'The Doors, Metallica, Lady Gaga en Michael Jackson (I miss him so much!)', staat er.

'Hey, hou jij ook van The Doors?' typ ik in het chatvenster.

'Hey jij, ja! Ik hou heel veel van ze, jij dus ook?'

'Zeker,' schrijf ik.

'Kom je langs?'

'Wil je dat?'

Ze stuurt een poppetje dat in mijn chatvenster explodeert tot een schermvullende zoen.

'Wat zit er in die zak?' vraagt Nick in het slachthuis.

'Sushi,' zeg ik. Ik schaam me opeens voor de doosjes *takeaway* die ik in High Street voor ons heb gekocht. Ze geven daar rond dit tijdstip tot wel 50 procent korting en ik rammel van de honger, maar toch, wat moeten ze hier wel niet denken: eerst een knuffelkoe, nu een maaltijd, straks kom ik volgende keer nog met een fiets aanzetten.

'Sorry Arnold, maar ik moet ze even controleren, is dat in orde?'

Ik zet de zak op de balie en hoor gekraak, maar zie weer niets.

'Het is in orde,' zegt hij en schuift de zak naar mij toe, 'mijn excuses, maar het gaat wel eens mis.'

In haar kamertje ruikt het naar wierook. Ik omhels haar ongemakkelijk en ze zoent me op mijn wang. Ik zoen haar terug en ga snel op de bedrand zitten met de plastic tas op mijn schoot. Pas als ze voor me staat, zie ik dat ze in plaats van een negligé nu een coltrui met spijkerbroek draagt.

'Ik heb iets te eten voor ons meegenomen, heb je al gegeten?' vraag ik.

'Nee, wat heb je dan?' zegt ze en gaat naast me zitten en slaat een arm om me heen.

Ik haal de drie doosjes uit de plastic zak en stal ze uit op haar roze beddensprei.

'Wauw, sushi!' roept ze enthousiast en zoent me weer, maar nu in mijn nek. Ik voel rillingen van mijn tenen tot aan de plaats waar vroeger mijn kruin zat.

'Dat is heel sensueel eten, ik ben er gek op,' zegt ze en neemt een klein hapje.

Zoals dat altijd gaat heb ik mijn portie binnen drie minuten op. Het zijn ook zulke kleine dingetjes. Anca doopt elk stukje sushi in de sojasaus en neemt kleine hapjes, waarna ze me steeds vurig aankijkt, van de sushi, dat weet ik ook wel, maar toch, ik voel opwinding.

'Het is heel lekker, hè?' zeg ik.

Ze knikt en schenkt een glas brandewijn voor me in. Zelf neemt ze een glas melk, ze heeft een beetje last van haar maag, zegt ze.

'Mooie trui,' zeg ik.

'Dank je. Ik dacht: ik hoef niet zo nodig sexy te zijn bij jou.'

Ik knik en glimlach, voel de erectie slinken en gris snel een stukje sushi van haar bord als ze een The Doors-plaat opzet.

'Heb je een goede dag?' vraagt ze als ik het begin van 'The End' hoor.

Ik slik snel de sushi door en haal mijn schouders op. 'Nu wel,' zeg ik.

14

'Je bent gescheiden, hè,' zegt ze de volgende avond.

'Kun je dat dan aan me zien?'

Ze knikt. 'Overduidelijk,' zegt ze.

Misschien krijgt ze gewoon veel gescheiden mannen over de vloer en kan ze ze er inmiddels uitpikken, maar toch, wat zou het zijn dat me zo overduidelijk een gescheiden man maakt?

'Was het fijn?' vraagt ze.

'De scheiding?'

'Nee suffie, je huwelijk natuurlijk. Was het een fijn of naar huwelijk?'

Ik probeer me te herinneren wat nou de fijne momenten waren, maar alles wat in me opkomt lijkt verbonden met mijn tuin; alsof ons huwelijksgeluk samenhing met wortels en radijzen. Er waren absoluut momenten waarop ik dolverliefd op haar was. Dat waren broeierige avonden in de zomer en ijskoude winternachten. Het was in de tijd dat ik er nog van overtuigd was dat het altijd zo zou zijn, we altijd bij elkaar zouden blijven, maar nu alles voorbij is lijken er alleen nog maar onbenullige details van over. Terwijl ik Anca's hand vasthoud, vloeien flarden door mijn hoofd. Ik zie het plankje in de badkamer met Susans huidverzorgingsproducten, haar warrige handschrift op een stukje papier, kleren die naar sigaretten ruiken, lippenstiften in haar handtas, de per seizoen van kleur veranderende kussentjes voor de stoelen in de eetkamer... Haar naakte lichaam in een handdoek na het douchen, haar naakte lichaam in mijn armen, maar echt goed herinner ik me die dingen niet. Het is eigenlijk gek, ik ben vijftien jaar met die vrouw geweest en het enige wat ik me nu haarfijn weet te herinneren is juist de periode toen het stukliep.

Opeens moet ik denken aan de foto van haar moeder die op de afzuigkap geplakt zat.

'Maakt dat niet uit, het is warm daar, Sue,' had ik gezegd.

'Ze had het altijd koud, dat weet je toch,' was het antwoord dat me weer op slag verliefd had gemaakt.

'Je glimlacht,' fluistert Anca in mijn oor.

'Ach ja, ik weet niet of ik nou kan zeggen dat het een slecht huwelijk was, het was meer dat ze na een tijd alles kapotmaakte.'

'Als het aan jou had gelegen waren jullie nu nog bij elkaar geweest?'

'Ja, dat denk ik wel. Ik denk wel eens dat we nu nog samen zouden zijn als ik mijn regenpijp niet had laten vernieuwen.'

We drinken glaasjes brandewijn. Ik lig languit naast haar op bed. Ze trekt haar benen op en gaat dicht tegen me aan liggen, houdt me stevig vast, zo stevig als mogelijk. Ik zoen alles wat maar in de buurt van mijn mond komt.

'Vertel verder,' fluistert ze in mijn oor.

'Het is een stom verhaal, Anca, je wilt het niet horen.'

'Kom nou, ik vertel jou ook genoeg stomme dingen, ik vind iets niet zo gauw stom.'

'Nou oké,' zeg ik, 'het was ergens in oktober. De bladeren waren van de bomen gevallen, Wigston is erg mooi in deze tijd van het jaar, weet je dat? Echt heel mooi, alles is roestbruin en vochtig. Maar goed, de goot zat constant verstopt, en toen begon het dagen achtereen te regenen, zo hevig dat we binnenbleven. We speelde spelletjes en Susan kookte de laatste groente uit de tuin. De oogst was gigantisch geweest die zomer en ik had de hele vriezer vol met bonen en courgettes, aubergines, paprika's, ga zo maar door. Die dag maakte ze iets met de courgettes, geloof ik. Ja, ik kan me ook nog precies herinneren wat het was dat ze maakte: een stoofschotel met lamsvlees. Die avond zat de goot zo verstopt dat het regenwater niet meer weg kon. Toen begon de ellende... Het eerste kwam de goot naar beneden, met een enorme klap, toen de regenpijp...'

'Jullie huwelijk liep stuk om een kapotte goot en regenpijp?'

'Nee, toen nog niet. Ik belde een loodgieter, of iemand die de goot kon repareren, en toen kwam Peter Bird, de siergootspecialist, in mijn leven. Of eigenlijk in het leven van Susan. Hij kwam de volgende ochtend de schade opnemen, liep rondjes om het huis en maakte aantekeningen op een blocnote. PETER BIRD, SIERGOTEN EN REGENPIJPEN SPECIALIST, stond erop met krulletters. Het leek een aardige man, erg vriendelijk, heel behulpzaam, de klootzak.' Ik schrik van wat ik zeg. Anca zegt dat het niet geeft, dat ik verder moet gaan met mijn verhaal.

'Niets van de oude goten zou gered kunnen worden, ze waren allemaal kromgetrokken en daarnaast, ze waren al jaren aan vervanging toe, zei die Peter Bird, dus het moest maar: nieuwe goten, nieuwe regenpijpen. De volgende dag ging ik naar mijn werk, Susan zou hem ontvangen, koffie aanbieden, in de buurt blijven als hij de goten zou installeren. Zo geschiedde. Die middag is Susan dus verliefd geworden op de siergootspecialist, en vanaf dat moment werd alles anders. Ze ging opeens een paar keer per week 's avonds met vriendinnen kaarten terwijl ze dat eerst nooit deed. Ik wist niet eens dat ze kon kaarten. Tegen het einde van het jaar was het me wel duidelijk. Ik had eigenlijk ook helemaal geen contact meer met haar. De enige communicatie die we hadden, bestond uit boodschappenlijsten, meldingen dat er ergens een lampje vervangen moest worden, of dat ik niet meer mocht vergeten 's nachts de televisie uit te zetten. Dat als hij op stand-by staat de hele boel in de fik kon vliegen. Ik stond soms perplex, ik kreeg geen normaal woord meer uit haar, ze sprak in korte, onpersoonlijke opdrachten en boodschappen, en op een avond zei ze: "Het gaat niet meer, ik wil ermee stoppen, Steven." Dat was een stuk duidelijker dan daarvoor, dacht ik nog. Nou, en dat was het dan, toen woonde ik binnen een paar weken alleen, duwde soms een uur lang een karretje door de supermarkt zonder het te vullen met boodschappen, zonder dat ik eigenlijk wist wat ik daar deed, waste me soms dagen niet en bestelde elke avond een lading voedsel om wat minder pijn te lijden. Ik bestelde pizza's en Indiaas eten. De bezorgers stonden soms met elkaar te praten voor mijn deur als de bestellingen op hetzelfde moment werden bezorgd. Soms rookten ze een sigaretje met elkaar als er blijkbaar geen haast was. Ik keek dan naar ze door de vitrage. Ik werd misselijk bij de gedachte dat deze personen de enigen waren met wie ik buiten mijn werk om contact had. Ik was doodongelukkig, ik was er heilig van overtuigd dat het mijn dood zou worden, daar in dat huis aan Britford Avenue. Ze zouden me een week later vinden, tussen de lege bakjes curry en de lege blikken bier. Zo, nu weet je alles, en zit ik dus hier.'

Ze wrijft over mijn rug en ik zie hoe ze met haar andere hand onder haar kussen zoekt.

'Moet ik opstaan,' vraag ik.

'Nee, het moet hier ergens zijn… Het is misschien een raar moment maar…' Ze trekt een klein envelopje onder het kussen vandaan. Het is van het Wereld Natuur Fonds, er staat een panda op.

'Wat is dit?' vraag ik als ze het in mijn handen drukt.

'Als je tijd niet om zou zijn, zou ik nog even gewacht hebben, maar dit is wat ik aan jou verdien, na aftrek van het percentage van mijn baas. Ik wil dat je het terugneemt.'

'Dat kan ik niet aannemen, echt niet,' zeg ik en duw het envelopje terug onder het kussen.

'Steve, ik wil niet dat jij betaalt. Je moet het aannemen, alsjeblieft, neem het aan!'

Ik schud mijn hoofd, voel de tranen in mijn ogen, maar kan ze bedwingen.

'Ik kan dat echt niet,' zeg ik zachtjes, 'hoe lief het ook is.'

'Doe het dan voor mij,' fluistert ze en haalt het weer tevoorschijn, legt het op mijn kruis.

Ik omhels haar en zoen haar kruin die naar kokos ruikt en een tintelend gevoel op mijn lippen achterlaat.

Buiten, op het parkeerterrein voor Montfort House, leun ik tegen de fietsenstalling en kijk naar de grote blauwe deuren van het slachthuis. Ze weet het natuurlijk niet, maar ik woon op nog geen honderd meter afstand. Vanaf de vijftiende verdieping kan ik over haar waken.

Ik zal geduldig moeten zijn, het heel voorzichtig aanpakken en geleidelijk moeten laten verlopen, maar dan zal haar ik iets voorstellen wat ze onmogelijk kan weigeren. Een voorstel dat haar zal helpen aan een normale baan, liefde en veiligheid, en mij aan ongekende gemoedsrust en geloof in het goede.

Als ik van een afstand zie hoe hier en daar lichten aan worden gedaan en gordijnen worden gesloten, zie ik een vrouw bij de ingang staan. Ze draagt een roze windjack dat strak om haar enorme billen gespannen staat, rood pluizig haar dat zo dun is dat het door de wind meegenomen kan worden, witte gymschoenen met reflecterende strepen. Als ik naar de voordeur loop zie ik dat ze met de portier praat van wie ik de naam nog steeds niet weet. Als ik langs ze naar de lift loop, hoor ik hem tegen haar zeggen dat hij geen informatie mag geven over de bewoners in dit complex. Als de liftdeuren zich sluiten zie ik nog net hoe ze het gebouw verlaat.

15

Als ik in mijn bureaustoel een beetje zit weg te dromen over Anca, en in gedachten samen met haar naar een leuke film op televisie kijk onder het genot van een zak chips, schrik ik opeens wakker van Jim die steeds mijn naam noemt.

'Godverdomme', is het eerste wat ik zeg als ik mijn ogen open.

'Bill heeft je nodig,' zegt hij, tegen de deurpost geleund.

'Sorry, ik was een beetje weggedommeld,' zeg ik als ik achter hem aan strompel. Mijn rechtervoet slaapt.

'Kan de beste gebeuren,' zegt Jim en wijst naar de ingang.

De kamer is grotendeels gevuld met agenten in opleiding. We krijgen zo nu en dan een dozijn van die jongens op het bureau, als we grote zaken behandelen waar we de mankracht niet voor hebben. Ze lopen meestal als volslagen idioten mee met huiszoekingen, maken aantekeningen in kinderlijke notitieboekjes en kotsen soms de boel onder als ze getuige zijn van de vondst van een lijk. Ik kan daar heel slecht tegen, andermans kots. Net als bij stront; de geur van je eigen stront zorgt zelden voor problemen, maar als het die van een ander is, kan het ronduit traumatisch zijn.

'Niemand mag ontkomen,' hoor ik Bill zeggen als ik naast Arnold ga zitten.

Ik denk aan de eerste zaak die ik als agent in opleiding bijwoonde. Het was een koude avond, ik had een aantal aspirientjes genomen die hun werk maar niet deden. Had een beetje in een stripboek gelezen tijdens de pauze en een Chinese maaltijd genuttigd met mijn nieuwe collega's die stuk voor stuk zaten te trillen boven hun nasi. Een kwartier later deden we een zeer goed geplande serie invallen bij belwinkels en restaurants die al ruim vier jaar in de gaten werden gehouden door justitie en de belastingdienst. Op zes locaties tegelijkertijd in de stad werd de deur geforceerd en begonnen we met aanhouden. Het werd de 'Papadum-inval' genoemd. De eigenaar van de winkels heette Freddy Said, een rijke Indiër die al sinds de jaren tachtig met zijn familie een witwaskartel runde. Hij had restaurants overal in de stad, zijn keuken werd geprezen in de bladen, hij had zelfs een aantal onderscheidingen gekregen van dagblad *Metro*. Zonder problemen had hij jarenlang kleine buurtwinkeltjes overgenomen en getransformeerd tot winkels waar je internationaal kon bellen, internetten en faxen. Er was nooit een ziel in die winkels en toch draaiden ze bijna zonder uitzondering een miljoen pond omzet per jaar. Ik had me vele voorstellingen van Said gemaakt, nam aan een man in pak aan te treffen, met een duur horloge om zijn pols, iemand die met opgeheven hoofd de politieauto in kruipt en met vaste stem om zijn advocaat zou vragen, maar dat was niet het geval. Said had een vlassig baardje en droeg een overall bij zijn aanhouding; hij was net die avond een muurtje aan het witten. Ik had gezien hoe hij in paniek was geraakt, hoe hij maar met moeite in de auto geduwd kon worden. Later, op het politiebureau, zat hij ineengedoken in een van de ouderwetse cellen in zichzelf te praten. Hij had meer iets weg van een zwerver dan de drugsbaron die hij scheen te zijn. Ik had medelijden met hem gehad, en was hem water komen brengen, dat hij weigerde. Er werd gespeculeerd dat hij de afgelopen jaren meer dan vier miljoen pond naar India had weg weten te sluizen, om daar te investeren in een markt die in opkomst was: heroïne.

'Steven, fijn dat je er bent,' zegt Bill, 'je hebt een stukje gemist, maar misschien kan Arnold je na afloop even bijpraten.' Hij gaat achter zijn bureau zitten en opent een map. 'De nieuwe gezichten hier komen ons helpen omdat we geen idee hebben om hoeveel mensen het zal gaan, maar reken op minstens tien, misschien zelfs meer.'

'Waar gaat het over?' fluister ik tegen Arnold.

'Die Roemenen, we gaan een inval doen om halfzeven vanavond. Ze zíjn het...' Hij geeft me een vette knipoog en richt zich weer tot zijn chef.

Bill prikt een bouwtekening op het prikbord achter zijn hoofd. Er staan talloze rode pijlen op, maar ik kan van deze afstand niet ontdekken waar het precies is.

'We zijn met zestien man, en de honden. De mogelijkheid dat ze meteen op de vlucht slaan is zeer groot, dus probeer zo veel mogelijk personen meteen af te voeren. Dan nog het vriendelijke verzoek rekening te houden met onze jongsten, en aan onze jongsten het dringende verzoek niemand voor de voeten te lopen en te doen wat jullie wordt gevraagd,' zegt Bill en wijst naar het rijtje agenten in opleiding.

'Is dit voor jou de eerste keer?' hoor ik achter me. Iemand schraapt zijn keel en mompelt terug dat het inderdaad de eerste keer is.

'Ik hoef waarschijnlijk niet uit te leggen welke regels we in acht moeten nemen,' gaat Bill verder, 'maar ter volledigheid: er wordt níet geknuppeld, verdachten worden dus zo snel mogelijk in de bussen afgevoerd, ik wil er geen spektakel van maken waar ze hier nog maanden over praten in de stad, heren. Zodra ze zijn afgevoerd, gaan we over tot inventarisatie. Juliën en Peter maken de foto's deze keer.' Bill wijst naar twee mannen met lang haar in het midden van de massa. Ik ken ze, ze zijn van het forensisch onderzoeksbureau.

'Vier man aan de westzijde, vier bij de garagedeuren, vier man oostzijde, enzovoorts. Het hele gebouw moet omsingeld zijn, er mag niemand ontkomen,' zegt Bill en wijst met zijn laserpen een paar plaatsen aan op de plattegrond aan de muur. Hij gebruikt al jaren zo'n laserpen. Ik kan me zelfs herinneren wanneer hij ons voor de eerste keer kennis liet maken met zijn nieuwe speeltje. Het was tijdens een wekelijkse bespreking. Hij scheen met het rode puntje op iemands voorhoofd en riep enthousiast: '*Sniper! I got you!*'

'O, bijna vergeten: rechercheur Steve Mellors heeft de leiding, ik verzoek jullie heel goed naar Steve te luisteren en precies te doen wat hij zegt,' zegt Bill en wijst naar mij.

Voor mijn scheiding stak ik op dit moment altijd even mijn hand in de lucht en keek iedereen ernstig aan. Vooral de agenten in opleiding keken vaak met veel bewondering naar me. Een échte rechercheur, dachten ze. Tegenwoordig kan ik het niet meer opbrengen en kijk naar de grond. Misschien wel omdat het eigenlijk een kloteklus is. Ik ben de aangewezen persoon om verdachten aan te houden, ze op hun rechten te wijzen en ze af te voeren. Ik, Steve Mellors, ben het gezicht dat ze zullen onthouden als ze in hun cel zitten, aan mij zullen ze denken, op mij zullen ze schelden, niet op de anderen.

'Dat was het voor nu,' zegt Bill. 'Wil jij nog iets zeggen?' vraagt hij aan Paul, die ik nog niet had gezien. Alsof de missie al begonnen is, staat hij verdekt opgesteld naast een archiefkast.

Paul komt iets naar voren en schudt zijn hoofd. 'Ik heb hier niets aan toe te voegen, iedereen heel veel succes vanavond,' zegt hij.

Op de gang hou ik Arnold staande en vraag wat er aan de hand is.

'Man, het is een *megazaak*, Roemeense terroristen, vals geld, drugs, alles wat je maar kan bedenken. Ik wist dat het groot was, ik zei je toch dat het groot was?'

'Oké,' zeg ik, 'goed gedaan.'

'Thanks, Steve,' zegt hij. 'Trouwens, woon jij niet in Oxford Street?'

Ik schrik me dood. Ik probeer al bijna een jaar mijn adres verborgen te houden voor mijn collega's. Als iemand vraagt waar ik woon, zeg ik kortaf: 'O, in het centrum.' Ik wil niet dat ze weten dat ik in een van de treurigste gebouwen van de stad woon en dacht dat de enige die daarvan op de hoogte waren, de mensen van de salarisadministratie zijn.

'Ja,' zeg ik, 'hoezo?'

'Nou, daar is het zo'n beetje,' zegt hij met een grijns.

'Hoezo? Zitten die Roemenen in mijn huis?'

'Ja, in je kelder, nou goed. Nee, op Lower Brown Street, in de oude varkensslachterij van Walker's, de *var-kens-slach-te-rij*, Steve, kun je dat geloven? Hoe slim is dat?'

Het voelt alsof iemand een hand om mijn nek houdt en hard mijn keel dichtknijpt. Ik trek de boord van mijn T-shirt een stukje omlaag en voel me duizelig worden. Arnold speelt opgewonden met een koffiebekertje en zegt: 'Had je niet gedacht, hè?'

'Ik kan het haast niet geloven,' stamel ik.

16

Als ik de deur van mijn kantoor op slot heb gedaan en aan mijn bureau ga zitten, huil ik mijn sudokupuzzel nat en stomp een paar keer hard in mijn maag. Ik kijk vol walging naar mijn bleke vuist en mompel zachtjes dat ik gek aan het worden ben. Zeg daarna op heldhaftige toon tegen mezelf dat ik me moet vermannen, iets moet bedenken om haar te redden.

Als ik inlog op Flirtbox zie ik dat ze niet online is. Ik stel een kort bericht op waarin ik schrijf dat ik via via gehoord heb dat de politie vanavond een inval gepland heeft en hoewel ik het allemaal niet zeker weet, ze maar beter haar biezen kan pakken.

Op het moment dat ik op verzenden wil drukken, houdt iets me tegen. Misschien laat ze haar computer wel staan en word ik over enkele dagen van mijn bed gelicht door Paul Bullow die het bericht heeft gelezen. Hoewel ik een valse naam gebruik, zal Paul heel gemakkelijk het ip-adres kunnen achterhalen dat uiteindelijk zal leiden naar dit kantoor, naar mijn computer. Snel kruip ik onder mijn tafel en trek met een ruk de internetkabel los.

Terwijl ik de tranen van mijn wangen veeg en naar de winkelende mensen op straat kijk, zie ik Alice op de hoek staan. Een rasechte actrice is het, hoe ze daar staat in haar jas vol scheuren en met ontelbare tasjes in haar handen het winkelende publiek zielig aankijkt. Voorzichtig houdt ze steeds haar hand op naar mensen die Costa Coffee uit lopen.

Ik probeer te kalmeren door tegen mezelf te zeggen dat dit nu eenmaal mijn werk is, dat er niets aan de situatie zal veranderen, maar op het moment dat ik hardop 'Je kunt er niets aan doen!' roep, krijg ik opeens een idee.

Ik trek snel mijn jas aan en verlaat rennend het bureau. Onderweg loop ik bijna de enige moslim binnen mijn team omver. 'Sorry, Ashif, duizendmaal sorry!' roep ik.

'Je let écht op me, Steven, ik doe helemaal níets verkeerd!' schreeuwt Alice me toe als ik nerveus de straat oversteek. Ze laat haar lege handpalmen zien als een bewijs van haar onschuld.

'Nee, nee, dat is het niet, ik moet je spreken,' sis ik haar toe, 'loop met me mee.'

Even later zitten we weer in de pub in Rutland Street. Terwijl ik heel in het kort vertel wat ik wil dat ze voor me doet, drinkt ze whisky. Als ze nog wenkbrauwen had gehad, zou ze die tussendoor optrekken, maar door de chemokuren heeft ze zelfs geen wimpers meer. Ik vertel haar zo min mogelijk en gebruik een bierviltje om een bericht op te schrijven.

'Dus ik moet aanbellen, naar dat meisje vragen, haar dit bierviltje geven, en weer verdwijnen?' Ze zwaait met het bierviltje in de lucht.

'Ja,' zeg ik, 'en dus absoluut niet mijn naam noemen.'

'Dat is het?'

'Meer is het niet. Aanbellen, afgeven, en verdwijnen. Zie het maar als een missie.'

Ze schudt haar hoofd, blaast in haar lege glas zodat het beslaat en zegt: 'Oké, maar ik wil wel wat geld zien. Ik moet de boel ook draaiende houden.' Ze geeft me een knipoog.

'Maar je moet dan wel nu meteen gaan,' zeg ik nerveus en haal mijn portemonnee uit mijn jaszak.

'Ja, zo gauw ik mijn whisky opheb, ga ik,' zegt ze.

'Ik ben blij dat je het wilt doen, echt heel blij.' Ik giet snel het restje bier naar binnen en trek vast mijn jas aan.

'Wie had ooit kunnen denken dat ik nog eens voor de politie zou gaan werken,' lacht ze.

'Maar een *geheime* missie, dus aan niemand vertellen,' zeg ik en prop wat pinda's in mijn mond.

'O,' zegt ze, 'nog één eis: haal me van de Wall of Fame.'

'Dat beloof ik,' fluister ik.

Ze heeft veertig pond en wat kleingeld gekregen. Alles wat in mijn portemonnee zat. Het bierviltje, waarop staat dat Anca haar biezen moet pakken en onmiddellijk naar het St Margaret's Bus Station moet gaan waar ik bij de taxi's op haar wacht, houdt ze in haar hand geklemd.

Zo van een afstand doet ze me aan mijn moeder denken, door de manier waarop ze voorovergebogen over de straat sjokt. Toen ik haar op een avond achtervolgde op weg naar de pub waar mijn vader zich zat te bedrinken. Halverwege was ik afgeweken omdat ik wist hoe mijn vader op haar in zou rammen als ze een voet in het café zette.

Ze loopt Granby Street in, buigt een stukje af en loopt dan Belvoir Street op tot York Road, vlak bij mijn huis. Haar tassen bungelen heen en weer, ze kijkt omhoog naar de huizen die in dit deel van de stad gevaarlijk scheef staan. Ik doe hetzelfde, volg haar blik. Ik loop nog geen tien meter achter haar, kan haar zelfs horen ademen. Zo nu en dan spuugt ze op de stoep, ik volg de dikke groene klodders die ze achterlaat.

Terwijl mijn aandacht een ogenblik afgeleid wordt door een donkerharige vrouw aan de overzijde van de straat, ben ik Alice kwijt. Ik ren Lower Brown Street in, langs mijn huis, langs de parkeergarage, om het opgebroken verkeersplein en weer terug. Overal waar ik kijk, denk ik haar te zien; in stegen tegen de muur gezeten, bij groepjes dealers in de hoeken van de straten, ja, zelfs in de kleine sandwichshop in Jarrom Street denk ik haar tussen het publiek te zien zitten.

In blinde paniek ren ik naar de kiosk, struikel bijna over een stoeprand, weet me net staande te houden aan een verkeersbord.

'Heeft u een vrouw met een hoop boodschappentassen gezien?' vraag ik buiten adem aan de kioskhouder.

De man knikt. 'Alice bedoel je?'

'Weet u waar ze naartoe is gegaan?'

'Ze liep links om de slachterij, verder weet ik het ook niet.'

Ik loop langs de hoge muren van het slachthuis, strijk met mijn hand over de rode bakstenen, maak een rondje helemaal om het gebouw heen, over de parkeerplaats van de bank, maar Alice is nergens te bekennen. Mijn slapen bonzen, en ik heb weer het gevoel dat iemand mijn keel dichtknijpt. Het moet mijn gewicht zijn, ik ben in de afgelopen maanden zeker vijftien kilo aangekomen.

Ik besluit in de buurt te blijven en leun tegen de ruit van een callcenter. Overal hangen telefonerende mensen uit de ramen. Er worden verhitte gesprekken gevoerd met klanten. Ik vang losse kreten op als: '*Sure you can!*' en '*With us you are completely safe.*'

Als binnen de lichten worden uitgedaan en de medewerkers giechelend de voordeur uit komen, weet ik dat het al te laat is, dat mijn reddingsactie is mislukt.

Ik kijkt naar de ramen op de eerste verdieping. Daarbinnen, nog geen vijftig meter van me verwijderd, doet Anca misschien een dutje, of luistert naar haar Doors-platen, fantaseert over een mooi leven, over de kansen die voor haar liggen. Denkt misschien met weemoed terug aan haar ouderlijk huis in de bossen van Roemenië.

Ik bel aan. Er komt geen reactie. Ik wacht een paar minuten, en bel weer aan. Ik leg mijn oor op de deur; het is doodstil daarbinnen.

Een paar jaar geleden deed mijn korps samen met dat van Beamont Leys een inval in een oud vervallen pand aan het Grand Union Canal. Het zou om een organisatie gaan die hoogwaardig vals geld op de markt bracht. Toen we aankwamen, troffen we een zeer ingenieus bouwwerk aan dat binnen een doolhof aan gangen en kruipruimten bevatte. Er was niemand meer te bekennen. Er waren bij onderzoek maar liefst negen uitgangen ontdekt die onzichtbaar waren vanaf de buitenzijde van het gebouw. Van geldmachines, papier of inkt was ook geen spoor meer. Bill sprak er schande van en heeft er toen persoonlijk voor gezorgd dat het niet in het nieuws kwam. Misschien dat deze Roemenen net zo slim te werk zullen gaan, en tegen de tijd dat wij de deur forceren via een nooduitgang wegkomen.

Alice, godverdomme. Ik stel me voor hoe ze ergens in een ongure buurt in de pub zit. Onverschillig voor zich uit kijkend, niet beseffend wat ze heeft gedaan. Ik begin te stampvoeten en sla een paar keer hard tegen de deur en ren dan snel naar de overkant. Ik veeg het zweet van mijn hoofd. Ik moet er vreselijk uitzien, verwilderd, de weg kwijt. Tegenover het callcenter springt de neonverlichting van een hamburgerrestaurant aan. BIGGER BURGER, BETTER BURGER, staat er; het is kwart voor zes, de schemering is al gevallen.

17

'Suck on this,' mompelt Travis Bickle als hij de pooier van Iris neerschiet. Hij begint aan iets wat eigenlijk helemaal niet zo gepland was, maar de aanslag op de presidentskandidaat is mislukt, en hij heeft nu eenmaal een beslissing genomen. Ik zie de hanenkam op zijn hoofd voor me, de daadkrachtige blik in zijn ogen als hij de trappen bestijgt in het gebouw waar Iris woont. Je zou kunnen zeggen dat hij een dieptepunt heeft bereikt, dat hij gefaald heeft zelfs, maar hij zet door en is niet, zoals ik, in een snackbar gaan zitten om een hamburger met patat te eten. Hij mompelt niet 'Suck on this,' terwijl hij hard aan het rietje van zijn bananenmilkshake zuigt. Nee, hij doet dat andere; hij redt haar.

Om kwart over zes zit ik samen in het busje met Bill, Arnold en Jim.

Alle keren dat ik erin heb gezeten, de veiligheidsgordel om mijn middel vastzette en het voertuig de parkeergarage verliet, voelde ik precies dezelfde mengeling van spanning en angst. In al die jaren is dat gevoel nauwelijks veranderd. Het voelt ongeveer hetzelfde als toen ik voor de eerste keer een schoolfeest bijwoonde; net niet kotsend, net niet in tranen, iets ertussenin, en dat geldt vast niet voor mij alleen: een inval is voor de meesten een zeer emotionele kwestie. De agenten in opleiding krijgen na een inval dan ook een verplichte vrije dag.

Arnold bijt op zijn nagels en Jim kijkt door de geblindeerde ramen naar buiten. Bill heeft een jack aangetrokken dat opbolt door het kogelvrije vest dat eronder zit. Zijn nette schoenen zijn vervangen door een lomp model bergschoen met gekleurde veters. Hij is er helemaal klaar voor, en dat terwijl hij tijdens een inval meestal in de bus blijft zitten.

'Op hoop van zegen dan maar,' mompelt hij. Dat mompelt hij trouwens altijd als we in dit busje zitten.

Ik heb last van mijn maag. Er knaagt iets vanbinnen. Ik duw mijn wangen tegen de koele autoruit en kijk naar de mensen op straat.

'Gaat het, Steve?' vraagt Arnold.

'Ik voel me niet zo lekker, maar het gaat wel,' zeg ik.

'Het is zo voorbij, dan gaan we lekker naar de Polar Bear,' zegt Bill. De Polar Bear is een pub op Charles Street die recht tegenover het bureau ligt. Bill heeft vast een hoop politiefilms gezien, want hij besloot op een dag dat ook ons politiekorps een eigen pub nodig had. Eentje waarin we vol trots in ons uniform aan de bar konden staan om na ons zware werk een biertje te drinken. Het is totaal mislukt, werkelijk niemand bezoekt de Polar Bear, alleen Bill zelf komt er nog wel eens.

We rijden met een omweg. Via London Road en University Road, Lancaster Road op. Vier bestelbussen waarvan een speciaal voor de honden. Als we onder het treinspoor door rijden, word ik misselijk van angst, wrijf nerveus over mijn kogelvrije vest dat me nog dikker maakt dan anders. Als ik opkijk, zie ik dat Jim naar me staart.

'Wat is er?' vraag ik.

'Niets. Ik dacht aan onze eerste klus samen,' zegt hij.

Ik knik. Een wietplantage was het. Het enige wat ik me nog herinner, is dat Jim na afloop midden in de plantage ging staan en met zijn wapenstok door de planten woelde en naar me riep dat het toch schandalig was.

'Dat was echt fucking cool!' roept hij hard.

Ik haal mijn schouders op en kijk door de achterruit. Er zit nog geen twee meter afstand tussen de zwerm bussen. De laatste is een ambulance, voor het geval er gewonden vallen.

Mensen die ons voorbij zien komen, weten wat er staat te gebeuren. Vaak komen dit soort gebeurtenissen aan bod in programma's van lokale nieuwszenders. Het zijn altijd dezelfde soort berichten: 'Grote inval in het centrum, de politie heeft zo veel verdachten aangehouden in een grootscheepse blabla-zaak, de verdachten zitten inmiddels allemaal vast.'

'Maar dit is veel groter en belangrijker dan toen,' zegt Arnold, 'dit is terrorisme, indirect dan.'

'Verwacht er maar niet te veel van, jongen,' zegt Bill, die druk aan het sms'en is.

Als we Welford Road op rijden, zie ik Montfort House. Slechts achter twee van de ramen brandt licht. Het is een luguber beeld; als twee grote ogen in een monsterlijk gezicht.

In films wordt een politie-inval altijd spectaculair neergezet. In sommige actiefilms is het zelfs dé scène waarbij iedere kijker op het randje van zijn stoel zit. Agenten in vermomming achter muurtjes, geweren in de aanslag, vurige berichten door de walkietalkies, het aftellen... In het echt is het een stuk minder spannend: de zwerm bussen rijdt Lower Brown Street in en stopt pal voor de fabrieksdeuren. De agenten lopen in groepjes naar de verschillende ingangen, sommige praten gewoon over de voetbalwedstrijd van de vorige avond. Bill zit onverstoord te sms'en in de bus, kijkt geen moment naar buiten.

Op mijn teken zullen alle deuren ingetrapt worden. Ik sta met de portofoon in mijn hand tegen de deuren geleund en voel me verschrikkelijk slecht.

Jim en Arnold kijken gespannen om zich heen en dan naar mij.

'Doen?' fluistert Arnold.

Op weg naar de slachterij heb ik goed nagedacht. In de laatste minuten probeerde ik scenario's te bedenken waarin ik opeens opgeroepen zou worden, waarin ik bijvoorbeeld mijn eigen mobiele telefoon een beltoon zou laten afspelen om dan snel weg te lopen, naar buiten, maar erg geloofwaardig zou dat natuurlijk niet zijn.

'Steve?' vraagt Jim ongeduldig.

Verschrikt roep ik 'Nu!' door de portofoon.

Er is haast geen geweld nodig; de deuren zijn grotendeels vergaan en geven gemakkelijk mee.

Zaklampen werpen een mistig licht van links naar rechts. Stappen worden voorzichtig gezet, hier en daar hoor ik zacht gemompel. Iedereen houdt zijn adem in, behalve ik, die vooroploop. Wat een diepe, doffe, ongekende pijn gaat er door mijn lichaam, en wat voel ik me moederziel alleen tussen mijn collega's en de twee herdershonden die zachtjes piepend rondsnuffelen.

Vanuit de bar klinkt zachte muziek. De groep sluipt langs de barkrukken en werpt licht op de flessen drank in de kasten. Er is niemand, de bar is verlaten.

Mijn hart moet het worden. Ik zal van helse pijn ineenduiken, me op de grond laten vallen zonder geluid te maken, precies zoals een neergeschoten rechercheur dat tijdens een missie zou doen. Ik zal me kruipend naar de uitgang werken, ondersteund door een of twee van *hen*.

'We moeten daar zijn, denk ik,' fluistert Jim. Hij wijst naar de met rood pluche beklede deur die ik tijdens mijn bezoeken aan haar altijd nauwlettend in de gaten hield; als ze opengingen, was mijn dag weer goed.

Daar, denk ik terwijl ik doorloop, daar moet het gebeuren, vóór die deur. Terwijl we naar de deur lopen grijp ik plots naar mijn borst, kerm zachtjes en bal mijn linkervuist, bijt er zelfs even in. Dan pak ik Arnold bij zijn schouder vast. Hij kijkt me verbaasd aan. 'Er gaat iets fout,' fluister ik in zijn oor, 'ik… mijn borst,' zeg ik haperend. Ik begin nog zwaarder te ademen en produceer een raar piepend geluid.

Ik wist dat ik mijn gevoelens weg kon stoppen als dat nodig was, zelfs dat ik in een ernstig geval in staat was te liegen, maar zoals ik hier op de grond lig te creperen van de pijn, even later door Arnold ondersteund, zonder enig geluid te maken naar buiten word gewerkt, kleine klapjes in mijn gezicht ontvang waarop ik alleen maar kreun en mijn hoofd slap naar beneden laat bungelen, ja, zelfs mijn tong even uit mijn mond laat vallen, dat had ik nooit van mijn leven gedacht.

'Gebruikt u medicijnen?' vraagt een ziekenbroeder met een klein snorretje.

'Nee, ik slik niets,' zeg ik vanaf de brancard in de ambulance.

Het verschil tussen wat ik werkelijk voel en speel lijkt kleiner te worden. Ook in werkelijkheid adem ik zwaar, voel steken in mijn hartstreek en heb vreselijke pijn in mijn buik.

'Ik sta in brand,' kerm ik als de pijn in mijn borst erger wordt, 'ik sta in de fik.'

'U moet rustig blijven ademen, probeer rechtop te zitten, dat helpt soms,' zegt de broeder.

Ik doe wat hij zegt en ga rechtop zitten, mijn hoofd diep in de hoofdsteun gedrukt. Mijn borst staat nog steeds in brand.

Ik hoor hoe de broeder overlegt met een ander, die me langdurig aankijkt, voorzichtig mijn oogleden optilt en met een lampje in mijn ogen schijnt. Ik lijk opeens niets meer te kunnen verstaan van wat ze zeggen. Geluiden komen en gaan, maar alles is onherkenbaar. Opeens hoor ik de broeder met het snorretje duidelijk zeggen: 'Ja, hij redt het wel.'

'Laat me maar even zitten, ga maar verder,' zeg ik, 'ik red me wel.'

Ik tuur vanuit het kleine raampje in de ambulance naar de ingang aan de westzijde. De deur staat open, er brandt fel licht uit het slachthuis. Ik dommel even weg in een halfslaap, maar word wakker van gegil en gepraat in een onverstaanbare taal, klakkende schoenen over de keitjes.

Als ik mijn ogen open en weer naar buiten kijk zie ik ze over straat lopen. Ze zijn allemaal in felle kleuren gekleed, steken raar af tegen de grauwe achtergrond van rode baksteen en roestend metaal. Drie van hen hebben een badjas aan. Het zijn voornamelijk vrouwen, maar er is ook een aantal mannen bij.

Tussen twee lange blondines zie ik haar staan. Ze heeft wollige sloffen aan haar voeten, een nachthemd aan, het haar in pieken; alsof ze zo uit haar slaap is gehaald. Ik streel het raam, ik streel mijn eigen gezicht en voel vreselijke pijn in mijn hart. Ik weet dat het busje geblindeerd is, dat toch niemand me kan zien.

In de daaropvolgende minuten verlies ik het bewustzijn. Misschien door de angst en paniek, ik snap er zelf weinig van, maar ik voel alleen nog hoe ik voorzichtig word vastgesnoerd en de ambulance in beweging komt. Verder word alles een paar minuten onduidelijk.

Als ik wakker word voel ik een hand op mijn pols. Het doffe gevoel in mijn borst is afgezwakt, maar nog steeds aanwezig, ik voel aan mijn koud bezwete voorhoofd met mijn gloeiende handen.

Ik hoor: 'Steven?'

'Ja?' zeg ik zachtjes.

Het was de stem van Arnold. 'Hoe gaat het?' vraagt hij.

'Slecht,' kerm ik.

'Je ligt in een ambulance.'

'Weet ik,' zeg ik.

'We zijn op weg naar het ziekenhuis, Steven.'

'Ja,' zeg ik, 'ging het goed?'

'Jawel. Wil je het horen?'

'Ja,' fluister ik.

'Zestien Roemenen. Zeven mannen en negen vrouwen, en die zwerfster, je weet wel, Alice. Het was gemakkelijk, ze lieten zich zo meenemen.'

'Alice Mcintosh?'

'Ja, die lag daar in een stoel te slapen. Ze vroeg naar jou, ik weet ook niet waarom. Ze beweerde op een missie te zijn. Voor ons, hoor je dat, Steve? Dat maffe wijf...'

18

Als ik die nacht in het ziekenhuis lig en met een cardioloog praat, vertel ik over de pijn. Eigenlijk lieg ik niet eens zo erg, want het angstigste wat ik ooit heb gevoeld, vloeit via mijn aderen naar mijn zieke hart; het gevoel dat ik zou kunnen sterven voor dit meisje.

'Ik zie in uw dossier dat u op het knippen van uw amandelen na nooit eerder opgenomen bent geweest. Heeft u de afgelopen weken of zelfs maanden ergens last van gehad?'

'Niet dat ik me kan herinneren. Ik ben wel verkouden geweest.'

'Geen tintelingen in uw handen of pijn in uw schouder?'

'Nee,' zeg ik, 'ik geloof het niet.'

'U heeft ernstig overgewicht,' zegt hij.

'Dat weet ik.'

'Rookt u?'

'Nee, ook nooit gedaan.'

'Drinkt u?'

'Te veel, ja.'

'Dat dacht ik al,' zegt hij zachtjes, 'als uw bloeddruk weer normaal is mag u misschien morgen naar huis, maar we willen u vannacht hier houden voor onderzoek. Moeten wij iemand voor u bellen?'

'Nee,' zeg ik.

'Weet u dat zeker?'

'Ik zou niet weten wie,' zeg ik.

Ik krijg een tweetal injecties en later een pilletje om tot rust te komen, maar het gevoel lijkt niet te verdwijnen; dat gevoel dat me ook wel eens overviel toen ik nog jong was. Meestal gebeurde het ergens op een openbare plek, bijvoorbeeld in de metro of de bus. Ik bezag haar dan van een behoorlijke afstand, ze kon me onmogelijk zien. Ik hoopte vurig dat niemand in mijn blikveld zou plaatsnemen en dat ik daar voor altijd kon blijven zitten, kijkend naar een meisje aan wie ik mijn hart binnen enkele seconden had verloren. Ik bedacht hoe ze heette, fantaseerde over waar ze naartoe ging, wat haar allemaal bezighield, welke muziek ze mooi vond, zelfs wat ze lekker vond om te eten. Op het moment dat onze blikken elkaar kruisten, was het afgelopen. Ik richtte me meteen op de grond; ik was er niet tegen opgewassen, maar toch, ik genoot van de mysterieuze anonimiteit zolang de situatie duurde. Ik mompelde dingen als: 'Je weet het niet, maar ik hou van je, ik vind alles even geweldig aan je, zelfs één enkele lok van je haar brengt me van mijn stuk, alleen zul je het allemaal nooit weten.'

Er wordt later die nacht nog een hartfilpje gemaakt. Ik word, vastgesnoerd op een brancard, door het ziekenhuis gereden. Men neemt mijn pijn zeer serieus hier, dat is aan alles te merken. Sommige verplegers houden even mijn hand vast als ik in een gang geparkeerd sta, wachtend op het onderzoek. 'Het gaat wel weer,' zeg ik zachtjes.

'Dat zeggen ze allemaal, agent, echt allemaal,' hoor ik achter me. Als ik me omdraai, zie ik dat ik met mijn brancard tegen een andere brancard ben gezet.

'Kent u mij?' vraag ik.

Ik kijk naar het achterhoofd van een oudere meneer, zie zo nu en dan zijn hand onder de dekens vandaan komen.

'Vast niet, maar ik weet wie u bent,' zegt hij en draait zich op zijn buik, 'ik herken uw stem.'

Opeens weet ik het: het is de verkoper van de *Leicester Mercury*. Zijn ogen zijn onzichtbaar door een groot verband, maar ik herken de hoekige kaak en zijn dunne kleurloze lippen, zijn haar dat geel van de nicotine is. Voor ik een abonnement nam, haalde ik elke morgen een krant bij hem. Een tijd geleden zat hij tegenover me op het bureau. Hij was overvallen door een paar studenten, ze hadden de kiosk omgegooid en waren er met een zak kleingeld vandoor gegaan.

'U bent van de kiosk, wat is er gebeurd?'

De man hoest en mompelt iets onverstaanbaars. Ik tuur naar zijn schilferige handen boven de dekens. Hij schraapt zijn keel en draait zich weer op zijn rug.

'Ik ben geslagen, gewoon op straat. Hard geslagen. Twee van die stinkmoslims vroegen of ik terug had van twintig pond en toen ik mijn geld uit mijn zak haalde grepen ze er meteen naar, maar het is mijn geld niet, snapt u? Het is het geld van mijn baas. Ik gaf er een een klap op zijn hoofd en toen kreeg ik er een terug, midden in mijn gezicht.'

'Hebben ze u bestolen?'

'Nee, ik heb mijn geld gelukkig nog.' Hij klopt een paar keer op de lakens, op de plaats waaronder ongeveer zijn broekzak moet zitten. 'En waarom bent u hier? Hebben ze op u geschoten?' vraagt hij.

Ik denk aan Anca die ergens in de nachtverblijven ineengedoken op een dun matrasje ligt. Ik hoop maar dat ze te eten heeft gekregen. Misschien is ze wel in slaap.

'Ik heb pijn in mijn hart,' zeg ik.

'Ja, wie niet,' zegt hij en trekt de lakens over zijn gezicht.

19

De volgende dag mag ik naar huis. De cardioloog zegt dat ik absolute rust moet houden en geeft me een recept mee voor bètablokkers, bloedverdunners en cholesterolverlagers die ik natuurlijk niet zal gaan slikken, maar ik laat de man in de waan en zeg dat ik meteen naar de apotheek ga.

Onderweg maak ik een tussenstop bij een krantenwinkel en koop drie zakjes M&M's en een sixpack bier. Ik heb een manier ontwikkeld om op straat M&M's te eten zonder dat iemand het kan zien. In mijn jaszak scheur ik een zakje open en giet de helft in mijn hand. Dan breng ik die naar mijn mond en doe alsof ik diep gaap. Het enige probleem is het kauwen, ik moet snel kauwen achter mijn hand, anders wordt het gapen natuurlijk ongeloofwaardig.

Als ik naar Montfort House kijk, zie ik dat er op de twaalfde verdieping een appartement te huur staat. Ergens vorig jaar is daar een dode man gevonden. Hij had zijn polsen doorgesneden en was doodgebloed in het halletje. Pas na twee maanden hadden ze hem gevonden door het klassieke probleem: de stank. Familie of vrienden had de man niet en zelfs de portier kon zich hem niet herinneren. Alleen dagblad *This Is Leicestershire* wijdde er een kort bericht aan. Hij was eenzaam geweest, zat veelal opgesloten in zijn studio en keek naar voetbal op televisie. Hij was in het bezit van een seizoenskaart, maar maakte daar al maanden geen gebruik meer van. Op het moment dat ik het nieuws las, besloot ik naar de twaalfde verdieping te gaan en van daaruit het uitzicht te bekijken. Het was nauwelijks anders dan wat ik uit mijn eigen raam kon zien. Het enige verschil was dat hij vanaf zijn hoek het Walkers Stadium goed in de gaten kon houden.

De portier zit in zijn hok met een iPhone te spelen. Ik groet hem met een knikje en hij zegt op lome toon, zonder op of om te kijken: 'Hey man.'

Er is geen post.

In de lift zie ik tot mijn grote schrik dat er een nieuwe spiegel is opgehangen. De vorige was eerst beklad, daarna bekrast en later stukgeslagen. Ik probeer niet te kijken, maar als ik de lift uit loop, vang ik toch een glimp van mezelf op. Het ziet er niet best uit, mijn gezicht zit onder de rode vlekken.

Het raarste van alleen leven is dat werkelijk niemand op je let. Net na mijn scheiding had ik steeds het gevoel dat Susan alles kon zien wat ik in mijn huis uitspookte. Als ik op de wc zat met de deur open en mij daar bewust van werd, sloot ik hem snel. Ook verstopte ik de wikkels van repen chocola en lege blikken bier. Toen ik een jaar alleen was, hield ik daar allemaal mee op, want het is natuurlijk onzin, niemand kan je zien in je eigen huis, niemand weet wat je doet. Alleen op straat is er haast geen ontsnappen meer aan. Bijna op elke straathoek hangen de camera's van City Eye, een landelijk beveiligingsbedrijf dat alles en iedereen continu in de gaten houdt. 'Big brother is watching you. Always. Everywhere', is hun slogan.

Om even voor vijven bel ik naar het bureau. Ik krijg Arnold aan de lijn die me met een sombere stem uithoort over het verzonnen hartinfarct. Hij vraagt of ik nog pijn heb.

'Nee, nu niet meer,' zeg ik.

'Heb je geslapen?'

'Ja een beetje, maar vertel eens, hoe gaat het daar?'

'Heel moeilijk. Het is een rotzooi, echt een teringzooi. Alle verdachten zijn naar de gevangenis gebracht, want we hebben op het bureau geen ruimte. We hebben toestemming gekregen om daar te verhoren.'

'De gevangenis aan Nelson Mandela Park?'

'Ja. Het is een veel ingewikkelder zaak en gaat ook meer tijd kosten dan we dachten. Die Roemenen huilen en schreeuwen als wilde dieren en werken helemaal niet mee. Bill wil dat niet op het bureau hebben. Je krijgt trouwens de groeten van hem, hij wenst je veel beterschap.'

De gevangenis aan het Nelson Mandela Park is een van de grote toeristische trekpleisters in Leicester. De buitenkant is er een uit een prentenboek: angstaanjagend hoge torens en metersdikke muren. Een aantal jaren geleden was er sprake van dat het gebouw een andere bestemming zou krijgen. De cellen stammen nog uit de negentiende eeuw en er is sinds die tijd weinig aan vernieuwing gedaan. Aangezien het een van de meest overbezette gevangenissen in Engeland is, voldoet ze eigenlijk niet meer aan de normen van vandaag de dag. De recent gebouwde inpandige sportschool en het restaurant, de bibliotheek en het kleine zwembad voor gedetineerden doen je even vergeten dat hier tot 1953 de doodstraf werd uitgevoerd, maar in 2006 maakte de inspectie bekend dat negen gevangenen dat jaar waren overleden door de slechte omstandigheden. Het was een groot schandaal geweest en men beloofde de omstandigheden te verbeteren. Ze trokken zeven jaar uit voor de verbouwing, maar tot op heden is er weinig veranderd. Ik ben er vier jaar geleden voor het laatst geweest. Ik had Susan toen precies moeten vertellen wat ik had gezien, want zelfs bij de inwoners van Leicester spreekt de Towergevangenis erg tot de verbeelding. Wat me vooral was opgevallen, was dat de cellen verschrikkelijk klein en benauwd waren en dat er geen daglicht was, alleen een aantal tl-buizen die in de jaren zeventig waren opgehangen.

'Dus we werken vanuit die gevangenis?' vraag ik en denk aan Anca, die in een van de stenen cellen wacht op verhoor. Zou ze bang zijn? Ja, dat kan haast niet anders.

'Het is net een film, man!' roept Arnold door de telefoon. 'We hebben een zenuwcentrum opgezet en er zijn echt van die ijzeren borden waarvan ze moeten eten, weet je wel… Het is net alsof we in *Escape from Alcatraz* zitten, echt te cool voor woorden!' schreeuwt hij door de hoorn.

Die avond kijk ik tijdens het eten van een diepvriesmaaltijd naar *The Jeremy Kyle Show*. Jeremy Kyle is de Jerry Springer van Engeland. Kyle staat altijd aan de kant van de minderheid en bespreekt meestal gevoelige onderwerpen als incest, overspel en drugsgebruik. Volgens de makers van het programma is er geen censuur, en volgens mij is dat waar; woorden als *fucker* en *asshole* worden nooit vervangen door piepjes. *The Jeremy Kyle Show* haalt enorme kijkcijfers.

Het item van vandaag is een man die zijn hele leven heeft verpest met leugens en overspel. Hij heeft veel kinderen bij verschillende vrouwen rondlopen en zegt daar absoluut niet trots op te zijn. Het valt me op dat de man helemaal niet aantrekkelijk of interessant is. Het is een vrij alledaags figuur die niet op zou vallen tussen de rest. Een vrouw die naar voren wordt gehaald, beweert dat ook háár zoon van hem is en dat hij nu eindelijk eens zijn verantwoordelijkheid moet nemen. De man begint te schelden en roept dat ze een hoer is, dat haar zoon van iedere man kan zijn. Waarschijnlijk betaalt hij al een godsvermogen aan alimentatie.

Als de zoon van de vrouw backstage in beeld wordt gebracht, zie ik dat hij overduidelijke trekken van de man heeft. Het publiek roept uit volle borst boe. Kyle vraagt of hij een DNA-test wil ondergaan om te bewijzen dat het zijn zoon niet is. Terwijl de man tranen uit zijn gezicht veegt, knikt hij ja. De camera maakt een close-up van zijn gezicht, misschien om de kijker ervan te verzekeren dat het echte tranen zijn. *I want this to be over, I just want to live and be happy,*' zegt hij in de camera. De zaal geeft hem een daverend applaus.

'Ik krijg je eruit, ik ga je eruit halen, liefste,' praat ik tegen mijn televisie.

20

Ik heb de vorige middag en avond op de bank gezeten en bier gedronken. Om twaalf uur 's nachts wilde ik me aftrekken, maar geen enkel filmpje op internet wond me op. Tussendoor liep ik steeds naar het raam, drukte mijn gezicht tegen het dubbele glas en probeerde mezelf op te geilen door lukraak woorden te roepen die voor opwinding zouden zorgen. 'Natte kutjes', 'dikke tieten', 'ik spuit je vol', riep ik door de kamer, met mijn slappe geslacht tegen het raam gedrukt. De weerzin werd alleen maar erger, want vanuit het raam kon ik de gevangenis zien. Ik keek naar de hoge torens en de schijnwerpers die vanaf Tower Street het complex verlichtten en me de hele avond bij het raam vasthielden.

Ik werkte om middernacht nog een restje aardappelpuree naar binnen voor het glas en besloot toen maar de gordijnen te sluiten.

Wanneer ik vanochtend de badkamer en wc schoonmaak, moet ik opeens aan de ouders van Susan denken. Hoe zou het daar eigenlijk mee zijn, vraag ik me opeens af. De keren dat we langs haar moeder en vader gingen, waren meestal een ramp. Ze gedroeg zich daar ook heel vreemd. Ze zette een gek piepstemmetje op zodra we binnenkwamen, alsof het een regel was om daar zo met elkaar te praten. Ze noemde haar moeder 'mammie' en haar vader 'papaatje' en soms zelfs 'klein papáátje'. De vader noemde haar 'Suzzie' en had zich hetzelfde stemmetje meester weten te maken. Het klonk weliswaar een beetje schor, en hij hield het niet erg lang vol, maar het leek hem toch aardig te lukken.

De eerste keren dat we daar kwamen moest ik er hartelijk om lachen, maar toen het almaar voortduurde, begon ik me er mateloos aan te ergeren. Ik heb een keer geprobeerd met ze mee te doen, maar toen ik dat deed, moesten ze allemaal zo hard lachen dat ik rood aangelopen van

schaamte naar de wc ben gelopen. Ik heb daar een paar minuten gewacht tot ik de moed weer voelde om de huiskamer in te gaan, en toen
ik dat deed, moesten ze weer lachen.

Zou Peter Bird zich ergeren aan het kinderachtige spelletje bij zijn
nieuwe schoonfamilie thuis?

Vast niet, Peter Bird is een breedgeschouderde machoman met erg
mooi en vol haar. Hij is het hele jaar door zongebruind, die opgewerkte
dakwerker, hij zal wel korte metten hebben gemaakt met de piepstem-
metjes, hij zal wel op een avond 'Hé, houden jullie nou eens op met die
onzin!' hebben geroepen. Susan zou een zucht van verlichting hebben
geslaakt. Eindelijk, zou ze denken: dít is een man, deze snapt het tenminste.

Om kwart voor vijf loop ik door het Nelson Mandela Park, op weg
naar de gevangenis.

De parken in Leicester zijn eigenlijk niet meer dan open velden. Er
staan eigenlijk nauwelijks bankjes, perken of bomen. Dertig jaar geleden
was het nog anders. Toen stonden er hoge bomen en waren er bloemen-
perken met romantische stenen bankjes en fonteinen, maar de afgelopen
jaren was de overlast door drugsgebruik zo toegenomen dat het bestuur
van de stad had besloten alles open te leggen. Ruim baan voor de camera's van City Eye die vanaf de weg op het park gericht staan. De meeste
mensen die je er tegenwoordig tegenkomt, zijn alleen maar op weg naar
de overkant. Ze gebruiken het als kortere route naar de winkelstraten.

Ik heb me wel eens afgevraagd waarom zo weinig mensen een hond
hebben in deze stad, want echt nergens zie je ze, maar misschien moet ik
me zulke dingen niet afvragen.

De complete zuidvleugel van de gevangenis is bezet door het team
van Charles Street. Iedereen die ik tegenkom groet me voorzichtig en
vraagt hoe het met me gaat. Ik zeg dat ik me red, dat het al iets beter met
me gaat.

De sfeer is nog grimmiger dan ik me herinner van mijn laatste bezoek.
Misschien was ik er toen wel blind voor, omdat ik nog gelukkig was,
want wat ik nu zie is geen plek om opgesloten te zitten. Alle muren zijn
van dik natuursteen en het centrum van de gevangenis is er inderdaad
een uit een film, zoals Arnold zei: een grote ovale hal met een stalen trap-
penhuis, een matglazen koepel op het dak en ruim honderd celdeuren.
Dit gedeelte noemen ze de longstayafdeling. Hier kom je te zitten als je
drie jaar of meer hebt gekregen.

'Wat doe jij nou hier?' hoor ik achter me als ik van de derde verdieping naar beneden kijk.

Het is Bill Morgan.

'Ik zat maar thuis,' zeg ik en kijk weer naar beneden.

'Dat is ook het enige wat je nu kunt doen,' zegt hij en kijkt met me mee naar beneden.

'Je zou hier maar springen,' mompel ik.

'Dan ben je morsdood,' lacht hij, 'we gaan zo stoppen hier, we kunnen vandaag niets meer doen. Ga naar huis, Steve, pak je rust.'

Ik bedank Bill, geef hem een klopje op zijn schouder en loop weg.

De vleugel die ons team tot zijn beschikking heeft gekregen, bestaat uit lange gangen met negentiende-eeuwse kerkers. Er is vrijwel geen daglicht, alleen om de paar meter een tl-buis. De plafonds zijn net zo laag als in Montfort House en als ik door de lange gangen loop, weet ik dat ze achter een van die deuren zit. Onbereikbaar. Opgesloten. Ik voel me vreselijk nerveus door dat idee en besluit naar de wc te gaan om daar tot rust te komen. Op de pot haal ik een boekje sudoku's uit mijn binnenzak. Cijfers geven me altijd rust. Ik zou eens uit moeten rekenen hoeveel uur in de maand ik tijdens werktijd sudoku's oplos op de wc.

Ik schrik als ik hoor hoe er mensen de wc ruimte in komen. Ze fluisteren. Ik herken meteen de stemmen van Jim en Arnold.

'Ik ga mijn baan niet op het spel zetten,' hoor ik Arnold zeggen terwijl hij zijn plas in de pot laat klateren.

'Niemand hoeft het te zien, man, en ze houden toch wel hun bek, die zijn het gewend.' Dat is de stem van Jim. Ik hou mijn adem in, moet hoesten, maar weet het in te slikken. Tot mijn schrik zie ik dat ik de wc-deur niet heb afgesloten. Ik hou mijn hand op de deurklink.

'En waar dan?' vraagt Arnold.

'Op cel natuurlijk. Iedereen is al naar huis en de nachtwakers komen pas over een uur, dit is je kans, jongen, echt, er zitten *plaatjes* bij.'

Ik hoor Arnold gespannen lachen. Dan zucht hij diep en zegt: 'Oké dan.'

Zodra ze weg zijn, open ik de deur en was mijn handen voor de spiegel. 'Er zitten plaatjes bij,' zeg ik, terwijl ik voorzichtig aan de uitslag op mijn gezicht voel. Het is erger geworden, zie ik.

'Ik ga mijn baan niet op het spel zetten, Jimbo…' doe ik de schorre stem van Arnold na.

'Niemand… hoeft het… te weten' zeg ik zachtjes tegen mijn spiegelbeeld, als opeens tot me doordringt wat die twee idioten nou precies zeiden. Ik droog snel mijn handen en sluip de gang op. Er is inderdaad niemand en het is doodstil. Via de centrale gang loop ik voorzichtig naar de achterliggende cellen. Als ik ze opeens zie, druk ik me tegen de muur. Ik zie hoe de ijzertjes voor de spionnen opzij worden geschoven. Bij elke celdeur kijken ze beurtelings door het spionnetje en lachen in hun hand. Arnold tikt voortdurend met zijn wapenstok tegen de halve meter muur tussen de deuren. Het is een heel irritant geluid.

Ze stoppen bij een van de laatste cellen en kijken langdurig door het spionnetje naar binnen. Jim fluistert iets in Arnolds oor. Ze lachen met hun hand voor hun mond, kijken snel om zich heen en dan opent Arnold de deur met de loper die hier elke cel kan openen; in de jaren vijftig een gunstige aanbieding van slotenhuis Lips. Het zou het aan- en afvoeren vergemakkelijken en de cipier zou nooit meer hoeven zoeken naar de juiste sleutel aan zijn bos.

Eerst loopt Arnold naar binnen, dan Jim. Ik hoor hoe de cel van binnenuit afgesloten wordt; weer zo'n handigheid van Lips.

Ik sluip naar de celdeur, sta er een tijdje doelloos voor en vraag me af wat ze daar doen. Ik kijk op mijn horloge; het is kwart voor zes. Voorzichtig leg ik mijn oor tegen de deur en ruik het oude staal. Ik hoor niets. Deze deuren zijn zo dik als kluisdeuren, het is bijna onmogelijk om iets van leven waar te nemen zonder het spionnetje te gebruiken.

Ik schuif het ijzertje langzaam opzij en kijk.

Zoals een gruwelijke scène in een film of een foto in de krant je soms kan vastgrijpen en niet meer loslaten, zo sta ik als aan de grond genageld en kijk door het spionnetje naar binnen.

Ik zie hoe mijn twee collega's met hun broeken rond hun enkels elk boven op een meisje liggen. Ik zie hun gespierde billen op en neer bewegen terwijl ze met hun handen de gezichten van de twee meisjes bedekken. De meisjes proberen zich te verzetten door hard op hun magere onderruggen te slaan en met hun benen te trappelen, maar mijn collega's zijn te sterk en geven als antwoord steeds een trap in hun buik of een klap in hun gezicht. Ik zie hoe Jim onregelmatig stoot en Arnold met soepele, zelfverzekerde heupbewegingen op zijn meisje in ramt. Ik duw mijn gezicht nog dichter tegen de deur. Ik kan het allemaal niet goed zien, en het gekke is dat ik het wel wil zien. De lens beslaat door mijn warme adem en op het moment dat ik de condens wegveeg en mijn oog er weer tegenaan druk, zie ik, als Arnold zijn hoofd naar Jim draait, in een flits het gezicht van het meisje voor wie ik zou willen sterven. Ik voel spontaan de tranen over mijn wangen lopen, wil iets roepen, op de deur slaan, me naar binnen werken en de twee de strot omdraaien, maar het is een vreemd verlammend gevoel dat me tegenhoudt. Jim slaat het andere meisje in haar gezicht. Ik zie hoe hij tegen haar schreeuwt zonder dat er geluid is. Hij is duidelijk ruwer, waren zijn stoten zonet nog ongecontroleerd, nu zijn ze gruwelijk precies. Ze stopt met het trekken aan zijn oor, legt haar armen langs haar lichaam, heeft het opgegeven. Er druipt kwijl uit Arnolds mond. Ik zie hoe ze niet eens meer de kracht heeft om het uit haar ogen te wrijven. Een onbeschrijflijk gevoel gaat door mijn lichaam, een zeurende zenuwpijn vermengd met woede en nieuwsgierigheid. Ik denk een moment het gevoel te overwinnen en de kracht te vinden om íets te doen, maar blijf onveranderd verstijfd aan het spionnetje geplakt.

Als ze dan eindelijk opstaan heb ik een weids beeld van het slagveld: het andere meisje schreeuwt, haar hoofd is rood aangelopen en Anca huilt alleen maar en houdt haar trillende lippen krampachtig op elkaar. Ze houdt haar handen voor haar kruis, haar borsten hangen uit haar nachtjapon. Arnold heeft de knoopjes losgetrokken, ze eruit gehaald, ze in zijn jongenshandjes gehouden en ze ook precies zo achtergelaten.

Ik zie Jim en Arnold gebaren. Anca duwt haar borsten terug en knoopt snel haar nachtjapon dicht en gaat op haar hurken in de hoek zitten. Het andere meisje is opgestaan en trekt hard aan haar blonde haren, komt dicht bij Arnold staan die achteruitdeinst door haar wilde handgebaren. Voor mij is hij nu onzichtbaar, hij staat aan de kant waar de wc en de wasbak hangen. Als een grote blauwe vlek loopt hij weer het beeld in, zwaait vervaarlijk met zijn wapenstok. Ik zie dat hij tegen haar schreeuwt. Ik bestudeer zijn grote hoekige kaken, zie de aderen in zijn nek hevig kloppen; het ziet er allemaal uit als brute, mannelijke kracht.

Als ik zie hoe ze hun broeken dichtdoen, de riemen straktrekken en aanstalten maken te vertrekken ren ik plots weg, de gangen door, de hal uit. Als een geslagen hond verlaat ik de gevangenis terwijl ik de tranen uit mijn ogen probeer te persen.

21

Thuisgekomen werp ik me op de bank, begraaf mijn gezicht in een stapel schone theedoeken, en lig daar vele uren. Net als voor de celdeur lijk ik me niet te kunnen verroeren, maar ik blijf klaarwakker en ben pijnlijk helder. Als er iemand in de kamer aanwezig zou zijn, zou die zich misschien afvragen of ik überhaupt nog wel adem, maar er is natuurlijk niemand in de kamer.

Tegen het begin van de ochtend sta ik op, loop naar de ijskast en drink een blik bier. Ik loop doelloos rondjes voor de keukennis, lees etiketten op de pakken en potjes in mijn voorraadkast. Ik spreek hardop de woorden 'koolhydraten, vetten en gluten, ascorbinezuur' en zet daarna alles weer terug op de planken.

Het is nog donker buiten. Terwijl ik voor het raam naar het met oranje en witte linten afgezette slachthuis tuur, denk ik aan mijn tuin. Ik verdrink in melancholie, weemoed en schuldgevoel, moet zachtjes huilen als ik aan de keurige rijtjes bieten en komkommers denk, mijn tuingereedschap voor me zie, keurig in plastic verpakt in het tuinhuisje. Ik verlang opeens hevig naar slechts enkele jaren geleden toen geluk nog binnen handbereik leek.

Ik ben op het punt beland waarop ik het liefst in de stoppenkast zou gaan zitten, de deur zou sluiten en in het donker zou wachten tot alles voorbij was, maar ik weet dat ik aan mijn verplichtingen zal moeten voldoen. Binnen een uur zal ik me moeten aankleden en naar mijn werk gaan, en het gekke is, eigenlijk wil ik ook niets anders. Ik zal Arnold en Jim tegen het lijf lopen, hun ogen zien glinsteren van hun gruweldaden. Ik zou me moeten inhouden om niet huilend het gebouw te verlaten.

Ik stink vreselijk naar zweet. Angstzweet, misschien.

Als ik onder de douche sta en mijn lijf inzeep, denk ik aan Anca. Hoe ze nu wakker wordt in haar cel en hoe verschrikkelijk ze zich moet voelen. Misschien dat ze zachtjes tegen het blonde meisje praat, van hen tweeën de sterkste zal zijn, degene die het meeste heeft meegemaakt, die de ander zal troosten. Ik zeep me nogmaals in en wrijf hard over mijn buik en benen. Ik haat mijn buik en benen. Mijn geslacht is nu zo ineengekrompen dat ik het zelfs niet durf aan te raken. Ik probeer aan andere dingen te denken, bijvoorbeeld aan de toekomst, maar word elk moment afgeleid, moet steeds weer denken aan wat ik gisteren zag. In gedachten verzonken dep ik me droog, trek mijn kleren aan, drink een kop thee en verlaat mijn huis om even voor achten.

Misschien was het beter geweest als ik haar gewoon meteen mijn werkelijke beroep uit de doeken had gedaan, denk ik in de lift. Als ik haar verzekerd had van mijn goede wil, gewoon eerlijk was geweest, want als ze er nu nog achter zou komen, zou ze zich absoluut afvragen waarom ik een klein beetje op haar had gelet.

In de auto op weg naar mijn werk luister ik naar 'The Scientist' van Coldplay, een favoriet van Susan en vroeger ook een favoriet van mij. Nu is het alleen nog maar een geheugensteuntje aan gelukkiger tijden, een liedje dat mijn maag doet kantelen. Hoewel ik een periode naar bands als The Clash luisterde, geef ik tegenwoordig de voorkeur aan melancholische liedjes. Jaren geleden heb ik mijn platen ingeruild voor waardebonnen waarmee ik een klein rijtje cd's heb kunnen bemachtigen. Het is niet echt iets bijzonders. Het zijn voornamelijk verzamel-cd's met overbekende hits uit de jaren tachtig en negentig en albums met romantische liedjes over verdriet en gemis; van die nummers die je moeiteloos kan meeneuriën en waarvan je de melodieën nog dagenlang met je meedraagt.

Ik parkeer een halve kilometer van het bureau, controleer de deuren een paar keer goed: dit is een buurt waar mensen als Alice Mcintosh toeslaan. Ik heb een bordje in mijn voorruit waarop staat: DEZE AUTO IS LEEG!, maar eigenlijk helpt dat niets, alleen al in het stadscentrum zijn er maandelijks vierhonderd gevallen van auto-inbraak.

Als ik in mijn bureaustoel zak, staat Bill in de deuropening. Of ik even met hem mee wil komen, of het al wat beter met me gaat, of ik een beetje heb geslapen vannacht. Het zijn te veel vragen in één enkele zin, ik antwoord drie keer ja en loop achter hem aan.

'Steven, ik denk dat we even wat meer aandacht moeten besteden aan wat er gebeurd is dan jij denkt dat nodig is,' zegt Bill als we in zijn kantoor zitten.

Bill is al jaren grijs, maar bewerkt zijn haar zo nu en dan met een zeer agressieve zwarte verf die hij met een kwastje aanbrengt. Op sommige dagen, zoals vandaag, kun je het grijs er een beetje doorheen zien komen. 'Ik heb medicijnen gekregen en moet nog een beetje rustig aan doen, maar verder is er niets aan de hand, hoor,' zeg ik.

'Maar zorg je wel goed voor jezelf?'

'Jawel, goed genoeg.'

'Je komt terneergeslagen over.'

'Ik ben geschrokken,' zeg ik en kijk naar de grond.

'Ik wil dat je je nogmaals laat nakijken bij de medische dienst en ik vind het noodzakelijk dat je een bezoek brengt aan Liana Deller, snap je dat?'

Ik knik. Liana Deller is de psychiater van het district. Ze behandelt getraumatiseerde agenten. Ik heb haar naam al honderden malen horen vallen, maar haar nooit in levenden lijve ontmoet.

'Een beetje praten kan geen kwaad, Steven. Je weet hoe dierbaar je me bent, ik wil niet dat je straks niet meer in staat bent *goed te doen*.'

Dat je niet meer in staat bent goed te doen. Het is een van de gevleugelde uitspraken van mijn chef. Ik heb het altijd een hoogst irritant zinnetje gevonden.

'Maak zelf maar een afspraak met haar,' zegt hij en schrijft een telefoonnummer op een papiertje, schuift het over zijn bureau naar me toe.

'Oké,' zeg ik, 'bedankt, Bill.'

'Heb je het nog een beetje kunnen volgen?' vraagt hij bij de deur.

'Nauwelijks,' zeg ik.

'Het is toch anders dan we dachten. Er zitten twee mannen tussen met een strafblad, de rest heeft er niet veel mee te maken. De meisjes zijn illegale prostituees, al beweren ze natuurlijk van niet. Het zijn ook voor een groot deel zigeuners, en zoals je weet: zigeuners vallen nét buiten de wet. Op een fractie na dan, en juist die fractie gaan we benutten, Steven.' Hij houdt zijn wijsvinger en duim op elkaar, om mij te laten zien op welke fractie na de zigeuners bínnen de wet vallen, en hoe kundig Bill is om die fractie te benutten.

Ach ja, goed formuleren is alles wat jij kunt, Bill, denk ik, formuleren en verder niets. Je moet eens weten wat er zich gisteravond heeft afgespeeld.

'Je wordt een beetje grijs,' zeg ik en wijs naar zijn haar.

'Ja, ik moet er morgen maar weer eens een spoelinkje doorheen gooien, het is weer tijd,' zegt hij. Bill heeft van dat verven van zijn haar nooit een geheim gemaakt.

22

Zie me toch lopen door de straten. Mijn handen diep in de zakken van mijn jack gestoken, mijn hoofd naar de grond gericht, de stoeptegels tellend, vol weerzin op weg naar mijn werk.

De vorige avond heb ik uren op internet gezeten. Ik zocht naar afleiding, maar kon die nergens vinden. Mijn geslacht bleef levenloos tussen mijn benen hangen. Zelfs bij de heftigste porno vloeiden mijn gedachten richting de cel en wat zich daar had afgespeeld. Langere tijd keek ik naar een vrouw die het geslacht van een man in haar mond hield en lustvol naar hem opkeek. Nog maar een week geleden zou ik daar zeer opgewonden van zijn geworden, nu was mijn aandacht afgeleid en had ik meer oog voor wat er achter de twee acteurs plaatsvond: een donkerharig meisje met een blik waaruit geen woede maar angst en diep verdriet sprak. Ineengedoken zat ze daar, op de koude vloer van de cel in Tower Street.

Ik kan me door het gespeelde hartinfarct nu makkelijk onttrekken aan de werkzaamheden die op me liggen te wachten. Als ik mijn kantoor binnenloop, zie ik zelfs dat iemand het papierwerk van mijn bureau heeft gehaald. Wat zijn ze toch handig, die collega's van mij.

Op de gang, op weg naar de wc, zie ik Jim staan. Hij staat geleund tegen het loket waar alle binnengebrachte verdachten zich moeten ontdoen van hun persoonlijke bezittingen.

'Steven,' zegt hij opgewekt als hij me ziet.

'Jim,' zeg ik zachtjes en steek mijn hand in de lucht. Ik weet dat ik mijn stem onder controle kan houden, niet geëmotioneerd overkom, dat ik als het moet zelfs vriendelijk tegen deze jongen kan zijn.

Hij stapt op me af en pakt me bij mijn schouders vast. Ik voel me ongemakkelijk, kijk een moment naar de grote handen op mijn schouders die over het lichaam van het blonde meisje zijn gegaan, haar hebben geslagen, waarmee hij zijn dreigementen kracht heeft bijgezet door ze vervaarlijk te laten zwaaien. Vuile handen zijn het, schuldige handen.

'Hoe is het met je, man, ik hoorde van Bill dat je je goed staande houdt? Dat je geen last meer hebt gehad?'

Ik zeg dat dat klopt. Dat ik nog wel het een en ander moet laten onderzoeken, maar dat ik verder geen last meer heb, ik zeg zelfs dat ik me *kiplekker* voel.

'Goed te horen, man! Ik was als de dood die avond van de inval, we dachten dat je erin zou blijven,' zegt hij.

'Hoe loopt het onderzoek?' vraag ik.

'Niet zoals we dachten, volgens mij zijn het geen terroristen, maar Arnold denkt nog steeds van wel. De meisjes zijn absoluut prostituees, maar ze laten weinig los, doen niets anders dan de hele dag slapen. Zonder een goede verklaring kunnen we nog maar nauwelijks iets rond krijgen. De officier zegt dat als we niet snel met gegronde bewijzen komen iedereen vrijgelaten moet worden, moet je voorstellen, alles voor niets geweest...'

'Hebben ze een advocaat gekregen?'

'Ja, allemaal. Die meisjes beweren dat het om huisvesting gaat, dat er geen sprake is van prostitutie. Ze vroegen zelfs hoe we het lef hadden zoiets te opperen, en dat terwijl... Nou ja, Steven,' hij komt weer dichter bij me staan en fluistert 'Het zijn smerige hoeren' in mijn oor.

Ik knik, probeer een grijns te veinzen maar dat lukt me niet. Ik voel een verlammend verdriet.

'En Alice, de zwerfster?' vraag ik.

'Alice heeft een probleem. Eerst beweerde ze dat ze voor óns werkte, dat zei ze echt. Ze was op een geheime missie gestuurd en was daarom tijdens de inval aanwezig. Maar we troffen heroïne aan in haar kleren, dus ze zit nog wel een tijdje vast. We denken dat ze daar die heroïne heeft gekocht en ook heeft gebruikt, want tijdens de inval zat ze in een van de kamers, tegenover zo'n hoertje. Ze zei dat het om iets heel anders ging, maar toen we vroegen wat dat dan was zei ze: "Dat is iets tussen mij en jullie bureau, meneer de agent." Ach, er is geen beginnen aan, we kunnen er niets mee. Ze is een junk. Ze vraagt trouwens steeds naar jou. Ik vertelde over je hartinfarct, ze wenst je beterschap.'

Ze was dus niet direct naar de slachterij gegaan, maar eerst ergens gaan scoren.

'Als jullie hulp nodig hebben, hoor ik het wel,' zeg ik.

'Word eerst maar eens beter, beste man,' zegt Arnold en geeft me een bemoedigend klopje op mijn schouder en loopt weg.

Ik voel me gedurende de morgen steeds ellendiger. Aan mijn bureau denk ik eraan hoe ze daar zit. Weerloos als een opgesloten dier... Misschien is ze zelfs gewond. Het pijnlijkste vind ik dat het niet ondenkbaar is dat ze haar nogmaals verkracht hebben terwijl ik thuis uit alle macht mijn geslacht hard probeerde te krijgen.

In de middag word ik gebeld door Karl Schurmann, de makelaar. Hij heeft met spoed een sleutel nodig, want er is een mogelijk geïnteresseerde. Hij vertelt dat ik niet rijk zal worden aan de verkoop, dat de huizenmarkt is ingestort, dat die huizenmarkt in een grote crisis verkeert. Hij zegt dat het bedrag zelf niet eens zo belangrijk is, het gaat er meer om dát het verkocht wordt.

'Nu je niet meer met Susan bent, ben je natuurlijk kleiner gaan wonen, waar ben je gaan wonen, als ik vragen mag?' vraagt hij.

'In het centrum,' zeg ik.

'Oké,' zegt hij. 'O, Steve, het is misschien een beetje ironisch, maar heb net een huis verkocht aan Susans nieuwe man. Ik voelde me best ongemakkelijk toen ze hier tegenover me zaten, Susan deed alsof ze me niet kende, het was een beetje raar.'

Een halfjaar geleden zou zoiets me van mijn stuk hebben gebracht, maar nu zeg ik alleen maar: 'Ja.' Het voelt onwennig maar ergens toch prettig; ik bespeur geen gevoel van jaloezie of verdriet, het laat me eerder koud.

'Ik kom morgen de sleutels afgeven,' zeg ik tegen Karl.

Die avond trakteer ik mezelf op een Indiase maaltijd in een klein eettentje in Evington, vlak buiten het centrum. Het zit in een straat die bekendstaat om zijn goede Indiase restaurants. Ik eet een curry en drink bier van een merk dat ik niet ken en alles smaakt me goed. Ik ben omgeven door kaarslicht, een interieur van koper en groen en jonge stelletjes die vrolijk met elkaar praten. Het stemt me rustig en ik voel me goed. Het lijkt alsof ik niet alleen afstand heb genomen van Susan, maar ook van mijn dagelijkse werkzaamheden op het bureau, van alles wat me omgeeft en me maakt tot wie ik ben.

23

Als ik in de auto het lome begin van 'Gimme Shelter' van The Rolling Stones hoor tijdens een radioprogramma dat *Golden Classics* heet, denk ik terug aan het moment waarop ik mijn ouderlijk huis verliet. Ik weet nog goed hoe ik het eigenlijk niet durfde. Ik had net *Midnight Cowboy* in de bioscoop gezien en zag hoe cowboy Joe Buck zijn geluk ging zoeken in New York, en hoe dat allemaal mislukte; hoe hij uiteindelijk zelfs zwerver werd. Mijn eigen geluk moest ik zoeken in Londen, of om te beginnen in andere grote steden als Liverpool of Leicester, niet in Dartford, het gehucht waar ik geboren ben.

Ik hoorde het liedje de eerste keer dat ik dronken werd. Het maakte grote indruk op me; de rauwe stem van Mick Jagger, de zangeres op de achtergrond, de sfeer van seks, drugs en rock and roll die tijdens het luisteren van het liedje ook voor mij bereikbaar leek. Ik was trots dat ik in dezelfde stad als Jagger geboren was. Ik zag dat als een teken dat het met mij ook goed kon komen.

Enige tijd later kocht ik de *Let It Bleed*-plaat uit 1969, en was teleurgesteld dat het effect niet hetzelfde was. Zo in mijn kamertje gezeten werd ik me alleen maar bewuster van mijn dikke lichaam, puistige huid, en vooral: mijn kalende hoofd. Ergens rond mijn zeventiende begon mijn haar uit te vallen. Ik probeerde het eerst te verbergen door alles naar de zijkant van mijn hoofd te kammen en vast te zetten met een krachtige gel, maar rond mijn vierentwintigste waren het nog maar enkele dunne haren die ik boven op mijn hoofd had groeien. Ik besloot alles af te scheren, om vanaf dat moment gemankeerd door het leven te gaan.

Het zou toch veel acceptabeler zijn geweest als ik tien jaar ouder was, bedacht ik. Er waren vrouwen die het zelfs *sexy* vonden, maar ik was niet sexy; ik was vierentwintig jaar oud en had nog nooit gezoend. De enige vrouw die ik ooit had aangeraakt was mijn kleuterleidster, en zelfs dat had me de schrik van mijn leven bezorgd. Ik wist heel zeker dat ik als maagd zou sterven. Wat walgde ik van mijn kale kop als ik in de spiegel keek.

Zo begon ik Mick Jagger te haten. De koning van de rock-'n-roll met zijn slanke, soepele lichaam en volle haardos. Ik kon de muziek niet meer aanhoren. Het was 1985, en ik kwam er via een vriend achter dat het nummer helemaal niet stond voor seks, drugs en rock-'n-roll, maar de angst voor het einde der tijden impliceerde; toen de single uitkwam, was de oorlog in Vietnam net in alle hevigheid losgebarsten. Zo uit Jaggers grote mond vond ik dat nogal hypocriet klinken, maar goed, ik had het gewoon verkeerd begrepen.

Vlak voor mijn vertrek naar Leicester verkocht ik de plaat met bijna zes pond winst, het was inmiddels een collector's item geworden; was Mick Jagger toch nog érgens goed voor.

'*Rape, murder, it's just a shot away, it's just a shot away,*' schalt het door de speakers.

Nu ik in mijn auto zit, op weg naar het makelaarskantoor van mijn schoolvriend – dat ik maar met moeite kan vinden – merk ik dat ik tijdens het horen van het nummer tranen in mijn ogen krijg. Ik ben nu bijna vijftig en mensen zeggen wel eens dat het leven bij veertig begint, maar voor mij ligt dat heel anders; ik ben me na mijn veertigste juist steeds labieler gaan voelen en heb meer het idee dat de dood in aantocht is dan dat het leven me nog vele kansen zou kunnen bieden.

Mijn schoolvriend draagt een gestreept pak met lichtblauwe das. Hij heeft een vettig matje in zijn nek, een protserig horloge om zijn pols en een glimmende scooter voor de deur staan.

Hij stapt op me af alsof we nog steeds goede vrienden zijn, schudt enthousiast mijn hand en zegt: 'Fijn dat je er bent, man,' waarna hij vraagt wat ik wil drinken.

'Thee, doe maar gewoon thee,' zeg ik en zak neer in een van de designstoeltjes in zijn kantoor.

'Wat hebben wij elkaar lang niet gezien, je ziet er goed uit zeg,' zegt hij en slaat zich een paar keer op zijn knieën, vraag me niet waarom.

'Ik denk dat we elkaar zeker vijf jaar niet hebben gezien,' zeg ik.

Terwijl hij thee zet, bekijk ik de man die ik als zestienjarige heb ontmoet. We zaten met elkaar in de klas en Karl had het nu blijkbaar *gemaakt* en ik weet zeker dat uit al mijn woorden, mijn kleren en zelfs mijn manier van bewegen te zien is dat ik het níet heb gemaakt.

'Och, och, wat gaat de tijd toch snel,' zegt hij en haalt een kladblok tevoorschijn en vist een dure vulpen uit zijn binnenzak.

'Je hebt het goed voor elkaar,' zeg ik terwijl ik naar de houten vloeren, de designbanken en de rekken met folders aan de muur wijs.

'Het gaat heel aardig ja. Had ik niet gedacht trouwens, de huizencrisis heeft me bijna genekt, maar ik ben er weer uit geklommen, *sterker geworden*,' zegt hij.

Hij vertelt me over erfpachten, overwaarde, beleggingspanden en allerlei begrippen waar ik niets van begrijp, maar steeds knik ik begrijpend, zeg 'natuurlijk' en 'uiteraard'.

'Wil je er nog over nadenken?' vraagt hij dan.

'Ik wil ervanaf, meer niet,' antwoord ik en leg de sleutels op de koffietafel, samen met de papieren, alsof ik nu ter plekke afstand kan doen.

'Zoals ik al zei, ik heb een mogelijk geïnteresseerde: een familie met veel jonge kinderen. Man zit in de horeca, vrouw doet het huishouden, ze hebben een klein budget, maar misschien is het toch wel interessant voor je: als je er snel vanaf wil, zijn dit je klanten.' Hij kijkt me langdurig aan, en ik knik.

'Het is je kans, makker,' zegt de schoolvriend en lurkt van zijn thee.

'Heb je over de tuin verteld?'

'Zijn geen tuinliefhebbers. Ze zoeken vooral veel woonoppervlakte en die extra badkamer en wc vinden ze natuurlijk zeer aantrekkelijk.'

'En wat is hun budget dan?'

'Tweehonderdtien,' zegt hij en leunt diep naar achteren.

Ik knik. Honderdduizend pond per persoon. Ik honderd, Susan honderd.

'Ik weet het, het is niet veel, maar als je naar de huizenmarkt kijkt op dit moment, zeg ik als expert: niet eens zo gek. De buurt is volkomen flut, ze zullen nog voor dertig verbouwen, en dan hebben ze het nog niet eens vanbinnen gezien.'

Ik denk aan de inrichting van ons huis aan Britford Avenue. De 'bourgondische keuken' van IKEA, het hoogpolige rode tapijt, de aangebouwde dakkapel die het hele huis aan de voorzijde een stompzinnige uitstraling had gegeven, de plastic tuinmeubels waar je in de zomer aan bleef plakken.

'Het lijkt me in orde, hoor,' zeg ik.

'Moet je het niet met Susan bespreken?'

'Ik bel haar wel, maar ga er maar van uit dat het in orde is.'

Opeens voel ik een sprankje hoop. Ik zou binnenkort honderdduizend pond op mijn bankrekening bijgeschreven krijgen. Als je niet te veel rare dingen doet, kan je daar toch een paar jaar aardig van leven, en gezien het salaris dat ik bij de politie verdien, zou ik er zelfs een beetje rente over kunnen trekken.

'Huur je op dit moment?' vraagt hij.

'Jazeker,' zeg ik.

'Houden zo. Ik voorspel dat binnen een jaar of vier de huizenmarkt volkomen in elkaar stort, dan kun je een leuk boerderijtje kopen voor die ton.'

In de auto draai ik het nummer van Susan en krijg Peter Bird aan de lijn. Mijn adem stokt een moment. De laatste keer dat ik deze man heb gesproken, ging het om de goot en was Susan nog mijn vrouw. Ik kuch een paar keer en zeg dan: 'Meneer Bird, u spreekt met Steven Mellors, de ex-man van Susan. Kunt u Susan doorgeven dat de vorige koper heeft afgehaakt maar er nu door een ander een bedrag van tweehonderdtienduizend pond is geboden voor ons huis aan Britford Avenue en dat ik graag zo snel mogelijk wil horen of ze daar mee akkoord gaat?'

Ik hoor Peter Bird overleggen, en op de achtergrond Susans stem die me opeens helemaal niet meer herinnert aan fijne tijden. Ik denk alleen nog maar met schaamte aan de avond dat ik haar gebeld had terwijl ik me aftrok.

'Dat is goed,' zegt Peter Bird.

'U hebt een mooie stem, meneer Bird,' zeg ik zonder erbij na te denken, maar het is een feit; deze man heeft de stem van iemand die gelukkig is, blij met de situatie waarin hij verkeert. Ik schud mijn hoofd en wacht tandenknarsend op zijn reactie.

Dan zegt de siergootspecialist rustig: 'U moet stoppen ons lastig te vallen, meneer Mellors. We hebben daar geen behoefte aan,' en gooit de hoorn op de haak.

24

Ik vang hier en daar de nieuwtjes op over de zaak. Twee van de zeven mannen bezitten inderdaad een behoorlijk strafblad. Een ervan wordt in Roemenië al langere tijd gezocht door de politie, de ander moet nog een gevangenisstraf uitzitten van vijf jaar voor een reeks gewapende overvallen. De zogenaamde band met de terroristische organisatie die Paul Bullow al maanden uit zijn slaap houdt, blijkt niet te kloppen. Ze hebben inderdaad ooit zakengedaan met een groot drugskartel dat via vele omwegen betrokken is bij een terroristische organisatie, maar daar waren de Roemenen duidelijk niet van op de hoogte. De hoofdtak van de organisatie blijkt een levendige handel in cocaïne te zijn, een drug die in het uitgaansleven van Leicester van groot belang is. Bijna elke student snuift in het weekend een grammetje weg. Toen ik een tijd geleden in het weekend nog wel eens een pub bezocht, zag ik het zelfs in het openbaar gebeuren – weggedoken onder tafeltjes, alsof ze op zoek waren naar een contactlens.

Arnold houdt zich bezig met de logistieke kant van de zaak. Hij zorgt ervoor dat de verdachten van hun cel naar de provisorische verhoorkamers worden gebracht en weer terug. Zijn tweede taak is het ontvangen van advocaten die met bosjes de gevangenis bevolken.

Op een middag loop ik naar Bill om te vragen of ik niet iets kan doen. Ik vertel dat ik me zo vreselijk nutteloos voel, maar Bill zegt dat hij niet wil dat ik me zulke spanningen op de hals haal, het is een steeds ingewikkelder zaak aan het worden, zegt hij.

De advocaten die de verdachten bijstaan zijn opmerkelijk fel, wijzen mijn collega's talloze malen op de rechten van hun cliënten, hameren erop dat ze 'niets hebben' en dat in ieder geval de meisjes direct in vrijheid gesteld moeten worden. Er zou absoluut geen sprake zijn van prostitutie; ze staan allemaal ingeschreven bij de University of Leicester en huren een kamer in de varkensslachterij. Best slim bedacht, denk ik als ik dat hoor.

Tijdens mijn nu talloze vrije momenten loop ik door de gangen van het oude cellencomplex. Al vele malen heb ik door het spionnetje naar haar staan kijken. Wat is ze toch mooi en lief, denk ik elke keer als ik haar zie zitten, liggen of eten in haar cel. Ik heb sterk het idee dat de gruwelijkheden zich niet herhaald hebben, ik denk dat te kunnen zien aan haar gezicht, dat ontspannen en uitgerust is.

Hoe vaker ik door het spionnetje loer, hoe schuldiger ik me ga voelen. Als ik op een avond weer naar haar sta te kijken, staart ze opeens mijn richting op. Ik weet dat er een miniem verschil van licht en donker te zien is als iemand door het spionnetje kijkt. Ze heeft grote grijze wallen onder haar ogen. Opeens vraag ik me af of ze het niet gewoon allemaal allang weet.

Ze kijkt verdrietig naar de deur en knikt een paar keer. Als ik naar links kijk zie ik dat het blonde meisje tegen haar praat. Zij luistert.

'Ik zal je redden,' fluister ik, 'het duurt niet lang meer, ik beloof het je…' Het klinkt als iemand in een kennel die een mishandeld hondje moed in fluistert, het zegt dat hij binnenkort zijn nieuwe baasje zal worden.

Aan mijn bureau draai ik het nummer van Liana Deller, de psychiater voor getraumatiseerde agenten.

'Ik denk dat ik een hartinfarct heb gehad,' zeg ik als ze vraagt wat eraan scheelt.

'Dat is naar om te horen, meneer Mellors. Ik wil direct een afspraak inplannen. Wat dacht u van morgen?'

'Ik voel me nu prima, hoor.'

'Toch bent u verplicht even langs te komen. Voor ik het vergeet, bent u al naar de medische dienst gegaan voor verder onderzoek?'

'Nog niet, maar ik ga morgenvroeg, ze laten me ook niet aan het werk gaan, ik wil graag weer werken,' zeg ik en bedenk dat ik daar helemaal niets van meen.

'Komt u dan na het bezoek aan de medische dienst direct mijn kant op. Ik zit in hetzelfde gebouw en heb morgenochtend verder geen afspraken gepland staan. Noemt u maar een tijd.'

'Halftwaalf?'

'Halftwaalf is prima,' zegt ze.

'Heeft u iets nodig aan gegevens?' vraag ik.

'Wij hebben alles hier al, meneer Mellors. Morgen voeren we een intakegesprek om halftwaalf in de ochtend. Weet u waar het is?'

'Op St John's Road toch?'

'Inderdaad. Nou, dan zie ik u morgen.'

'Ja, tot morgen.'

Ik hou niet van ziekenhuizen. Al helemaal niet van tandartsen, en zeker niet van psychiaters. Waar in godsnaam kan Liana Deller mij mee helpen? Wat kan ze voor me oplossen als ik toch de waarheid niet zal spreken, als ik toch niet eerlijk zal vertellen wat er die avond gebeurde?

Ik sla die avond de kans over om Anca te zien eten en ga naar huis om een voetbalwedstrijd te kijken.

25

Zoals iedereen die regelmatig tijdschriften leest of televisiekijkt, weet ik wat de oorzaken kunnen zijn en hoe het te voorkomen is, maar nergens ben ik te weten gekomen hoe het *voelt*. 'Een brandend, stekend gevoel in de borst. Gevoel alsof iemand een riem om je middel aantrekt, stekende pijn in de maagstreek. Gevoel alsof het hoofd en nek in brand staan, evenwichtsverlies, misselijkheid met braken, verlies van het bewustzijn,' staat op de webpagina 'gezondheid' van een onlinelifestylemagazine.

Ik heb die ochtend Bill laten weten dat ik pas ergens in de middag in de gevangenis zal zijn, dat ik naar de medische dienst ga en daarna een bezoek aan Liana Deller breng.

'Goed zo,' zei Bill, 'goed dat je gaat.'

Ik neem de auto naar Narborough, naar het Leicestershire Constabulary's Headquarters aan St John's Road, waar ik nog nooit ben geweest. Het is een rustige buitenwijk vol tuincentra en meubelwinkels.

Leicester is een van de oudste en grootste steden in Engeland. Net zoals in elke stad is er een bepaalde voorkeur; de gemeente ziet het liefst dat in Leicester de toeristische trekpleisters als de Haymarket en de Clocktower in perfecte staat verkeren, de rest interesseert ze werkelijk geen bal. De buitenwijken zijn daar het beste voorbeeld van, een en al verval, truttig- en treurigheid. De huizen zien er breekbaar uit, alsof de eeuwen behoorlijk vat op ze hebben gehad. Ook is het opvallend dat het overgrote deel te huur of te koop staat. Overal waar ik kijk, zie ik de bordjes in de tuinen staan.

Met tegenzin loop ik het hoofdkantoor van politie in. Achter in het pand zit de medische dienst. Al bij de klapdeuren ruik ik de geur van latex handschoentjes en bacteriedodende zeep. Hier worden gewonde agenten verzorgd, krijgen ze hun prikjes en worden ze gekeurd. Een arts heeft me verzocht plaats te nemen in de wachtkamer, waar verschillende agenten zitten. De meesten dragen hun uniform. Dit is een voor de burgers totaal onbekend terrein; het in privésfeer oplappen van de diender.

Ik groet hier en daar een onbekend gezicht, lees wat in het buurtkrantje en daarna in *Your Police*, het tijdschrift van de politie. Ik lees onder andere dat er volgende maand een interview met Bill in staat. Dat mag ik natuurlijk beslist niet missen.

Ik zal aan zowel de arts als Liana Deller een onzinverhaal moeten ophangen, symptomen moeten oprakelen, en er verder nogal laconiek tegenover moeten staan; er moet absoluut geen werk van gemaakt worden, het was alleen maar een oplossing voor een veel groter probleem waar ik niet over wil praten.

De arts heeft een vriendelijk gezicht en vraagt me plaats te nemen op een behandeltafel. Hij begint zonder iets te zeggen mijn hartslag te meten, schijnt met een lampje in mijn ogen en luistert met de stethoscoop op mijn borst en rug.

'Oké,' zegt hij, 'vertelt u eens wat er gebeurd is.'

Ik begin een verhaal dat ik op weg in de auto in elkaar heb gezet: over de plotse benauwdheid, de zeurende pijn achter mijn borstbeen, krampen in mijn buik en mijn hoofd dat voelde alsof er binnenin een vulkaan tot uitbarsting was gekomen.

De arts trekt een gepijnigd gezicht. Het is dan ook een beter verhaal dan wat ik aan de cardioloog in het ziekenhuis vertelde, het steekt gewoon beter in elkaar.

'Maar nu voel ik niets meer, ik voel me prima,' voeg ik eraan toe.

De arts begint een verhaal over zuurstof, over kransslagaders en bloedstolsels, ik ken die verhalen, heb er net zelfs nog over gelezen. Ik zeg op beduusde toon dat ik daar helemaal geen weet van had.

'Rookt u?' vraagt hij.

'Nee, en ook nooit gedaan.'

Hij vraagt me plaats te nemen op een weegschaal. Hij geeft ruim honderddertig kilo aan. Dit is neutraal gebied, hier hoef ik me niet te schamen, maar toch schrik ik er een beetje van; ik ben echt heel erg aangekomen de laatste maanden.

'U moet echt iets aan uw gewicht doen, uw hartslag is ook veel te hoog, bent u ooit eerder getest?'

'Tien jaar geleden, en twintig kilo lichter,' zeg ik.

De arts knikt, maakt aantekeningen op een klembord.

'Nu mag u een stukje fietsen,' zegt hij.

Ik neem plaats op een hometrainer en word aangelijnd aan een apparaat. De eerste minuten trap ik er nog lustig op los, maar al snel raak ik buiten adem. Ik word nerveus van de sensoren die op mijn borst geplakt zitten, van het piepende geluid van de hometrainer en van de arts die achter zijn bureau rustig een kopje koffie drinkt.

Ik steek in paniek een paar keer mijn hand omhoog en kerm, het zweet gutst van mijn hoofd.

'Oké, u mag stoppen,' zegt de arts.

Even later zit ik buiten adem in de stoel tegenover hem. Hij zit over een dossier gebogen. 'Een hartinfarct laat een onherstelbaar litteken achter op het hart, wist u dat?'

Dat wist ik niet, daar had ik ook niets over gelezen. 'O,' zeg ik.

'Ik zie dat er in het ziekenhuis foto's zijn gemaakt?'

Ik knik. 'En ook een hartfilmpje,' zeg ik.

'Goed, die zal ik dan opvragen. Heeft u bloedverdunners gekregen van de cardioloog?'

Weer knik ik.

'Als u niet stopt met drinken en iets aan uw levensstijl gaat doen, bewuster gaat eten, dan zal het hartinfarct zich binnen de kortste keren herhalen, helemaal in combinatie met uw werk.'

'Stoppen met drinken, beter eten,' herhaal ik.

'En bewegen, méér bewegen, echt, dat is het allerbelangrijkste.'

Ik wandel van de ene plek naar de andere. Was ik zo-even nog bij de medische dienst, nu zit ik tegenover Liana Deller, een aantrekkelijke brunette van achter in de veertig. Ze draagt een broekpak, beweegt zwierig door de ruimte op haar moderne sneakers.

'Ik ben net bij de medische dienst geweest, ik moet van alles veranderen,' begin ik zenuwachtig.

'Zoals?'

'Gezonder eten. Ik eet te vet, ik heb overgewicht', ik wijs naar mijn buik, kijk er een moment vol afschuw naar. Die dikke buik geeft me dat logge, dat zware, ik weet dat donders goed.

'Hoe lang bent u al rechercheur?' vraagt ze.

'Tien jaar. Eerst vijf jaar agent, dus vijftien jaar in totaal.'

'Heeft u plezier in uw werk?'

Ik denk na. Het is nooit een goede keuze om te liegen, maar ik zie geen andere mogelijkheid.

'Het is een baan,' besluit ik te zeggen.

'Ik krijg al jaren cliënten van de politie,' zegt ze, 'sommige gevallen zijn schrijnend. Het eerste contact met de pleger, de omgang met de verdachten, het zorgt bij sommige mensen voor problemen. Eerst kunnen ze er nog enige afstand van nemen, maar na een tijd vinden ze geen rust meer buiten hun werk. Ze denken aan niets anders meer, de scheidingslijn tussen werk en privé wordt steeds onduidelijker. Ervaart u zulke problemen?'

'Nee,' zeg ik.

Ze maakt aantekeningen, ik schraap mijn keel. 'Eigenlijk wilde ik het leger in, maar ik ben afgekeurd. Ik kwam niet door de test. Ik werd afgekeurd vanwege mijn gewicht. Bij de politie kon ik wel terecht, op die manier kon ik ook iets voor mijn land betekenen, en voor mijzelf.'

'En bent u daar tot zover tevreden over?'

'Over dat gewicht of het werk bij de politie?' zeg ik.

Ze moet lachen. 'Over het werk bij de politie. Heeft u het gevoel dat u iets voor ons land betekent, zoals u net zegt?'

'Ik ben me er gewoon steeds sterker van bewust dat het allemaal niet zoveel uitmaakt. Of ik het nou doe of een ander, het is een probleem dat nooit zal verdwijnen. Zolang er leven op aarde is, zal er misdaad zijn.'

Het lijkt wel een zin uit een slechte politiefilm, maar Liana knikt begrijpend.

'Heeft u neerslachtige of depressieve gevoelens?' vraagt ze.

'Nee,' lieg ik.

Ze bladert door een dossier. Ik ga wat rechter zitten om te kijken of ik kan lezen wat er op de kaft staat, maar mijn ogen laten het niet toe.

'Bent u getrouwd?'

'Gescheiden.'

'Vertel daar eens wat over.'

Ik vertel kort over Susan en over Peter Bird en over mijn tuin, ik vertel de *gewone* dingen, de dingen die Liana Deller als *gebruikelijk* zullen voorkomen, ik maak nergens een drama van.

'En uw ouders?'

'Beiden overleden, al jaren geleden. Geen broers of zussen, als u dat ook wilt weten.'

Ze knikt. 'En hoe ziet uw sociale leven eruit, heeft u vrienden die u bezoekt, een nieuwe vriendin inmiddels?'

En toen dat besef, niet onverwachts, maar wel totaal ongewenst: ik schud mijn hoofd een paar keer. 'Ik ben alleen,' zeg ik.

26

Vanuit mijn bed stel ik me voor hoe in alle vroegte – het is die morgen vochtig en er hangt een dichte mist in de stad – de verdachten worden vrijgelaten. Eén voor één verlaten ze het gebouw. Bij de ingang van het park vormt zich langzaam een bontgekleurde groep. Ze zijn geen verdachten meer, wel moeten ze zich beschikbaar houden, mochten er nog verhoren moeten plaatsvinden. De groep zal bestaan uit enkele advocaten, de vele meisjes en een paar van de mannen. Ze zien er vast afgemat en boos uit. Onder een bord waarop THE MARCH OF FREEDOM IS IRREVERSIBLE staat, wachten ze tot de groep compleet is.

Ik heb me vanmorgen ziek gemeld, want de vorige middag, nadat ik bij Liana Deller was geweest, kocht ik een fles wodka en heb die op een paar slokjes na leeggedronken. Eerst was ik van plan geweest weer naar de gevangenis te gaan, maar toen ik vanuit mijn auto naar het angstaanjagende gebouw keek, durfde ik opeens niet meer. Ik voelde me geëmotioneerd en ongemakkelijk door de eerlijkheid van mijn gedachten daar in die stoel bij de psychotherapeut. Een ritje naar de slijter leek me het meest toepasselijke op dat moment. Ik was al in de middag aan mijn eettafel gaan zitten en dronk van de wodka als een doorgewinterde alcoholist; het ene glas na het andere. Zonder ergens over na te denken, goot ik de glazen naar binnen met een dichtgeknepen neus. Ik heb een haatliefdeverhouding met wodka. Ik vind de smaak heel smerig, maar het effect weer heel fijn, ik word er heel erg dronken van. Nu heb ik vreselijk spijt, ik voel me werkelijk ziek, alsof ik gisteren opzettelijk vergif in mijn lichaam heb gegoten, of dat de verkoper van de Bargain Booze op Hinkley Road me een foute wodka heeft verkocht en nu in zijn klapstoel achter de toonbank zit te schaterlachen.

De tranen die volgen, zijn die van het overgeven. Mijn hoofd is rood aangelopen, ik zit voor de wc en voel me een wrak, sla jammerend tegen de zijkanten van de pot als er slierten slijm uit mijn mond lopen. Ik schreeuw tegen mezelf dat ik me moet vermannen. Als ik op weg naar mijn bed in de spiegel kijk, ontdek ik de gesprongen vaten op mijn wangen en neus.

Ik had toen ik nieuwe meubels kocht eigenlijk mijn keus laten vallen op een eenpersoonsbed, maar vond dat toch wel een beetje té treurig en koos daarom voor het tussenmodel met een vreselijke naam: een twijfelaar. Dat klonk, toen ik het kocht, alsof het stond voor mogelijkheden. Voor de kans op gemeenschap, of die van eenzaamheid. Maar ik begreep al snel dat die extra halve matrasbreedte totaal overbodig zou zijn.

Als iemand nu op mijn deur zou kloppen, naast me op de bedrand zou gaan zitten, en me met een arm om me heen geslagen zou vertellen dat ik weinig meer moet verwachten van het leven, zou me dat niet verbazen. Ik zou mijn tranen in bedwang moeten houden maar ik zou knikken, het absoluut begrijpen.

Ik kijk uit het raam naar de mensen die op straat lopen. Vanaf hierboven zijn het slechts poppetjes met boodschappentassen, poppetjes met de handen in hun zakken. Het is inmiddels halftwee. Ik durf niet te dicht bij het raam te komen, op dit soort momenten vind ik het uitzicht ronduit angstaanjagend.

Toen ik doorgaf dat ik ziek was, kreeg ik Arnold aan de lijn. Hij vertelde me over de vrijlating van de verdachten. Alleen twee van hen werden vervolgd.

'Het is ook maar beter zo, ik werd helemaal gek van die wijven en ben de gevangenis spuugzat,' had Arnold gezegd. Ik voelde toen de eerste tekenen van misselijkheid opkomen en vroeg me nog af of het de wodka was, of de vrijlating van de meisjes die ik had gemist. Misschien was het een cocktail van beide.

Ik staar steeds naar het slachthuis, vraag me af of daar enige beweging te zien zal zijn, maar het terrein blijft verlaten.

Terwijl ik ziek in mijn bed lig, verlang ik naar Anca. Ik wil tegen haar aan liggen, aan haar borsten zitten zoals een kind aan de borsten van zijn moeder zit; alsof het speelgoed is, alsof het om een deel van zichzelf gaat.

Dat is dus wat ik gemeen heb met Travis Bickle; de eenzaamheid die als een sluier om me heen ligt, me het zicht ontneemt op werkelijk alles.

Door het arbeidzame leven ontwikkelen de meeste mensen een pantser voor de eenzaamheid, en in sommige gevallen kunnen ze misschien zelfs beweren dat ze ook niet eenzaam zijn. Omdat ze een leuke baan hebben en een hoop vrienden, een gezin en een huisdier, een abnormaal grote gezinsauto die hen in het weekend naar allerlei plekken voortbeweegt. In mijn geval ontbreekt het me juist aan al die dingen. Ik heb geen vrienden, geen gezin, en wat ik in mijn dagelijkse werk tegenkom, maakt me steeds verdrietiger. Eigenlijk was mijn werk een onlogische stap voor de dikke, puistige, vroeg-kale jongen die ik eens was, maar in wezen nog steeds ben. Ik heb die lijdensweg, die gruwelijkheden zelf in werking gezet, ik heb er zelf voor gekozen.

Toch?

Ik denk met weemoed aan mijn hondje Ian, een lelijk, bont gevlekt hondje dat op een avond aan kwam lopen. Niemand wist waar hij vandaan kwam. Hij mocht niet naar binnen van mijn ouders, dus zagen we elkaar op elk vrij moment dat ik maar had. Na mijn huiswerk maakte ik soms lange wandelingen op de vlakten. Zelfs als de regen met bakken uit de hemel viel, liep ik naar buiten om met hem samen te zijn. Ik voelde ik dat ik iets gemeen had met het diertje, zag iets in zijn vochtige ogen, dacht dat het vriendschap was en praatte ook tegen hem alsof het mijn beste vriend was. Ik heb het beestje waarschijnlijk dingen toevertrouwd die ik nu nooit meer zou durven uitspreken.

Als hij 's nachts buiten onder mijn slaapkamerraam lag te slapen, voelde ik me altijd heel veilig en vertrouwd, ik kon zijn aanwezigheid door de muur heen voelen; híj had het allang in mijn ogen gezien, hij had het allemaal al heel snel begrepen.

27

Tijdens het derde deel van de cursus 'Hoe een terrorist te herkennen' wordt hier en daar gelachen om mijn gezicht dat onder de bloeduitstortingen zit. 'Zuigzoenen,' hoor ik iemand achter me fluisteren. Weer wordt er gelachen. Ik kijk naar de grond.

Hoewel ik vanmorgen absoluut geen zin had, ben ik toch maar naar mijn werk gegaan. Ik heb het gevoel dat ik in de buurt moet blijven van Jim en Arnold. Ze zijn erg onrustig tijdens de cursus, ditmaal misschien niet doordat ze zo begaan zijn met het onderwerp terrorismebestrijding, maar omdat hun slachtoffers nu vrij rondlopen in de stad.

Tijdens de saaie preek van Paul Bullow kijk ik naar Arnolds hoog opgeschoren achterhoofd, en zie ik hoe Jim het vel van zijn vingertoppen kluift. Ik fantaseer over fikse celstraffen voor de twee. Dat zou ook de normale gang van zaken zijn in dezen; ze diskwalificeren als agent, berechten en achter slot en grendel zetten. Ik grijns bij de gedachte, maar vraag me meteen af hoe ik er in godsnaam een zaak van zou moeten maken. Zou ik in de rechtszaal verklaren de gruwelijkheden te hebben gezien? Zou ik de rechter vertellen dat ik door het spionnetje keek en zag hoe ze te werk gingen en hoe ik als verstijfd tegen de deur stond en níets deed? Als ik dat zou doen, zou ik zelf waarschijnlijk ontslagen worden.

Een paar jaar geleden was er een zaak in de media waarin een agent uit Liverpool een dronken achttienjarige vrouw in zijn woning had verkracht en daar foto's en filmopnamen van had gemaakt. Het High Court in Londen gaf hem zes jaar celstraf en de familieleden van het slachtoffer waren gaan applaudisseren toen het vonnis werd uitgesproken. 'Zoiets gebeurt natuurlijk alleen in Liverpool,' had Bill gezegd.

Paul vertelt een verhaaltje over hoe in Manchester drie terroristen werden opgepakt. Ze werden verdacht van het plannen van de mislukte bomaanslagen in Londen en Glasgow, en zoals bij zo veel soortgelijke zaken kon justitie weinig bewijzen.

'Het is dus zaak de verdachten op heterdaad te betrappen, met gevaar voor eigen leven, uit bescherming van de staat.'

Dat was niet mis, je zou zo'n zelfmoordterrorist maar voor je hebben, de kans dat je je leven moest bekopen met zo'n arrestatie was zeer groot en zo denkt het zaaltje er ook over, overal mompelen mensen. Ik hoor iemand achter me zeggen: 'Ben ik even blij dat ik daar niet werk.'

'Maar wat ons nu is overkomen is een *classic*: we zijn bezig met een onderzoek naar een terroristische organisatie en denken een onderdeel daarvan op te rollen. Wat we even terzijde hebben geschoven, is dat de mogelijkheid bestaat dat dit puur *toeval* was, dat de band die de verdachten met de terroristen hadden puur en alleen *toeval* is, een zakelijke transactie, weliswaar een criminele, maar het had dus niets met terrorisme te maken.'

'Maar het had gekund,' zegt Arnold.

'Het had inderdaad gekund. Heeft iemand nog vragen?' vraagt hij aan het zaaltje.

Arnold steekt zijn vinger op en gaat staan.

'Kunnen jullie je nog die affaire herinneren met de varkentjes?' vraagt hij.

Er wordt hier en daar geknikt. Paul bladert in zijn dossiermappen en zegt: 'Dat is geen terrorisme, dat is een vorm van geloofsovertuiging.'

Die affaire ging om een vrouw die in haar vensterbank enkele porseleinen varkens had staan. Aan het einde van de straat stond een grote moskee. Er was door de moslimgemeenschap al vaker geklaagd bij de gemeente dat het beledigend voor de bezoekers van de moskee was, elke keer werden ze geconfronteerd met de onreine dieren in het venster. De vrouw was een verzamelaar, er was geen opzet in het spel om de moslims te pesten of iets dergelijks, het was puur en alleen de liefde voor het porseleinen varken. Na enkele weken greep de gemeente in en verzocht de vrouw de beeldjes van haar vensterbank te halen. Zo geschiedde.

'Ja, maar dat geeft toch maar weer eens aan dat die gasten zich niet willen aanpassen, dat was net zoiets met de worstenfabriek die gesloten werd. Dat is toch van de gekke, Paul,' zegt Jim.

'Het is zeker van de gekke, maar totaal bijzaak, heren. Er is geen verband tussen een bomaanslag in de metro en de porseleinen varkentjes in het raam. De terrorist van vandaag zal zich in het geheel niet storen aan een paar varkentjes, die is al zo vol van het idee dat alles wat hij in de westerse wereld ziet zondig is, dat een varkentje meer of minder niets meer uitmaakt.'

Terwijl ik met een half oor naar de cursus luister, denk ik aan Anca. Ik word op slag vol van het idee dat we elkaar weer zouden kunnen ontmoeten, dat die mogelijkheid bestaat. Dat ik getuige ben geweest van haar aanhouding, en later de verkrachting, doet niets af aan het gevoel van vreugde als ik aan haar zachte stem denk, aan haar volle haar en de onschuldige, bruine ogen. Ik stel me voor hoe ik hand in hand met haar door het centrum loop, winkels bezoek en hoe we ergens wat gaan eten, hoe we daarna weer afscheid zullen nemen met een zoen, elkaar tot op lange afstand nawuivend... Hoe compleet gelukkig zou ik nu kunnen zijn met maar een paar van die momenten!

'Steven,' hoor ik achter me.

Als ik me omdraai, zie ik Bill staan. Hij vraagt me mee te komen.

'Alice vraagt naar je, ik weet niet of je de moeite wilt nemen haar gezwets aan te horen, maar ze vraagt eigenlijk al dagen naar je,' zegt hij op de gang. 'Hoe was het eigenlijk bij Liana?'

'Goed,' zeg ik. Bill knikt begrijpend.

In de afgelopen dagen was ik Alice Mcintosh helemaal vergeten.

'Wat heb jij mij nou geflikt?' roept ze als ik haar cel binnenkom.

'Stil, wees stil,' zeg ik.

'Ik zit in de cel, Steven, terwijl ik je moest helpen, nu moet ik gaan zitten voor wat heroïne, als ik daar niet was geweest dan zat ik hier niet. Je moet me hier weghalen!'

'Maar het is mislukt, wat je voor me moest doen is mislukt,' zeg ik dicht bij haar oor. Ik bal mijn vuist en sla hard tegen de dichte celdeur.

'Pardon,' zeg ik.

'Wat is er in godsnaam met je gezicht?' vraagt ze.

'Voedselvergiftiging,' zeg ik en hijg na van de inspanning, 'het was niet de bedoeling zo tegen je te schreeuwen.'

'Maakt niet uit,' zegt ze zachtjes.

Ze zit op haar bed en laat haar benen heen en weer bungelen. Op de spiegel, boven de wasbak, heeft ze een klein fotootje van een jongetje geplakt. Dat is haar zoon, weet ik, al is hij inmiddels twintig jaar ouder dan op de foto. Ik zie dat ze haar haar cel min of meer heeft ingericht.

Het heeft wat aandoenlijks om al haar snuisterijen hier en daar uitgestald te zien. De televisie staat aan zonder geluid. Op het scherm zie ik een belspelletje waarin ruim tienduizend pond te winnen valt. 'Ik was high, ik heb dat meisje gesproken, maar was je bierviltje kwijt. Ik had het op straat gelezen, gewoon uit nieuwsgierigheid, maar was vergeten wat er nou precies in stond toen ik daar aankwam. Ik vroeg of ik daar even mocht wachten tot ik er weer op kwam. Het was heel belangrijk, zei ik. Ik vertelde dat ik net een chemo heb gehad en heel vergeetachtig ben geworden, en toen begon ze te vertellen over dat ze kanker had, maar genezen was. Ze was een heel lief meisje, dat zag ik meteen. Ik heb daar wat gedronken en werd helemaal wazig, en toen kwamen die agenten binnen. Ik had gebruikt, maar niet alles. Ik had nog wat in mijn tas, Steve, echt een héél klein beetje maar... Ik probeerde te vluchten, maar ze drukten me op de grond, ze moesten allemaal lachen toen ze me zagen, ze riepen: "Alice, het lelijkste hoertje van het huis", en toen werd ik in een bus gepropt vol met hysterische zigeuners die zielige liedjes zongen.'

Ik dacht aan het kamertje in het slachthuis. Aan de parfumflesjes en de kleine gekleurde waxinelichtjeshouders, de posters aan de wanden, de kleren die her en der lagen, aan Alice die daar in haar gescheurde kleding naast haar had gezeten.

Ik schud een paar keer mijn hoofd en loop dan naar de deur. Ik blijf een moment stilstaan en kijk haar aan.

'Wat is er?' vraagt ze.

'Heb je mijn naam genoemd?'

'Nee, Steven, natuurlijk niet. Dat zeg ik toch, maar haal me eruit!' roept ze als ze ziet dat ik de celdeur open.

'Ik ga mijn best doen, meer dan mijn best kan ik niet doen, Alice,' zeg ik, en zonder haar nog aan te kijken trek ik de celdeur achter me dicht.

28

Al die dagen hou ik vanuit mijn raam het slachthuis in de gaten. Aangezien de linten verwijderd zijn, neem ik toch aan dat de meisjes weer een keer naar huis zullen gaan, maar dat gebeurt niet, het blijft er stil, er is geen enkel teken van leven en langzaam maar zeker zie ik hoe de dakramen steeds vuiler worden, het zwerfvuil zich hier en daar ophoopt voor de deuren zonder dat het wordt weggeveegd.

In de Waterstones breekt het zweet me uit als ik tussen de schappen een jonge vrouw met zwart haar zie staan. Snel verberg ik me tussen de rijen kookboeken en even later, als ik haar weer in het oog krijg, blijkt ze het niet te zijn.

Ik heb gelezen dat ongeveer 19 procent van de inwoners van Engeland neerslachtig is, soms zelfs zo depressief dat ze het liefst nee tegen het leven zouden zeggen. Ik las een passage verder dat deze 19 procent niets bijzonders is, dat neerslachtigheid in die mate helemaal niet landsgebonden is; dat de hele wereld er zo voor staat. Dit alles stond in de *Elle*, die ik zo nu en dan koop bij de supermarkt. Soms heb ik behoefte om me af te trekken bij wat modieuzere vrouwen.

In de ramsj heb ik een boek gekocht dat *Overwin uw depressie* heet en geschreven is door een bekende dokter in de psychiatrie. Het is opgedeeld in hoofdstukken met titels als: 'Geen paniek!', 'Sport je happy' en 'Niet springen!' en het staat bomvol interessante feitjes en verhalen. Met natuurlijke en chemische oplossingen, met remedies en simpele zelftestjes.

Meteen al in de inleiding deelt de psychiater een groot geheim: ze is zelf depressief geweest. Ze schrijft: 'Een depressie komt me af en toe nog eens een bezoekje brengen, als een trouwe, oude vriend. De donkere, bedompte, sombere winter kondigde vaak een korte verschijning aan. Ik heb geleerd om hem niet gastvrij te ontvangen, en hem onmiddellijk weer de deur te wijzen, maar dit gebeurde niet van de ene op de andere dag.'

Ik ben al een paar avonden van plan te beginnen met het simpele 'tienstappenplan', maar als ik door het boek blader, verlies ik steeds weer de moed, net zoals het me aan de moed ontbreekt iets aan mijn eetpatroon te veranderen. Het gevoel dat zich van me meester maakt, staat in het boek omschreven in kreten als: 'Wat maakt het allemaal nog uit?', of: 'Het verandert toch niets, ik ga toch op een dag dood', en eigenlijk voel ik me ook zo, maar toch heb ik een tweede afspraak met Liana Deller gemaakt. Ik mag die uren vrij nemen van Bill, die elke keer maar weer benadrukt hoe belangrijk hij het vindt dat ik me beter ga voelen. Hij zegt dat hij er niets aan heeft als ik straks een werkelijk getraumatiseerd persoon ben, iemand die niet of nauwelijks meer kan functioneren.

De volgende dag doet Liana Deller een aantal testjes met me die bestaan uit geplastificeerde kaartjes met vragen die ik op een vel papier moet beantwoorden, een serie vlekken waarin ik iets moet ontdekken en een aantal afbeeldingen waarover ik een verhaal moet vertellen. Het eerste gevoel dat het beeld bij me oproept, moet ik haar beschrijven. Het zijn vrij simpele taferelen; gezichten die een bepaalde expressie weergeven, een vader en een zoon, een moeder en een zoon, twee mensen in een bed, dat soort dingen.

Ik stuit op een tekening van een aantal mannen met baarden die liggen te slapen in een weide. Ergens achter ze zie ik schapen en de mannen dragen allemaal een herdershoedje en hebben allemaal een stok naast zich liggen. In het midden ligt een kleine blonde jongen, hij ziet er geheel anders uit, heeft geen hoedje of stok; als enige in de groep zijn zijn ogen geopend.

'Die jongen,' zeg ik.

'Wat zie je in die jongen?' vraagt Liana.

Is dit een valstrik? Zit er juist in déze afbeelding een boodschap verborgen die maar op één manier te interpreteren is, een interpretatie die mijn ziektebeeld blootlegt?

'Ik weet het niet,' zeg ik en kijk langere tijd naar het vel papier.

'Wat denk je dat die jongen denkt?' vraagt ze.

'Ik denk dat hij spijt heeft van zijn baantje. Ik denk dat het voor hem allemaal heel erg is tegengevallen, dat hij daarom 's nachts niet kan slapen.'

Ze maakt aantekeningen terwijl ik een beetje ongemakkelijk met de afbeelding in mijn handen zit. Naast me op de leuning ligt een afbeelding van een vlek waarin ik net een vleermuis heb herkend.

'Hij is bang daar op dat veld, hij voelt zich niet prettig bij die mannen met baarden, hij verlangt terug naar zijn jeugd, hij ervaart daar een enorm gewicht dat op zijn schouders drukt,' mompel ik.

'Het gewicht van wat?' vraagt ze.

Ik denk opeens aan de periode waarin het misging met Susan, en hoe ik steeds vaker door de stad ging slenteren en in bussen ging zitten die naar plekken gingen waar ik helemaal niet naartoe wilde gaan. Hoe ik elke keer weer met een fles drank thuiskwam en die stiekem in de huiskamer opdronk als ze al sliep.

Ik herinner me een reeks gebeurtenissen die me overkwamen toen alles nog goed was, toen ik wel al het vermoeden had dat ze vreemdging, maar toen dat nog niet was uitgesproken.

Ik bracht een bezoek aan een vriend die een housewarmingparty gaf in een mooi appartement in het centrum, ergens op de vijfde of zesde verdieping. Er waren leuke mensen en lekkere hapjes. Ik weet nog hoe ik op het balkon stond en naar de straat tuurde en hoe een vreemd soort opgewonden spanning door mijn lichaam ging. Ik kreeg ongekende rillingen terwijl ik naar de keitjes op straat keek en daarna naar de ondergaande zon en de vele televisieantennes aan de horizon. Opeens kwam een idee op dat veel zuiverder leek dan hoe ik in het leven stond; de mogelijkheid gewoon te springen, de vele meters naar beneden te vallen en daar terecht te komen op die gladde keitjes, waarna alles afgelopen was, ik niet meer zou deelnemen.

Daarna herhaalde het zich een paar keer. Ik was een dagje in Londen voor een cursus en nam de roltrap naar een metrostation. Ik was de enige op de roltrap en plots kwam het terug: ik fantaseerde vol overgave hoe het zou zijn een grote sprong te maken en naar beneden te vallen. Alweer was het gevoel dat van een aangename spanning, een soort aantrekkingskracht, het gevoel dat ik met vuur speelde.

Ik bracht een bezoek aan mijn geboortestad met zijn kleine droevige riviertjes, het natte gras en de oneindige lappen grond die in de morgen altijd in mist gehuld zijn. Ik maakte een lange wandeling naar een klif aan de westzijde van het land. Toen ik daar naar de schuimende zee keek, bedacht ik dat ik het zou kunnen doen, dat het me zou kunnen lukken.

'Het gewicht van wat, Steven?' vraagt ze weer.

Ik denk diep na, hou de afbeelding een stukje van me af zoals een kunstschilder naar zijn eigen werk kijkt en knijp met mijn ogen.

'Het gewicht van het leven, van eenzaamheid en verdriet,' zeg ik.

Ze knikt, maakt aantekeningen.

29

Hoe langer ik de getraumatiseerde rechercheur speel, hoe meer ik begin te geloven dat ik die ook werkelijk ben. Ik krijg voorgekauwde klussen die eigenlijk al lang en breed opgelost zijn. Ze hebben ervoor gezorgd dat ik op de verschillende vlakken van mijn gebruikelijke werkzaamheden weer langzaam kan meedraaien; zo voer ik enkele simpele verhoren met winkeldieven, neem een paar onbenullige aangiften op, krijg al gedeeltelijk ingevulde processen-verbaal voor mijn neus; soms hoef ik alleen mijn handtekening te zetten en kan dan weer achteroverleunen en voor me uit staren.

Ik ben Arnold al vele malen tegengekomen, heb zelfs een keer een vriendschappelijk praatje met hem gemaakt. Hij leek opgewekt en vrolijk, maar ook heel bezorgd over mijn toestand. Ik weet vrij zeker dat hij aast op mijn baan, en als de dingen zo lopen als de geschiedenis Bill heeft geleerd, is dat ook vrij aannemelijk. Eigenlijk weet ik dat ik al afgeschreven ben, dat niemand raar op zou kijken als ik me vanaf de volgende dag ziek meld en nooit meer terugkom.

Arnold en Jim trekken steeds vaker met elkaar op. Ze staan soms te smoezen in de gangen en houden stil als ik langsloop. Ze werpen elkaar ronduit mysterieuze blikken toe en dat is niet zo gek; ze hebben samen een groot geheim, een geheim dat hun mogelijk de kop kan kosten.

Als ik ze van een afstand bekijk, die twee jonge agenten, dan voel ik een intens verdriet vermengd met een lome woede waarmee ik niets meer kan beginnen. Ik weet ook goed dat het nu al te laat is, dat ik, als ik iets had willen doen, dat al veel eerder had moeten doen; dat mijn kansen verkeken zijn.

Als ik naar huis ga, begint het moeilijkste deel van mijn dag.

Ik kleed me om, slof in een joggingpak door mijn appartement en drink onophoudelijk bier. Ik leef nog steeds op bezorgmaaltijden en kant-en-klaareten uit de supermarkt. Ik heb een grote voorraad diepvriesmaaltijden van Iceland in huis gehaald. De Chicken Roast Dinner en de Beef Roast Dinner van één pond vijftig bevallen goed, maar uiteindelijk eet ik toch het vaakst de All Day Breakfast van worstjes, bonen en hasjbrownies. Ik heb wel eens horen zeggen dat het ontbijt de belangrijkste maaltijd van de dag is.

De laatste tijd eet ik ook meer snoepgoed. Zonder dat ik er erg in heb, werk ik grote hoeveelheden chocola en zoutjes naar binnen, wissel zoet en zout af en eet voor het slapengaan stapels witbrood met pindakaas in bed.

Elke avond herhaalt zich hetzelfde: ik log in op Flirtbox en wacht urenlang op haar komst. Er zijn momenten dat ik haar naam tussen het rijtje onlinemembers denk te zien staan, maar altijd is het een ander. Ik word elke avond bedolven door pop-ups van vrouwen van in de vijftig die met me willen chatten. Ik klik ze allemaal weg. Ook porno lijkt de oplossing niet te zijn, want elke keer als ik half geklede of naakte lichamen op mijn scherm zie, worden die beelden omgezet in de herinnering aan de verkrachting. Mijn geslacht blijft slap, en ik voel ook een bepaalde afkeer voor het orgaan, vooral bij het wassen ervan onder de douche vermijd ik elke confrontatie. Alsof mijn piemel de boosdoener is. Nu mijn buik steeds dikker wordt, is dat ook steeds gemakkelijker; ik heb geen idee hoe mijn piemel eruitziet, durf ook eigenlijk niet te kijken.

Ik bedenk op een avond dat de enige die ik nog kan bellen iemand als Liana Deller is, dat ik verder niemand meer ken met wie ik zou kunnen praten. Ik zou eigenlijk een huisdier moeten hebben. Een vogel of iets dergelijks, zo een die de hele dag vrolijk kwetterende geluiden maakt in zijn kooi.

Ik lees in het boek *Overwin je depressie* over de cirkel waar je in terechtkomt. Je moet zo snel mogelijk uit die cirkel treden, voor het te laat is. De psychiater schrijft dat een depressie niet moet worden onderschat, dat veel mensen denken dat het gewoon een tijdelijke gemoedstoestand is, maar dat het om een soms zeer ernstige ziekte gaat die moet worden bestreden met mogelijk levenslang medicijngebruik. 'Er bestaan geen magische antwoorden, dus we pretenderen niet dat dit boek al je problemen kan oplossen. Een depressie vereist professionele aandacht en iedereen met een depressie zou advies moeten inwinnen van een specialist. Jij en jij alleen kunt de verantwoordelijkheid voor jezelf en je welzijn nemen, maar hoe meer mensen aan jouw kant staan, hoe beter.' Dit alles staat voor in het boek, in een katern met de titel 'Wees voorzichtig'.

's Nachts kan ik niet slapen. Ik lig uren te woelen en vind nooit een prettige positie om in te liggen. De spanning voelt ondraaglijk en zorgt ervoor dat ik opsta en me soms aankleed om de straat op te gaan. Rond de uren dat er geen ziel in de stad is, loop ik door de kleine steegjes en kijk hier en daar in etalages. Er is werkelijk niets te beleven in deze stad, alles is na een uur of drie dood, alleen sommige pubs zijn nog open, maar daar komen alleen jonge mensen.

Op sommige avonden probeer ik weer de oude te worden en aan natte kutjes te denken, maar eigenlijk walg ik bij de gedachte aan natte kutjes. In plaats van me af te trekken, breng ik bezoeken aan avondwinkels en drink soms in stilte mijn biertje in Victoria Park.

Als ik vanaf een bankje in het park naar de gitzwarte hemel kijk, me aangeschoten voel en hier en daar geluiden van verdwaalde auto's en vrachtwagens opvang en die geluiden binnensmonds nadoe terwijl voorbijgangers onzichtbaar voor me zijn geworden, wordt het besef steeds groter: ik heb een dieptepunt bereikt.

30

Ze komt van rechts Granby Street overgestoken, draagt een jurkje met bloemen en een kort spijkerjasje, lage schoenen van elastiek.

Ik loop met een pak bierblikken te sjouwen en als onze blikken elkaar kruisen denk ik een moment dat mijn hart stilstaat.

'Steven,' zegt ze en pakt me met beide handen bij mijn schouders vast.

'Anca,' zeg ik op huilerige toon en met een scheef hoofd; alsof ik mijn weggelopen katje terugvind en het zomaar op mijn schoot kruipt.

'Niet te geloven,' zegt ze.

Ik merk dat ik ongecontroleerd, bijna tegen het hysterische aan tegen haar praat. Ik sta steeds op het punt om haar te vertellen hoe vreselijk veel ik aan haar gedacht heb, en hoeveel medelijden ik voel, en wat een klootzak ik ben, maar ik besluit niets van dat alles te zeggen en vertel als een buurtbewoner over de inval die ik vanuit mijn raam heb gezien en waar ik later over las in de *Leicester Mercury*. Ik zeg zelfs een paar keer te hebben aangebeld. Ze knikt alleen maar nerveus en kijkt om zich heen.

'Kunnen we alsjeblieft praten?' vraag ik. Het pak bier is loeizwaar, ik wissel van hand.

'Natuurlijk, maar niet bij mij, ik kan daar niet meer heen,' zegt ze.

'Bij mij thuis dan? Vind je dat goed?'

Ik zie dat ze een moment twijfelt, maar daarna glimlacht ze.

We wandelen naar mijn auto. Onhandig hou ik het portier voor haar open, wijs haar op de veiligheidsriem, zet de verwarming voor haar aan en kijk ondertussen om me heen of niemand me gezien heeft.

'Daar gaan we dan,' zeg ik als ik de sleutel in het contact steek.

'Rij je niet in je taxi?' vraagt ze.

'Nee,' zeg ik als ik Granby Street uitrijd, 'die staat vandaag in de garage, dit is mijn eigen auto.'

We rijden naar mijn straat, waar ik mijn auto op de parkeerplaats zet. Het pak bier laat ik op de achterbank staan, mijn handen trillen te veel.

'We waren buren,' zegt ze in de lift.

'Ja, dat klopt. Het is niet fraai, ik weet het, het zijn allemaal flats voor mensen die alleen zijn, die geen partner hebben. Ik ben mijn oude huis aan het verkopen. Binnenkort ga ik ergens anders wonen, dit is zo'n plek waar je niemand tegenkomt op de gangen. Ik heb mijn buren nog nooit ontmoet, misschien bestaan ze wel helemaal niet. Sorry, ik praat een beetje veel, hè?'

'Nee, nee,' zegt ze.

We lopen door de gang naar mijn voordeur, die op alle andere lijkt.

'Het lijkt wel een gevangenis,' zegt ze.

Eigenlijk had ik daar nog helemaal niet bij stilgestaan, maar inderdaad, daar lijkt het nog het meeste op.

'Kijk maar niet te veel rond, ik ben niet berekend op bezoek,' zeg ik en ga haar voor.

Het is niet waar. De enige echte zekerheid in mijn leven is mijn schoonmaakdrift. Hoe slecht ik me ook voel, ik sta altijd te boenen, doe de was en afwas en maak netjes een keer per week de wc schoon. Daar is nog nooit iets aan veranderd en op die manier zal iemand die mij bezoekt nooit weten wie ik echt ben, hoe ik me echt voel. Zelfs ik ben even verbaasd als ik door mijn appartement kijk; het ziet eruit alsof er niets aan de hand is.

'Het valt toch reuze mee,' zegt ze en kijkt vanuit de gang de woonkamer in.

Zodra ik de deur sluit, voel ik me rustig worden.

Ze is op de bank gaan zitten, houdt haar tas tussen haar voeten geklemd, doet haar jas uit en vouwt die op tot een pakketje dat ze als kussen gebruikt.

Ik vraag of ze iets wil drinken en ze wil graag melk, iets wat ik niet in huis heb. Ik bied haar verschillende andere dingen aan, maar ze kiest voor kraanwater.

'Stom dat ik geen melk heb,' zeg ik als ik haar een glas geef.

'Maakt niets uit,' zegt ze en kijkt de woonkamer rond.

Met een blik bier in mijn hand plof ik naast haar neer en glimlach naar haar. Als je ons zo naast elkaar ziet zitten, zie je pas echt goed hoe dik ik ben. Ik zie het zelf namelijk ook, door de weerspiegeling in het glas van het raam. Ik probeer mijn buik een beetje in te houden, wat vrijwel geen effect heeft.

Ze staat op, loopt naar het raam en kijkt naar buiten. De zon gaat langzaam onder. Ik bekijk haar van die afstand met het biertje in mijn hand.

Ik zie haar welgevormde billen door haar rok, haar stevige benen en de schoenen van elastiek, haar lange, dikke haar dat vast niet meer zo lekker ruikt als toen.

'Je kan mijn oude kamer bijna aanraken vanaf hier,' zegt ze.

Ik sta op en ga naast haar staan. Wat straalt ze toch een lichaamswarmte uit… Ik leg mijn hand op haar schouder en vraag: 'Wat is er allemaal gebeurd? Waar woon je nu?'

Ze gaat weer zitten, sluit haar ogen en zucht kort.

'Ik las van alles in de krant, en je was ook niet meer online, dus…'

'Ik mag niet meer terug, mijn baas zit nog vast, en ik woon nu samen met een vriendin bij haar oom, maar dat is maar tijdelijk… Ik mis mijn kamertje heel erg, dat wel.'

Die vriendin zal het blonde meisje zijn dat door Jim werd verkracht, bedenk ik.

'Maar waarom kan je niet terug, volgens mij is het gebouw vrijgegeven, ik zag dat de linten weg waren.'

Ze schudt haar hoofd. 'Nee, ze gaan het weer verhuren. Ze letten nu op ons, ik denk dat ik mijn verblijfsvergunning kwijtraak als ze kunnen bewijzen dat ik een… een meisje ben.' Ze zucht weer en neemt een grote slok water. 'Ik denk dat ze heel goed wisten dat we dat waren, maar omdat we allemaal studenten zijn, en het op papier om huisvesting gaat, loop ik nu vrij rond. Wel helemaal zonder een plan ditmaal, maar toch vrij. Ik wil nooit meer in een cel zitten, nooit meer.'

Ik kijk naar haar knieën, die onder de schaafwonden zitten, haar engelengezicht en kleine mond. Ik neem snel een grote slok bier.

'Wanneer ben je vrijgekomen?' vraag ik.

'Anderhalve week geleden.'

Ik hoopte eigenlijk dat ze iets zou vertellen over wat haar in de cel is overkomen, en hoewel ik verdriet in haar gezicht zie, hebben haar ogen nog een bepaalde trots, een glans; misschien heeft ze het al weggestopt. Er vormt zich een zin in mijn hoofd, die zin luidt: 'Misschien is het voor mij wel erger dan voor haar.' Ik verslik me in mijn bier en begin hevig te hoesten.

'Gaat het?' vraagt ze en klopt me op mijn rug, 'heb je voor mij ook een biertje?'

Ik haal twee nieuwe blikken uit de ijskast en maak het lipje voor haar open. Zo zitten we samen in stilte op de bank en kijken naar de ondergaande zon, zij althans, ik kijk stiekem alleen naar haar; ik heb niet zoveel met de ondergaande zon, maar leg dat maar eens uit.

Later die avond warm ik een diepvriesmaaltijd van rundvlees, aardappelpuree en worteltjes voor haar op. Ze vertelt hoe ze sinds haar vrijlating elke dag bij McDonald's een hamburger met patat eet, en dat je er deze week een gratis frisdrank bij krijgt.

'Het spijt me dat ik je niet iets beters kan aanbieden. Zoals ik al zei, ik krijg nooit iemand over de vloer.'

'Nee, het is heerlijk, dankjewel,' zegt ze en eet op de worteltjes na haar bord leeg.

Later op de avond begint ze te huilen als we samen naar *EastEnders* kijken. Ze wil niet getroost worden. Ik vraag haar een paar keer of ik wat voor haar kan doen, of ze iets nodig heeft, maar ze blijft haar hoofd schudden terwijl haar tranen stromen, houdt een kussen tegen haar buik gedrukt, zit met haar benen opgetrokken op mijn bank, die nog in plastic verpakt is. Ik leg voorzichtig een arm om haar heen. Ze kruipt dichter tegen me aan, legt haar hoofd op mijn buik en zegt dan opeens: 'Het lijkt soms wel of ik het allemaal ook niet meer begrijp, alsof alle logica uit mijn leven is verdwenen. Ik hoop dat ik er ooit nog iets van zal begrijpen, anders weet ik het ook niet meer.'

Ik knik en aai over haar rug, voel de bobbeltjes van haar ruggengraat en ergens aan haar linkerzijde iets wat aanvoelt als een grote moedervlek.

'Het is een pukkel, denk ik,' mompelt ze en graaft haar hoofd in mijn oksel.

'Dan is het goed,' zeg ik en voel hoe ze haar arm langs mijn zij wringt en zich tegen me aandrukt. Ik ben het hele principe van vasthouden en vastgehouden worden helemaal verleerd, ik houd mijn handen onwennig, lichtjes om haar heen geslagen en leg mijn kin op haar schouder. De laatste keer is nu bijna weer twee jaar geleden, op eerste kerstdag. Ik moest Susan troosten toen Pauline Fowler — haar favoriete *EastEnders*-personage — stierf in de sneeuw.

Ik kijk naar haar terwijl ze in mijn armen in slaap is gevallen, durf me nauwelijks te bewegen, ben bang haar wakker te maken. Ik ga voorzichtig met mijn handen door haar haar, kriebel erin en buig voorover om eraan te kunnen ruiken; ze ruikt naar de straat.

31

Ze droomt. Haar mondhoeken gaan op en neer, ze knarst met haar tanden en haar oogleden trillen als die van een jonge pup. Elke keer als ze slikt of haar tong uit haar mond laat komen om haar lippen te bevochtigen, voel ik een steek van ontroering en geluk.

Ik heb me lange tijd afgevraagd wat te doen, maar het lijkt me het beste om me maar weer ziek te melden.

'Kunnen we je meteen inplannen voor een afspraak bij de bedrijfsarts?' vraagt de receptioniste van het bureau.

'Dat is goed,' fluister ik vanuit de badkamer.

'We gaan het voor je regelen, Steven, maak je geen zorgen, beterschap,' zegt ze.

Het mooie is: alles ís al geregeld. Ik weet heel goed dat vandaag de dag alles vooraf besloten is. Zo weet ik dat, als ik ziek blijf, over enkele maanden mijn salaris met 20 procent naar beneden gaat, dat ik tegen de zomer slechts mijn halve vakantiegeld kan innen, dat ik over een jaar een minimumsalaris zal ontvangen en binnen drie jaar zal worden ontslagen; het zijn allemaal scenario's die al vaststaan vanaf het moment dat ik in dienst trad, regels die in het contract stonden dat ik heb getekend.

In alle vroegte doe ik boodschappen bij de Tesco. Ik koop voedingswaren waarvan ik aanneem dat ze niet mogen ontbreken in mijn huishouden: eieren, melk en brood. Bij de broodafdeling breekt het zweet me uit als ik zie dat ik de keuze heb uit wel twintig soorten; van boerenlandbrood tot speltbrood, van wit tostibrood tot cholesterolverlagend brood van een margarinefabrikant. Ik zie dat sommige producten tegenwoordig het aantal calorieën op de verpakking hebben staan, de getallen dansen me voor de ogen. Ik sta te trillen voor de pakken yoghurt en houd me staande aan een schap met keukenartikelen van Jamie Oliver, een bekende kok die een goed bekeken kookprogramma heeft en zich op een lawaaierig scootertje door het centrum van Londen voortbeweegt.

Als ik mijn appartement binnenkom met mijn handen vol boodschappentassen, zit Anca op dezelfde plek waar ze gisteravond zat. Ze staart voor zich uit. Ze heeft zelf thee gezet en eet een biscuitje waarvan ik vermoed dat het misschien wel een jaar oud is.

'Hoe is het?' vraag ik terwijl ik mijn tassen uitpak.

'Prima,' fluistert ze en neemt muizenhapjes van haar koekje.

Ik ga tegenover haar zitten en kijk haar aan. Ze glimlacht terug. We zeggen niets. Er ontstaat een ongekende rust in mijn hoofd. Ik weet niet wat het is, misschien de stilte die voortkomt uit de grote hoogte waarop we ons bevinden, of gewoon om het feit dat ze daar zit, op mijn bank.

'Heb je goed geslapen?' vraag ik.

'Beter dan in weken, al is dat plastic niet zo prettig. Waarom zit er plastic over de banken en de stoelen?'

Ik tuur naar de bank. Onder het plastic zit een bloemenmotief, rozen met grote doornen.

'Het was de gewoonte van mijn ex-vrouw, die pakte alles in zodat het netjes zou blijven,' zeg ik.

'Maar hoe kun je dan plezier beleven aan je meubels, als ze verpakt zijn?'

'Tegen stof en viezigheid deed ze dat, op deze manier kun je ze zo aflappen.' Ik veeg met mijn hand over het dikke plastic. 'Ik weet het,' zeg ik, 'het slaat helemaal nergens op.'

We halen samen het plastic van het bankstel, van de stoelen en de eettafel. Ik merk dat ik naarmate de bekleding zichtbaarder wordt met steeds meer agressie aan het spul trek, het in een hoek werp zoals een kind het inpakpapier van zijn verjaardagscadeau scheurt.

'Gaat het wel goed met je?' vraagt ze als ik helemaal buiten adem op de grond ga zitten.

'Het spijt me heel erg, je hebt zelf problemen genoeg,' zeg ik en voel haar warme adem dicht bij me. Ze zit gehurkt naast me, houdt mijn hand vast en wrijft over mijn rug.

'Wil je dat ik ga?'

'Nee, alsjeblieft blijf, blijf net zo lang als je wilt. Ga alsjeblieft niet weg.'

'Meen je dat?' vraagt ze.

'Natuurlijk meen ik dat. Je mag net zo lang hier blijven als je wilt, en wees niet bang, ik hoef niets van je, ik wil niets van je, maar ik zou het fijn vinden als je bleef.'

Het klinkt als een zeer goed uitgedacht plan, en ergens is dat ook zo; ik had het al vanaf het eerste moment willen zeggen toen ik haar bezocht in haar kamertje in het slachthuis.

'Ik zal je niet tot last zijn, ik kan prima op de bank slapen, en ik kan koken als je dat wilt, en de afwas doen, ik kan strijken, en...'

'Je hoeft niets te doen wat je niet wilt, ik wil gewoon dat je blij bent, meer niet.'

Ze zit een beetje ongemakkelijk, heeft haar tas op schoot genomen, een moment lijkt het erop dat ze zal vertrekken, dat alles wat ik zojuist heb gezegd haar heeft afgeschrikt.

'Je bent een goed mens, Steve,' zegt ze dan.

'Nee,' zeg ik, 'ik ben helemaal geen goed mens.'

'Jawel, je bent een goed mens. Ik herken goede mensen,' fluistert ze.

'Ik weet het niet, ik denk dat ik goed wil doen, maar overal een rotzooi van maak, ik denk dat het al vroeg in mijn leven is begonnen.'

'Hoe kom je daarbij?' vraagt ze.

Ik draai me van haar af. 'Mijn vader mishandelde mijn moeder vanaf het moment dat ze trouwden. Het was een heel slecht huwelijk. Op zijn zestigste kreeg mijn vader kanker in zijn lever, hij was eigenlijk niet meer te redden, de doktoren hadden hem opgegeven. Mijn moeder heeft hem tot aan het einde toe verzorgd, en het gekke was dat ik, juist toen hij daar in zijn bed lag weg te rotten, eindelijk de moed vond om iets te doen. Toen ik zag hoe verschrompeld en mager hij was, zelfs zijn glas niet meer vast kon houden, ben ik hem systematisch gaan treiteren met ellenlange verhalen. Ik ging als mijn moeder al sliep aan zijn bed zitten en maakte hem wakker. Ik vertelde hem dicht bij zijn oor wat voor klotejeugd ik heb gehad, zei keer op keer dat het maar beter was dat hij dood zou gaan, dat ik van plan was geweest hem te vermoorden, zijn strot door te snijden, maar dat het nu door de kanker niet hoefde. Ik zei hem dat hij de slechtste persoon was die ik kende, en tijdens die monologen bleef hij me maar aangapen met zijn vochtige rood doorlopen ogen en zei geen stom woord. Twee dagen voordat hij stierf zat ik weer aan zijn bed en vertelde hem tot in detail alle gruwelijke dingen die hij met mijn moeder had gedaan. Hij was heel zwak, bijna niet meer in staat zijn ogen open te houden en toch kneep hij opeens hard in mijn been en wenkte me dichterbij te komen. Ik legde mijn oor bij zijn mond die naar verrotting rook, en hij fluisterde: "Doe het dan, vermoord me dan, rotjong, als je wilt kan het nu!" Ik ben toen bang weggelopen, heb hem op de laatste avond ook niet meer bezocht. Ik durfde het niet. Hij stierf om negen uur 's avonds, en ik wist toen al dat ik met alles wat ik zou doen altijd te laat zou zijn, dat er tussen mijn plannen en mijn daden een onoverbrugbare blokkade zit.'

32

Als ik bij het wakker worden mijn ogen open, weet ik vrij zeker dat ik gedroomd heb, en ren in paniek naar de woonkamer. Als ik het meisje zie liggen op de bank, voel ik me gerustgesteld. Als ik vroeg in de morgen naar de bedrijfsarts vertrek, ligt ze nog te slapen. Ik heb haar vannacht toegedekt met een warmere deken; het leek alsof ze aan het klappertanden was toen ik haar vannacht bestudeerde.

Ik wilde een briefje achterlaten om haar te vertellen waar ik naartoe ben en niet laat terug zal zijn, maar besluit het toch maar niet te doen. Ze moet niet het idee krijgen dat ze een gast in mijn huis is. Maar misschien zou ze schrikken als ze wakker werd en ik er niet was, dus heb ik twee eieren gekookt die in een pannetje koud water op haar liggen te wachten. Daar heb ik wel een briefje bij gedaan. Er staat: 'Zijn gekookt, ben straks terug.'

Als ik de auto naar het noorden van de stad neem, naar een complex waar zowel de Arbodienst als de andere arbeidsfaciliteiten ondergebracht zijn, voel ik me vrij ontspannen. Ik zet de radio aan en zing een populair liedje mee. Ik kan toch wel zeggen dat ik me door haar komst al een stuk beter voel, de gedachten aan alle gruwelijkheden die ze heeft meegemaakt lijken meer op de achtergrond te liggen. Vooropstaat dat ik haar gelukkig wil maken, wil repareren wat te repareren valt, alles wil doen wat in mijn macht ligt om de toekomst zo leuk mogelijk voor haar te maken.

Ik heb vannacht dan ook besloten om vol te houden dat ik taxichauffeur ben. Dat ik me ziek heb gemeld en de komende tijd niet naar mijn werk zal gaan, zal ze maar al te goed snappen, want het beeld dat ze van me moet hebben is vast niet zo ingewikkeld: een man in de knoei, iemand die hulp nodig heeft en die in dit goed georganiseerde land ook zeker zal krijgen.

Ik vul een aantal formulieren in en zit later in een vrolijk ingericht zaaltje te wachten tot ik aan de beurt ben. Overal om me heen zitten mannen en vrouwen ongeduldig in tijdschriften te bladeren. Het is voor mij de eerste keer dat ik op zo'n plek ben beland. Alle banken zijn van een aerodynamisch ontwerp, enkele mannen in pakken wiegen in een van de 'relaxstoelen' die overal in de ruimte staan. Er is een klein pleintje ingericht met een berg onverwoestbaar kinderspeelgoed en ik zie hoe een besnorde man twee blokjes duplo aan elkaar klikt en er verwonderd naar kijkt. Aan de muren hangen kleurrijke schilderijen van jonge kunstenaars uit Zimbabwe. Ik bestudeer de informatiebordjes grondig want ik voel me te onzeker om in een tijdschrift te bladeren; nu Anca er is, kan ik niet zoveel meer drinken, en mijn handen trillen verschrikkelijk. Ik lees dat de kunstwerken een project zijn, en dat de meeste artiesten enkele ledematen missen of ongeneeslijk ziek zijn.

Ik bedenk tijdens het wachten wat ik zal gaan zeggen. Ik zal nog altijd aanvoeren dat mijn hartinfarct het moment was waarop alles bergafwaarts ging, dat ik me zeer labiel en daardoor onzeker voel en misschien kan ik even later in het gesprek voorzichtig aanwijzingen geven waaruit blijkt dat ik ook nog eens depressief ben.

Mijn contactpersoon heet Ron en is een vrolijke man met een rommelige peper-en-zoutbaard. Hij ziet er in het geheel niet uit zoals ik me had voorgesteld; hij draagt een coltrui en een spijkerbroek en moderne sportschoenen, begroet me op een kinderlijke manier, alsof ik bij de schoolarts ben.

'Zo Steven, daar ben je dan eindelijk,' zegt hij.

'Ja,' zeg ik met een zucht, 'daar ben ik dan.'

Ron haalt een kop thee met melk en drie schepjes suiker, precies zoals ik had gevraagd. Ik zie dat de expositie zich heeft voortgezet in Rons kantoor. Er hangt een werk tussen waarop heel veel bloed te zien is. Bloed en afgehakte ledematen op een grote stapel.

'Je loopt de laatste tijd tegen een hoop problemen aan, heb ik gelezen. Ik heb al een redelijk beeld van je, maar je bent hier nu in persoon om misschien nog iets toe te voegen,' zegt hij.

'Het begon met dat hartinfarct, en daarna ging ik me steeds slechter te voelen, en ik werd somber. Ik bedoel, ik bén somber, nog steeds, nog altijd,' zeg ik.

'Ik las dat je bij Liana Deller bent geweest, zij heeft alvast een advies uitgebracht aan de Arbodienst. Ze zegt dat je depressief bent, hoe zie je dat zelf?'

'Ik weet het niet zo goed,' zeg ik, 'ik ben somber, zie soms niet zo goed meer in wat ik eigenlijk allemaal doe, ik weet niet of je dat depressie kan noemen.'

'Ik denk dat je dat zeker depressief kunt noemen en tussen ons, Steven, je bent ook veel te dik, ik hoop dat je het niet erg vindt dat ik dat zeg?' Dat 'veel te dik' fluisterde hij.

'Nee, ik weet dat ik te dik ben, ik probeer er wat aan te doen, maar ik geloof niet dat dit moment het juiste is, ik voel me nu nog te labiel.'

'Uit het onderzoek van de medische dienst is gebleken dat je een zeer hoge bloeddruk hebt, ik neem aan dat je weet dat een te hoge bloeddruk in combinatie met een ongezonde levensstijl tot een infarct kan leiden?'

Ik zeg dat ik er inmiddels alles van weet, vertel dat ik ergens gelezen heb dat je na een hartinfarct eigenlijk een lopende tijdbom bent.

Ron knikt en drinkt van zijn thee. 'Mmm, lekker, rooibos,' mompelt hij.

Ik denk terug aan die avond van de inval. Ik verbaas me nog steeds over het gevoel dat ik toen speelde en eigenlijk toch echter voelde dan de bedoeling was. Ik word opeens angstig van dat idee, zeg zachtjes: 'Ik heb een hartinfarct gehad, het was een hartinfarct...'

'Dat klopt, Steven, maar gelukkig zonder verdere complicaties.' Terwijl hij strak naar zijn mok kijkt vraagt hij: 'Vind je het werk nog wel leuk?'

Dat is het dus, dit is waar het allemaal fout kan lopen. De manier waarop Ron juist mijn blik ontweken heeft tijdens het stellen van die vraag belooft niet veel goeds.

Ik doe alsof ik diep nadenk.

'Niet?' vraagt Ron.

'Jawel, ik vind mijn werk prima, ik heb nooit last gehad van mijn werk, op een voedselvergiftiging na ben ik eigenlijk nog nooit ziek geweest.'

'Ik heb goed contact met Bill Morgan en hij vertelde me dat je een uitmuntende kracht bent op zijn bureau, maar dat hij sinds je scheiding ziet dat je minder gemotiveerd bent, rustelozer en vatbaarder voor stress, dat je weinig contact zoekt met je collega's en erg stil bent. Hij zei dat je in heel veel opzichten een nogal eenzame indruk maakt.'

Ik begin te blozen. Ik had niet gedacht dat de man die tegenover me zit en me nauwelijks kent, al bijna meer over me weet dan ikzelf.

'Tja,' is het enige wat ik zeg.

'Kijk, Steven, het gaat erom dat we je weer op de rails kunnen helpen, dat is toch wat je wilt?'

Ik knik en kijk op naar de bloederige voorstelling aan de muur.

'Natuurlijk wil ik dat, mijn werk is mijn leven, Ron,' zeg ik op een toon waarvan ik vrij zeker weet dat hij me niet zal geloven.

'Nou, dáárom, Steven, dáárom! Er is niets mooier dan een dankbare en belangrijke functie zoals jij uitvoert. Heb je al die mensen in de hal gezien? Dat zijn mensen met een burn-out die bij banken werken, of in het verzekeringswezen zitten, die hebben écht reden tot klagen, die zitten écht in een uitzichtloze situatie. Jij niet.'

'Dus ik word niet ontslagen?' vraag ik.

'Natuurlijk niet,' zegt hij. 'Ik zou graag hebben dat je hier om de maand naartoe komt, en dat je doorgaat met de bezoeken aan Liana Deller, want dat helpt. Misschien is een antidepressivum iets voor jou? Een antidepressivum in combinatie met wat sporten. Je kunt gratis lid worden van onze *gym* waar je in je eigen tempo iets aan je gezondheid kunt doen. Je krijgt een personal trainer die een programma samenstelt waarmee je wat gewicht kunt verliezen en bewuster gaat eten. Je moet niet vergeten dat overgewicht een factor kan zijn waar een depressie uit voorkomt. Voor je het weet zit je lekkerder in je vel, ben je zelfverzekerder dan ooit en lacht het leven je weer tegemoet.'

33

Ik denk tintelingen in mijn linkerhand te voelen en er gaat een vreemd onzeker gevoel door mijn linkerbeen, een strakke, kloppende spanning in mijn kuit, waardoor het trappen op de koppeling heel raar voelt. Terwijl ik de auto met moeite naar huis leid, kreun ik zachtjes van iets waarvan ik vermoed dat het pijn is. Ik heb vreselijke spijt dat ik de afgelopen tijd zoveel over hartklachten heb gelezen, dat ik gisteren bijvoorbeeld heel aandachtig een stukje over vaatvernauwing in een buurtkrant las en daarna hevige hartkloppingen kreeg. Hoe minder ik weet, hoe beter het voor me is, bedenk ik.

Als ik thuiskom, is ze de vloer aan het dweilen. Ze wijst me op een aantal plekken die al droog zijn, daar mag ik lopen. 'Dat hoefde echt niet hoor, echt niet,' zeg ik en stap ongemakkelijk op de droge delen naar de bank.

'Ik doe het graag. Je bent zo lief voor me en ik wil graag wat doen, ik voel me anders zo nutteloos.'

'Als je maar weet dat het niet hoeft, Anca, ik wil niet dat je iets doet wat je niet wilt.'

'Ik zei toch dat ik het wilde, Steve? Ik zit hier maar niets te doen en jij bent...'

'Ik ben wat?'

'Jij voelt je niet goed,' zegt ze zachtjes.

Ik knik. Dat waren de juiste woorden, 'jij voelt je niet goed'. Ik kijk naar haar spijkerbroek met opgestikte glitters. Ik heb die broeken wel eens in etalages in de stad gezien, ze hebben wat ordinairs, die roze en blauwe glitters op de achterzakken en biezen, maar bij haar vind ik het prachtig.

'Wat een mooie broek,' mompel ik.

'Ja, mooi hè, gekocht in de Highcross Mall, ze zijn helemaal in op het moment.'

Ze gaat naast me zitten op de bank, slaat haar armen om me heen. Ze aait voorzichtig over mijn hoofd. Haar handen voelen ruw aan van het schrobben en ze ruikt naar allesreiniger.

'De eerste keer dat ik je zag, wist ik al dat je een uniek iemand bent, zo iemand die je alleen per toeval tegenkomt, een beetje als een wonder ben je,' zegt ze.

'Ik wil niet dat je denkt dat je iets goed te maken hebt,' zeg ik terwijl ik naar de vloer wijs. 'Ik heb dingen goed te maken, jij niet.'

'Onzin, je hebt niets goed te maken. Ik ben gewoon zo blij dat ik je ontmoet heb.'

Ik denk aan Travis. Aan de scène waarin Iris in zijn taxi stapt en vraagt of hij snel weg wil rijden. Ik zie de paniek in haar ogen als ze in de achteruitkijkspiegel kijkt. Travis kijkt alleen maar verbaasd. Dan de pooier die haar met geweld weer uit de auto trekt. Twintig dollar krijgt Travis van die schoft. Hij moet vergeten wat hij gezien heeft en doorrijden.

Ik had íets kunnen doen.

Ze zoent me voorzichtig op mijn mond. Ik deins eerst een beetje achteruit, maar als ze dichter tegen me aan gaat zitten, laat ik haar begaan, zoen haar terug met kinderlijke, korte halen en denk aan een oude Amerikaanse film waarin Ingrid Bergman tegen Gary Cooper zegt: '*I always wondered where the noses go*', wanneer ze zoenen aan het einde van de film. Ik vind dat nog steeds een van de meest vertederende dingen die ik ooit heb gezien.

'Het is goed, het is goed,' fluistert ze terwijl ze mijn nek voorzichtig aanraakt met haar lippen. Ik voel hoe al mijn schuldgevoel, algehele vervlakking en angst op het gebied van fysiek contact plaatsmaakt voor een hevig gevoel van lust. Terwijl haar handen over mijn lichaam gaan doe ik ongemerkt hetzelfde bij haar. Ze knoopt haar spijkerbroek open, trekt hem in een ruk uit en glimlacht.

Ze zegt: 'Let niet op mijn ondergoed, het is oud, er zitten gaten in.'

Terwijl ze mijn broek losknoopt, denk ik weer aan Travis Bickle. Hij had zichzelf beloofd niets in de richting te doen van waar ik me nu bevind, misschien kwam het zelfs niet eens bij hem op. Op mijn lippen liggen de woorden: 'Het is niet goed, we moeten dit niet doen, je hebt geen idee wat een rotzak ik ben', maar ik laat me wegvoeren en begin zachtjes te huilen als ze mijn shirt openknoopt. 'Shtt,' doet ze en likt de tranen van mijn wangen.

Met gebalde vuisten verzamel ik moed. 'Nee, nee, doe maar niet, alsjeblieft,' zeg ik dan.

'Shhhtt,' doet ze terwijl ze op haar knieën voor me gaat zitten.

Ze is een engel. Haar goedheid is van een soort waar ik maar moeilijk mee kan omgaan, haar schoonheid een soort die ik niet kan weerstaan, die ik echt niet verdien. Diep vanbinnen klopt mijn hart waarvan ik vermoed dat het ziek is. Terwijl ze met haar handen over mijn bovenbenen gaat denk ik aan kransslagaders, aan de kritieke zes minuten waarna een hersenbeschadiging optreedt. Ik denk aan de futiliteit van het bestaan, aan het besef dat het allemaal niets meer uitmaakt en dat ik er niets aan kán veranderen, dat het niet meer in me zit om er iets aan te doen.

'Niet doen,' kerm ik.

'Ik vind het fijn, laat me,' fluistert ze en ze kneedt mijn kruis.

'Zie je wel,' zegt ze. Ondanks mijn vermoeden dat mijn geslacht niet meer zou functioneren, heb ik toch een erectie.

'Nee,' zeg ik, en sta op. 'Dit is verkeerd,' zeg ik hoofdschuddend.

Ze gaat op de bank liggen, zucht diep en krast met een nagel over de naden van de kussen. 'Vind je me niet aantrekkelijk?'

'Ik vind je verschrikkelijk aantrekkelijk, maar het is beter als we dit niet doen,' zeg ik, 'laten we televisiekijken, dat is ook leuk.'

34

Natuurlijk had ik diep in mijn hart gehoopt op meer lichamelijkheid dan die eerste keer, natuurlijk smacht ik juist naar seks, maar nu heb ik het verpest. We slapen inmiddels samen in mijn twijfelaar, maar raken elkaar nauwelijks aan.

Op sommige momenten, als ik naast haar lig, hoop ik dat ze zich naar me toe draait en me zoent zoals op die middag toen ik terugkwam van de bedrijfsarts, maar dat doet ze niet, en ik durf er zelf niet mee te beginnen. De momenten dat we in bed liggen, fantaseer ik over wat er die eerste avond in de varkensslachterij gebeurde en hoe dat nu verdwenen is. Ik bakte er natuurlijk niets van, was heel erg bang, maar toch was het prachtig... Zelfs de kleinste onbenullige handeling weet ik in mijn herinnering op te roepen tot een kraakhelder beeld. In de nacht lig ik naast haar met een kloppende erectie die aanhoud tot de volgende ochtend. Ik probeer het te verbergen door mijn T-shirt over mijn slip te trekken als we opstaan.

Ze draagt T-shirts van mij, die haar veel te groot zijn, en een heel enkele keer nog een negligé met dunne bandjes dat ze de volgende ochtend weer in haar sporttas propt. Ik vind die negligés het mooiste. Ze zijn van gladde, glimmende stof. Als ik in een halfslaap naar haar rug kijk, de bandjes die losjes over haar smalle schouders liggen, de plooitjes zie waar haar rug overgaat in haar nek, dan weet ik zeker dat ik hevig verliefd op haar ben.

We eten samen, praten over het nieuws dat we vanaf de bank bekijken, en spelen soms spelletjes als er niets op televisie is; meestal Rummikub, waarin ik vreselijk slecht ben en zij verschrikkelijk goed is. Ik vind haar gezicht zo mooi als ze aan het spelen is. Ze mompelt binnensmonds en denkt diep na, knijpt steeds met haar ogen terwijl ze over de stenen gebogen zit. Soms zegt ze opeens: 'Oké, let op,' waarna ze in één beurt hele reeksen getallen op het bord legt en me daarna vol trots aankijkt. Het spelen van het spel geeft een bepaalde magie aan de avonden. Ik hou van haar bescheiden glimlach als ze wint. Ik slaak dan een diepe zucht en zeg: 'Je bent te goed voor mij.' Ik weet elke keer dat ik zal verliezen, maar het maakt me niets uit, ik geniet gewoon erg van haar overwinningen.

Al binnen die paar dagen ben ik gewend aan haar aanwezigheid, en dat is ook wat het is: ze is *aanwezig* en blijft dat ook altijd, want ik ben eigenlijk de enige die het huis verlaat voor wat boodschappen of een bezoek aan Liana Deller. Als ik door de supermarkt langs de schappen sjok, voel ik me sterk, blij en rustig; ik weet dat er thuis iemand op me zit te wachten die me met een omhelzing begroet, de boodschappen met enthousiasme uitpakt en over de keukenkastjes verdeelt, iemand die me vraagt of het druk in de winkel was, me liefdevol aankijkt als ik een reep chocolade of een pak koekjes onder mijn jas vandaan haal. Ja, denk ik, zo had het moeten zijn, ze is een vervanging voor Susan, misschien zelfs wel een beter exemplaar.

'Je lijkt hier en daar wat optimistischer en rustiger,' zegt Liana Deller.

'Ik heb minder stress,' zeg ik.

Ze knikt en ik knik een paar keer enthousiast terug. Ik wil zo graag vertellen over mijn plotse geluk, over haar, over het fijne gevoel dat ik zo direct op weg naar huis ga voelen, maar ook over mijn angst dat het opeens over kan gaan, dat ze weer vertrekt en mijn leven weer precies hetzelfde zal zijn als eerst. Maar dat kan allemaal niet, dus voeg ik eraan toe dat ik wel nog steeds erg somber ben.

'We hebben het nog niet over antidepressiva gehad, geloof ik. Hoe sta je daar tegenover?'

Ik weet dat ik de verplichting heb beter te worden. Dat mijn ziekte maar tijdelijk mag duren en dat ik zo snel mogelijk weer aan het werk zou moeten gaan als het aan de bedrijfsarts zou liggen.

'Als ik er baat bij heb,' zucht ik.

'Ik denk het zeker. Ik denk dat je een stuk positiever en rustiger in het leven zal staan als je een antidepressivum gaat gebruiken. Er zijn natuurlijk bijwerkingen, daar moet je rekening mee houden, maar het kan voor enorme verlichting zorgen.'

'Zoals?'

'Veranderingen in het libido, mogelijk kortdurende darmproblemen, haaruitval,' zegt ze.

'Dat zal mijn laatste zorg zijn,' zeg ik en wijs naar mijn hoofd. Ze moet lachen.

'Ik schrijf je Zoloft voor, een middel dat volgens mij goed bij je past. Ook omdat je een zwak hart hebt. Sommige middelen zijn nogal agressief, ik werk graag met Zoloft. Mocht je problemen krijgen dan moet je dat meteen melden, er zijn nog een hoop andere antidepressiva die we kunnen uitproberen.'

Ik krijg een recept mee en een folder over het middel. Op de voorzijde staan twee lachende vijftigplussers op een golfbaan. Ik herken de naam en het logo van de fabrikant, die naam staat ook op de afspraakbriefjes die ik na elke afspraak van haar krijg. Waarschijnlijk betalen die haar wintersportvakantie.

Bij de deur zegt ze opeens: 'Is er iets wat ik moet weten, Steven?'

Ik schrik van de vraag, begin meteen te blozen en schud een paar keer mijn hoofd. 'Ik zou niet weten wat, ik vertel je alles, daar,' zeg ik en wijs naar de lege stoel waarin de afdruk van mijn achterwerk nog is te zien.

35

'Vind je het echt niet vervelend dat ik er ben?' vraagt ze.

'Ik ben juist heel blij dat je er bent.'

Ze glimlacht en loopt naar het bed, zegt dat ze er alvast in kruipt.

'Ik kom ook zo,' zeg ik.

Ik blijf op de bank zitten en kijk naar mijn spiegelbeeld in het raam. Het is een ietwat grimmig, onduidelijk beeld, alsof de ramen onder een laag vette vingers of aanslag zitten, maar dat is niet zo: Anca heeft ze gisteren nog gelapt. Ik knijp met mijn ogen, maar het maakt geen verschil. Als ik haar zachtjes hoor snurken, zak ik achter de computer en bekijk snel mijn e-mailbox. Ik heb er al dagen niet naar gekeken, ik krijg ook zelden een belangrijke e-mail. Ook nu weer zit mijn Gmail-inbox vol met aanbiedingen voor Viagra en nep-Rolexen, maar ook voor de geneesmiddelen die Liana Deller me net voorgeschreven heeft. Ik vind dat vreemd. Soms heb ik het idee dat dat geen toeval kan zijn; de laatste keer dat ik naar informatie over hartinfarcten zocht, kreeg ik dezelfde dag nog een e-mail van de Hartstichting.

Ik tuur een beetje naar de rijtjes foto's met *perfect matches* die Flirtbox me dagelijks stuurt. Ik zie dat de Engelse vrouwen er met de jaren niet fraaier op worden. Toch bedenk ik dat dit rijtje vrouwen waarschijnlijk de doorsneekansen zijn die ik op mijn leeftijd nog heb. Hun verlangens zijn vrijwel identiek: 'Een persoon om de rest van mijn leven mee te slijten', de meesten schrijven ook dat ze op zoek zijn naar een goedlachse en ook rustige man, een man die zich durft te binden. Je binden op mijn leeftijd is meestal definitief.

Mooievrouw46 heeft een berichtje achtergelaten. Ik open het met afschuw, denk weer met schaamte terug aan die avond waarop ik Susan belde.

'Wat onbeschoft van je om me zo snel aan de kant te zetten, wees gewoon eerlijk en vertel me WAAROM je afhaakte, kwam het door mijn foto? Kwam het door IETS ANDERS?'

Het bericht is van weken geleden, en er blijken er meer te zijn. Ze worden steeds vuriger van toon.

Ik sla een hele reeks over die scheldwoorden als onderwerp hebben en open het bericht van gisteren met de titel: 'Denk maar niet dat je van me af bent'.

Verder is het bericht leeg.

36

Mijn schoolvriend, de makelaar, belt me uit mijn slaap.

Het enige waar ik nog steeds aan moet wennen, is wakker worden naast haar. Elke ochtend durf ik me maar nauwelijks naar haar toe te keren, bang voor de leegte die ik verwacht te zullen zien. Maar elke ochtend ligt ze er; haar ogen gesloten, een glimlach om haar mond, haar armen onder haar kussen gevlochten. Totaal ontspannen, alsof ze daar altijd heeft gelegen.

'Steve, ze hebben het bekeken, ze willen het kopen,' zegt mijn schoolvriend nerveus.

'Dat is prachtig,' fluister ik en kijk vanuit de gang hoe mooi haar rug plooit als ze een beetje gaat verliggen. De donshaartjes op haar blote armen die omhoog gaan staan en weer gaan liggen, de dikke, ondoorgrondelijke berg haar dat in de morgen altijd door de war zit... Verdomme, denk ik, elke millimeter van haar lichaam maakt me gelukkig.

'Wil je de kopers ontmoeten?' vraagt mijn schoolvriend.

'Nee, behalve als ze mij willen ontmoeten, anders liever niet,' zeg ik.

Hij begint over zijn courtage en op welke manier hij deze van het totaalbedrag zal innen en terwijl hij zijn zin nog niet heeft afgemaakt, zeg ik: 'Karl het is goed, het is allemaal prima, ik geloof het allemaal wel, wanneer kan ik het geld krijgen?'

'Dat kan nog twee weken duren. Je moet ook nog even langskomen om het een en ander te tekenen. Stoor ik je trouwens?'

'Nee hoor,' fluister ik.

Als we ophangen, trek ik mijn badjas aan en sluip terug naar de keukennis en open een lauw blik bier uit de voorraad die ik in het gootsteenkastje bewaar. De kleine ijskast is tegenwoordig gevuld met allerlei voedingswaren die ik nooit in huis haalde toen ik nog alleen was. Terwijl ik kleine slokjes neem, kijk ik vol verbazing naar een stronk broccoli en een prei in de groentelade, een beker zure yoghurt waar ze speciaal om heeft gevraagd toen ik naar de supermarkt ging.

'Je moet 's ochtends niet drinken,' hoor ik vanuit de huiskamer.

'Ik drink 's ochtends ook niet,' zeg ik en hou snel het blik achter mijn rug.

Ze draagt de badjas die van Susan was. Hij is roze en hij is haar veel te groot. Ze wijst naar de hand die achter mijn rug het blik bier probeert te verbergen.

'Ik zeg het alleen omdat ik om je geef, omdat het niet goed voor je is. Mensen drinken 's ochtends thee,' zegt ze.

Ik haal het blik tevoorschijn en drink het met een glimlach leeg. 'Ik heb mijn oude huis verkocht,' zeg ik, 'ik heb denk ik iets te vieren.'

'O wat goed,' zegt ze, 'gefeliciteerd. En wat ga je nu doen?'

'Een vriend van mij heeft het verkocht, hij is makelaar. Hij zegt dat ik het geld apart moet zetten en een paar jaar moet wachten tot de huizenmarkt instort en dan een boerderijtje moet kopen. Maar ik hou niet van boerderijtjes, ik zoek liever iets in de stad.'

'Je zou moeten beleggen, of het in een internetbedrijf moeten steken, dat is de toekomst,' zegt ze terwijl ze een boterham smeert. Ik kijk naar mijn eigen badjas die lichtblauw is. Ooit was Susan met het idee gekomen onze namen op een van de borstpanden te borduren, daar is het gelukkig nooit van gekomen.

'Ik hou het voor slechte tijden, denk ik, voor als er iets misgaat.'

'Dat kan natuurlijk ook, maar als je gaat beleggen, heb je straks véél meer geld dan nu. Ik kan je wel een beetje adviseren als je dat wilt, ik heb er een beetje verstand van, als student had ik een tijdje een abonnement op de *Financial Times* en ik vond het altijd heel interessant te zien hoe de aandelenmarkt fluctueert. Een tijd lang vond ik dat interessanter dan wat dan ook, ook toen ik ziek was las ik altijd de *Times*. De beurs is een soort magie, wist je dat?'

Terwijl ik daar tegenover haar sta, wil ik met een antwoord komen waaruit blijkt dat ik niet dom ben, dat ik de beurs ook als magie beschouw, maar als ik mijn bierblik in de prullenbak werp bedenk ik dat de beurs me eigenlijk geen ene reet interesseert.

Onder de douche probeer ik me af te trekken, maar kan me niet concentreren. Het water maakt mijn geslacht ruw en pijnlijk. Ik kan me geen seksscènes meer voor de geest halen, kijk naar de gaatjes van de douchekop en daarna naar het putje waar nu een paar zwarte haren liggen. Dat zijn de eerste haren sinds jaren, denk ik terwijl ik me inzeep. Als ik me afdroog, bedenk ik opeens dat Arnold en Jim al jaren de douchediensten op zich nemen. Dat zij ze de handdoeken, zeep, shampoo en tandpasta aangeven, de orde handhaven in de ouderwetse douchecellen waar sommige verdachten soms langer douchen dan toegestaan is. Ze moeten ze dan drie keer vriendelijk verzoeken eronder vandaan te komen, en als dat niet helpt hebben ze vanaf de gang nog de controle over het water en maken op die manier een einde aan het spelletje.

Ooit, jaren geleden, was er een man die zichzelf had proberen te verwonden met zijn scheermes. Het was een zakenman die de volgende dag terecht zou staan in een grote verzekeringsfraudezaak. Ik had Jim en Arnold met hem door de gangen zien lopen. De man was spiernaakt, op het handdoekje na dat hij voor zijn geslacht hield, en zat onder de snijwonden op zijn polsen en onderarmen. Mijn collega's zeiden geen woord, lieten de man jammeren terwijl ze hem naar zijn cel begeleidden. Jim droeg een stapeltje kleren dat opvallend netjes opgevouwen was. Ik schrok van de zorg waarmee de man dat had gedaan, nog net voordat hij zichzelf ging bewerken met het wegwerpmesje.

37

Als we samen door een supermarkt in Narborough lopen, schrik ik als ik mezelf en Anca weerspiegeld zie in de deur van een van de koelschappen; op de pakken melk en rond de pakjes boter zweven onze lichamen, het staal van de kar die ze voortduwt schittert in het tl-licht. Ik voel mijn hart tekeergaan, grijp zelfs een moment naar mijn borst, en als ze vraagt of er iets is, zeg ik dat ik vreselijk moe ben.

'Ik snap ook niet waarom je zo ver bent gereden, er zijn toch genoeg supermarkten in het centrum?' vraagt ze.

Onderweg bedacht ik dat ik verschillende mensen tegen het lijf zou kunnen lopen; collega's die op surveillance zijn, mijn bedrijfsarts, Liana Deller, misschien zelfs mijn ex-vrouw.

'Het is hier een stuk goedkoper,' besluit ik te zeggen.

In deze buurt ben ik jaren geleden een keer geweest toen Susan een tweedehandsbankstel had gekocht via internet. Het was een koopje geweest en ik had me heel ongemakkelijk gevoeld toen ik tegenover een echtpaar stond dat hun complete inboedel te koop aanbood. Dat was het eerste moment dat ik zag dat mijn vrouw ook een harde kant bezat, dat er diep in haar verstopt een echte koopjesjager zat, een zakenvrouw; ze had tot uit den treuren proberen af te dingen op de ruime tweezitter. Met het schaamrood op de kaken had ik samen met de verkoper de bank boven op mijn Vauxhall vastgesnoerd. Diezelfde bank staat nu in mijn appartement.

De avonden verlopen volgens een vast patroon: Anca kookt en ik kijk televisie. Zo nu en dan roep ik iets, meestal dat het zo lekker ruikt. Ze maakt gevulde paprika's en couscous, soms kleine gehaktballetjes in een vreemde witte saus. Susan kookte altijd hetzelfde: een stew, spaghetti met tomatensaus, of vis en aardappels uit de oven. Als ze geen zin had om te koken, ging ik naar een Indiaas of Chinees afhaalrestaurant waar ik tijdens het wachten biertjes dronk.

We eten van het serviesgoed met de bloemen dat ergens onder in een verhuisdoos zat. Op een avond stond het afgestoft op tafel en vroeg Anca waarom ik het niet gebruikte, ze vond het namelijk zo mooi. Ik zei dat ik het nog niet had uitgepakt sinds de verhuizing en dat het inderdaad zonde was om niet te gebruiken.

Ik kijk langs mijn mes naar haar. Ze eet als een schuw dier, is me de laatste dagen opgevallen. Met een arm helemaal om haar bord geklemd, alsof ze bang is dat iemand haar het eten afneemt.

'Ik moet weer een keer aan het werk gaan, dat snap je toch wel?' zegt ze dan opeens.

Ik knik met mijn mond vol. 'Maar nu nog niet toch?' vraag ik.

'Waarom niet?'

'Je hebt toch wat rust nodig, tijd om bij te komen?'

'Bijkomen waarvan?'

Ze schuift een gehaktballetje door de saus richting de sperziebonen.

'Je hebt een zware tijd achter de rug,' zeg ik.

'Iedereen moet geld verdienen.'

Ik denk aan Travis Bickle en de envelop met geld die hij Iris stuurt vlak voor hij de aanslag gaat plegen op de senator.

'Ik heb toch geld,' zeg ik zachtjes.

'Dat is jouw geld, niet mijn geld, Steve. Mijn familie is afhankelijk van mijn werk, ik moet ze aan het einde van de maand wat sturen, anders hebben ze niets meer te eten.'

'Luister, over twee weken heb ik geld genoeg en kun je ze sturen wat je maar wilt.'

'Hoor je wel wat je zegt?'

'Ik zeg dat ik over twee weken geld heb en dat je ze dan...'

'Dat jij dan geld hebt, Steve, jij, niet ik,' onderbreekt ze me.

Op televisie is *EastEnders*. Phil is ziek en Dot heeft geldproblemen, een ander wordt verdacht van overspel en weer iemand anders wordt afgeperst door een crimineel. Gek eigenlijk, hoe een soapserie de maatschappij weergeeft, al het lelijke laat zien over het leven dat wij zelf allemaal leiden, en dat we er maar niet genoeg van kunnen krijgen.

'En hoe wil je dat dan doen?' vraag ik, 'je hebt geen kamer meer, ga je werken in het huis van die oom van je vriendin?'

'Cozana heet ze, en nee, natuurlijk niet.'

'Hoe dan?'

'Gewoon. Op straat of zo.'

Ik leg mijn vork neer en kijk haar aan. Ik schud mijn hoofd en zeg: 'Ik wil niet dat je dat doet, Anca, ik kan het haast niet aanzien, en je snapt toch wel dat het heel erg pijnlijk voor me is?'

'Love, het is toch gewoon werk, ik geef toch niets om die mannen?'

'Maar op straat? Je kent die mannen helemaal niet, straks...'

'Straks wat?'

'Straks doen ze dingen die je eigenlijk niet wilt... Je kent die mannen helemaal niet,' herhaal ik.

'Ik ken jou ook niet!' schreeuwt ze opeens. 'Weet je dat eigenlijk wel? Ik ken jou pas twee maanden en nu zeg je al zulke dingen!' Ze maakt wilde handgebaren en bijt op haar lip.

Ik ben me kapot geschrokken en druk me diep in de bank. Het enige wat ik uitbreng is: 'Nou.'

Dan staat ze op, kiepert haar bord om over de bank en gaat op het bed liggen, haar hoofd onder een kussen, de handen eromheen geklemd.

Ik til het bord op en tuur naar de grote vlek op de bekleding. Had Susan toch nog ergens een punt.

38

Vannacht heeft ze op de bank geslapen. Ik heb gisteravond de bekleding schoongemaakt en een handdoek op de natte plek gelegd. Toen ik 's nachts moest plassen, ging ik even naar haar kijken en zag hoe ze een T-shirt over haar hoofd had getrokken. Ik probeerde eronder te kijken, maar ze duwde me ruw weg. In het medicijnkastje in de badkamer vond ik een doosje paracetamol met codeïne van Boots. Ik spoelde er twee weg met een blik bier en viel daarna in een diepe slaap.

's Ochtends ligt ze toch weer in het bed. Weliswaar van me af gedraaid, maar toch.

'Ik moet zo naar Stoneygate, naar de makelaar,' fluister ik dicht bij haar oor.

'Ik ga vanavond aan het werk,' zegt ze en houdt haar handen voor haar ogen.

'Daarna moet ik langs de psychiater en dan kan ik wel even boodschappen doen, wat wil je eten vanavond?'

Ze haalt de handen van haar gezicht en draait haar hoofd. Ik vind het een pijnlijk moment, want ik weet wel dat ik eruitzie als een idioot, in mijn grote voetbalshirt en joggingbroek. Mijn buik probeer ik een beetje in te houden en hoewel het helemaal niet warm is, zweet ik als een otter.

Ze komt een beetje omhoog en wijst naar mijn gezicht. 'Er zit iets wits op je hoofd,' zegt ze.

Ik strijk met mijn hand over mijn net geschoren schedel. Scheerschuim is het. Ik probeer te lachen.

'Wat er gisteren gebeurde moet je maar vergeten, ik ben mezelf even niet,' zegt ze dan.

'Het geeft niet, het spijt mij ook,' zeg ik.

'Ja, natuurlijk geeft het wel, maar je mag me niet vragen te stoppen met werken, jij kunt mijn familie niet te eten gaan geven, dat zou idioot zijn.'
'Het zou mij niets uitmaken.'
'Ik begin vroeg en eet wel ergens in de stad, dus misschien kun je iets voor jezelf maken.'
'Weet je dit wel zeker?' vraag ik.
'Dat ik ga werken? Natuurlijk weet ik dat zeker. Ik moet gaan werken, hoe moeilijk dat ook voor jou is, je moet onder ogen zien dat het mijn beroep is en dat ik op die manier overleef. Het is zo erg nog niet. Ik voel niets, denk niets, zie zelfs bijna niets.'
'En wat als de politie je oppakt en in een cel gooit en...'
'En wat?'
Ik voel tranen en zie de stalen celdeur weer voor me. Het gedempte geluid in het oude cellencomplex, het gezoem van de airconditioning, de ruggen van mijn twee collega's en het opeens ontluikende gezicht van dit meisje dat nu in mijn twijfelaar ligt.
'Wat is er nou met je?' vraagt ze en schuift dichterbij, 'je huilt.'
'Er is niets, ik heb het gewoon moeilijk,' zeg ik.
'Gaat de psychiater je beter maken, Steve? Gaat ze je helpen met alles?'

Als ik het kantoor van Karl binnenstap, zie ik dat er een fles champagne en twee glazen op de koffietafel staan. Hij begroet me met een omhelzing en zegt: 'Het heuglijke moment!'
Ik heb Karl nooit echt gemogen en weet vrij zeker dat hij mij ook een eikel vindt. Onze levens zijn zo verschillend, nu lijken ze al helemaal niet meer op elkaar, want Karl is getrouwd en heeft vier kinderen. De kans dat hij ooit in mijn situatie terecht zal komen is natuurlijk aanwezig, maar als hij me onder het drinken van de champagne vertelt over zijn privéleven, schat ik die kans klein in. Karl is 'so fucking happy', hij heeft een nest jonge katjes, zijn dochter loopt met ze rond in een mandje en zijn vrouw is zoals hij omschrijft 'een stoot met een schort om'.
We zitten op de designbankjes en ik begin te verlangen naar verdoving. Een glas sterkedrank en een paar paracetamol-codeïne, precies zoals ik dat deed in de weken nadat Susan me verteld had dat ze bij de siergotenspecialist zou intrekken.
'Free as a bird,' zegt Karl en heft zijn glas.
'Free as a bird,' herhaal ik en neem snel een slok.

39

Als Travis Bickle in de gang van Iris' appartement lukraak om zich heen schiet, de doden achter zich laat en de half-doden achter zich aan sleept, heeft hij een duidelijk doel voor ogen: hij zal alle vuil en slechtheid om haar heen vernietigen en zelf het leven laten, ware het niet dat hij geen kogel meer overheeft om door zijn eigen kop te schieten. Ik heb die slotscène, waarin Robert de Niro met een krachtig handgebaar – de bebloede wijsvinger op zijn slaap, het schorre 'pghh, pghh, pghh' uit zijn mond – altijd als het daadkrachtigste beschouwd wat ik ooit in een film heb gezien.

Terwijl ik aan de scène denk, zit ik op de bank met een bord aardappels en vlees van gisteren. Anca is aan het werk gegaan en ik weet opeens zeker dat elke vorm van geluk een gif is dat me steeds zieker maakt. Ik kijk naar *EastEnders*. Phil laat dikke oude mannentranen over zijn wangen rollen, waarom is onduidelijk – ik viel ermiddenin, maar ik huil met hem mee.

Ik zie voor me hoe ze opgepikt wordt door een dronken man die haar meeneemt naar zijn smerige appartement en al in de gang aan haar borsten zit. Zou zijn bed wel schoon zijn? Zou hij stinken? Misschien valt het allemaal wel mee en is hij juist heel aardig voor haar, misschien zelfs zo onzeker als ik die eerste keer was. Opeens wordt het idee dat ze misschien wel niet met hem naar bed gaat, maar zoals met mij, alleen met hem praat, onverteerbaar.

Ik zet 'Romeo and Juliet' van Dire Straits op en huil om vrijwel elk woord. Tik het ritme in de lucht, drink een halveliterblik bier leeg in de keukennis en open, op weg naar de bank die Susan via internet kocht, een nieuw. Het is raar, maar nu voelt het weer alsof ze aanwezig is. Door de meubels die nu duidelijk zichtbaar zijn, en het serviesgoed dat weer in gebruik is genomen. Alsof ze toezicht houdt, voor eeuwig alles zal zien wat ik hier uitspook.

Om even over halfacht heb ik er genoeg van. De muziek maakt me steeds verdrietiger en ik heb de hik gekregen van de veel te grote slokken bier en mijn gejammer tussen die slokken door. Ik zet de computer aan en bekijk mijn e-mail. Nog altijd aanbiedingen Viagra, goedkope gezinsverpakkingen condooms en vandaag zelfs een enorm geldbedrag dat voor mij beschikbaar is in Nigeria. Er is ook een aantal e-mails van Mooievrouw46. Een van de onderwerpen luidt: 'Ik weet wie jij bent', een ander heeft als onderwerp: 'Respect, ken je dat woord?' De inhoud van de mailtjes is onthutsend. Het zijn lange tirades van een wanhopige vrouw. Ze geeft me een laatste kans, die laatste kans herhaalt zich dag na dag, tot de laatste e-mail van nog geen uur geleden, die opvalt tussen het geheel. Als onderwerp staat er in grote kapitalen: 17 MEI 2011. De inhoud is verder leeg gelaten, wel heeft ze eerst iets geschreven en dat later weer gewist; ze is een losse punt vergeten weg te halen.

Tegen middernacht lig ik klaarwakker in bed en luister naar elk geluid dat ik maar kan waarnemen, en dat is niet veel: de buitenmuren zijn van staal en vanbinnen gecoat met een dikke laag glaswol. Samen met de rubberen tochtstrips rond de deuren en ramen zorgen ze voor perfecte isolatie. Ieder appartement heeft een ventilatiesysteem in de woonkamer, badkamer en keuken en op die manier word je nooit geconfronteerd met de geur van een gebakken kippetje of een lichaam in ontbinding, en eigenlijk vind ik dat eerste wel jammer. Wat overblijft is het getik van de verwarming, het zachte gezoem van de ventilatiepunten en heel soms, heel in de verte iemand die schreeuwt. Tot het moment dat iemand echt hard gaat krijsen, zou je er niets van merken.

Ik ben in de hoek tegen de muur gaan liggen. Zodat ze kan zien dat ze gemist wordt, dat ze weet dat dit, naast mij in bed, haar plek is.

Altijd als ik niet kan slapen, probeer ik aan dingen te denken die me geruststellen. Meestal gaat het over mijn moestuin. Het klinkt misschien raar, maar als ik in gedachten door mijn vroegere tuin loop en de gewassen opnoem en zachtjes hun namen blijf herhalen, word ik heel kalm. Vannacht lukt dat niet. Ik probeer aan komkommers en bieten te denken, maar mijn gedachten vloeien naar de appartementen van de mannen die haar opgepikt hebben. Ik denk vol walging aan de respectloze woorden die ze tegen haar zullen spreken, de bevelen die ze krijgt en zonder morren opvolgt en ook weer aan de vieze bedden waarin ze moet liggen.

Zal ze tijdens haar werk aan de cel in Tower Street denken? Het kan toch haast niet anders dan dat ze bij elke aanraking siddert van angst en verdriet? Als ik me omdraai, zie ik weer de beelden voor me die ik door het spionnetje heb gezien: het geweld, de kracht, de macht. Of zou het zo zijn dat vooral ík aan de verkrachting denk en dat zij het allang heeft verdrongen?

Ik heb wel eens gehoord dat prostituees vaak een lichaamsdeel voor zichzelf houden. Omdat de klant overal aan zit, willen ze dan één plek hebben die nooit aangeraakt wordt. Ik las een keer in een interview met een bekende pornoster dat haar oksels verboden terrein waren. 'Ze mogen overal aankomen, maar van mijn oksels moeten ze afblijven. Die zijn van mij,' stond er.

Zou zij ook zo'n plek voor zichzelf houden?

Ik val in slaap met de geruststelling dat ze niet zo ver komen als ik. Haar klanten mogen haar alles vragen te doen, maar uiteindelijk wonen ze niet met haar samen.

'Ik ben een uitzondering,' zeg ik hardop vanuit bed.

40

De volgende morgen begint al slecht. Als ik mijn ogen open, zit ze op de bedrand. Ze ruikt naar regen en zoet parfum. Ze ziet er vermoeid en verdrietig uit. Ik kruip naar haar toe en omklem haar billen met mijn armen, maar ze duwt ze van haar af en gaat een stukje verder op het bed zitten.

'Hoe was het?' vraag ik. Ik besef meteen dat dit misschien wel de stomste vraag is die ik kan stellen.

'Hoe denk je?' vraagt ze geïrriteerd.

Ik schudt mijn hoofd en haal mijn schouders op.

'Waarom denk je dat je me dát kan vragen?'

'Gewoon, ik vraag me dat af, is dat zo gek?'

Ze maakt een raar geluid met haar tong, een soort klakken dat klinkt als een automatische autovergrendeling.

'Zal ik een ontbijtje voor je maken?'

'Ik heb al ontbeten, Steve,' zegt ze.

'Wil je thee of koffie?'

'Weet je, ik heb hier helemaal geen zin in. Ik heb nog nooit iemand ontmoet die zulke domme vragen stelt. Je wéét hoe ik me voel!'

'Ik weet helemaal niet hoe jij je voelt, je vertelt me niets,' zeg ik zachtjes. Ik sta op het punt om het haar te vertellen. Te vertellen wat ik heb gezien. Haar te zeggen dat ze onmiddellijk op moet houden met werken, rust moet nemen en misschien met een specialist moet gaan praten, maar ik durf het niet. Ze loopt snikkend de slaapkamer uit en gaat voor het raam staan.

'Ik kan er niet over praten, ik wil er ook helemaal niet aan denken. Ik ben heel erg bang voor de toekomst, dat is waar ik het meeste mee zit. Deze stad…'

'Wat is er met deze stad?' vraag ik.

'Het is allemaal verkeerd,' zegt ze en wijst naar buiten waar het regent, 'het is verschrikkelijk, de mensen zijn vreselijk hier.'

Ik trek een t-shirt aan en ga op de bank zitten. Mijn voeten slapen, ze zijn ook een beetje blauw, dat zijn ze de laatste maanden bijna elke ochtend.

'Je kunt gewoon stoppen, Anca. Misschien is het genoeg geweest. Er zijn talloze andere manieren om geld te verdienen, je bent slim genoeg.'

Ze draait zich naar me toe. Haar grote ogen staan vol tranen, ze laat haar armen slapjes langs haar lichaam bungelen. Haar handen trillen en zoeken naar houvast.

'Wat is er nou, meisje?' vraag ik terwijl ik haar voorzichtig tegen me aandruk.

'Ik ben beroofd,' huilt ze zachtjes tegen mijn borst.

'Wat hebben ze gestolen dan?'

'Alles.'

'Je moet aangifte doen,' fluister ik.

'Ik denk niet dat ze me zullen geloven. Meisjes zoals ik… Het is hopeloos, ík ben hopeloos.'

'Het is nooit hopeloos, de politie of een specialist kan je helpen. Ze zijn misschien onaardig voor je geweest, maar ze moeten je helpen.'

'Ik weet niet of dat kan, ik ben zo moe van alles.'

'Toch moet je iets doen, als je beroofd bent doe je aangifte.'

'Ik weet het allemaal niet,' fluistert ze.

Terwijl ze haar hoofd op mijn schouder laat rusten kijk ik naar buiten. De gebouwen van rood baksteen, de kanalen waar toeristen in *narrow boats* bezig zijn met een sightseeing, het treinspoor dat als een breuklijn door het gebied gaat. Ik heb het altijd gehaat. Als ik erover nadenk, heb ik niet één leuke dag in deze stad kunnen beleven.

'Ik moet opgeven,' jammert ze zachtjes.

'Dat mag je niet doen, dat is wat ik heb geleerd in het leven: nooit opgeven, hoe erg alles ook lijkt, het zal beter worden als je ertegen vecht en ik zal je helpen.'

Ze schudt haar hoofd. 'Ik zei *overgeven*, niet opgeven.'

'O sorry,' zeg ik en druk haar weer tegen me aan, 'gaat het?'

'Het gaat alweer, maar help je me echt?'

'Natuurlijk help ik je,' zeg ik en aai over haar rug.

'Zul je niet boos worden als ik je alles vertel?'

'Nooit.'

'Echt niet? Het is namelijk ook verdrietig voor jou.'

'Dat weet ik allang, ik ben niet achterlijk.'

'Nou, dit zal je echt van je stuk brengen, ik bedoel, het is vreselijk en verkeerd.'

'En verdrietig zeker,' zeg ik.

'Ja.'

'Je hoeft niet bang te zijn, ik ben een volwassen man.'

'Wat ik je moet vertellen is heel erg, Steve, het zal onze verhouding veranderen, en hoe volwassen je ook bent, je zult vast anders naar me gaan kijken. Ik weet het niet...'

'Ik kan haast niet anders naar je kijken dan ik al doe,' zeg ik en open een blik bier, 'ik vind je fantastisch. Je kunt me alles vertellen, en ik zal luisteren en je daarna helpen.'

Ze staat tussen de bank en de keukennis en kijkt naar de vloer. Ik weet dat we samen alles nogmaals gaan meemaken, dat ik, zonder dat ze het weet, heel duidelijke beelden zal hebben als ze haar verhaal vertelt. Eigenlijk is het misschien wel het beste, dan is het daarna uit de wereld en krijg ik eindelijk rust.

'Eerst ga ik even douchen,' zegt ze.

Ik knik en zoen snel haar handpalm.

Op het moment dat ik de douche hoor, merk ik dat mijn voeten langzaam weer wakker worden. Ik voel de grond weer.

41

Terwijl ik het water hoor stromen, zit ik op de bank en kijk naar mijn handen. Ik heb in al die jaren dat ik verdachten tegenover me had zitten, altijd op hun handen gelet. Niet alleen de manier waarop ze hun handen lieten bewegen, ook de vorm. Sommige waren ruw en schilferig, andere leken zo zacht dat ik ze wel even vast wilde pakken. Ik heb opvallend kleine handen bij heel grote mensen gezien, en heel grote bij kleinere. Mijn vingers lijken op de worstjes die ik bij de supermarkt koop: dik en bleek. Toen ik nog tuinierde, leken ze nog wat: de resten aarde die ik niet onder mijn nagels vandaan kreeg, de eeltbulten van de schep en de hark. Ik hoor het slot van de badkamerdeur opengaan.

'Zal ik bij het begin beginnen?' vraagt ze met een handdoek om haar heen geslagen.

'Als je wilt,' zeg ik.

Ze is met haar rug naar me toe gaan zitten. Ik kijk naar de druppels die uit haar natte haar op de bank vallen.

'Ik ga zo zitten, want ik vind het heel moeilijk,' zegt ze.

'Niet bang zijn,' zeg ik en leg een hand op haar schouder.

'Ik dacht dat jij die namiddag misschien zou mailen dat je langs wilde komen en toen dat niet gebeurde ben ik maar naar bed gegaan. Ik had mijn pyjama al aangetrokken en was een beetje aan het lezen. Toen kwam er een vrouw langs die ik nog nooit had gezien. Ze zei dat ze mij iets moest zeggen, maar niet meer wist wat. Ze zag er slecht uit en ik liet haar even zitten. Misschien zou ze er dadelijk weer op komen, zei ze. Ze sprak over haar zoon, die haar niet meer wilde zien, en over chemokuren die ze net had gehad. Ik vertelde haar dat ik geen baarmoeder meer heb en ze zei: "Wees maar blij."

Kort daarna werd er op de deur gebonsd: drie keer een harde klap.

Nog voor ik iets kon doen, werd de deur ingetrapt en stond de kamer vol met gemaskerde mannen met geweren en zaklampen. We moesten meekomen. De zwerfster begon te schreeuwen en werd ruw in een politieauto geduwd. Ik moest naar buiten, waar de andere meisjes in een lange rij op straat stonden. Ik vond het zo'n vreemd gezicht, als voor een vuurpeloton stonden we daar in onze nachthemden. Sommigen hadden zelfs blote voeten. Het was heel koud. Er werden dingen tegen ons geroepen terwijl we daar stonden, en de agenten hielden ons onder schot. Toen een van de meisjes een stap vooruit zette, sprong er een naar voren en zwaaide met zijn geweer, brulde hysterisch tegen haar dat ze weer moest gaan staan waar ze haar neergezet hadden.'

Ik denk aan de ambulance. Aan het kleine raampje waardoor ik alles had gezien. Terwijl ze praat, beweegt haar rug van onder naar boven. Ik zie dat ze aan haar nagels pulkt en erop bijt. Ik kijk weer naar mijn handen. Er is bij mij al jaren niets meer om af te bijten.

'Toen kwam er een man uit een van de busjes. Hij vertelde dat we onder arrest stonden en vervoerd zouden worden naar de gevangenis. Hij nam ons allemaal in zich op en knikte tevreden, een beetje zoals je in films ziet, zo van: "We hebben ze", snap je?'

Ik knik. Dat moet Bill Morgan geweest zijn. Het is typisch iets voor hem om dat te doen.

'We werden naar Tower Street gereden, naar de gevangenis aan het Nelson Mandela Park. Het was er koud en vochtig. Ik werd samen met Cozana, mijn vriendin, in een cel gestopt. Er was niet genoeg ruimte, zeiden ze. De mannen zaten wel apart, geloof ik, want die mochten niet met elkaar praten. We brachten de eerste nacht door en het viel me wel mee. We kregen genoeg te eten en te drinken en Cozana is fijn gezelschap. Die nacht hebben we zelfs nog gelachen om de situatie. Het machtsvertoon van de agenten die ons op straat onder schot hielden. De agent die ons drie keer per dag eten kwam brengen en zo zenuwachtig was dat hij het bestek een keer uit zijn handen liet vallen, het was best grappig. De volgende ochtend werden we verhoord. Ze vroegen ons allemaal hetzelfde, want Cozana kreeg precies dezelfde vragen als ik: waar we vandaan kwamen, hoe lang we al in het gebouw woonden, hoe we aan ons geld kwamen. Ook vroegen ze wat de functie van de mannen was die ze hadden aangehouden in het gebouw. En op al die vragen hadden we hetzelfde antwoord, namelijk dat wat ons opgedragen was te zeggen als er ooit politie zou komen: dat we een Roemeense gemeenschap zijn van studenten, dat we geld van onze ouders krijgen en dat we allemaal een studiebeurs hebben. Dat de mannen de verhuurders zijn. Dat sommigen van hen in de keuken werken. Dat we daar elke dag een maaltijd krijgen en samen televisiekijken. Ze vroegen ons ook iets heel raars, namelijk of we contacten hadden met terroristen en of we Osama bin Laden kenden. Idioot natuurlijk. Ik zei tegen de rechercheurs dat ze ons vrij moesten laten omdat we niets deden wat verboden is, maar hij haalde alleen maar zijn schouders op en liet ons weer naar de cel brengen door de jongen die het bestek uit zijn handen liet vallen.

De ochtend daarop mocht Cozana het eerst douchen en ze kwam in tranen terug de cel in. Toen ze klaar was met douchen, was een agent in de doucheruimte gekomen, terwijl hij op de gang hoort te wachten tot je klaar bent. Hij raakte heel snel haar borst aan en liep daarna meteen weer weg. Volgens Cozana was het eigenlijk alleen een arm die ze zag, maar toen ze uit de douche kwam, zag ze dat de agent een natte mouw had. Op weg naar de cel begon hij tegen haar te mompelen. Hij grijnsde toen ze hem aankeek. Bij mij gebeurde het niet. Bij mij bleef hij netjes op de gang staan wachten en begeleidde me zonder een woord te zeggen naar mijn cel.

Toen, tegen zeven uur 's avonds, ging de deur open en stonden de agent van de douchediensten en de ander, die ons het eten bracht, in de cel. Ze moesten lachen. Een beetje zenuwachtig leken ze. De een sloot de celdeur van binnenuit en de ander keek naar ons, op een vreselijk minachtende manier. Vol walging, iets anders kon ik er niet van maken. De jongen die eerst zo zenuwachtig was, begon het eerste met slaan, de ander moest er duidelijk even in komen, want die zei nog een paar keer: "Rustig, Jim, rustig met ze." Maar daarna sloeg die mogelijk nog harder. De jongen die boven op me ging liggen, zei dat ik een smerige hoer was en dat hij hier de baas was in de gevangenis. Terwijl hij zijn broek naar beneden deed, verzette ik me al niet meer. Het had geen zin, en daarnaast was ik in shock van de klappen die ik kreeg. Pijn deed het pas toen ik naast me zag hoe hard Cozana geslagen werd.

Ze kwamen ongeveer op hetzelfde moment klaar, met gillende kreetjes. Ik hoorde op dat moment alleen nog de geluiden, want ik had mijn ogen dicht. Ze moesten lachen en maakten geluiden alsof ze dieren nadeden. Volgens mij varkens. Pas toen ik een trap in mijn zij kreeg en een van de jongens "Aankleden, vuile hoer" riep, deed ik mijn ogen open.'

Haar hele verhaal lang rolden de tranen over mijn wangen, maar nu ze klaar is met vertellen zijn ze opgedroogd en eigenlijk vind ik dat niet kunnen. Ik wil dat ze weet hoeveel verdriet het me doet, dus bevochtig ik snel mijn wangen met spuug en wrijf met mijn gezicht over haar rug, omklem haar middel met mijn armen. Op het moment dat ze mijn natte wangen voelt draait ze zich naar me toe en neemt me in haar armen, drukt mijn gezicht stevig tussen haar borsten en aait over mijn hoofd.

42

De volgende avond gaan we uit eten in een Indiaas restaurant in het centrum dat de Metro Best Restaurant Award heeft gewonnen, weliswaar in 2007, maar toch. We nemen het menu voor twee, een selectie van de specialiteiten van de chef. Een foto van de chef zelf staat in de hoek van de menukaart. Hij glimlacht breed naar me.

Ze draagt een coltrui en spijkerbroek. Haar haar is vastgezet met een grote haarspeld in de vorm van een libelle. Ze heeft iets weg van een kind, hoe ze daar over de talrijke stalen bakjes gebogen zit en haast niet kan kiezen waar ze aan zal beginnen.

'Dat is lekker,' zeg ik en wijs naar een bruin prutje.

Ze wilde bij het raam zitten omdat ze ervan houdt naar mensen te kijken, maar gelukkig was iemand ons voor. De enige plek die vrij was, lag helemaal achter in de zaak, om de hoek van de bar zelfs, en dat komt goed uit.

Ik heb Liana Deller laten weten dat mijn toestand verslechterd is. Dat ik met de Zoloft ben begonnen – iets wat natuurlijk niet waar is – maar dat het niet helpt.

'Je kunt na zo'n korte tijd niet zeggen dat het niet helpt. Je moet een medicijn de tijd geven, het is geen paracetamol,' had Liana Deller gezegd en me gevraagd om komende week langs te komen voor een gesprek.

'Het is hier gezellig,' zegt Anca en drinkt van haar bier.

Ik glimlach en strijk met mijn hand over haar wang.

We hebben niet meer gepraat over wat ze heeft verteld. Ik had die avond eigenlijk gehoopt op meer, zodat ik haar kon troosten en tegelijkertijd kon laten zien hoe boos het me maakte, want zichtbaar boos ben ik nog niet geweest. Wel zei ik toen we in bed lagen nogmaals dat ze aangifte moest doen, maar ze zei dat ze dat absoluut niet wilde. Dat ze nooit meer in de buurt van de politie wilde komen, dat ze zich om zou draaien en weg zou lopen als ze een politieagent tegen zou komen. Dat stelde me gerust, maar tegelijkertijd was het pijnlijk, want de afgelopen maanden lag ze elke avond zelfs naast een rechercheur te slapen.

Ik vraag de ober om een glas water. Het is vreselijk warm in de zaak.

'Voel je je niet goed?' vraagt ze als ze ziet dat ik steeds het zweet van mijn voorhoofd veeg en heel langzaam van mijn papadum scheur en haast niet meer eet.

'Jawel,' zeg ik, 'ik hou even een pauze. Ik heb het zo warm.'

Ik denk aan hoe Arnold en Jim nu ergens in de stad zitten te drinken in een pub. Ik vraag me af hoe ze zich de gebeurtenis in de gevangenis herinneren. Of ze spijt hebben van hun daden of juist niet; waarschijnlijk voelen ze zich echte mannen.

Ik voel me opeens ziek, niet alleen door de walgelijke beelden die ik oproep, maar ook in mijn buik, die borrelt en gromt.

'Je bent zo afwezig,' zegt ze, 'volgens mij gaat het helemaal niet goed met je, je ziet er zo verdrietig uit.' Ze legt haar hand op mijn voorhoofd. 'Je bent ook warm,' zegt ze.

'Ik voel me inderdaad niet zo lekker,' zeg ik en leg het stuk papadum terug op het bord, 'het spijt me, maar ik denk dat ik naar huis moet.'

Ze staat direct op en vraagt de ober om de rekening.

'Ik wil dit betalen,' zegt ze.

'Nee, dat wil ik niet hebben, dit was mijn idee,' zeg ik en haal mijn portemonnee uit mijn jack.

'Nee, laat mij betalen, jij de volgende keer weer.'

Halverwege de wandeling naar huis, die ongeveer twee kilometer is, wordt de buikpijn zo erg dat Anca een taxi aanhoudt. De bestuurder draagt een tulband.

'Meneer is ziek?' vraagt hij terwijl we London Road op rijden.

'Hij heeft iets verkeerds gegeten,' zegt Anca die mijn hoofd tegen haar borst laat rusten en de plek waar ooit mijn kruin zat, steeds zoent.

'Van jullie eten,' mompel ik.

'Niet zeggen,' sist ze me toe.

'Het is toch zo,' jammer ik.

'Daar kan de taxichauffeur niets aan doen,' fluistert ze en kijkt naar buiten. 'Misschien is het wel een collega.'

Ik lig met mijn hoofd op haar schoot. Mijn buik schuurt en ik ril van de kou. Vanuit deze positie zie ik alleen de toppen van de gebouwen. Ik zie alles voorbijkomen: telegraafpalen, vlaggenstokken, straatlantarens, borden waar LEICESTER CITY CENTRE op staat, en dan opeens de torens van de gevangenis aan het Nelson Mandela Park. Als we daar voorbijrijden, knijp ik zachtjes in haar zij. Ik hoop dat ze op dat moment een brok in haar keel krijgt en mijn knijpen in haar zij als een teken zou zien. De hele avond houdt ze me in haar armen in het te kleine bed. Elk halfuur ren ik naar de wc, en zit daar dubbelgeklapt van de buikkramp op de pot. Ik gris de *Leicester Mercury* van de eettafel en vouw die open op mijn schoot en laat alles lopen. Ik probeer niet aan eten te denken, want dat maakt het nog veel erger. Ik lees over een bejaarde vrouw die op hoge leeftijd nog aan zweefvliegen doet. Een grote foto van de vrouw in een toestel prijkt op de voorpagina.

Wereldnieuws.

Elke keer als ik terugkruip in bed, wrijft ze over mijn buik en fluistert lieve dingen in mijn oor. Ik hou haar smalle schouders vast en begraaf mijn hoofd in de badjas die ooit van Susan is geweest. Ik bedank haar steeds voor haar goede zorgen, en elke keer zegt ze: 'Doe niet zo gek, suffie.'

Midden in de nacht schrik ik badend in het zweet wakker uit een verschrikkelijk droom. Arnold en Jim zaten tegenover Anca en mij in de TJ Burger. We aten allemaal hetzelfde: een kipburger en patat. Arnold dronk Sprite, Jim cola, ik cola light en Anca niets. Het enige wat de twee deden was ons aankijken, heel langdurig en vol verbazing. Mijn kipburger smaakte me niet. Ik zei steeds tegen mezelf: 'Niet aan eten denken, niet doen, het goede doen, het goede doen!'

'Het goede doen, Steve,' herhaalde Jim terwijl zijn kaken de kipburger vermaalden.

Arnold knikte. 'Ja, precies,' zei hij.

Om vijf uur in de morgen zit ik rechtop in bed. Ze is in diepe slaap. De vroege ochtenden in deze stad zijn mogelijk nog erger dan de avonden. Ze luiden een ellenlange nieuwe dag in en dat zou vrolijk moeten stemmen, maar het maakt mij inmiddels wanhopig.

Als ze opeens wakker wordt en opstaat om naar de wc te gaan, grijp ik haar pols vast.

'Wat is er? Voel je je nog steeds niet beter?' vraagt ze slaperig.

'Ik hou van jou,' zeg ik zachtjes.

Ze glimlacht. Terwijl ze gaat plassen ga ik onder de dekens liggen, omklem met mijn handen mijn buik.

43

In de wachtkamer van Liana Deller lees ik een beetje in de *Aspire*, een tijdschrift voor ouderen over geldzaken, bejaardentehuizen en uitvaartzorg. Op pagina negen staat een grote advertentie van een wapenconservator; als je je geweer in perfecte conditie wilt houden, moet je je tot deze man wenden. 'Wat doe je zoal overdag?' vraagt Liana Deller. Ze draagt een broekpak en heeft een shawltje om.

'Ik kijk televisie,' zeg ik zachtjes.

'En waar kijk je naar?'

'Reality shows, talkshows en *EastEnders.*'

Ze bijt op de achterkant van haar ballpoint. 'Kom je buiten?' vraagt ze.

Ik haal mijn schouders op en denk aan Anca, die me vanmorgen heel stevig vasthield, maar geen woord zei. 'Ja,' zeg ik, 'voor boodschappen.'

'Hoe gaat het met de Zoloft?'

Het recept voor Zoloft ligt nog steeds het handschoenenvakje van mijn auto. Ik vraag me af of zij misschien kan controleren of ik de medicijnen heb opgehaald, maar als dat zo is, zal ik het op een administratieve fout gooien; ik heb ze gewoon afgehaald. Ik neem ze elke dag en ze helpen niet. Punt uit.

'Ik weet het niet,' zeg ik.

'Wat er waarschijnlijk zal gebeuren is het volgende,' begint ze. 'Je zult over enkele weken opeens merken dat je je beter voelt. Dat gaat soms heel ongemerkt; je ligt minder te tobben en je gedachten worden rooskleuriger. Maar zaak is om zelf in de tussentijd iets te doen om de *omgeving* klaar te maken voor die verbetering. Ik weet, het klinkt gek, maar als je vaker buiten bent, minder televisiekijkt maar bijvoorbeeld een uurtje per dag naar de sportschool gaat, zul je je sneller beter voelen. Dat is bewezen. En beter eten. Ook *minder* drinken, Steven.'

Ik knik en kijk naar mijn schoenen.

'Ik heb het gevoel dat ik je niet kan bereiken vandaag,' zegt ze opeens.

Ik schrik ervan. 'Hoe bedoel je?' vraag ik.

'Nou, om je echt te kunnen helpen moeten we praten, dat weet je toch?'

'Dat weet ik, maar ik weet niet waarover.'

'Wat speelt er op dit moment in je leven?'

'Ik voel me ziek,' zeg ik zonder na te denken. Het is het eerste van de dingen die ik wel gewoon kan vertellen.

'Je hart.'

Ik knik. 'Onder andere,' zeg ik.

'Waar ben je nog meer bang voor?'

'Voor alles,' zeg ik, 'ik ben bang voor mijn lichaam, mijn gedachten, mijn huis, mijn dode ouders, mijn ex-vrouw, voor de mensen op straat, voor mijn collega's, voor alles en iedereen ben ik eigenlijk bang.'

'Kijk,' zegt ze, 'nu komen we ergens.'

Ik weet niet goed wat het is, maar in de omtrek van die paar meter van de behandelkamer van Liana Deller voel ik pas echt goed hoe gevangen ik in mijzelf zit. Hoe mislukt en verkeerd alles is wat ik doe. Zelfs het hier zitten of het recept in mijn handschoenenvakje, het is allemaal verkeerd, besmeurd met mislukking. Ik zou alles willen vertellen. Over haar, over dat lieve, onschuldige meisje in mijn huis. Dat meisje dat nu staat af te wassen, kranten zo netjes leest dat ze eruitzien alsof ze nooit gelezen zijn. De blaasjes spuug die zich 's nachts om haar mond vormen, haar zachte, lieve stem, haar adem die permanent naar tandpasta ruikt... Zij die elk spoor van geluk dat nog in mij zit, er met geweld uit trekt.

'Kijkt u wel eens naar *The Jeremy Kyle Show*?' vraag ik.

'Heel af en toe,' zegt ze. Ik zie blosjes op haar wangen ontstaan.

'Meestal aan het einde van de show wordt een psychiater op het podium gehaald. Het is een serieuze man in een grijs pak, met een klein brilletje op zijn neus. Hij geeft eerst commentaar op de gasten en brengt daarna een advies uit. Hij zit meestal op de rand van het podium, net zoals Kyle zelf. Hij heeft een eigen microfoon en soms wordt er voor hem geklapt. Als die man spreekt, vloeien er vrijwel altijd tranen bij de gasten. Zijn conclusie wordt voor waar aangenomen, zijn advies is het juiste.

Wat ik me al jaren afvraag is: is die man echt een psychiater?'

'Vind je zijn adviezen niet passen bij die van een psychiater?'

'Nee, dat zeg ik niet, ik vraag me gewoon af of je weet of het een psychiater is.'

'O, nou, ik ben bang dat het een acteur is. Ik weet wel dat achter de show een grote groep specialisten zit. Ik weet niet of de man die je ziet ook daadwerkelijk heeft nagedacht over de problematiek, maar de adviezen die hij geeft zijn die van een psychiater.'

'Een acteur dus,' zeg ik, 'iemand die het uiterlijk van een psychiater heeft.'

'Waarschijnlijk,' zegt ze en kijkt naar de klok aan de muur. 'Je tijd is om.'

44

'Ik heb nagedacht,' zegt Anca op een morgen. Ik schrik me helemaal kapot, maar weet het te verbergen door in een hoestbui te vervallen. Ik ben de afgelopen weken steeds alerter, elke keer dat ze uit zichzelf tegen me begint te praten, vrees ik eigenlijk het ergste. Deze morgen is er een zoals elke andere: ik heb spiegeleieren gebakken en we hebben samen naar een herhaling van een talkshow op televisie gekeken. Er was werkelijk niets aan de hand en toch voelde ik het aankomen. Door de manier waarop ze de nachten ervoor geen oog had dichtgedaan; steeds lag ze te woelen, ze liep verschillende keren naar de keukennis en stond daar met een glas melk uit het raam naar de binnenplaats te kijken. Ik had er niets over gezegd.

'Ik ga morgen aangifte doen,' zegt ze. Terwijl ze het zegt, slaat ze met een klap haar handen voor haar ogen. Ik druk haar tegen me aan en ze huilt onbedaarlijk hard in mijn armen.

'Stil maar,' zeg ik, 'stil maar, meisje.'

'Ik heb zo getwijfeld, Steve, maar het kwam door wat je tegen me zei. Ik denk dat ik het wel moet doen. Straks gebeurt dit vaker en dat mag niet. Ik kan misschien iets betekenen, erger voorkomen. Cozana wil het ook. Ik heb haar gebeld toen je naar de psychiater was. Zij was het sowieso al van plan, maar ze zei dat ze alleen geen kans maakt. Als ze was gegaan, moest ik natuurlijk getuigen, en ik denk dat ik dat wil, ik denk dat het goed is.'

Ik open een blik bier en probeer naar haar te glimlachen.

'Goed?'

'Heel goed, echt heel goed,' stamel ik en drink snel een paar slokken. Mijn handen trillen als een gek en ik ben duizelig van de spanning.

'We hebben hun namen ook,' zegt ze, tegen het aanrecht geleund.

Ik knik. Ik kijk naar haar verdrietige gezicht en ga met mijn handen door haar haren.

Godverdomme, denk ik. Godverdomme nog aan toe, ze gaat het nog doen ook en het is allemaal mijn eigen schuld.

'Weet je zeker dat je hier doorheen wilt?' vraag ik zachtjes.

'Jij drong erop aan toch?'

'Ja, maar het gaat veel tijd en moeite kosten, dat besef je wel, hè?'

'Ik denk aan meisjes in een cel, aan hun weerloosheid, daar gaat het om.'

'En om jezelf, toch?'

'Ja, natuurlijk ook om mij.'

Ik kijk naar buiten. De hele stad is aan het werk. 'Ze zullen opgeschrikt worden,' zeg ik, 'de mensen zullen niet weten wat ze horen. Ze zullen de politie aanpakken, ze zullen die twee ontslaan en in de gevangenis stoppen.'

'Als het maar ophoudt,' fluistert ze.

'Ja, daar gaat het om. Naar welk politiebureau ga je?'

'Charles Street, daar kwamen ze vandaan.'

'Charles Street,' herhaal ik zachtjes en zucht diep.

'Niet goed?' vraagt ze.

'Ik denk dat je beter naar een ander bureau kunt gaan. Straks lopen ze daar rond, weet je wel? Ik zou naar Beamont Leys gaan en daar aangifte doen,' zeg ik.

'Oké, Beamont Leys dan,' zegt ze, 'jij vindt dit toch ook het beste? Je lijkt zo geschrokken.'

'Nee, absoluut niet, we moeten Jim en Arnold achter de tralies krijgen.' Voor ik het weet, noem ik die andere naam die ze nooit genoemd heeft. Ik wil al een stukje achteruitlopen, maar ze heeft het blijkbaar niet gehoord, want ze zegt: 'Wat dan ook, er móet iets gebeuren.'

Ik zeg haar dat ik het heel heldhaftig vind. Dat ik blij voor haar ben en dat ze nooit het vertrouwen in het recht mag verliezen. Ik vertel haar een kleine anekdote over een man die in elkaar werd geslagen in een pub in het centrum. De man was een biertje aan het drinken en opeens hing er een aantal dronken jongeren om hem heen. Hij wilde zich tussen hen door een weg naar het zitgedeelte banen, maar ze hielden hem pesterig tegen, deden alsof hij niet bestond. De man was heel correct geweest, had eerst een paar keer 'pardon' gezegd, en toen ze daar niet op reageerden, duwde hij een jongen een beetje opzij, zei natuurlijk weer pardon, en kreeg toen de eerste klap. De tweede volgde en voor hij het wist lag hij op de grond, voelde vele voetzolen tegen zijn rug en benen trappen. Twee gebroken ribben en een ingeklapte long hield hij eraan over. Hij had een naam opgevangen, en met hulp van de politie hebben ze de daders op kunnen sporen.

'Hoe weet je dit allemaal?' vraagt ze.

Ik had de zaak natuurlijk zelf behandeld. Ik was zelf naar de pub gegaan en had navraag gedaan naar die mogelijke vaste gast van wie we de naam hadden. De zaak was vrij snel daarna opgelost.

'Als taxichauffeur hoor je nog eens wat,' zeg ik.

's Avonds eten we soep. Ik hou niet zo van soep, eigenlijk vind ik het geen eten, maar Anca zegt dat ik beter voor mezelf moet zorgen. Ik moet opletten wat ik eet en drink, alleen op die manier kan ik gezond blijven. Ik ben ervan overtuigd dat ze me een dik vet varken vindt, maar dat ze dat niet durft te zeggen. Ook weet ik zo langzamerhand heel goed hoe verderfelijk ze mijn drinken vindt; elke keer als ik een blik bier open, zucht niet alleen de lucht onder het lipje maar ook zij.

'Ik kan je niet missen,' zegt ze op de bank tegen me, 'daarom zeg ik het.'

'Ik jou ook niet.' Ik zap naar Trisha Goddard, die vandaag een aantal transseksuelen op het toneel heeft zitten die spijt hebben van hun geslachtsverandering.

'Kunnen we niet eens naar de film?' vraagt ze.

'Natuurlijk,' zeg ik zachtjes en wijs naar de beeldbuis. 'Dit is heel interessant.'

45

Mijn huis is verkocht aan een Indiase familie met zes kinderen. De koper heeft een klein restaurant in Enderby en werkt zeven dagen per week, twintig uur per dag. Mijn schoolvriend noemt het een 'wespennest', hij zegt er geen andere woorden voor te hebben: 'Overal van die krijsende kinderen, met computerspelletjes en grote glazen frisdrank, zo'n moeder die alles maar nét in het gareel kan houden.'

'En waar woonden ze hiervoor?'

'Ergens noordelijk. Ze hoeven nu niet zoveel meer te reizen, ik denk dat dat de doorslag gaf.'

'Niet de tuin? Misschien zijn het tuinliefhebbers,' zeg ik.

'Nee, die tuin liet ze koud. Ze waren vooral blij met alle bergruimte, de extra slaapkamer, de grote keuken en natuurlijk de afwasmachine.'

Susan was altijd bezig om het huis netjes te houden. Als ik in de morgen naar mijn werk vertrok pakte ze een dweil en een emmertje en ging de ramen soppen. Ik denk weer aan het moment dat Anca haar bord omkieperde over de bank.

'O, Steven, waar ik voor belde: er staat een vrieskist die ze niet willen hebben. Mogen ze die weggooien of wil je die ophalen?'

Die vrieskist, een aanbieding van Zanussi, had ik gekocht om groente in te vriezen. Als ik tijdens de wintermaanden een blik wierp op de inhoud, voelde ik me heel tevreden. Het stond voor een gelukte oogst, misschien wel een succesvol jaar. 'Een herinnering aan de zomer,' noemde Susan het. Ik zag het stiekem ook als een bewijs van een goed huwelijk.

'Die is nog niet zo oud, kunnen ze hem niet gebruiken?' vraag ik.

'Nee, hij staat ze erg in de weg.'

'Dan ga ik hem wel halen, ik vind het zonde om hem weg te gooien.'

'Top. Zou je dat ergens deze week nog kunnen doen?'
Ik vertel Karl dat ik vandaag nog langs kan komen en dat vindt hij duidelijk fijn, want hij zegt weer 'top', maar nu iets harder.

Anca heeft een afspraak met Cozana in Starbucks en dus geen tijd om mee te gaan, en eigenlijk komt dat heel goed uit, want de familie die nu in mijn oude huis woont, weet vast al meer over mij dan zij.

'Doe je voorzichtig?' zeg ik in het kleine gangetje terwijl ik naar mijn sleutels zoek.

'Natuurlijk,' zegt ze terwijl ze zich opmaakt voor de kleine spiegel in de badkamer, 'maak je over mij maar geen zorgen.'

Als ik het parkeerterrein van Montfort House verlaat, zie ik twee mannen op het bankje aan de westzijde van het gebouw zitten. Ze dragen djellaba's en tulbanden en hebben beiden een aantal zakken van Iceland tussen hun benen geklemd. Ik wacht in mijn auto tot ze in beweging komen. Als ze opstaan wijst de een naar Montfort House, en grijpt de ander naar zijn telefoon en kijkt geïnteresseerd naar het scherm. Hij laat het de ander zien, die knikt. Als ze de hoek om lopen, op weg naar de ingang, rij ik stapvoets achter ze aan. Ze staan weer een ogenblik stil en ik zie hoe de huismeester naar ze kijkt vanuit het kantoortje naast de voordeur. Dan haalt een van hen een grote bos sleutels uit zijn zak, en opent de deur. De huismeester groet ze. Ik schud mijn hoofd. 'Niets om je zorgen over te maken,' zeg ik en rij Lower Brown Street in, de snelweg op, het centrum uit.

Er bestaat een beeld van Engeland dat niet klopt. Mensen denken dat het constant regent, dat de lucht hier altijd grauw is van de wolken en Engelsen hun huis nooit verlaten zonder paraplu. In werkelijkheid valt dat wel mee. Nu is het nog winter, maar in de zomermaanden is het meestal mooi weer en de temperaturen lopen soms op tot wel vijfentwintig graden. Met de juiste mestgrond en een beetje geluk kun je hier dezelfde groente verbouwen die in zuidelijke landen groeit.

Als ik door de moestuin loop, voel ik verdriet. Van de bamboe hekwerkjes voor de bonen is niets meer over en het sproeisysteem is onzichtbaar geworden door de brandnetels die overal uit de grond zijn gekomen. Wat heb ik altijd gevochten tegen het onkruid.

Net op het moment dat ik naar nog zo'n tastbaar teken van mislukking staar, de dakgoot, gaat de tuindeur met een zwiep open. In de deuropening staat een vrouw met een kindje op haar arm.

'U komt voor de vrieskist?' vraagt ze.

'Ja,' zeg ik, loop naar haar toe en geef haar een hand, 'Steve Mellors.'

'Kom binnen, kom binnen,' zegt ze en zet een stap achteruit. Een wespennest. Karl heeft geen woord te veel gezegd. Overal waar ik kijk gebeurt iets; een klein meisje trekt aan mijn been en leidt me naar de huiskamer, waar voornamelijk verhuisdozen staan. Ze wijst naar een jongetje dat achter een computer zit. Ik glimlach. 'Mooi,' zeg ik. Er hangt een vreemde lucht in het huis; een mengsel van rozenwater, eten, schoonmaakmiddel en gloednieuwe meubels. In de achterkamer rijdt een jongetje op een plastic tractor, elke keer stoot hij hard tegen de drempel, slaakt een rare kreet en rijdt dan weer een stukje terug.

'Wilt u thee?' vraagt de vrouw met het kindje op haar arm.

'Nee hoor, ik ben zo weg, ik wil u niet tot last zijn,' zeg ik. Ik zie dat de gang vol hangt met kalenders met kleurrijke foto's van tempels. Overal is met viltstift op gekrast. Woorden, soms tekeningen, maar vooral rode stippen zoals op het voorhoofd van de vrouw.

'U heeft het maar druk,' zeg ik.

De vrouw knikt en wijst naar de buitendeur.

Onder een groen zeiltje staat de vrieskist. Keurig ingepakt. Zelfs de stekker is netjes opgerold en vastgeplakt aan de bodem.

'U kunt er echt niets mee?'

'Kom kijken, meneer,' zegt ze en trekt me weer mee naar binnen, naar de keuken, die onherkenbaar veranderd is. Tegen de muur staat een grote dubbele koelkast en ernaast nog een. De muren zijn beplakt met plastic behang.

'Ik snap het,' zeg ik en kijk naar de pannen op het gas.

'Eten,' zegt ze en aait het kindje op haar arm.

'Lekker, ruikt lekker,' zeg ik.

'U neemt hem nu mee?'

Ik knik. Het voelt raar hier weer terug te zijn, midden in een wildvreemde familie te staan en overal herinneringen te hebben. De vloer die ik zelf heb gelegd. De keuken waarvoor ik de hypotheek had verhoogd, de lamellen voor de ramen die op maat geknipt moesten worden. Hier en daar staan nog meubelstukken die Susan niet meer wilde hebben en waar ik geen plaats voor had. De familie heeft ze in gebruik genomen. In de achterkamer zit een oude man op mijn oude televisiestoel met kniesteun. Hij zwaait vriendelijk naar me en ik zwaai terug.

'Heeft u hier lang gewoond?' vraagt de vrouw.

'Vijftien jaar,' zeg ik, 'bevalt het?'

'Gaat wel,' zegt ze en haalt haar schouders op, 'veel ruimte.'

'Gaat u iets met de tuin doen?'

'Er komen tegels, dan kunnen de kinderen daar fietsen.'

Op de overloop van de trap zit een klein meisje met een enorme televisie op haar schoot. Ze omklemt het apparaat met haar korte armen.

'Moet ik je helpen?' vraag ik en loop een stukje de trap op.

'Nee,' zegt ze, 'het is een breedbeeld.'

'Dat is toch veel te zwaar, kom, laat me je helpen.' Ik pak de onderkant van de televisie vast. Het meisje schudt haar hoofd en ik zie haar rode vingers en dunne benen. Het ziet eruit alsof ze daar al heel lang zit.

'Ik kan het zelf, oma kan het, dus ik kan het ook,' zegt ze.

'Laat haar maar, ze is eigenwijs,' zegt de vrouw, 'ze is al uren bezig, ze gaat tree voor tree naar boven. Hij moet naar de slaapkamer. Je bent eigenwijs! Hoor je me?' roept ze.

'Ik ben sterk,' zegt het meisje.

Als ik de achterklep dichtgooi en aanstalten maak om in de auto te gaan zitten, kijk ik nog eenmaal naar dat huis van Susan en mij. De regenpijp links van de deur schittert in mijn ogen. Ik blijf een moment roerloos naast de auto staan, met de deurgreep onder de toppen van mijn vingers, maar het lijkt alsof iets me tegenhoudt. Ik zie de vrouw in de deuropening staan, het kindje op haar arm; ze kijkt naar de lucht en naar de grond om niet naar mij te kijken.

Ik klop op de panden van mijn jack, voel in mijn broekzakken en kijk naar de grond.

'Gaat het goed, meneer?' vraagt ze dan.

'Ik ben iets kwijt,' zeg ik en loop het tuinpad op, volg de regenpijp die overgaat in de goot. Aan de zijkant van het huis maakt hij hier en daar sierlijke boogjes, het beslag heeft een soort stermotief, zie ik; blijkbaar een van de vele specialiteiten van de siergootspecialist.

'Wat bent u kwijt dan?' vraagt de vrouw.

Ik loop langs de lindeboom, een rij hortensia's in bloei, en kijk een ogenblik met mijn handen in mijn zij naar de lap grond. Als ik door mijn knieën ga en met mijn vlakke hand aan de aarde voel en weer opkijk, zie ik achter in de tuin iets opvallend roods tussen de brandnetels. Ik weet niet wat het is, maar het trekt me naar zich toe. Voor ik het weet sta ik midden in de zompige aarde, op de grond waar ooit mijn moestuin was. Ik buig voorover en woel door het onkruid zonder ernaar te kijken. Dan raken mijn vingers een stugge ruwe tak die overgaat in een perfecte paprika.

46

's Avonds eten we in stilte. Ik vraag haar niet naar het gesprek met haar vriendin en ze is er ook zelf nog niet over begonnen. Er hangt een heel ongemakkelijke sfeer en het eten smaakt me evenmin. Het zijn van die avonden die absoluut niet zo lopen als ik wil. Het zachtjes neuriën dat ze doet, de lange douche die ze neemt, de kleren die klaargelegd worden en die me weer met beide benen op de grond zetten: een kort zwart rokje, een roze truitje met glitters, netpanty's, hoge schoenen van glimmende kunststof. Echt, als het kon zou ik het huis uitrennen, de lift naar beneden nemen en ergens in de stad gaan schuilen, maar ik wil het niet laten merken. Vooral niet omdat het absoluut uitmondt in onbegrip en juist mijn vraag óm begrip.

Ik zit op de bedrand, doe alsof ik de krant lees. Het enige wat ik kan, is toekijken en afwachten.

'Ik ben laat terug, blijf maar niet wakker,' zegt ze kortaf.

'Misschien ben ik nog op, hoor,' mompel ik vanachter mijn krant.

'Maar niet speciaal wakker blijven, oké?'

Ik knik en zie hoe ze haar panty ophijst, de hoge schoenen vastgespt. Het zijn verschrikkelijke minuten waarin ik vanaf het bed zie hoe ze met mascara, lipgloss, ogenschaduw en pancake haar gezicht verandert in dat van een hoer.

'Wil jij ons morgen rijden?' vraagt ze.

'Waarheen?'

'Het politiebureau. We willen om twaalf uur gaan, Cozana komt hierheen, ze wil jou ook graag ontmoeten.'

'O, leuk,' zeg ik. Oplossen, verdwijnen, dat is wat ik wil. Plotseling overlijden op het moment dat ik mijn tanden in een hamburger zet. Gewoon op klaarlichte dag in elkaar zakken in een snackbar, afgevoerd worden, begraven; dat dat het dan was. De mensen zullen zeggen: 'Dat was Steve Mellors, een doodgoede man die de verkeerde keuzes maakte.'

'Kunnen jullie niet alleen gaan?' vraag ik.

Ze stopt met het kammen van haar haar en kijkt door de spiegel in het kleine gangetje naar mij.

'Het is echt niet zo makkelijk, Steve,' zegt ze, 'het gaat erom dat er iemand is die de wacht kan houden, voor het geval ons iets overkomt daar.'

'Sorry,' zeg ik, 'het spijt me.' Ik zeg dat ik de situatie soms onderschat en weet hoe moeilijk het voor haar moet zijn. Natuurlijk breng ik haar, zeg ik.

Ik duw me tegen haar aan in het gangetje, zoen haar een moment vurig terwijl ze mijn achterhoofd in haar handen houdt. Ze glimlacht gelukkig weer. Ik wil dat alles goed komt, dat dit zo snel mogelijk achter de rug is, maar voel onder in mijn benen het begin van de spanning die straks omhoog zal kruipen naar mijn onderbuik en mijn maag; de spanning die ik als jongetje voelde toen ik af moest zwemmen voor mijn A-diploma en die me zo ziek maakte dat ik moest overgeven in het kleedhokje. Tussen het bankje en een houten schot. Er was niemand die het in de gaten had; ik was toen al zo dik dat een rood aangelopen hoofd en stroompjes zweet die over mijn rug liepen, niemand verbaasden.

'Je bent uit je doen,' fluistert ze.

Ik knik en strijk over haar buik. De synthetische stof knettert onder mijn vingers.

'Je moet je niet te veel zorgen maken, dat is nergens voor nodig.'

'Ik ben bang dat het je ongelukkig zal maken,' zeg ik zachtjes.

Ze legt haar handen om mijn middel en drukt zich hard tegen me aan. 'Nooit bang zijn, nooit bang zijn,' zegt ze.

Ik sta met mijn gezicht tegen de deur gedrukt, luister naar het zachte gezoem van de lift en kijk door het spionnetje. Ik hoor het belletje als de deuren opengaan en zie hoe ze van het grijze tapijt op de staalplaat stapt. Ik kan haar horen zuchten; haar schoenen piepen.

Als de deuren zich met een klap sluiten, trek ik snel mijn jas aan en open voorzichtig mijn voordeur, druk op het liftknopje en wacht tot de lift weer naar boven komt.

Misschien is het wel het slechtste idee dat ik in jaren heb gehad, maar ik kan me niet inhouden en sluip van portiek naar portiek en voel mijn hart in mijn keel bonzen van de spanning.

Ze loopt met haar hoofd naar de grond gericht en wiegt zachtjes met haar heupen. Ze gaat Jarrom Street in en loopt door het kleine steegje naar Walnut Street, een straat vol nachtclubs en discotheken. Ik kom daar eigenlijk nooit, ik word altijd heel nerveus van al die jonge mensen met hun dronken gezichten die op de stoep staan te roken.

Op een middag rijdt Travis verveeld door de straten. Het is mooi weer en hij heeft geen klant. Tussen de voetgangers ziet hij haar opeens lopen, naast een vriendin; dat meisje dat een paar dagen geleden in paniek in zijn taxi stapte en er weer uitgetrokken werd door haar baas. Travis heeft het verfrommelde briefje van twintig dollar dat hij van hem kreeg bewaard. Hij zet zijn auto aan de kant en loopt haar achterna. Zijn handen in zijn zakken, in een wit T-shirt, een pilotenbril op zijn hoofd; de meisjes giechelen als ze hem zien. '*You looking for some action?*' vraagt Iris hem.

Hoe levendig mijn fantasie ook is, ik weet ook wel dat Anca geen Iris is. Ze is niet minderjarig en ook niet hulpeloos. Ze gebruikt geen drugs en wordt nergens toe gedwongen. Je kunt het zelfs zien aan de zelfverzekerde manier waarop ze over straat loopt; ze doet het allemaal zelf.

Op de hoek Aylestone Road en Walnut Street druk ik me tegen de muur en kijk om het hoekje. Ze is tegen een rode brievenbus gaan staan en vouwt haar armen over elkaar, trekt haar jas recht en gaat met haar hand door haar haar. Ze kijkt om zich heen en wiebelt met haar voeten.

Na een paar minuten stopt er een zilverkleurige Seat Ibiza en ze buigt zich naar het raampje. 'Niet doen,' fluister ik, maar dan opent ze het portier en gaat naast de bestuurder zitten. Als de auto omkeert, vang ik een glimp op van de bestuurder. Het is een jonge man met kleine zwarte krulletjes.

Snel pak ik mijn mobiele telefoon uit mijn zak en stuur mezelf een sms met zijn kenteken. Je weet maar nooit.

Thuisgekomen verpletter ik een tomaat onder mijn ene hand, en duw mijn andere in een pan pastasaus en blijf zo een tijdje staan. Ik tuur naar de gebloemde bank waar de televisie tegenover staat. Daarachter het computermeubel met ergonomische polssteun om RSI te voorkomen, daarnaast het bed met de blauw-roze gestreepte overtrek die ik een paar dagen geleden met haar heb gekocht bij de Sainsbury's megastore. In de hoek ligt een stapeltje van haar kleren, een paar witte sportschoenen van mij staan ernaast. De knuffelkoe op het witte tafeltje in de hoek,

het kleine kastje met de boeken die ik als kind met kerst kreeg, erboven-
op de foto van mijn overleden moeder, daarnaast de foto van haar vader
in de tuin vol fruitbomen. Op de achtergrond het vervallen familiehuis
met wilde rozenstruiken eromheen.

Ik start de computer op en ga naar mijn e-mail. Er is een mailtje van
Bill Morgan waarin hij schrijft dat het team me mist en dat hij hoopt dat
ik snel weer beter ben. Hij schrijft kort over de gang van zaken op het
bureau, maar niets over het slachthuis. Het bericht eindigt met een kleine scène uit het leven van mijn baas: 'Niemand weet het, maar twee jaar
geleden heb ik ook een hartinfarct gehad. Het was op klaarlichte dag:
midden in de supermarkt zakte ik in elkaar. De hulp was snel ter plaatse
en ik heb er weinig aan overgehouden. Wel ben ik daarna bewuster gaan
leven, en dat wilde ik je adviseren; eet gezond, beweeg meer en beperk
het drinken tot een mooi glas rode wijn per dag (of natuurlijk twee, we
leven maar één keer! haha!).'

Onder aan zijn e-mail staat een klein bewegend poppetje dat Hotmail
blijkbaar als bijlage heeft toegevoegd. Ik vraag me af wanneer Bill Morgan tot de conclusie kwam dat hij zijn berichten moest verfraaien, of hij
er eigenlijk wel van weet. Ik buig wat naar voren om te zien wat het voor-
stelt en zie als ik met mijn neus tegen het scherm zit, dat het een vrouw
is met een klein hondje aan een lijn. Volgens mij is het een chihuahua. De
vrouw draagt een sportoutfit en heeft oranje haar. Om de paar seconden
trekt het hondje stevig aan de lijn en blaft vanaf het scherm naar mij.

47

Gisteravond was ik in slaap gevallen op de bank. Ik werd wakker door het dichtklappen van de ijskast. Snel controleerde ik of mijn lul niet uit mijn broek hing en er op de bank geen volgespoten propjes wc-papier lagen, maar dat was gelukkig niet zo.

'Ik ben wakker,' mompelde ik vanuit bed.

'Ga maar lekker slapen,' fluisterde Anca die met een glas melk in haar hand naast me op bed kwam zitten.

'Heeft die man je naar huis gebracht?' vroeg ik.

Ze zei geen woord.

Ik had me die avond willen aftrekken maar mijn computer deed raar. Toen probeerde ik het bij de gedachten aan haar borsten, maar al snel dacht ik aan iets totaal anders: de liefdesdood. Ik heb wel eens gelezen over mensen die zelfmoord plegen uit liefdesverdriet. Omdat degene van wie ze hielden geen interesse in ze had of voortijdig stierven aan een verschrikkelijke ziekte. Meestal kwamen deze verhalen alleen voor in heldenromans die eeuwen geleden geschreven zijn. In die verhalen was het soms vrij onduidelijk waaraan de held stierf, maar de lezer wist dat het de liefde was. In deze tijd lijkt dat een absurde daad. Niemand sterft nog aan liefdesverdriet; de liefde als hardnekkige ziekte lijkt niet meer te bestaan, emoties zijn gedempter en misschien zou je kunnen zeggen dat mensen *anders* liefhebben dan vroeger. Het hevige verdriet naar de ander kan gecompenseerd worden door de vele mogelijkheden die het leven van vandaag de dag biedt: een leuke televisieserie, een lekkere maaltijd, internet, een verre reis om je geliefde weer te vergeten. Als het toch wat heviger is, schrijft de huisarts je direct een antidepressivum voor.

Ik denk dat als er in deze tijd werkelijk iemand sterft door liefdesverdriet, de nabestaanden ogenblikkelijk uitgenodigd zullen worden in een actualiteitenprogramma. De *talkshow host* priemt de microfoon in de richting van de moeder van een overleden man en vraagt of het werkelijk de liefde is waaraan hij is gestorven. Of het geen depressie kan zijn geweest, een psychose, in ieder geval iets anders, en de moeder zou met een bibberende stem zeggen: 'Nee, het was de liefde, hij is kapotgegaan aan liefdesverdriet.' Er zal naderhand nog veel worden gesproken over dit geval. Het zal ook op alle mogelijke manieren in twijfel worden getrokken. Onderzoekers zouden met theorieën op de proppen komen die deze onwerkelijke oorzaak zouden uitsluiten; het kan toch gewoonweg niet waar zijn?

Ik bak spiegeleieren met een plakje kaas die ze zwijgend in kleermakerszit op het tapijt opeet. Ik neem een douche en sla een paar keer met mijn vuist tegen de tegels aan de muur, pers tranen uit mijn ogen en voel me misselijk. Ik denk niet dat ze het heeft gehoord, want terwijl ik daar sta te jammeren, hoor ik de deurbel gaan. Dat zal haar vriendin zijn.

Als ik de woonkamer in loop, zitten ze naast elkaar op de bedrand. Beiden in een broek, coltrui en geklede jas, met hun handtassen op hun schoot, paspoorten in hun handen.

'Dit is Cozana,' zegt Anca.

Het blonde meisje komt maar half omhoog en geeft me een slappe hand. Ze glimlacht verlegen naar me. Het is toch gek, denk ik een moment, ik heb al meer van je gezien dan je weet.

'Zullen we meteen maar gaan, dan hebben we het gehad,' zegt Anca. Ze houdt haar hoofd scheef bij die vraag.

Ik knik.

Door de achteruitkijkspiegel kijk ik naar hun gespannen gezichten. Ze praten in het Roemeens, maar zo zachtjes en beheerst dat het klinkt als een autoradio die wel aanstaat maar waar niemand echt naar luistert. We rijden St Margaret's Way op, langs de blauwe wolkenkrabber waarin vroeger de *Leicester Mercury* zat en die nu een budgethotel voor jongeren is geworden. Vanuit mijn kantoor kan ik dat gebouw goed zien. Er mag daarbinnen niet gerookt worden, dus hangen de hotelgasten allemaal uit het raam met hun sigaretten. Vanaf de hoogste verdieping heb je vast een nog beter beeld van de stad dan vanuit Montfort House. Je komt er dan achter dat eten het enige is waar de inwoners de hele dag naar op zoek zijn. De Leicesternaar is een moderne verzamelaar die zijn honger stilt met hamburgers, gegrilde kippen, Indiase curry's, chinees, en de laatste jaren ook sushi. De ondernemers maken daar goed gebruik van. Tien jaar geleden was er nog maar één sushibar, maar die deed zulke goede zaken dat er de afgelopen jaren veel bij zijn gekomen. Zo wordt de inwoner van Leicester voorgehouden dat hij een wereldburger is en kan hij langzaam vergeten dat nog geen vijftien jaar geleden de varkensworstjes van Walker's en fish and chips zijn gangbare eten waren.

Op het moment dat ik een parkeergarage aan de rand van Border Drive in rijd, besef ik pas dat het nu werkelijk staat te gebeuren. Dat ze zo dadelijk tegenover een van mijn collega's van district Beamont Leys zitten en hun verhaal vertellen, een proces-verbaal laten opmaken en dan weer het politiebureau uit lopen, naar de parkeergarage waar ik in mijn donkerrode Vauxhall op ze wacht. Binnen enkele uren zal mijn chef een telefoontje krijgen van de agent die de meisjes te woord stond. De afgelopen jaren is de criminaliteit in het centrum met 9 procent afgenomen en Bill Morgan heeft nooit een geheim gemaakt van de veronderstelling dat dit door zíjn grondige aanpak komt. Het plaatsen van de camera's op alle hoeken van de straten, het omspitten van parken en perken, het op grote schaal sluiten van verdachte belwinkels en het terugdringen van wedkantoren, kleine geldverstrekkers en andere fraudegevoelige ondernemingen, hebben Bill het gevoel gegeven dat hij de ongekroonde burgemeester van de stad is. Deze aangifte zal zijn voorhoofd doen fronsen, zijn vuisten doen ballen; het is een regelrechte aanval op de reputatie van deze onberispelijke chef van politie die op zondagen golft met wethouders en eens in de zo veel tijd een flinke donatie doet aan de *poor and helpless* – waarover hij trouwens zelf de krant schijnt te tippen. Nee, Bill zal er niet blij mee zijn.

Ik probeer rustig adem te halen. Diep in en langzaam uit, zoals in *Overwin je depressie* stond, maar de spanning blijft even groot. Ik zoek onder de stoelen naar een blik bier, maar kan er geen vinden. Als ik de achterklep open om te kijken of daar nog iets ligt, zie ik dat er op veel plekken in de parkeergarage camera's hangen. Sommige draaien langzaam rondjes, andere staan gericht op de belangrijke punten: de liftdeur, de op- en afrit. Ik ga weer in mijn auto zitten en probeer een radiozender te vinden die ontvangst heeft, maar er is alleen ruis te horen. Ik weet dat er, als ik hier langer dan een uur in mijn auto blijf zitten, agenten op mijn raam zullen tikken. Wat ik hier doe. Of het wel goed met me gaat. Of ze mijn papieren mogen zien.

Elke keer als de liftdeuren opengaan, hoop ik dat ze het zullen zijn, maar steeds zijn het mensen met kinderen die boodschappen in de stad hebben gedaan. De parkeergarage galmt, kinderen huilen hier hartverscheurend hard en ik hoor flarden van gesprekken over een voetbalwedstrijd die gisteren blijkbaar op de televisie was. Als ik mijn raampje opendraai, hoor ik ver weg het gedempte geluid van een blaffende hond.

Ik ontdek het beest op de achterbank van een Nissan Sunny. Het is een pitbull en hij staat met zijn voorpoten in een grote drinkbak. Op de passagiersstoel ligt de lege verpakking van een navigatiesysteem, daarnaast een propje vloeipapier waar een hamburger van Burger King in heeft gezeten. Er staat een medium frisdrank tegen de stoel aan. Het rietje is afgekloven.

'Stil maar, stil maar,' zeg ik tegen de hond, maar hij wordt alleen maar onrustiger, gaat in zijn drinkbak zitten en duwt zijn tanden tegen het glas.

Als ik omkijk, zie ik Anca en Cozana bij mijn auto staan. Ik ren naar ze toe en neem Anca meteen in mijn armen.

'Stil maar, stil maar,' fluister ik, maar als ik haar weer loslaat, zie ik dat ze helemaal niet huilt. Ze kijkt alleen maar naar mijn auto en wijst naar het achterportier.

'Kunnen we hier alsjeblieft zo snel mogelijk weg?' vraagt ze.

48

'Hoe reageerden ze?' vraag ik als we alleen zijn.

'Wij nemen zo snel mogelijk contact met u op, zeiden ze.'

Het is heel gebruikelijk dat de politie je soms om stompzinnige formaliteiten belt. Een paar nog ontbrekende gegevens die ze nodig hebben, een kopie van je paspoort, je kan het zo gek niet bedenken of ze verzinnen wel iets om je het gevoel te geven dat ze druk met je zaak bezig zijn. Op die manier hopen ze dat je ten volle beseft dat de politie je beste vriend is.

Ze duwt haar billen tegen mijn kruis, trekt mijn armen om zich heen en duwt de onderkant van haar voeten tegen mijn schenen. Ik zoen voorzichtig haar achterhoofd, duw mijn neus in het dikke haar en adem diep in. Ik durf me maar nauwelijks te bewegen en maak me grote zorgen over de erectie die langzaam ontstaat. Ik probeer aan iets anders te denken, niet aan haar billen, niet aan haar borsten en buik, vooral niet aan haar lippen die vastgeplakt zitten op de rug van mijn hand. Als ik kriebel in mijn kruis krijg, laat ik het voor wat het is. Ook een scheet hou ik natuurlijk in.

'Je moet me goed vasthouden,' zegt ze.

'Ja,' zeg ik, 'dat doe ik.'

'Niet loslaten.'

'Nee,' zeg ik.

De hele middag heeft ze geen woord gezegd en ik vind dat gevaarlijk. Als Susan vroeger iets te lang stil was, dan kon ik rekenen op grote ellende. Beter dan mannen kunnen vrouwen woede zo doseren dat ze weldoordacht kunnen exploderen. Zo is het mogelijk dat Anca vanmiddag heeft verteld dat ze bij ene Steve Mellors woont en daarna te horen heeft gekregen dat die Steve Mellors helemaal geen taxichauffeur is, maar de rechercheur die de leiding had tijdens de inval in het slachthuis.

'Hoe voel je je?' vraag ik als ik het niet meer hou.

'Het gaat wel,' zegt ze.

De spanning is ondraaglijk, dus zeg ik zomaar: 'Weet je dat toen mijn vader stierf, mijn moeder op hem is gaan zitten?'

'Toen hij zo ziek was?'

'Ja. Die laatste avond, toen ik dus besloot om hem maar met rust te laten, was mijn moeder naar zijn kamer gegaan en was aan zijn voeteneinde gaan zitten. Hij was aan het hallucineren door de medicijnen. Zijn ogen puilden uit vanwege de insecten die hij over de muren zag lopen, over de wollen dekens richting zijn openstaande mond, en dat terwijl hij zich niet meer kon verroeren. Hij plaste en poepte inmiddels in zijn bed en die plas rook vreselijk chemisch. Elke morgen hing er een zure mengeling van urine en stront in de gang. Dat is mijn vader, dacht ik dan.'

'Voelde je verdriet?'

'Niet echt. Ik wilde dat het voorbij was, dat hij dood zou gaan en dat er daarna een prachtige tijd zou aanbreken. Ik wist ook heel zeker dat mijn leven, als mijn vader dood zou zijn, weer vorm aan zou nemen, dat van mijn moeder trouwens ook... Maar op die avond dus, was ik steeds even naar mijn ouders gaan kijken. Mijn moeder draaide soms naar me toe als ik door het spleetje van de deur keek, ze schudde dan verdrietig haar hoofd. Toen ik de volgende ochtend wakker werd was de geur echt niet meer te harden; al vanuit mijn bed rook ik het. Toen ik naar beneden liep en de deur opende, zat mijn moeder over hem heen. Ze was op hem gaan zitten. Ze had haar benen om zijn lichaam gevouwen, hield haar handen onder zijn hoofdkussen, haar gezicht op het zijne. Ze was in diepe, diepe slaap. Ik vroeg me af hoe ze in slaap was gekomen, hoe ze het in hemelsnaam uit kon houden bij zijn mond die echt verschrikkelijk stonk. Ik herinner me de pis die van de punten van het laken op de vloer druppelde. Ik herinner me ook hoe ik naar mijn moeder liep en haar bij haar middel pakte. Die verschrikkelijke geur die opsteeg van hun beider lichamen, de pis en stront die nu ook in mijn moeders kleren zaten. Ik stelde mezelf allerlei vragen. Dingen als: "Heeft mijn moeder haar plas nu ook laten lopen?" En: "Zou ze nu in die laatste uren toch van hem hebben gehouden?" Toen ze wakker werd hoefde ze niet te huilen, dat had ze de hele avond en nacht al gedaan. Toen we moesten constateren dat hij echt dood was, zag haar gezicht er fris maar moe uit, zoals dat van iemand die net is bevallen en het kind vermoeid in de armen wiegt.'

'Opgelucht.'

'Ja, opgelucht.'

'Mijn ouders zijn gescheiden, waarschijnlijk omdat ze elkaar nooit zagen,' zucht ze diep.

'Omdat ze zo ver van elkaar werkten, toch?'

'Ja, precies. Hun telefoongesprekken werden steeds korter, toen vergaten ze elkaars verjaardagen, hoorden alleen nog maar via mij hoe het met ze ging. Ongemerkt hadden ze elkaar al maanden niet gezien. Mijn moeder stond rond kerst voor de deur. Ik herinner me vooral haar haar, het was lang en pluizig. Mijn vader had kort daarvoor zijn snor afgeschoren en was zongebruind door de eindeloze zomer dat jaar. Ik was net geopereerd. Ze hadden een stukje van mijn baarmoeder verwijderd en ik had een litteken van mijn schaambeen tot mijn buik. Ik stond in de gang en keek naar mijn ouders die vreemden voor elkaar waren geworden. De zichtbare afwezigheid van het lichamelijke, dat is wat me het meest opviel. Anders dan met vroegere vrienden die elkaar lieflijk beetpakken, of dan met familieleden die zelfs na elkaar jaren niet gezien te hebben, fijn en vertrouwd kunnen aanvoelen, hadden mijn vader en moeder – die vroeger met elkaar vreeën, fantaseerden over een fijn en gelukkig leven – niets meer wat ze bond behalve ik, die daar in de gang stond en naar ze keek. Je partner is altijd een wildvreemde voor je, dat klinkt verdrietig, maar het is waar.'

'Ik niet, hoor,' zeg ik.

'Jij ook, Steve, maar dat geeft niet.'

Hoe we hier verstrengeld met elkaar op bed liggen, hoe ze me steeds beetpakt en zachtjes in mijn handen knijpt tijdens het luisteren en vertellen; het is allemaal oneerlijk. Het is laf en laag. Het moet veranderen.

49

Op het moment dat ze het appartement verlaat om aan het werk te gaan, trek ik mijn jas aan en druk mijn gezicht tegen het spionnetje. Ik zie hoe ze in de lift stapt en de deuren sluiten. Ik wacht een tijdje of hij niet weer omhoogkomt, maar dat komt hij niet. Het blijft doodstil op de gang.

Om zeven uur verlaat ik het parkeerterrein, rij de King Richards Road op en neem de M69 naar Coventry.

Op de radio wordt melding gemaakt van een mislukte terroristische aanslag in de Londense metro. Twee mannen zijn aangehouden en hoewel er geen spoor is van een bom, weten de autoriteiten zeker dat het om zelfmoordterroristen gaat. Een verslaggever praat met een politieagent ter plaatse: 'De melding kwam gelukkig op tijd bij ons binnen, met dank aan een oplettende burger. We hebben de mannen aan kunnen houden.' Meer informatie wordt niet verstrekt. De woorden van de agent zijn blijkbaar genoeg, want de verslaggever spreekt over een enorme ramp die maar nét op tijd voorkomen heeft kunnen worden.

Ik zie al van ver het gebouw oprijzen. Als een gigantisch stuk gasbeton ziet het eruit. Voor de parkeergarage staat een lange rij auto's. Terwijl ik wacht, kijk ik naar de billboards met aanbiedingen die aan de zijkant van het gebouw hangen. Kasten en keukens met veel procent korting, maar ook gunstig geprijsde maaltijden. Je kunt voor drieënhalve pond een portie Zweedse gehaktballetjes met patat krijgen en voor een pond meer krijg je er nu een grotere portie patat bij en als bonus een salade.

Er komt een parkeerplaats vrij vlak bij de lift. Dat is handig, denk ik, dan hoef ik straks niet te sjouwen, maar een andere auto is me voor.

'Godverdomme,' zeg ik zachtjes en zoek naar een andere parkeerplek.

Even later wandel ik tussen voltallige families door. Er zijn overal schreeuwende kinderen en verveeld kijkende mannen. Hun vrouwen die dekbedovertrekken in de lucht houden en wachten op goedkeuring. Een moeder die, met een dikke zoon met een brilletje, op een bed in de vorm van een raceauto zit. Een stel twintigers die gelukzalig op een dubbele boxspring met latex dekmatras liggen; ze wiebelen ongeduldig met hun voeten. Ik zie een vrouw van in de vijftig die op een paar leren bankjes voor zich uit zit te staren in een compleet ingerichte woonkamer met Zweedse boeken in de kasten en plastic planten op een provisorische vensterbank.

'Welkom in de wereld, jongetje,' mompel ik tegen mezelf.

De laatste keer dat ik hier kwam, was toen Susan op de televisie zag dat er 30 procent korting werd gegeven op kookgerei. De dag erop liepen we hier net zo rond als alle stellen die ik om mij heen zie; elk een grote gele draagtas over de schouder, stilhoudend bij elke aanbieding in de onmetelijk grote ruimte. Ze had drie antiaanbakpannen en een römertopf gekocht. Die laatste heeft ze trouwens nooit gebruikt.

Als het niet een verrassing moest zijn, zou ik Anca hier aan mijn zijde willen hebben. Het zou het allemaal een stuk draaglijker maken, want zie mij toch lopen in mijn jack, spijkerbroek en witte sportschoenen, een gids onder mijn arm. De zachte marmoleum vloer kraakt onder mijn voeten en het enige waar ik nog aan kan denken zijn Zweedse gehaktballetjes.

Door de speakers klinkt klassieke muziek, maar zo zachtjes dat je er eigenlijk geen erg in hebt. Mede door die muziek stralen de zelfbouwmeubelen een bepaalde grandeur uit, en door de raak gekozen verlichting en alle snuisterijen, krijg je het gevoel dat dit jóuw woonkamer of slaapkamer kan worden.

Ik neem twee jersey hoeslakens mee, een donkerblauw dekbedovertrek en een paar handgeborduurde kussentjes. Onderweg vind ik een winkelwagen waar ik in het zelfbedieningsmagazijn twee kamerschermen op leg. Op weg naar de kassa valt mijn oog op een grote ingelijste poster van Parijs. De Eiffeltoren in zwart-wit, een roodgekleurde vrouw op een brug, lichtjes in de verte; ik kan hem niet laten staan. Bij de kassa stuit ik nog op een set waxinelichtjeshouders in kinderlijke kleuren – eigenlijk weten ze hier precies wat ik zoek.

Nadat ik alle spullen in mijn auto heb geladen, zie ik weer het bord met de aanbieding voor Zweedse gehaktballetjes. Ik zit een moment vol twijfel achter het stuur, maar verlaat de auto toch nog op het laatste moment. Het is een prima deal en ik kan best wat eten.

Ik neem de lift naar het restaurant, waar het afgeladen vol is. Overal schuifelen mensen met dienbladen rond. Uit de open keuken komt een penetrante lucht. Ik kan me die nog heel goed herinneren uit de tijd dat ik hier met Susan kwam: een mengeling van instantjus en cranberrysaus. Ik bestel een grote portie gehaktballetjes, een grote patat en sla de salade over. Bij de kassa neem ik een medium frisdrank. Als niemand kijkt, stop ik snel een zakje ketchup en mayonaise in mijn zak.

Zo zit ik uiteindelijk in mijn eentje aan een vierpersoonstafel. Terwijl ik de gehaktballetjes aan mijn vork prik, hoor ik weer de zachte klassieke muziek op de achtergrond, en ik merk dat niet alleen het licht gedempt is, maar dat ook mijn gevoel afgevlakt lijkt.

Achter me schreeuwt een jongetje, zijn moeder grijpt in en houdt haar hand strak op zijn mond. 'Sorry,' zegt ze, 'eet smakelijk.'

Op weg naar huis is er meer nieuws over de mislukte aanslag in de Londense metro. De verslaggever vertelt dat de binnenlandse veiligheidsdienst al maanden bezig is met de opsporing van een terroristische organisatie. De twee verdachten blijken verre familie te zijn van een bekende terrorist, dus de vraag of dit een vergissing is of niet, verdwijnt; deze mannen waren van plan de metro op te blazen met de op dat moment zevenendertig inzittenden. De verslaggever herhaalt 'zevenendertig inzittenden' en voegt daaraan toe: 'Zevenendertig mensen zouden uit het leven worden gerukt, zevenendertig hardwerkende burgers die op weg waren naar hun gezinnen. Een van die geluksvogels hebben we hier in de studio. Bent u geschrokken, meneer?'

'Ik ben me rot geschrokken. Ik was zoals elke dag op weg naar huis en opeens stonden die terroristen in de metro.'

'Is u iets opgevallen?'

'Nou, niet echt, ik heb ze wel gezien, maar niet bewust. Ze waren heel gewoon gekleed, zoals u en ik, ze vielen eigenlijk helemaal niet op.'

'Bent u zich ervan bewust dat u maar op het nippertje bent ontkomen?'

'Ik ben vooral enorm geschrokken, maar gelukkig krijgen wij goede hulp van de politie. Een paar van de inzittenden stonden op nog geen meter afstand van de terroristen, die mensen zullen de komende tijd een hoop trauma's te verwerken hebben.'

'Nu u getuige bent geweest van een aanslag, nou ja, bijna-aanslag, denkt u dat u nu minder vaak met de metro naar uw werk gaat?'

'Ik zet geen voet meer in de metro, daarvoor ben ik te veel geschrokken van de aanslag.'

Thuis schroef ik de kamerschermen in elkaar, verplaats een boekenkast en rij mijn computermeubel naar de hoek. De kamerschermen zet ik zo neer dat de keukennis en de gang vanaf het bed uit het zicht zijn. Rond het bed zet ik de gekleurde waxinelichtjeshouders en ik hang de ingelijste poster van Parijs aan de muur, die ik net heb schoongemaakt met een mengsel van schuurmiddel en allesreiniger. Als laatste ga ik met de stofzuiger langs de plinten en de vensterbank.

Als alles klaar is, ga ik op bed liggen en kijk tevreden naar de poster aan de wand, de flikkerende kaarsjes in de waxinelichtjeshouders en de kamerschermen in rode stof met wit geschilderde staanders. Ja, denk ik tevreden, eigenlijk is het een heel gezellige ruimte geworden.

Heel even duw ik mijn dijen uit elkaar, leg een hand in mijn kruis en laat mijn tong van links naar rechts in mijn mond bewegen. Op het moment dat ik enthousiast over mijn rechtertepel wrijf en met mijn heupen wieg vind ik het wel weer welletjes, sta op en zak neer op de bank.

50

In mijn droom lag de vloer bezaaid met lege zakken Twix, ribbelchips en winegums. In grote haast verzamelde ik de verpakkingen en kieperde ze één voor één uit het raam. Steeds keek ik verschrikt achterom als ik de deur dacht te horen. Toen ik een familieverpakking mellowcakes door het kantelraampje probeerde te duwen, trok iemand aan mijn arm. Het was Anca die aan mijn bedrand zat.

'Hey,' zeg ik slaperig.

'Hey,' fluistert ze.

Ik wil omhoogkomen, maar ze duwt me terug, zegt dat het nog nacht is.

'Heb je dat gezien?' vraag ik en wijs naar de kamerschermen.

Ze knipt het bedlampje aan. 'Wat is dat?' vraagt ze.

'Dat is voor jou, lieverd,' mompel ik, 'dan kun je thuis werken.'

'Steve…'

'Het is beter als je hier werkt, ik zal je niet storen.'

'Dit is belachelijk, echt idioot,' zegt ze.

'Nee, dat is het juist niet,' fluister ik.

Ze loopt naar de kamerschermen en gaat met haar handen over de stof. Een van de twee hangt een beetje scheef, zie ik. Misschien heb ik de bouten niet goed aangedraaid, ik moet daar morgen nog even naar kijken.

'Heb je die ook voor mij gekocht?' vraagt ze en wijst naar de poster van Parijs.

'Dat is Parijs,' zeg ik.

'En die lichtjes, dat zijn dezelfde die ik in mijn kamer had…' Ze heeft haar jas nog aan en kijkt verdrietig naar de kamerschermen.

'Mooi?' vraag ik.

Ze haalt haar schouders op en laat haar wijsvinger over de rand van een van de waxinelichtjeshouders gaan en kijkt weer naar de muur, waar de poster van Parijs hangt.

'Dit is jouw domein, ik zal hier niet komen als je werkt,' zeg ik, 'ik bedoel, *natuurlijk* zal ik hier dan niet zijn.'

'Ik ben op, ik wil slapen,' zegt ze en begint zich uit te kleden. Ze legt haar jas over een van de schermen en loopt naar de badkamer om haar tanden te poetsen.

In bed klamp ik me aan haar vast, duw mijn hoofd tussen haar schouderbladen en zoen daar de kleine donshaartjes.

'Vind je het dan niet erg?' fluistert ze.

'Nee,' zeg ik, 'als je het maar hier doet, hier is het veilig.'

Het aftellen is begonnen.

49

'Hoe voel je je?' vraagt Liana Deller de volgende middag.

'Gaat wel,' zeg ik.

'Vertel eens iets over afgelopen tijd, als je wilt?'

'Er valt niet veel te vertellen. Ik heb mijn huis verkocht, dat is het wel zo'n beetje.'

'Is dat het huis waar je samen met je ex-vrouw woonde?'

'Ja,' zeg ik, en ik kijk naar de klok. Het is dat dit verplicht is, anders zou ik nu liever ergens een broodje eten.

'Hoe voelt dat?'

'Dat het huis verkocht is?' vraag ik.

Ze knikt.

'Prima, wel een beetje een opluchting, denk ik.'

We kijken elkaar aan. Liana Deller denkt dat ik een antidepressivum slik en nu langzaam beter zal worden. Waarschijnlijk zoekt ze naar sporen tevredenheid of geluk, misschien zelfs een lach op mijn gezicht. Voor de goede orde glimlach ik maar naar haar.

'Hoe ging het in zijn werk, heb je de nieuwe bewoners ontmoet?'

'Ik ben nog terug geweest voor een vrieskist, toen heb ik de nieuwe bewoners ontmoet. Een heel drukke Indiase familie met een hoop kinderen.'

'Ben je nog bang voor een tweede hartinfarct?'

'Ja natuurlijk, ik denk er elke dag aan, maar je moet verder,' zeg ik.

'Heb je last van angsten op dat gebied? Dat je ergens bent en hartkloppingen krijgt? In dat huis bijvoorbeeld?'

'Heel soms als ik het nieuws hoor en het gaat over terrorisme, dan voel ik mijn hart vervaarlijk tekeergaan, maar normaal valt dat wel mee.'

'Voel je je nog somber?'

'Ik word somber wakker. Voel me dan heel erg moe, zie op tegen de dag en zou eigenlijk in bed willen blijven liggen. Ik lig wat langer in bed dan toen ik werkte, maar dat is denk ik normaal. De Zoloft lijkt ook niet echt te werken.'

'Voel je geen enkel verschil?'

'Nee, eigenlijk niet, sorry,' zeg ik.

'Daar hoef je geen sorry voor te zeggen, maar toch zul je iets moeten doen. Je kunt dit op twee manieren benaderen: of je wilt beter worden, of je blijft ziek. Je moet je bed dus uit, misschien ook maar precies rond de tijd dat je naar je werk moest, hoe laat was dat?'

'Halfzeven.'

'Goed, nou, maak er halfacht van.'

Ik knik.

'Afgesproken?'

'Ja, afgesproken,' mompel ik.

Ze bladert een beetje in mijn dossier dat ze elke sessie met de hand bijwerkt. In dit dossier gaat het om de stijgende lijn. De farmaceutische ingreep zal samen met het praten voor die stijgende lijn moeten zorgen.

'Mocht je over een maand nog geen echte verbetering merken, dan gaan we een ander antidepressivum proberen. Er zijn tegenwoordig verschillende medicijnen voor verschillende mensen, meestal zit er iets tussen dat werkt. Sport je al?'

'Nee, nog niet,' zeg ik, 'ik voel me nog te onzeker, ik ben bang dat mijn hart het begeeft als ik op een loopband sta.'

Dan vertelt Liana Deller me een anekdote: ze heeft cliënten die zo bang zijn voor een hartinfarct, dat ze tijdens een bezoek aan haar rondspringen in haar praktijk. Hun hartslag gaat omhoog en daarmee de aanmaak van adrenaline, wat weer zorgt voor een nog hogere polsslag. De cliënten die in haar praktijk rondspringen testen op die manier hun hart, ze willen zien dat hun hart het juist níet begeeft, en toch, door angstig rond te springen werkt het juist averechts. Ze tekent op het krijtbord een cirkel, in het midden staat met grote letters: ANGST. Bovenaan schrijft ze: GEBEURTENIS, rechts van de cirkel: GEDACHTE, onder aan de cirkel: GEVOEL en links: GEDRAG, met een onzeker lijntje naar de kern, ANGST.

'Je klimt een trap op, je denkt: mijn hart zal het begeven, en door die gedachte gaat je hartslag omhoog, je wordt nog banger en maakt nog meer adrenaline aan, je hart klopt nóg sneller en je bent nóg banger.'

'Maar dat gebeurt allemaal in je hoofd?' vraag ik.

'Het meeste gebeurt *alleen* in je hoofd. Je hersenen kunnen gewoonweg verkeerde signalen geven als je bang bent.'

'Dan zou je je dus ziek kunnen denken,' zeg ik.

'Precies,' zegt ze, 'voor sommige mensen is dit onleefbaar, die zijn continu bezig met de toestand van hun lichaam, denken bij elke kuch dat het kanker is, bezoeken meestal ook vijf keer zo vaak de huisarts dan iemand zonder deze problemen. Ik schrijf ze kalmeringsmiddelen voor, de meesten hebben daar heel veel baat bij.'

'Maar bij een hartinfarct?'

'Dat hartinfarct van jou is natuurlijk niet ingebeeld, Steven.'

Op weg naar huis ga ik langs de Boots in Gallowtree Gate om de Zoloft op te halen. Hoewel ik niet het gevoel heb dat Liana Deller kan controleren of ik ze slik, lijkt het me toch beter als het daar niet meer ligt. Wie weet komt de bedrijfsarts erachter en krijgen ze het alarmerende idee dat ik *niet beter wil worden.*

De medewerker van de apotheek zegt: 'Er liggen ook nog andere medicijnen voor u klaar, weet u daarvan?'

'Geen idee,' zeg ik.

Uit een lade trekt de medewerker verschillende doosjes pillen.

'Bètablokkers, bloedverdunners... Hoe kunt u dat zijn vergeten?'

Ik staar naar het rijtje medicijnen op de toonbank, een aanwijzing dat het niet goed met mij zou gaan, dat ik ziek ben, maar tegelijkertijd een tastbaar bewijs van mijn leugen.

'Ik kreeg ze al in het ziekenhuis mee,' lieg ik.

'Nou, neemt u deze dan ook mee, dan heeft u ze alvast.'

Als ik naar mijn auto loop, hoor ik iemand mijn naam roepen. Ik kijk niet om en ga snel in de auto zitten, maar nog voor ik het portier kan sluiten staat Alice naast me.

'Steven! Wat maak je me nou?' schreeuwt ze. Ze draagt een petje van de Tesco-supermarkt en een donkerblauwe donsjas met rode biezen. Haar boodschappentassen staan op de stoep.

'Het was niet de bedoeling,' zeg ik, 'echt, echt niet!' Ik kijk haar strak aan, hoop op begrip, maar bedenk dat ze hier natuurlijk geen enkel begrip voor kan opbrengen.

'Ik heb daar een week gezeten, rotzak! Ik zeg altijd zulke aardige dingen over je en jij laat me daar gewoon wegrotten. Gewoon wégrotten, hoor je me?' Ik zie hoe ze zich vasthoudt aan het portier, door de ruit zie ik haar rode handen. Alsof ze bang is dat ik alsnog weg zal rijden houdt ze de auto stevig vast.

'Ik ben ziek,' zeg ik zachtjes en grijp naar mijn portemonnee. Terwijl ik hem open, zie ik dat ze kalmeert, haar handen van het raam haalt en ze ophoudt.

'Alsjeblieft,' zeg ik en overhandig haar vijftig pond.

'Geld,' zegt ze, 'altijd geld, geld, geld...' Ze neemt het aan en smijt hard het portier dicht, raapt haar tassen van de weg en loopt vliegensvlug de hoek om. Op mijn zijraam zitten nog de vlekken van haar vette vingers.

Als ik de motor start, besef ik opeens dat ik tegenover het politiebureau geparkeerd sta. De parkeerplaats van het bureau is op één auto na leeg, er zal wel iets gebeurd zijn ergens in de stad.

'Nergens ben je veilig,' mompel ik.

48

Als ik thuiskom zit Anca te huilen op de bank. Ze vertelt dat ze die middag gebeld is door de politie. Ze lieten haar op luchtige toon weten dat ze van plan zijn de zaak te sluiten wegens gebrek aan bewijs. Ongeveer tien minuten later werd ook haar vriendin Cozana gebeld met hetzelfde nieuws.

Zo slecht als ik me net voelde, zo opgelucht voel ik me nu. Toch stamel ik: 'Dit kan toch niet', en haal mijn schouders op.

'Zo gaat het gewoon, ik kon het ook weten, ze nemen ons gewoon niet serieus.'

Ik ga naast haar zitten en sla een arm om haar heen. Als ik rondkijk, zie ik dat ze de kamerschermen tegen de muur heeft gezet en dat naast de poster van Parijs een foto van Albert Einstein hangt. Hij steekt zijn tong naar me uit.

'Wat zegt Cozana erover?' vraag ik.

'Dat we een advocaat moeten zoeken.'

Ik knik en kijk naar haar kleine voeten, pak ze vast en kneed haar hielen. Ze trekt ze terug en vouwt ze onder haar billen. 'Dat kriebelt,' zegt ze.

Ik zou willen zeggen: 'Laat het gaan, pak je leven op en ga verder,' maar ik krijg het mijn strot niet uit. In plaats daarvan zeg ik: 'Ik denk ook dat je een advocaat moet nemen.'

'Ken jij goede advocaten?'

'Ikzelf ken er geen, maar ik ken wel mensen die advocaten kennen. Ik ga morgen meteen voor je bellen, oké?'

Ze kijkt somber voor zich uit, naar de televisie die uit staat en een vetplantje met rode bloemen. Ze haalt haar schouders op en zucht diep.

'Is dat goed?' vraag ik.

'Ik heb Cozana beloofd vandaag nog een afspraak te maken,' zegt ze met een scheef hoofd.

'Dan ga ik nu meteen bellen,' zeg ik en strijk met mijn hand over haar wang. 'Nu meteen,' roep ik en pak mijn telefoon.

'Je hebt met mij alleen maar ellende in huis gehaald,' zegt ze en begint weer te snikken, 'ik ben je alleen maar tot last terwijl je zo lief voor me bent en zelf genoeg zorgen hebt.'

'Dat maakt niets uit, en je bent me helemaal niet tot last.'

'Natuurlijk wel, dit is toch een slecht begin, Steve. Je kent me pas net en ziet nu al meer lelijks dan ik ooit zou willen. Ik schaam me kapot, echt kapot.'

'Onzin,' zeg ik, 'jij kunt er niets aan doen, jij kunt het niet helpen.'

Ze slaat haar armen om me heen en zegt: 'Sorry voor de afgelopen dagen, ook voor dat.' Ze wijst naar de kamerschermen. 'Dat is ontzettend dapper van je.'

'Alsjeblieft geen sorry,' zeg ik met de telefoon in mijn hand.

Ik ken genoeg advocaten, maar degenen die ik ken, kennen mij ook. Ze zaten naast verdachten tijdens verhoren, stonden in de gang te bellen met hun kantoren of kwamen het bureau binnengestormd met een bevel. Zo'n advocaat mag het absoluut niet zijn, dus besluit ik mijn schoolvriend, de makelaar te bellen. Die werkt vast met advocaten die net buiten de stad kantoor houden, de kans is klein dat ze ooit een voet binnen bureau Charles Street hebben gezet.

'Steve, man, wat heb je gedaan?' zegt hij als ik hem erom vraag.

'Niets, het is niet voor mij,' zeg ik.

'Terry Collins is een goede, wel duur, maar *top of the line*.'

Die naam heb ik nog nooit gehoord op het bureau. 'Top of the line,' herhaal ik, 'die moeten we hebben.' Ik knipoog naar Anca. Ik zie dat ze haar vuisten hoopvol gebald houdt, en dat doet me pijn.

'Dit is zó lief van je,' zegt ze als ik het nummer van deze Terry Collins intyp. Ik hoop vurig dat Collins alleen verstand heeft van vastgoed en dat hij iemand is aan wie zo'n zedenzaak echt niet besteed is. Het beste zou eigenlijk zijn als Collins tijdens het kennismakingsgesprek tegen de twee meisjes zegt dat ze geen schijn van kans maken, dat ze wel kunnen gaan procederen, maar waartegen? Tegen de politie? Nee, ze zouden hun geld beter in hun zakken kunnen houden, hij kan weinig voor ze betekenen. Maar als ik Collins aan de lijn krijg en het verhaal vertel, is hij vooral zeer enthousiast. Hij heeft een donkere, schorre stem, spreekt met een ondefinieerbaar accent. Hij vraagt of we zo snel mogelijk langs kunnen komen voor een gesprek. Terry Collins zegt zelfs dat hij wel eens zo'n zaak heeft behandeld, en als ik die informatie overbreng met mijn hand op de microfoon, zie ik dat haar tranen gedroogd zijn en het verdriet in haar gezicht heeft plaatsgemaakt voor hoop.

'Vraag hem wat hij kost,' fluistert ze me toe.

Terry Collins werkt pro Deo.

Zodra ik de telefoon neerleg, omhelst ze me op de bank. Ze knijpt enthousiast in mijn zij en zucht diep in mijn nek. Ik zeg met pijn in mijn hart: 'Het komt goed, alles komt goed.'

Tijdens het eten voel ik me emotioneel gebroken en somber, maar verberg het uit alle macht, want Anca is opgewekt en vrolijk, kan niet ophouden met benadrukken hoe lief ik voor haar ben, hoeveel geluk ze met mij heeft en hoe gek ze op me is.

's Avonds, als ik naar *EastEnders* kijk en bier drink, loopt ze rusteloos door de kamer. Als ik vraag wat er is, zegt ze dat ze de sfeer niet wil verpesten, maar eigenlijk aan het werk moet.

'Doe dat dan hier,' zeg ik.

'Dat kan ik echt niet doen, ik vind het toch te moeilijk.'

'Nee, ik ga nu weg, ik ga wel wat doen in de stad.'

'Nee, Steve, dat kan ik niet van je vragen.'

'Ik wil dat je je thuisvoelt, liefje, ik vind het helemaal niet erg.'

'Echt niet?'

'Echt niet,' zeg ik en loop naar de kapstok, trek mijn jack aan en probeer te glimlachen.

Ze wijst naar de televisie. 'Je mist je programma.'

'Dat programma is er elke dag,' zeg ik en drink mijn blik bier leeg.

Ze schudt haar hoofd, kijkt naar de grond en zegt dat ze niet begrijpt waar ze dit allemaal aan te danken heeft.

'Aan jezelf,' zeg ik als ik de voordeur open en mijn schoenen op de gang aantrek.

Ze zoent me op mijn mond en streelt mijn wangen.

'Ik sms je als ik klaar ben, oké? Waar ga je heen?'

'Ik denk dat ik een beetje rond ga rijden, daar word ik blij van. Gewoon een beetje rondrijden, wat muziek aan, ergens iets drinken misschien.'

'Eens een taxichauffeur, altijd een taxichauffeur,' zegt ze en wuift me uit vanuit de gang.

'O, Steve,' roept ze me na.

'Ja?'

'Kan ik jouw computer gebruiken?'

'Tuurlijk,' zeg ik, 'het wachtwoord is… Susan.' Ik voel hoe ik begin te blozen, maar gelukkig moet ze lachen. 'Nooit veranderd,' zeg ik, 'stom van me.'

Als ze de deur sluit, hoor ik hoe ze de dievenketting vastzet.

In de lift heeft iemand iets op de nieuwe spiegel geschreven. Er staat met grote letters: GO FUCK YOUR MOTHERS MOTHERS, YOU MOTHER-FUCKERS.

Terwijl ik langzaam rondrijd in het centrum hou ik angstvallig de straten in de gaten. Collega's, verdachten, gedetineerden, advocaten, mijn ex-vrouw en haar nieuwe man, Alice Mcintosh en vele anderen kan ik hier tegenkomen. Ze zullen me stapvoets door de straat zien rijden met een halve liter whisky en de verpakking van een kipburger met currysaus op de passagiersstoel, een scala aan antidepressiva, bloeddrukverlagers en bloedverdunners op de achterbank. Ze zullen zich afvragen hoe het toch kan dat die nette politierechercheur die eens zo van tuinieren hield, aan lager wal is geraakt. Waar het toch allemaal mis is gegaan met hem die nu zo eenzaam door de straten rijdt in een bordeauxrode Vauxhall uit 2001. Eigenlijk weet ik zeker dat het niemand zal opvallen, omdat niemand echt kijkt, omdat niemand echt wíl kijken.

Ik sta een tijdje stil bij de taxistandplaats bij het St Margaret's Bus Station, drink kleine teugjes whisky en hang aangeschoten uit mijn raampje om naar mijn nieuwe collega's te kijken. Ik probeer dingen te ontdekken, maar er is niets meer te zien dan een groepje Indiase mannen in pakken die staan te roken voor hun taxi's, van de kou in hun handen wrijven en zo nu en dan schaterlachen om iets wat ik niet kan verstaan.

Met gesloten ogen fantaseer ik over hun leven en zie alleen maar clichés voor me: de taxichauffeur die zijn auto wast, die door de supermarkt loopt op zoek naar een lekkere luchtverfrisser voor aan de achteruitkijkspiegel, een praatje houdt met een collega over opgebroken straten en luidruchtige klanten; echt realistisch zal dit allemaal wel niet zijn.

Ik denk aan de scène uit *Taxi Driver* waarin Travis zijn oudere collega om advies vraagt. Hij is erg gespannen en zegt gevaarlijke ideeën te hebben. Hij voelt dat hij iets wil doen. Zijn collega zegt hem dat als je werkt, je uiteindelijk je werk wordt, dat hij daarom zelf na elf jaar rijden nog steeds geen eigen taxi bezit. Omdat hij zijn werk niet wil worden. '*Get laid, you've got no choice, we're all fucked*,' is zijn advies, het domste wat Travis ooit heeft gehoord.

Om halftwaalf komt de verlossing per sms. Er staat: 'Ik ben klaar, kom je naar huis?'

47

Terry Collins blijkt mijn grote nachtmerrie te zijn, want hij is knap, gezond en slim. Hij heeft een gespierd lichaam dat uit zijn pak spat alsof het schreeuwt om gezien te worden, maar tegelijkertijd bezit hij juist een bepaalde onverschilligheid als het om zijn lichaam gaat; hij zit onderuitgezakt en steekt zijn borst ook niet naar voren. Hij is zich kennelijk niet bewust van zijn mannelijkheid, staat 's ochtends nooit langer dan een minuut voor de spiegel en bezoekt de sportschool zoals een ander vitaminen slikt; om gezond te blijven, niet uit esthetische overwegingen.

Ik denk aan gisteravond. Aan mijn sombere gedachten en vervuilde hart. Ik ben me bewust van mijn fouten, en probeer nu het onvermijdelijke *goede* te doen, koste wat het kost, althans in grote lijnen, want ik ben niet echt bereid *pijn te lijden*, het leven is al moeilijk genoeg.

Met z'n drieën zitten we in een ouderwets ogend kantoor vol kasten met ordners en houten luxaflex voor de ramen. Hij zit achterover in een bruin leren bureaustoel en schraapt continu zijn keel.

Hij vraagt ons hem gewoon Terry te noemen en schetst ons als verklaring daarvoor zijn jeugd, waarin hij altijd heeft moeten vechten, met zijn zuurverdiende geld is gaan studeren en dan nu eindelijk is beland waar hij is beland: aan de absolute top. 'Toch ben ik vanbinnen een straatschoffie en dat zal ik altijd blijven, dus beledig me niet, noem me niet meneer Collins, of meneer de advocaat, noem me gewoon Terry, sla me ook zo op in jullie mobiele telefoons.' Hij overhandigt ons allemaal een visitekaartje. TERRY COLLINS, STRAFPLEITER staat erop in grote letters.

'Nu jullie alles over mij weten, wil ik alles over jullie weten. Ik begin even met jou, dame,' hij wijst naar Cozana.

'Ik heet Cozana Vladoi, ben vijfentwintig jaar oud en ik kom uit Roemenië. Ik studeer economie aan de Montfort University.'

'Werk je ernaast?' vraagt Terry terwijl hij de dop van zijn vulpen draait.

'Ik werk,' zegt Cozana zachtjes en kijkt naar Anca en mij.

'Als wat?' vraagt hij en schraapt daarna weer langdurig zijn keel.

'Ik werk… als *meisje*,' zegt ze met neergeslagen ogen.

'Jij ook?' Hij wijst naar Anca, die voorzichtig knikt.

'Geen probleem, zoals ik al zei, ik ben van de straat, en daarnaast, ik heb al zo veel mensen hier tegenover me gehad. Zo veel.'

Hij maakt aantekeningen en drinkt uit een beker waarop de kalender van 1995 staat afgedrukt.

'En jij?' Hij wijst nu naar Anca.

'Anca Alexandrescu, ik kom ook uit Roemenië, ben vierentwintig en studeerde ook economie, maar ben gestopt.'

'En deze meneer?'

'Wil je iets over mij weten?' vraag ik.

'Steve was het toch?'

'Steve Mellors.'

'Ja, Steve, ik wil alles over jullie weten, dus vertel me gewoon even in het kort wie je bent, wat je hier doet, wat je relatie met deze meisjes is. Ben je hun baas?'

'Nee,' zeg ik, 'ik ben taxichauffeur.'

'Leeftijd?'

'Negenenveertig.'

Hij zucht diep en tuurt naar ons drieën, dan staat hij op en haalt een dik boek uit een van de kasten, smijt het op zijn bureau en gaat weer zitten.

'De *Acts of Parliament*,' begint hij met een schorre stem, 'onze *Criminal Code* zegt zoveel als: leef netjes, doe geen gekke dingen en wees lief voor elkaar. Het is eigenlijk het leven in het klein, in versimpelde vorm. Hij houdt nauwelijks rekening met persoonlijke situatie, afkomst of verleden, behalve natuurlijk als het verleden in strijd is met de wet, haha. Het is dé richtlijn waarmee wij het allemaal moeten doen. Gelukkig hebben we in dit prachtige land ook nog een onafhankelijke jury, die – als het goed is – juist naar die persoonlijke situatie kijkt. Er is een hoop te zeggen over het vaak zwakke *menselijke* aspect in de Criminal Code. Juist doordat die persoonlijke situatie, afkomst of verleden een mindere rol speelt en alles alleen gebaseerd is op de geschiedenis, lijkt het soms onrechtvaardig, en toch zouden we niet zonder kunnen. Er zouden elke dag mensen vermoord worden, winkels overvallen en zoals bij jullie, vrouwen worden verkracht.' Terry slaat met zijn vuist op het boek, schraapt zijn keel diep en zegt met een priemende vinger naar Anca en Cozana: 'En daarom ga ik jullie helpen.'

Als ik naar de twee meisjes kijk, zie ik dat ze verlegen glimlachen naar de advocaat. Ze kijken vol bewondering naar hem, ook een beetje angstig, want Terry lijkt een man die het onrecht met harde hand bestrijdt, iemand die niet opgeeft. Ik verbaas me dat ik hem nog nooit op het bureau heb gezien, hij lijkt me een heel geschikte advocaat voor veelplegers. Ik stel me voor hoe ik een verdachte tegenover me heb die triomfantelijk zijn naam noemt en binnen een uur aan Terry's hand het politiebureau verlaat.

'Wat is jouw rol in de zaak?' vraagt hij aan mij.

Nog voor ik iets kan zeggen, zegt Anca: 'Ik woon bij hem.'

Ik voel tranen komen, maar kan mezelf bedwingen door aan mijn neus te wrijven alsof ik moet niezen en het niet lukt. Ik voel hoe ze mijn hand vastpakt en er zachtjes in knijpt.

'U woont bij hem,' zegt hij, 'taxichauffeur zei je, hè?'

Ik knik en kijk hem zo strak mogelijk aan als hij met zijn vulpen naar me wijst, zijn hand een moment in de lucht laat hangen en dan weer zijn keel schraapt. 'Ken jij Jim Attenborough toevallig?'

'Nee, nooit van gehoord,' zeg ik.

'Oké... Dat is een cliënt van mij, ook taxichauffeur.'

'Waar als ik vragen mag?' vraag ik.

'In Highfields, goede jongen, aardige vent, al jaren klant van me.'

Ik schud mijn hoofd en zeg dat ik alleen het centrum doe.

'Oké, to the point, to the point,' zegt hij en slaat het boek weer open, 'we gaan even niet in op de details, maar kunnen jullie mij in grote lijnen schetsen wat er gebeurd is?'

Ze kijken elkaar aan, en Anca begint te praten. Ze vertelt over de dag van de inval, de honden, de gemaskerde agenten en de manier waarop ze behandeld zijn. ('Schandalig,' roept Collins tijdens haar verhaal en gebiedt haar daarna verder te praten.) Ze doet erg haar best, in haar nette kleding en met zacht fluwelen stem, haar lange wimpers die op en neer gaan, maar haar ogen vullen zich al snel met tranen. 'Sorry,' zegt ze, 'het emotioneert me erg.'

'Heel goed te begrijpen, love,' zegt Terry.

Cozana neemt het gesprek over en vertelt over de eerste nacht in de gevangenis en de verhoren die daar plaatsvonden, het verhaal over de douche en een van de verkrachters die opeens in de doucheruimte stond. Opeens die twee agenten in hun cel. Ze vertelt alles zeer precies, met een stem vol ingehouden emotie, gewoon de feiten op een rij. Als ze klaar is met haar verhaal, barst ze toch nog in snikken uit.

Terry schuift een doos tissues naar het meisje en doet mee met het verdrietig kijken, wat we allemaal doen.

Hij vraagt of ze in staat zijn de agenten te identificeren, en dat kunnen ze, zelfs hun namen zijn ze bekend.

Terry slaat met zijn vuist op zijn bureau, roept met zijn donkere, schorre stem: 'Got you!' Op dat moment voel ik een steek in mijn linkerzij die omhoogkruipt naar mijn schouder en borstkas. Mensen moeten eens voorzichtiger zijn, vind ik, wat rekening houden met de zwakkeren onder ons.

Nog even lijkt er een sprankje hoop te zijn, als hij peinzend voor zich uit kijkt en aangeeft wel eens een zedenzaak te hebben behandeld, maar nooit zo'n ingewikkelde, maar dan voegt hij eraan toe dat dít nou precies is waarom hij advocaat is geworden, dat hij hierom al die jaren borden heeft gewassen in een eetcafé om zijn studie te bekostigen, dat het hierom allemaal gaat, dat dit de zaak van zijn leven zal worden.

'Wat gaat er nu gebeuren?' vraagt Anca.

'Een betere vraag zou zijn: wat gaat er allemaal niet gebeuren?' zegt Terry. 'Ik ga eerst wat onderzoek doen naar die twee smeerlappen, dan ga ik jullie aangiften opvragen bij de officier en daarna start ik meteen een procedure. We gaan voor gerechtigheid, en uiteindelijk voor een schadevergoeding.'

'Het is ons niet om geld te doen,' zegt Cozana.

'Natuurlijk wel. Het is een bewijs van hun schuld en het staat prachtig in de kranten,' zegt hij.

Ik voel nu echt een verschrikkelijk gevoel in mijn bovenrug. Diepe, doffe steken die bij het uitbollen van mijn longen heviger worden. Ik word duizelig en denk met gesloten ogen aan mijn tuin in de volle middagzon, aan het naakte lichaam van Susan onder de douche, aan de begrafenis van mijn vader die zo snel verliep dat mijn moeder een tijd lang 's avonds zijn lege slaapkamer binnenliep in de overtuiging dat hij daar nog gewoon in zijn bed lag te rotten. De boze woorden die ze tegen de schoongewassen lakens sprak. Nog meer dingen schieten door mijn hoofd: de eerste keer dat ik naar Flirtbox surfte, de nacht waarop ik Anca zei dat ik van haar hield en zij alleen maar naar me glimlachte. De zin die de man in *The Jeremy Kyle Show* sprak: '*I want this to be over, I just want to live and be happy.*'

'Gaat het goed, Steve?' hoor ik opeens.

Zodra ik in Terry's donkere ogen kijk, lijkt de pijn net zo gemakkelijk weg te vloeien uit mijn lichaam als hij erin gegoten werd. Anca gaat op haar knieën voor me zitten en houdt mijn klamme handen vast, zegt zachtjes dingen tegen me die ik niet kan verstaan.

'Heeft u een aspirine, meneer Collins?' vraag ik.

'Doe dat nou niet, Steve, noem me nou Terry!' Hij graait in zijn bureaulade, werpt een doosje aspirine van Bayer in mijn richting en zegt: 'Ik las ergens dat hartspecialisten elke dag een aspirine slikken, ter preventie.'

Ik knik terwijl ik de pil fijnkauw. Dat heb ik namelijk ook gelezen.

46

Geen woord hebben we over het bezoek aan de advocaat gesproken. Niet op weg naar huis, ook niet tijdens het eten of bij het naar bed gaan. Wel heb ik raar over hem gedroomd vannacht. We zaten samen in een auto en reden door het drassige westen van het land. Terry Collins droeg een survivaloutfit, ik mijn gewone kleren. We spraken niet, reden langzaam door het landschap. Soms werd er een moment stilgehouden bij een kleine boerderij of een plek aan de rand van de weg waarvandaan we in de verte een kasteel konden zien.

Men zegt dat dromen altijd een betekenis hebben, dat ze ergens voor staan, maar als dat zo is, dan snap ik niet waarom ik terugkerende dromen heb waarin ik een seriemoordenaar ben die elk moment gepakt kan worden, of een schoenmaker die zo veel klussen krijgt dat ik over zolen en stiksels droom. Of de hoge trap bij mijn basisschool, waar ik altijd vanaf val door één trede te missen terwijl ik vrolijk het speelplein op wil rennen, of de steeds terugkerende droom waarin ik met mijn moeder vrij en zij zachtjes tegen me zegt dat het goed is, dat ik me echt niet hoef te schamen. Toch vraag ik me 's morgens af waarom ik in die auto met Terry Collins zat. Waar we naar op weg waren en waarom we geen woord tegen elkaar zeiden.

Betekenen die dingen eigenlijk wel iets?

Die hele middag hangt Anca aan de telefoon met Cozana. Ze spreken in het Roemeens en echt, ik zou er een moord voor doen te weten waar ze het over hebben, maar als ik tussen de gesprekken door vraag wat ze toch bespreken, geeft ze geen antwoord. Ik word met de minuut zenuwachtiger, loop steeds rondjes door het huis en eet stiekem chocoladekoekjes in de wc.

'Ik wil je helpen,' zeg ik als ze weer uitgepraat is.

'Je helpt me ook, maar het is heel moeilijk. Door die advocaat ben ik goed gaan nadenken wat er nu eigenlijk gebeurd is in de gevangenis en het doet veel pijn, ook bij Cozana.'

Ik vertel haar dat ik haar pijn begrijp en zij zegt daarop dat ik juist geen flauw benul heb, dat ik daarvoor vrouw moet zijn.

'Ben je eigenlijk naar een dokter geweest?' vraag ik.

'Ja,' zegt ze, 'naar het ziekenhuis zelfs.'

'Waarom vertel je me dat niet, wanneer was dat?'

'Voor we elkaar tegenkwamen, Steve. Ik hou niets voor je achter, dat weet je toch?'

'En wat zeiden ze daar?'

'Dat ik beschadigd ben, maar dat was ik toch al.'

'Ben je boos op mij?' vraag ik. Er is haast geen emotie in haar gezicht te bespeuren en dat maakt me nog banger.

'Waarom in godsnaam zou ik boos op je zijn?'

Ik zit op de bank, schud mijn hoofd en maak een wuivend handgebaar, alsof ik wat ik net zei daarmee kan oplossen in de lucht.

'Ik ben beroofd en beschadigd en jij vraagt of ik boos op je ben? Denk jij wel eens aan iemand anders dan jezelf, Steven, besef je wel wat ik heb doorgemaakt?'

'Noem me niet Steven, alsjeblieft,' zeg ik.

'Zo heet je toch?'

'Het klinkt niet aardig. Maar vergeet maar wat ik zei, het was stom om te zeggen, en natuurlijk denk ik aan wat jij hebt doorgemaakt.'

'Ik moet aan het werk,' zegt ze.

'Alsjeblieft, laten we ophouden met ruziemaken.'

'Ja, het is al goed. Ik ga zo aan het werk, oké? Ik heb een afspraak over een uur.'

'Ik ga zo weg,' zeg ik, 'wees maar niet bang.'

Ik zit als vastgenageld op de bank en drink in hoog tempo bier. De televisie staat aan zonder geluid. Eigenlijk let ik alleen op de schaduwen die over de muur gaan. Terwijl ze zich omkleedt, zie ik haar arm, dan de welving van haar billen, en alles doet me pijn.

Terwijl ik mijn jas aantrek en zie dat ze een korset straktrekt, kan ik er werkelijk niet meer tegen. Gewoon in mijn eigen huis openbaart zich mijn inwisselbaarheid, het bewijs dat ik geen uitzondering ben. En dan te bedenken dat het mijn eigen stomme idee was.

'Ik ga,' zeg ik in de gang.

'Oké, bedankt. Ik sms je zo snel mogelijk, oké?'
Ik knik, sla de deur dicht met een iets te harde klap. Een klein verzet?
Ik weet het echt niet.

Bij het St Margaret's Bus Station sta ik stil tegenover de taxistandplaats. Mijn collega's staan tegen een zwarte auto geleund en drinken frisdrank. Allemaal dragen ze een grote tulband en lange zwarte jassen. Ik eet een cheeseburger en drink bier vanachter het stuur; de autoverwarming blaast prettig op mijn gezicht.

Ik denk aan haar. Hoe er zo dadelijk een man boven op haar ligt en ze met haar tepels speelt.

Mijn collega's bewonderen een grote Mercedes die net de taxistand-plaats op kwam rijden. Ze staan in een groepje om het voertuig heen en de eigenaar laat zien hoe het elektrische dak open- en dichtgaat. Iedereen staat te juichen, een van hen streelt zelfs de lak; op een sensuele, bijna erotische manier laat hij zijn hand over de achterklep gaan, rond de spat-borden, omhoogzwevend naar dat elektrische dak.

'Dit is een kans,' mompel ik en stap snel uit mijn auto, loop met mijn handen in mijn zakken naar het groepje toe en sluit me voorzichtig aan. Ik lach mee als zij lachen, zeg 'fucking cool' als zij dat zeggen.

'Kennen wij jou?' vraagt een Indiër met een tulband op zijn hoofd.
Iedereen kijkt me nu verbaasd aan.

'Nog niet,' zeg ik, 'Steve,' en schud hem de hand.

'Amin,' zegt de Indiër, 'mooie wagen, hè?'

Ik knik en ga iets dichter bij de auto staan. Auto's doen me eigenlijk helemaal niets, maar een moment streel ik de lak precies zoals ik een van mijn collega's heb zien doen.

'Echt fantastisch,' roep ik en sta hoofdschuddend met een hand op het dak naast de auto.

'Voor mij véél te duur, maar voor hem niet,' zegt de Indiër en wijst naar een jonge Pakistaan met een petje op zijn hoofd, 'hij kan dat betalen.'

Ik deins een beetje achteruit, zet steeds een stapje meer naar achteren, als een dier dat ongemerkt de kudde wil verlaten. Als ik op een paar me-ter afstand ben hoor ik: 'Hee! Werk jij hier?'

'Nee,' zeg ik, 'in Highfields.'

De Indiër loopt naar me toe, schudt nogmaals mijn hand. Uit zijn zak haalt hij iets groens, houdt het tussen zijn tanden en zuigt eraan. Pas als hij een stap in het licht van de straatlantaren zet, zie ik dat het een schijfje limoen is.

'Zoek je werk?' vraagt hij.

'Ja, in zekere zin wel,' zeg ik en ga dichter bij hem staan, de handen diep in mijn zakken gestoken.

'Waar rij je in?'

Ik wijs naar mijn auto. 'Een Vauxhall, station,' zeg ik.

'Heb je een mobiele telefoon?'

Ik graai snel mijn telefoon uit mijn jack en zwaai ermee in de lucht. De man haalt een opschrijfboekje uit zijn binnenzak en bladert erin.

'Ik denk niet dat dat een goed idee is, mijn baas...' stamel ik nog, maar de Indiër houdt zijn hand in de lucht en zegt: 'Baas hoeft nergens van te weten, gewoon als er eens iemand niet kan, ik jou bellen, jij opnemen en jij rijden, helft naar mij, helft naar jou. Wat was je naam?'

'Jim Attenborough,' zeg ik en geef de man mijn telefoonnummer.

'Jim, ik ga jou bellen, oké?'

Ik knik, zet een stap naar achteren, en nog een, net zo lang tot ik de motorkap van mijn auto tegen mijn bovenbenen voel. Mijn collega's staan weer allemaal om de Mercedes heen. Ik schrik als ik opeens de claxon van de auto hoor, gevolgd door een daverend applaus.

'Wel opnemen als ik jou bel!' roept de Indiër me na als ik langs het groepje rij.

Ik knik, steek mijn duim op.

Nog steeds is er geen sms van Anca, dus besluit ik mijn e-mail te gaan bekijken in een internetcafé in Canning Street. Er zijn weer berichten van Mooievrouw46. Ik begin er echt schoon genoeg van te krijgen en snap ook niet waar ze de energie vandaan haalt om mij bijna elke dag te wijzen op mijn onbeschofte gedrag van nu máánden geleden. Ik besluit haar een kort bericht te sturen waarin ik schrijf dat het me spijt, maar dat ze nu echt op moet houden met haar e-mails. 'Kutwijf,' mompel ik zachtjes als ik haar e-mailadres rapporteer als ongewenst.

Naast mij zit een man die in gesprek is met een vrouw op Skype. Hij schreeuwt tegen haar en zij schreeuwt terug. Ik heb nog bijna zesentwintig minuten over en surf een beetje rond op nieuwssites, google naar de mislukte aanslag in de Londense metro en krijg achttienduizend hits; ik heb er meteen al geen zin meer in.

Als de man die naast me zat, vertrokken is en ik de enige in de zaak ben, surf ik naar Flirtbox.

Ik verander mijn gebruikersnaam in Officer49, verander mijn postco-

de in die van mijn verkochte huis en zet bij interessegebieden: natte kutjes, grote tieten, jonge meisjes. Misschien weet Mooievrouw46 me op
deze manier niet meer te vinden.

Vrijwel meteen ontvang ik een privébericht waarin een Roemeense
studente van 24 laat weten dat ze iets wil bijverdienen.

45

Als ik die avond thuiskom, ligt ze al in bed. Ze zegt geen woord, maar als ik dicht tegen haar aankruip fluistert ze 'sorry' in mijn oor.

'Sorry waarvoor?'

'Voor alles,' zegt ze zachtjes, 'het moet voor jou ook heel moeilijk zijn.'

'Klopt,' zeg ik en zucht diep.

'Ik voel niets voor ze, dat weet je toch?'

Ik knik en zeg dat ik heel erg moe ben, en eigenlijk is dat ook waar. De spanning die ik voelde bij de taxistandplaats, het verdriet tijdens het bezoek aan Flirtbox, het lijkt me langzaam te veel te worden. De gedachte dat ik haar in principe al kwijt ben, zorgt ervoor dat ik veel wakker lig en dat ik, als ik slaap, overspoeld word door nachtmerries.

Ze legt haar warme hand op mijn borst, dan haar rechteroor.

'Wat adem je gek,' zegt ze.

'Is dat zo?'

'Ja,' zegt ze terwijl ze aandachtig luistert.

Dan vraagt ze me op mijn zij te gaan liggen, mijn armen onder mijn kussen, mijn benen opgetrokken. Ze gaat met haar ontblote buik tegen mijn rug liggen, mijn borst omklemmend met haar armen, haar knieën in mijn knieholten. Ze doet alles heel serieus, alsof ze te maken heeft met een doodzieke.

'Wat doe je?' vraag ik.

'Ik ga je leren ademen,' fluistert ze, 'je moet mij nadoen, mijn ademhaling overnemen.'

Ik moet toegeven, het geeft een fijn gevoel als we gelijkmatig ademen. Zoals een schip zich laat meevoeren door de golven, laat ik me meevoeren door haar regelmatig in- en uitbollende buik tegen mijn holle rug.

Soms moet ik heel even mijn adem inhouden om haar ritme bij te houden, ook moet ik van haar door mijn neus in- en mijn mond uitademen, maar dat kost me veel moeite – alleen als ik ergens op kauw adem ik door mijn neus.

'Nu zijn we één,' zegt ze.

Dat vind ik lief, maar net voor ik in slaap val, krampachtig mijn adem regulerend om haar niet teleur te stellen, denk ik aan mijn monsterlijke lichaam tegen het hare – ik verdien het niet één met haar te zijn.

44

Die ochtend werd ik op dezelfde manier wakker als in de maanden voor ze in mijn leven kwam. Doodmoe en somber, met een nat kussen. Tranen, hou ik mezelf voor, maar het kan nu net zo goed zweet zijn. Terry Collins belt terwijl ik thee zet. Ze neemt haastig op met: 'Goedemorgen, Terry.'

Ik zet de waterkoker af om iets van het gesprek te kunnen horen, maar veel wijzer word ik er niet van. Ze zegt eigenlijk alleen maar ja en nee. Op het moment dat ze haar duim in de lucht steekt weet ik dat het nu niet lang meer zal duren.

Ik kijk naar de twee lege bekers met in elk een theezakje, wachtend op het kokende water.

'Terry heeft een zaak,' zegt ze als ze opgehangen heeft, 'hij is nu al bezig voor ons.'

'Wat goed!' schreeuw ik door de woonkamer. Het klinkt hysterisch en iets te hard, maar ze is zelf zo door het dolle heen dat ze het niet doorheeft.

'Ik had dit nooit zonder jou gekund,' zegt ze terwijl ze me tegen de deurpost drukt, haar armen om mijn middel sluit en haar voorhoofd op mijn borst legt, 'ik had het nooit gedaan als jij me niet overtuigd had.'

Als ze Cozana belt, hoor ik pas echt goed hoe blij ze is. Ze praat snel en vol overgave, maakt handgebaren en tikt nerveus met haar voeten op de vloer. Opeens gilt ze hard door de kamer en hoor ik Cozana aan de andere kant van de lijn teruggillen. Daarna moeten ze heel hard lachen. Ik giet het kokende water in de bekers en ga aan tafel zitten, doe alsof ik de *Leicester Mercury* lees.

Ik vraag me werkelijk af wat Arnold en Jim op dit moment doen. Misschien dat Bill ze gistermiddag heeft toegesproken. Wat zou hij hebben gezegd? Zou hij iets van de aantijgingen geloven? Zouden ze hartelijk moeten lachen en Bill vertellen dat het onzin is? Dat die 'hoertjes' gewoon wraak willen nemen op de politie? En wat voor bewijzen zijn er? Komen de meisjes eigenlijk wel geloofwaardig over?

'Steve?'

'Ja?' zeg ik.

'Vind je dat goed?'

'Sorry, ik lette even niet op, vind ik wat goed?'

'Dat je ons naar Terry rijdt? We kunnen ook de bus nemen, als je geen zin hebt hoor.'

'Nee, nee, ik rij jullie, ik wil erbij zijn,' zeg ik.

'Kunnen we dan nu meteen gaan?'

Terwijl we naar Stoneygate rijden, krijg ik opeens vreselijke zin in een snack. Ik vraag ze een paar keer of ze niet iets willen eten, maar ze zeggen allebei geen hap door hun keel te kunnen krijgen. Als ik door de achteruitkijkspiegel kijk, zie ik dat ze elkaars handen vasthouden.

Als we alleen nog maar in de gang staan zegt Terry: 'Ik heb jullie aangiften eergisteren opgevraagd en wat bleek? Ze waren al naar het archief verplaatst!' Hij draagt weer een strak pak en daaronder zandkleurige gespschoenen die aan de zijkant onder de zwarte vegen zitten. Eens een straatschoffie, altijd een straatschoffie.

'Waren ze geschrokken?' vraag ik.

'Geschrokken? Nee, Steve, ze waren in blinde paniek, door het dolle heen. Ik heb met de korpschef van bureau Charles Street gesproken en die zei dat hij zijn hand in het vuur steekt voor zijn agenten, dat dit klinkklare onzin is en dat ik moest beseffen dat hier zware sancties tegenover staan. Hij zou er persoonlijk voor zorgen dat jullie achter slot en grendel zouden komen met al die leugens en bedrog.' Hij wijst naar de meisjes, die elkaar geschrokken aankijken.

'Niet bang zijn, er is niets aan de hand. Denk het je even in: je bent korpschef van het belangrijkste bureau in het centrum en krijgt te horen dat twee van je agenten, die ik met naam kon noemen, zich schuldig hebben gemaakt aan een zedendelict. Dan roep je wat, dan pluk je iets uit de lucht om je een houding te geven. Zodra we gaan procederen, zal hij zich koest houden, geloof mij maar.'

'En nu?' vraag ik.

'Zoals ik zeg: procederen, heel simpel,' zegt hij, achterovergeleund in zijn bureaustoel, 'kéihard aanpakken die gasten.'

'Maar hoe zit het met bewijs?' vraag ik zachtjes. Ik merk dat mijn hoofd onder het zweet zit, veeg het weg met de mouw van mijn trui. 'Er is van alles mogelijk. Eerst proberen we het alleen met de verklaringen, de jury zal er vast gevoelig voor zijn. Jullie zijn jong, weerloos en ook nog eens studenten – dat vinden ze meestal prachtig. Als dat niet voldoende is voor de rechter doen we een DNA-test. Misschien zijn er zelfs meer slachtoffers te vinden, of zijn er camerabeelden, echt, het is eindeloos… En dat weet die Bill Morgan, die korpschef, donders goed.'

'Dat van die mogelijke andere slachtoffers? Denkt u echt dat er meer slachtoffers zijn?' vraagt Anca.

'Mogelijk wel, ja. Wie weet doen ze dit al jaren en jaren, weten wij veel? En daarom hebben we de krant,' zegt hij triomfantelijk, 'ik ga dit gewoon openbaar maken, als jullie het goedvinden.'

'Met hun namen?' vraag ik.

'Nee, natuurlijk niet. Ik ken een journalist bij de *Mercury* die wel interesse heeft. Ik heb vanmorgen gebeld, hij zei: "Terry, zeg jij maar wanneer, dan plaatsen we het." Een heel discrete man, geloof mij maar.'

We zijn allemaal stil. Terry drinkt koffie en verwisselt een inktpatroon in zijn vulpen, neuriet tevreden een liedje alsof hij helemaal alleen in zijn kantoor is.

'We zijn voor nu even klaar, denk ik,' zegt hij dan, 'bedankt voor het komen.'

Terwijl we onze jassen aantrekken, schraapt hij zijn keel, gaat op de hoek van zijn bureau zitten en zegt: 'Nog één klein dingetje… Dat bijbaantje van jullie… Ik zou dat even op een héél laag pitje zetten, de rechter vindt dat denk ik niet zo leuk, snappen jullie dat?'

'Ja,' zeg ik als eerste, dan knikken ook Anca en Cozana.

'Geweldig,' zegt Terry bij de deur, 'gaat het al een beetje beter met jou, Steve?' vraagt hij.

'Het gaat,' zeg ik.

'Ik leer hem ademen,' zegt Anca met een brede glimlach.

43

Ik geloof niet meer in wederzijds begrip. Ik geloof helemaal niet dat mensen in staat zijn begrip te tonen voor een ander. Begrip komt alleen voort uit persoonlijke pijn, of juist pure onwetendheid als het om pijn gaat. Bijvoorbeeld vanmorgen bij Ron, de vrolijke bedrijfsarts met zijn peper-en-zoutbaardje, hippe kleren en grote glimlach. Het is naïviteit, vermengd met bureaucratie; een gevaarlijke combinatie. Kijk bijvoorbeeld naar de manier waarop hij zijn bureau heeft willen opleuken met foto's van zijn vrouw en kinderen, of de keurige bakjes met paperclips en pennen, de banaan en de tonijnsandwich van Somerfield die op hem liggen te wachten, en achter zijn hoofd nog steeds het verschrikkelijke schilderij van een gehandicapt kind in Zimbabwe.

Zijn eerste vraag luidt: 'Wanneer denk je weer aan het werk te gaan, Steven?'

Terwijl ik gisteren met Anca en Cozena naar huis reed, toen ik op de bank zat, wachtend op het eten dat ze stond te koken, terwijl ik een douche nam, ja, zelfs nu ik tegenover de bedrijfsarts zit, denk ik aan Travis Bickle.

Ik haal mijn schouders op, tuur naar de sandwich op zijn bureau.

'Je bent nu al een paar maanden uit de roulatie. Ik heb contact gehad met je psychiater, Liana Deller, en zij zegt dat je nog steeds weinig doet om beter te worden.'

'Maar...' onderbreek ik hem.

'Wacht even, Steven, laat me even uitpraten', Ron bladert door mijn dossier. Tussen de witte vellen papier zie ik twee pikzwarte foto's, 'ik heb je de laatste keer dat je hier was gevraagd om iets aan je gewicht te doen, naar de sportschool te gaan, maar als ik je hier nu zie zitten dan denk ik bij mezelf: het gaat niet goed. Heb ik gelijk?'

Ik knik langzaam en ga een beetje rechter in mijn stoel zitten. Ik probeer op die manier de twee foto's die voor zijn neus liggen, te kunnen zien. Het lijken wel röntgenfoto's. 'Ik ben erg somber, het spijt me,' zeg ik.

'Dat snap ik, begrijp me ook niet verkeerd; ik heb ontelbare gevallen meegemaakt zoals jij, en bijna allemaal zijn ze uiteindelijk beter geworden met psychische hulp, de sportschool – die tussen ons gezegd wonderen, ik herhaal: echt *wonderen*, kan verrichten – en de juiste begeleiding.'

Ik knik weer.

Ron staat op en loopt naar me toe, gaat vlak bij mij op de punt van zijn bureau zitten, precies zoals Terry Collins dat gisteren deed. 'Wij gaan jou niet opgeven, Steven,' zegt hij dan en kriebelt nadenkend aan zijn baard, 'je moet beter worden, weer aan het werk, je nuttig voelen. Ik denk dat je je heel erg nutteloos voelt en daardoor steeds dieper wegzakt.'

Ik kijk omhoog naar het gezicht van mijn bedrijfsarts. Zijn wangen hebben blosjes en vaag is nog te zien dat hij dit jaar een heel lange zonvakantie heeft gehad. 'Tja,' zeg ik.

Als hij weer achter zijn bureau gaat zitten, bedenk ik dat het vrijwel noodzakelijk is dat ik de man laat geloven dat ik echt beter wil worden. Zo niet, dan zal hij binnen enkele dagen de telefoon oppakken en Bill Morgan laten weten dat hij niets meer in mij ziet. Voor medelijden is altijd maar kort plaats en ik ben natuurlijk geen uitzondering; door mensen zoals ik lijdt de staat elk jaar groot verlies. Ze hebben me 'een kans gegeven', zullen ze zeggen, maar ik wilde niet meewerken.

'Dus, zeg het maar,' zegt hij een beetje geïrriteerd.

Ik probeer hem zo heldhaftig mogelijk aan te kijken, en doe daarna alsof ik diep nadenk, bal mijn vuisten lichtjes, alsof hij ter plekke de kracht weer ziet terugvloeien in mijn lichaam. Ron zal denken dat zijn toon en boodschap eindelijk effect hebben gekregen op deze dikke rechercheur met sombere gedachten. 'Oké,' zeg ik dan, 'je hebt gelijk, het is genoeg geweest, ik moet iets doen. Ik moet iets gaan ondernemen, ik moet sterker worden, ik heb mijn lichaam veel te lang verwaarloosd.'

De bedrijfsarts klapt enthousiast in zijn handen en steekt daarna zijn duim op. 'Geweldig te horen, man,' roept hij, en alsof het nog niet genoeg is, komt hij weer achter zijn bureau vandaan en duwt hard tegen mijn schouder. Ik doe mijn best mijn tranen te bedwingen terwijl hij de woorden 'geweldig te horen' herhaalt en tevreden weer achter zijn bureau kruipt.

'Hoe voelt dat nou?' vraagt hij terwijl hij zijn banaan pelt.

'Nou,' zeg ik, terwijl ik met moeite een glimlach laat verschijnen, 'fantastisch eigenlijk.'

Als ik hem de hand schud en snel weer naar de foto's probeer te kijken, zie ik dat mijn dossiermap gesloten is.

'Naar de sportschool jij,' is het laatste wat de bedrijfsarts tegen me zegt.

Zodra het portier van mijn auto dicht is, begin ik te schreeuwen. Eerst zachtjes en ingehouden, omdat het druk op straat is, maar daarna steeds harder, omdat ik weet dat toch niemand het ziet, en dan nog, wat zien ze nu helemaal? Een dikke kale man in een stationcar die voor hetzelfde geld om een doelpunt op de radio schreeuwt.

'Terry heeft het geplaatst!' roept Anca als ik de gang in loop. In haar hand heeft ze de *Leicester Mercury*, waar op de voorpagina een foto van een boze Terry Collins staat. 'Hij heeft het voor elkaar gekregen,' zegt ze enthousiast en duwt de krant in mijn handen, 'kijk maar,' zegt ze en tikt op de vetgedrukte kop: 'Verkrachtingen door Leicester politieagenten aan de kaak gesteld.'

Met mijn jas nog aan lees ik dat Terry Collins, strafpleiter te Stoneygate, een proces start tegen twee politieagenten die verdacht worden van verkrachting en mishandeling. De politie-eenheid die eerder nog een grote blunder maakte door een Roemeense gemeenschap aan te zien voor een terroristische organisatie, zegt de aantijgingen geenszins serieus te nemen. Terry Collins: 'Mijn cliënten hebben twee weken geleden aangifte gedaan van deze verkrachting en de politie is blijkbaar zo zeker van haar onschuld dat de processen-verbaal in de prullenbak verdwenen. Ik zal ervoor zorgen dat mijn cliënten serieus worden genomen, sterker nog: ik rust niet tot deze twee als politieagent vermomde verkrachters achter slot en grendel zitten.'

'Mijn god,' zeg ik.

'Ja,' zucht ze, 'die speelt het hard.'

'Wat denk je ervan?'

'Ik vind het doodeng, maar ik voel wel iets bruisen vanbinnen. Ik krijg er geloof ik een beetje hoop van, vooral dat zinnetje over serieus genomen worden.'

Ik probeer te glimlachen, blij voor haar te zijn, maar het lijkt me niet te lukken overtuigend over te komen.

'Wat is er nou, Steve?' vraagt ze.

'O, ik ben bij de bedrijfsarts geweest, die heeft me min of meer opgegeven, het was heel zwaar, sorry.'

'Zal ik thee voor je zetten?'

'Nee, dat hoeft niet,' zeg ik.

's Avonds zit ik op de wc met een restje whisky waarmee ik drie paracetamol-codeïne wegspoel.

Ik zei tegen Anca dat ik erge buikpijn heb en probeer rustig te worden met een boekje sudoku dat ik achter de spoelbak heb verstopt. Het spel weet me te kalmeren zoals de tuin dat vroeger voor me deed; ik denk even aan helemaal niets meer dan aan cijfers en logica.

Opeens wordt er op de deur geklopt. Als ik vraag wat er is, zegt ze dat ik al drie keer gebeld ben op mijn mobiel, dat ze niet op durfde te nemen, maar dat het misschien dringend is. Ik trek snel door en spuit wat luchtverfrisser in de lucht.

'Voel je je al iets beter?' vraagt ze als ik de deur open.

'Beetje,' zeg ik terwijl ik met mijn handen op mijn buik naar de eettafel ren waar mijn mobiele telefoon ligt.

Als ik het nummer terugbel, hoor ik jengelende muziek op de achtergrond. Een donkere stem zegt heel zachtjes: 'Hey, ben je aan het werk?'

'Wie is dit?' vraag ik. Anca staat in de woonkamer met een kop thee in haar handen.

'Amin, vriend, ik heb klus voor jou.'

Ik ga op de bank zitten, schop mijn sloffen uit en zucht diep. 'Mag ik vijf minuten bedenktijd, Amin?' vraag ik.

'Ja is goed, bel me zo snel mogelijk terug, Jim.'

'Wie was dat?' vraagt ze als ik opgehangen heb.

'Een collega. Of ik vanavond wil werken. Ik weet niet of ik dat wel wil.'

'Weet je, eigenlijk zou je dat gewoon moeten doen,' zegt ze en neemt een slok thee.

'Waarom dan?'

'Je zit altijd thuis, je zorgt voor mij en hebt nauwelijks iets voor jezelf.'

'Maar ik ben doodmoe en heb buikpijn,' zeg ik.

'Ik wil dat je beter wordt. Als je werkt, word je beter, misschien kun je daarna iets gaan drinken met je collega's, even alles vergeten, de weg op, zoals vroeger. Nu rij je alleen mij en Cozana rond.'

Met tegenzin bel ik Amin terug. Gelukkig herkent hij mijn nummer en hoef ik mijn naam niet te noemen. Op de *Leicester Mercury* noteer ik een adres in Westcotes.

Als ik mijn schoenen aantrek, gaat Anca op haar knieën voor me zitten, zoent mijn bovenbenen en buik, streelt mijn armen en mijn wangen. Een moment heb ik hoop, maar zoals ik al vermoedde vermijdt ze mijn kruis. Ze stopt het afgescheurde stukje *Mercury* in mijn zweterige hand en zegt: 'Kom, ga.'

42

In de Somerfield koop ik precies dezelfde tonijnsandwich die mijn bedrijfsarts op zijn bureau had liggen. Altijd als ik iemand iets lekkers heb zien eten, rust ik niet tot ik het zelf in mijn mond kan stoppen. Soms zitten er wel eens dagen tussen waarop ik op televisie of in een tijdschrift iets aantrekkelijks heb gezien en het moment waarop ik het ook daadwerkelijk in mijn mond prop, maar in de tussenliggende tijd blijft het onbewust in mijn hoofd zitten, ook nu weer, tijdens de tussenstop op weg naar het adres in Westcotes: de tonijnsandwich trok me naar zich toe door de drieduizend vierkante meter supermarkt.

Terwijl ik het centrum verlaat, denk ik aan een scène uit *Taxi Driver*. Travis rijdt door een regenachtig New York, steeds het gezicht van Robert de Niro door de achteruitkijkspiegel. Hij kan niet slapen, neemt extra diensten aan om maar op straat te kunnen zijn. Om de eenzaamheid en verveling te verdrijven, want thuis kijkt hij alleen maar televisie en zet hij zo nu en dan een kop koffie. En toch, van zijn gezicht is voornamelijk de walging af te lezen, is zijn verlorenheid pijnlijk zichtbaar als hij zijn taxi door gevaarlijke buurten van New York stuurt. Het verdriet openbaart zich al na enkele weken taxirijden: zijn pijn wordt haat, zijn eenzaamheid verandert in agressie. Als hij in deze tijd een arts geraadpleegd zou hebben, zouden ze zeggen dat hij waarschijnlijk aan een flinke depressie lijdt.

'I am God's lonely man,' zegt Travis. Gelijk heeft hij.

'Ben je al onderweg?' vraagt Amin door de telefoon.

'Ik ben er bijna,' zeg ik.

'Fifty-fifty, hè, niet vergeten, vriend,' zegt hij. Op de achtergrond hoor ik weer rare muziek.

'Uiteraard,' zeg ik.

'Ik ken jou eigenlijk niet, daarom zeg ik het, begrijp me niet verkeerd, vriend.'

'Ik snap het wel,' zeg ik, terwijl ik Narborough Road op rij, 'je kunt me vertrouwen, Amin.'

'Kom het me morgen maar even brengen bij St Margaret's, oké?'

'Komt voor elkaar,' zeg ik.

Het stratenboek op mijn schoot wijst me een korte route via grote wegen, maar ik neem kleine weggetjes door de grimmige wijk. Ik rij langzaam, zodat ik alles kan zien. Elk groepje jongeren voor de buurt-winkeltjes, de zwervers die mensen aanklampen, de laatste winkelende mensen van vandaag. Ik kijk ze na en voel wat Travis in het begin voelde: verwijdering tussen mij en hen, tussen mijzelf en de hele godvergeten stad.

Lavender Road, daar wacht mijn klant in de gang of voor het raam, maar zodra ik de straat in rij, zie ik haar al op de stoep staan. Twee kisten aan haar voeten, haar hand hoog in de lucht.

'Goedenavond,' zeg ik terwijl ik uitstap en de achterklep open.

'Dag meneer,' zegt de vrouw, 'deze mogen wel mee, toch?' Ze wijst naar twee getraliede kisten waar gejammer uit komt. 'Het zijn mijn poe-zen.'

'Natuurlijk mogen die mee,' zeg ik, en ik zet de kisten voorzichtig neer tussen een reservewiel en een sixpack bier.

'Zo,' zeg ik als we in de auto zitten, 'waar gaan we vanavond heen met de poezen?'

'De dierenarts,' zegt ze met een zucht.

'De dierenarts, prima,' mompel ik en stuur mijn auto weer door de kleine straatjes.

'Die op Lee Circle?' vraag ik.

'Nee. Friar Lane, meneer,' zegt ze.

In de achteruitkijkspiegel kijk ik snel naar de vrouw op mijn achter-bank. Ze heeft pluizig rood haar en draagt een windjack in pasteltinten. De kraag is vuil, haar eigen nek rimpelig.

'Waar is uw meter?' vraagt ze onderweg.

'Die ben ik vergeten, we spreken een vast bedrag af, is dat goed?'

'Tien pond,' zegt ze en ze haalt meteen haar portemonnee uit haar handtas, 'hier!' Ze duwt een biljet van tien pond tussen de stoelen door. Ze heeft een paar gouden ringen om haar vingers en een lawaaiige arm-band om haar dikke pols.

'Wéér naar de dierenarts,' zegt ze na een minutenlange stilte.

'O jee,' mompel ik.

'Mijn poezen zijn de man in mijn leven,' zegt ze als er vanuit de achterbak hysterisch gekrijs klinkt, 'ze hebben altijd wat, maar ik kan niet zonder ze.'

Ik knik, kijk in de weerspiegeling naar haar kleine oogjes en vraag haar wat er met haar poezen aan de hand is, niet dat het me iets interesseert, maar de stilte is een stuk erger.

'Ze plukken hun buiken kaal. Dat is heel uitzonderlijk, zegt de dierenarts.'

Ik knik en probeer me op Hinckley Road te focussen. 'Weten ze hoe dat komt?' vraag ik.

'Stress,' zegt ze, en ze gaat verzitten, waardoor ik een glimp van een gouden halsketting opvang, 'ik heb van alles geprobeerd hoor, maar niets helpt, ze blijven maar aan hun buik zitten plukken en trekken. Vorige maand droegen ze een kap, maar dat vond ik zó zielig. Kap weg, en ze gingen meteen weer plukken. Tot bloedens toe, meneer. Daarna kregen ze een zalfje dat heel vies smaakt, dat werkte ook niet, ze gingen vrolijk verder.'

'Zoals voor nagelbijters.'

'Ja, maar dan speciaal voor poezen. Maar er is meer aan de hand. Ze rennen ook steeds heel hard door mijn huis, klimmen in de gordijnen terwijl ze dat vroeger nooit deden. Nu eten ze al twee dagen niet meer, en dat is natuurlijk nooit goed.'

'Nee,' zeg ik, 'dat is meestal een slecht teken.'

'En rooie ogen,' mompelt ze en kijkt naar de grond.

Als ik bij de dierenarts aankom, snelt ze uit de auto en wacht ongeduldig tot ik de achterklep open. Ze draagt een witte legging en zwarte sportschoenen. 'Kom maar bij de baas, hier is de baas,' fluistert ze met een piepstemmetje tegen de kisten. Met hetzelfde stemmetje vraagt ze of ik misschien op haar kan blijven wachten.

'Geen probleem,' zeg ik, 'ik wacht hier wel voor de deur.'

Ik sta een moment te kijken als ze door de schuifdeur gaat. Ze buigt naar de medewerker achter de balie en ik zie hoe ze ongeduldig met haar voeten trappelt. Dan pakt ze de kisten op en gaat op een bankje in de gang zitten, en kijkt een moment naar buiten, naar mij die midden op de weg is blijven staan. Ze zwaait en ik zwaai terug.

Ik zit bijna een uur te wachten in de auto. Ik drink een een blik bier en eet de tonijnsandwich op. Zoals altijd valt die toch tegen, is het niet wat ik gehoopt had.

'Wat doe je?' vraag ik aan Anca over de telefoon. Ondertussen hou ik de ingang van de dierenarts strak in de gaten.

'Ik kijk een film,' zegt ze.

'Welke?'

'Geen idee, ik viel ermiddenin, het is met die man die ook in *Batman* speelt. Ben je al klaar?'

'Bijna,' zeg ik, 'ik kom zo naar huis.'

Opeens zie ik haar ronddrentelen in de hal. Een man met een wit schort houdt zijn hand op haar schouder. De vrouw ziet er van deze afstand breekbaar uit. Ik stap snel uit de auto, open snel de achterklep, maar als ze door de schuifdeuren loopt, heeft ze de twee kisten niet meer bij zich. Ze is in tranen.

Als ze vlakbij is, breekt het zweet me uit: haar jas is nu geopend en ik zie twee geborduurde poezen op haar trui. Opeens valt alles op zijn plek: de poezen, de gouden kettingen, het pluizige rode haar, de gympen aan haar voeten…

Ik probeer rustig te blijven en vraag als ik achter het stuur zit zo luchtig mogelijk waar de poezen zijn.

'Och,' jammert ze en houdt haar handen voor haar gezicht, waardoor ik nog steeds niet zeker weet of zij het is: Mooievrouw46.

Ik rij met dertig kilometer per uur door het centrum. Nog steeds zit ze te huilen op mijn achterbank.

'Blijven ze een nachtje?' vraag ik.

'Ik heb ze moeten laten gaan,' zegt ze huilend, 'heeft u een tissue?'

Ik open het handschoenenvakje en zie dat ik geen tissues heb. In mijn jack vind ik een servetje van McDonald's.

Ze snuit haar neus en droogt haar tranen, maar begint vrijwel direct weer te huilen. 'Mijn schatjes!' jammert ze.

'Waren ze niet te redden?'

'Nee, ze konden ze nog een tijdje houden voor onderzoek, maar volgens de dierenarts was dat uitstel van executie. Het kost ook nog eens bijna vijftig pond per dag om ze daar te houden in het poezenpension.' Terwijl ze dit zegt, kijkt ze recht in de achteruitkijkspiegel. Ik weet het niet zeker. Ze lijkt op de vrouw op de foto die ik tijdens het aftrekken steeds per ongeluk opende, maar hoeveel vrouwen zien er niet zo uit als zij?

'Ze waren niet te redden,' mompelt ze.

'Nee, nu slapen ze,' zeg ik.

'Het is verschrikkelijk. Ik heb niemand, meneer, iedereen gaat uiteindelijk altijd weg.'

'Heeft u geen vriend?'

'Nee,' zegt de vrouw en snuit het verfrommelde servetje weer vol.

We zijn op nog geen kilometer afstand van haar huis. Ik voel de zenuwen door mijn lichaam gieren, probeer kalm te blijven door aan Anca te denken, maar zie steeds weer mijn overvolle e-mailinbox voor me, vol berichten van deze gestoorde vrouw.

'Misschien kunt u op zoek naar twee nieuwe poezen,' zeg ik zachtjes. 'Of een man,' zeg ik erachteraan.

'Ja, misschien.'

'Heeft u internet?'

'Ja natuurlijk,' zegt ze.

'Nou, misschien moet u weer eens naar Flirtbox gaan, daar uw geluk beproeven?'

'Wat is Flirtbox?'

'Een datingsite,' zeg ik en kijk haar aan door de spiegel.

'Probeert u mij te versieren, meneer?' vraagt ze verbaasd.

'Nee, helemaal niet,' antwoord ik snel, 'het is maar een idee.'

'Ik heb net mijn poezen verloren en u begint over internetdaten? Wat is dit voor iets raars? Ziet u niet dat ik heel veel verdriet heb?'

Ik voel me opgejaagd en nerveus, maar ook nieuwsgierig en boos. Als deze vrouw op mijn achterbank Mooievrouw46 is, dan wil ik dat weten, en wel nu.

'U kunt het gewoon nog een keer proberen,' zeg ik zachtjes.

'Wat nog een keer proberen?'

'Internetdating, maar dan met een *eerlijke* omschrijving.'

'Meneer...' begint ze, maar ik onderbreek haar. 'Gewoon opschrijven hoe u eruitziet, dan maakt u vast een kans.'

We staan voor haar huis, ze is weer in tranen.

'Je hoeft me niet te betalen, Mooievrouw46,' zeg ik terwijl we stilstaan.

'Hoe noem je me? Ben je me aan het versieren, viespeuk?' bijt ze me toe. Nog steeds staan er tranen in haar ogen.

'Zo noem je je toch? Mooievrouw46. "Houdt van de zon en poezen", "rubensvrouw"? Jij bent toch degene die me al die e-mails stuurde? Jij schreef toch dat ik zo niet met mensen om kon gaan?'

'Ik weet niet waar u het over heeft,' stamelt ze.

Ik draai me naar haar toe, kijk naar de poezen op haar trui, dan naar haar doorlopende kin, het kruisje om haar nek. 'Jij bent het,' fluister ik en steek mijn wijsvinger naar haar toe.

'Ik ga naar binnen, ik vind dit eng,' zegt ze en opent het portier.

Ik draai mijn raampje open en kijk hoe ze snikkend naar haar voordeur loopt, dan, als ik de motor gestart heb, loopt ze terug naar mijn auto.

'U heeft mij heel erg bang gemaakt, weet u dat?' zegt ze naar het raampje gebogen.

'U heeft mij ook heel erg bang gemaakt,' zeg ik en hou mijn blik op het stuur gericht.

'Ik ga hier melding van maken. Ik heb verdriet genoeg om mijn poezen en dan probeert u mij te versieren op zo'n angstaanjagende manier.'

'Ik probeer u niet te versieren, ik wil dat u stopt met e-mailen, leest u mijn laatste e-mail maar, laat me verdomme met rust!'

'U bent niet goed bij uw hoofd.' Ze tikt met haar vinger tegen haar voorhoofd en loopt naar haar voordeur. Terwijl ze de deur opent, kijkt ze steeds angstig achterom naar mijn rode Vauxhall. Ik blijf nog een tijdje staan en zie hoe ze tussen de vitrage voor haar raam naar me loert. Als ik zie dat ze een telefoonhoorn in haar hand neemt, rij ik snel weg.

Onderweg zie ik dat ze een krant heeft laten liggen. Vanaf de achterbank grijnst het getergde gezicht van Terry Collins me aan.

'Ik moet je wat vertellen,' fluister ik tegen hem.

Het is druk op de weg.

41

Ik droomde over Mooievrouw46. In de uitverkoop had ze een meng-kraan gekocht die een ouderwetse, druppende kraan moest gaan vervan-gen. Ze had mijn advertentie in de *Leicester Mercury* gezien en geen mo-ment getwijfeld; ik was loodgieter van beroep.

Ik had een gereedschapskist vol koperen onderdelen en zat op mijn knieën voor het gootsteenkastje. Het rare in mijn droom was dat ik niet wist wat ik moest doen. Ik zat een tijd lang met een krimpverbinding in mijn handen en staarde naar een afgezaagde koperen leiding en snapte er opeens helemaal niets meer van, en dat terwijl in mijn advertentie stond dat ik zeer vakbekwaam was. Mooievrouw46 zat op dat moment in haar woonkamer. Ze was naar de televisie aan het kijken en zei tot driemaal toe vanuit haar stoel dat ik, als ik iets wilde drinken, het zelf kon pakken, dat ze midden in een soap zat. Ik keek weer naar de afgezaagde leiding en nam de waterpomptang in mijn hand. Het zweet liep in straaltjes van mijn voorhoofd en ik had een zeurende pijn in mijn onderrug. Toen liep ik de woonkamer in en zei dat het me niet ging lukken, dat ze maar ie-mand anders moest bellen, en op dat moment spoot het water de kamer in. Haar twee krijsende poezen vlogen in de gordijnen en ik begon zachtjes te huilen toen ik ze vanaf de gordijnrails met hun rode ogen naar me zag loeren.

'Waar zit de hoofdkraan, Mooievrouw46?!' schreeuwde ik, maar ze had niets door, staarde naar de televisie en at een sandwich van een ge-bloemd bordje. Loom veegde ze de broodkruimels van haar borst en keek onverstoorbaar naar haar scherm. Ik zag hoe het water al in haar schoenen liep en rende als een dolle hond door het huis, op zoek naar de hoofdkraan. Overal doken de rode ogen van haar poezen op; achter de kastjes waar ik keek, vanonder haar bed, en nergens kon ik de hoofdkraan vinden, dus kieperde ik in paniek mijn gereedschapskist leeg op het aanrecht en zocht naar afsluitdopjes voor de open leidingen.

Terwijl ik met mijn handen door de berg onderdelen ging, voelde ik Anca's hand op mijn zij en werd geschrokken wakker.

Ze kijkt me onderzoekend aan. Ik zeg niets en voel me opgelucht, streel haar billen onder de dekens en trek een stuk dekbed voor mijn mond; ik ruik 's ochtends nooit zo fris, althans, dat vermoeden heb ik.

Dit soort momenten zullen vanaf nu schaars worden. Sterker nog: dit zou wel eens de laatste keer kunnen zijn dat ze zo vol vertrouwen naar mijn kale hoofd en vlekkerige gezicht kijkt. Ik voel me gek genoeg redelijk gelukkig vanmorgen, zoen haar met gesloten lippen zachtjes op haar mond en glimlach, ga met mijn handen door haar dikke haar, kruip met mijn andere hand van haar billen naar haar bovenbenen, langs haar enkels tot haar voeten, het moment waarop ze lachend zegt dat het kriebelt en ze haar benen snel intrekt.

'Had je een nachtmerrie?' vraagt ze.

'Ja,' zeg ik.

'Wil je erover praten?'

'Nee, niet nodig.'

Ze vertelt dat ze de eerste maanden dat ze in Leicester kwam wonen, elke nacht nachtmerries had. Meestal speelden die zich af in ziekenhuizen en vaak ging het over operaties waarbij ze niet onder narcose was. Ze schreeuwde dan de hele boel bij elkaar. Zo erg dat haar baas wel eens midden in de nacht met een zaklamp in zijn hand in haar kamer stond.

'Heb je ze nu nog wel eens?' vraag ik.

'Eigenlijk niet meer sinds ik hier woon,' zegt ze.

'Fijn.'

'Ja, heel fijn, ik heb maar geluk met jou.' Ze knijpt zachtjes in mijn rechteroor.

Ik bak twee spiegeleieren met een plakje kaas voor haar. De eerste keer dat ik ze maakte, zei ze dat ik, hoewel ik absoluut niet kan koken, de lekkerste spiegeleieren ter wereld maak. Terwijl ik de plakjes kaas voorzichtig op de dooier leg, wordt ons geluk verstoord door de deurbel. Ik laat van schrik de spatel vallen en ren naar de voordeur, druk op het knopje van de intercom en vraag wie het is.

'Terry!' hoor ik, 'laat me binnen!'

Als een echtpaar staan we samen in de gang in onze matchende badjassen. Anca draagt rode teenslippers en ik heb blote voeten. Ze zijn weer blauw, zie ik.

Met grote passen stapt hij uit de lift. Zijn hoofd is rood aangelopen en zijn lange camel overjas heeft een kleine bontkraag. Achter hem loopt Cozana, die zich onmiddellijk langs mijn buik wringt en Anca omhelst. Ze plukt nerveus aan de mouw van haar badjas, ze praten in het Roemeens.

'Goedemorgen beiden,' zegt Terry en schudt mij de hand.

'Kom binnen,' zeg ik en ik loop naar achteren – samen passen we niet door de gang, 'wil je thee of koffie?'

'Koffie, bedankt,' zegt hij, trekt zijn jas uit en kijkt de ruimte door.

'Cozana wil thee,' zegt Anca en neemt de jas van Terry aan, hangt hem tussen de mijne en de hare aan de kapstok. Cozana houdt haar jas aan. Ze heeft het koud, zegt ze.

Als ik hem een beker koffie overhandig wrijft hij in zijn handen, neemt een flinke slok, leunt gemakkelijk achterover en kijkt nieuwsgierig door de ruimte. 'Klein,' zegt hij.

'Ja,' knik ik.

'Een klein liefdesnestje, niet?'

'Ja,' zeg ik en zet het vuur onder de eieren uit.

'Ik eh…' begint hij, 'ik kom hier persoonlijk omdat het allemaal een beetje uit de hand is gelopen. Hebben jullie de krant gelezen? Vast wel toch?'

Alle drie knikken we.

'Prima, nou, niemand heeft zich naar aanleiding van het stuk in *Mercury* gemeld, dus ik ga er vooralsnog van uit dat jullie de enige slachtoffers zijn. Ik heb gisteren contact gehad met de rechter en die neemt de zaak serieus, zéér serieus zelfs. De korpschef van Charles Street hangt ongeveer drie keer per dag bij mij aan de telefoon. Ik heb hem de afgelopen dagen meer gesproken dan mijn eigen vrouw, dus eigenlijk wil ik zo snel mogelijk tot procederen overgaan. Ik ben van plan om het over drie dagen te laten plaatsvinden. De rechter heeft dat ook het liefste, het is gevoelige materie, zegt hij.'

'Zo snel al?' vraag ik.

'Zo snel al, Steve.'

Ik kijk naar Anca en Cozana. Ze zitten naast elkaar op bed, en ik sta tegen de muur naast de televisie. Mijn appartement is gevuld met oeverloze ellende. Ik vecht tegen mijn tranen en ga snel naar de keukennis om thee te zetten voor Cozana.

'Ik snap dat het voor jullie allemaal wel érg snel gaat, maar ik heb geleerd dat je in dit soort zaken ook zo snel mogelijk moet handelen. Omdat de bewijslast vrij mager is zijn we grotendeels afhankelijk van jullie verhaal. Zoals jullie dat de eerste keer aan mij konden vertellen, lukt dat ook voor een rechter en jury?'

Terwijl ik de thee in een beker schenk, hoor ik Anca ja zeggen.

'Mooi. Dan rest mij nog een pijnlijke vraag: weten jullie of de twee daders een condoom droegen?'

De meisjes kijken naar de grond. Eerst knikt Cozana en daarna volgt Anca. Ik voel pijn, niet zozeer om de verkrachting zelf, meer door het feit dat Arnold *in* haar is geweest.

'Toch wil ik een DNA-test en enig ander lichamelijk onderzoek laten doen. Klinkt eng, is het niet, kwestie van wattenstaafjes en buisjes bloed, en als het kan vandaag nog, daarom ben ik hier eigenlijk ook. Ik heb een afspraak kunnen maken bij een specialist, als jullie het goedvinden gaan we meteen maar, dan zijn jullie er ook maar meteen van af.'

'Moet ik ze brengen?' vraag ik.

'Nee, ik neem ze nu even mee, breng ze straks weer terug.'

Als Anca haar jas aantrekt, vraag ik of ze heel even met me wil praten. Terry loopt al met Cozana de gang op.

'Hier even,' zeg ik en trek haar achter de kamerschermen en houd haar daar stevig tegen het aanrecht aan. Ze aait me over mijn wangen en vraagt wat er is.

'Wees alsjeblieft voorzichtig,' fluister ik.

'Natuurlijk, wat is er nou?' zegt ze als de tranen over mijn gezicht rollen.

'Gewoon goed voor jezelf zorgen, dat moet je me beloven.'

'Dat beloof ik,' zegt ze, 'maak je nou geen zorgen, ik ben zo weer terug.' Vanaf de gang klinkt de harde stem van Terry. Of ze op kan schieten, dat de specialist niet de hele dag de tijd heeft. Ze glipt snel tussen de kamerschermen door en zegt: 'En stop met huilen, mannen horen niet te huilen.'

'Een man heeft net zo veel recht om te huilen als een vrouw,' zeg ik als ik de tranen uit mijn gezicht veeg.

40

Drie uur heb ik op de bank gezeten en op haar gewacht, me niet verroerd, zelfs mijn plas opgehouden. Ik weet niet precies waarom, maar ik denk uit de verlammende angst voor gemis.

Toen ze thuiskwam, zag ze bleek. Om haar pols zat een ziekenhuisbandje. Toen ik haar vroeg hoe het was geweest, vertelde ze over de bloedmonsters die waren afgenomen en het wattenstaafje dat ze bij haar naar binnen hadden geduwd en dat haar weer herinnerde aan de tijd dat ze ziek was.

Ze vertelde dat Terry had gezegd dat ze er rekening mee moesten houden dat de zaak verloren kan worden. Dat de kans groot is dat ze niet geloofd zullen worden, gewoonweg omdat vrouwen nu eenmaal vaak beweren dat ze zijn verkracht. Omdat ze daarmee een krachtig wapen in handen hebben. Ze moet goed beseffen dat de jury en rechter in de eerste plaats de kant van de politie zullen kiezen, dat hun verhalen zo realistisch mogelijk moeten worden verteld om überhaupt iets teweeg te brengen in de rechtszaal. De kans dat de twee agenten zomaar zullen bekennen is zeer klein, en in de vele oude zaken die hij bestudeerd heeft kwam het ook zelden voor; ze zullen ontkennen tot ze erbij neervallen.

'Wat wil je vanavond eten? Ik ga voor je koken.' Het is iets wat zomaar bij me opkwam, maar nu het uit mijn mond komt, klinkt het nog best goed, vind ik.

'Iets wat jij goed kunt maken, al heb ik echt geen honger.'

'Spiegeleieren,' zeg ik, 'ik maak de beste spiegeleieren ter wereld, zeggen ze.'

Ze zegt niets, lacht niet eens.

'Ik bedenk wel wat,' zeg ik, tegen de keukennis geleund, met mijn handen in mijn zakken.

'Ja,' zegt ze terwijl ze de televisie aanzet, 'doe maar geen moeite.'

Terwijl ik mijn jas aantrek, begint ze opeens vreselijk te huilen. Eerst denk ik nog dat ze geëmotioneerd is door het programma waar ze naar kijkt, maar dan zie ik dat het een kookprogramma is. Ik ga naast haar zitten en en sla een arm om haar middel. Ze draait zich naar me toe en huilt tegen mijn borst.

'Ach meisje,' fluister ik in haar oor, 'alles komt goed.'

Ze schudt haar hoofd en kromt haar vingers om de kraag van mijn jack. 'Helemaal niet, ze zullen ons belachelijk maken.'

'Maar die Terry is toch een goeie?'

'Hij wil gewoon graag zo'n zaak doen, zie je dat dan niet?'

'Ja,' zeg ik, 'dat zie ik ook wel.'

'Nou, dat is toch erg? Hij was in de auto helemaal niet optimistisch meer, en volgens mij ziet hij ons als een soort straathoertjes, wat we niet zijn, wat we echt niet zijn! Hij was heel grof, vond ik.'

'Wat zei hij dan?' vraag ik.

'Hij vroeg of we waren gestopt met "dat vieze gedoe".'

'Hij weet ook wel dat jullie niet aan vies gedoe doen,' zeg ik.

'Toch zullen ze zo naar ons kijken, dat is onvermijdelijk. Twee meisjes van plezier die boos zijn omdat ze opgepakt werden. Ze zullen zeggen dat we alles bedacht hebben, dat we gewoon wraak willen nemen op de politie.'

'Niemand zag het,' fluister ik.

'Jij gelooft ons toch? Je weet toch dat het echt gebeurd is?'

'Dat weet je best,' zeg ik.

Hoewel ik al dagen probeer te bedenken hoe ik hier samen met haar uit kan komen, is er werkelijk niets te bedenken wat niet egoïstisch zal zijn. Ik had bedacht haar aan te raden de zaak uit te stellen, of zelfs in te trekken, haar leven op te pakken en alles te vergeten. Maar was ik het niet zelf geweest die haar had aangeraden dit te doen? Was ik het niet die mijn schoolvriend belde voor een goede advocaat? Waarom had ik het niet anders aangepakt als ik zo graag samen met haar wilde blijven? Hoe groot was trouwens de kans dat ze erachter zou kunnen komen dat ik rechercheur ben? Misschien dat ze, als ik binnenkort ontslagen zou worden, nooit zal weten dat ik ooit rechercheur ben geweest... Ik zou fulltime voor Amin kunnen gaan werken en echt aan de antidepressiva gaan. Ik zou natuurlijk een aantal personen moeten vermijden, ja, zelfs een bezoek aan een supermarkt in het centrum zou voor stress zorgen, maar we zouden ook gewoon kunnen verhuizen, weg uit deze nare stad. Misschien naar het platteland. Daar hebben ze vast ook taxichauffeurs nodig. Ja, een nieuw bestaan opbouwen, een moestuin aanleggen, gewicht verliezen en gaan joggen. Alle pijn vergeten.

'Waar denk je aan?' vraagt ze.

'Aan opnieuw beginnen.'

'Met wat?'

'Gewoon een nieuw leven beginnen. Ik vraag me af of dat überhaupt kan.'

'Ik ben je tot last, hè? Zeg maar eerlijk…'

'Nee, nee,' zeg ik, 'juist niet, ik dacht aan sámen een nieuw leven beginnen. Weg van hier, ergens afgelegen wonen, gewoon dromen.'

'Meen je dat echt?'

Ik knik en Anca knijpt in mijn zij, als een klein kind begint ze weer te huilen. Ik zeg: 'Stil maar, stil maar.'

Ik rij naar Belgrave Gate, waar een groot Chinees restaurant zit waar ik vroeger nog wel eens kwam met Susan. Het restaurant is verdeeld in twee verdiepingen. Beneden zijn de onvermijdelijke aquariums met tropische vissen, door een dikke laag glas monsterlijk vergroot. Wit gedekte tafels met goedkope stoelen met roze zittingen – erg veel verschillen ze niet van degene die Susan ooit kocht, zie ik nu, en boven is een iets chiquer gedeelte met rode lampionnen en Chinese prenten aan de muren. In hun menu stond dat je vanaf dertig personen de ruimte kan huren voor feesten en partijen. We hebben een keer overwogen mijn verjaardag daar te vieren. De prijzen waren gunstig, maar ik bleek niet genoeg vrienden te hebben. We kwamen niet verder dan twaalf personen. Susan, haar familie en zelfs mijn naaste collega's meegerekend.

'Gek,' zei ze toen, 'jij hébt eigenlijk helemaal geen vrienden.'

Ik zie voor me hoe er tafels en stoelen bijgeschoven moeten worden als Peter Bird daar zijn verjaardag viert.

'U hier weer?' vraagt een oudere vrouw bij de afhaalbalie.

'Ja,' zeg ik, 'ik wilde graag nummer 114 en nummer 34 en een extra portie kipsaté.'

De vrouw wijst de nummers aan op de kaart en voert mijn bestelling in op een ouderwetse computer met een blauw scherm.

'Geen kroepoek erbij? U nam altijd kroepoek, toch?'

'Doe er maar bij,' zeg ik.

'Alles goed met uw vrouw, meneer Mellors?' vraagt ze.

'Ja, dank u,' zeg ik een beetje geschrokken. Het geheugen van dit soort mensen is echt fenomenaal.

'Biertje voor bij het wachten?'

Met een biertje ga ik een beetje achter in de zaak zitten, tussen twee blonde jongetjes met hun vader en een oudere man die soep eet. De ruiten zijn hier gigantisch groot, en het politiebureau is vlakbij; juist op dit moment kan ik maar beter niemand tegenkomen.

Als mijn bestelling klaar is, vraagt de vrouw of ik belangstelling heb voor een vasteklantenkaart. Op die manier kan ik sparen voor een heerlijke tweepersoonsmaaltijd met gratis drankjes. 'Leuk met de vrouw,' zegt ze met een grote glimlach.

Op het moment dat ik mijn adres en geboortedatum opgeef, zegt ze terwijl ze naar het beeldscherm kijkt: 'Morgen grote dag!'

'Pardon?' zeg ik.

'Morgen heel belangrijke dag voor u?'

'Nee,' zeg ik en schud mijn hoofd, 'gewoon een dag als elke andere.' Ik denk aan de rechtszaak, aan Anca, maar dat is allemaal de dag na overmorgen, en daarnaast, hoe weet deze vrouw dit?

'U gaat geen feest geven?'

'Pardon?' zeg ik weer.

'Morgen jarig, morgen vijftig, meneer Mellors, grote dag!' De vrouw geeft me een handvol zuurtjes mee, 'voor onderweg', zegt ze weer met een grote glimlach. Ze opent de deur voor me en duwt hem achter me dicht als ik op straat sta met mijn twee tasjes eten.

'Godverdomme, ook dat nog,' zeg ik als ik de straat uit rijd.

Onderweg sms ik Anca. 'Zet de bordjes maar klaar, ik ben onderweg,' schrijf ik.

39

Het idee dat ik als jonge jongen had, dat ik vast nooit ouder dan, zeg, vijfentwintig zou worden, heeft als ik 's ochtends mijn ogen open plaatsgemaakt voor onverschilligheid; ik ben vijftig jaar geworden en die vijftig jaren hebben lang geduurd. Eindeloos lang nog heb ik zitten wachten op wat ik vroeger dacht dat 'het leven' was, nu weet ik vrij zeker dat ik alleen maar wacht op ziekte en aftakeling.

In de badkamer kijk ik naar mijn onderbenen, die onder de spataderen zitten. Mijn ruwe rode knieën en mijn kleurloze dikke buik. Hoe het zover heeft mogen komen, vraag ik me af.

Tussen mijn dertigste en vijftigste ben ik weliswaar getrouwd, maar ben ik ook weer gescheiden. Als ik erover nadenk heb ik voornamelijk op mijn bank gezeten. Heel veel gegeten en gedronken, honderdduizend uur televisiegekeken, me ontelbare keren afgetrokken; ik ben niet echt verder gekomen. Geen voldoening heb ik bereikt, slechts korte bevrediging is er geweest. Met een beetje verbeelding zou je kunnen stellen dat ik van dag tot dag heb geleefd, maar daarin verschil ik weinig van anderen: ik kom de tijd door met allerlei hulpmiddelen in de vorm van suiker, alcohol, pijnstillers en speeksel om het masturberen te vergemakkelijken. Ik heb weinig goede hoop als het om de toekomst gaat en eigenlijk zijn het allemaal dingen die me normaal weinig interesseren, maar nu, aan de vooravond van de rechtszaak die het laatste geluk dat ik heb mogen meemaken compleet zal vernietigen, voel ik me kwetsbaar, geëmotioneerd en zit ik vol zelfmedelijden.

De zin die steeds door mijn hoofd spookt onder de douche is: 'Ik heb zelfs geen kind.'

Gisteravond al heb ik besloten niets te zeggen over mijn verjaardag. Ik weet zeker dat ik diep verdrietig en doodnerveus zou worden als ik 's ochtends slingers in mijn appartement zou zien hangen, er een taart met 'Steve 50 jaar' in de ijskast zou staan en Anca me zou feliciteren.

'Overmorgen is het zover,' zeg ik als ik uit de badkamer strompel.

Ze knikt, zit over de papieren gebogen die ze van Terry Collins heeft gekregen. Het is haar verklaring die ze precies zoals het er staat zal moeten overbrengen aan de rechter. Terry heeft bepaalde zinnen onderstreept, dingen als: 'Hij scheurde mijn jurk open' en: 'Hij zei: "Aankleden, vuile hoer!"' 'Emotie!' heeft hij hier en daar in de kantlijn gezet.

'Ben je zenuwachtig?' vraag ik.

'Een beetje,' zegt ze, 'maar het gaat wel.'

'Hebben jullie nog een voorbespreking met Terry?'

'Vanavond om halfacht in Granby Street. Bij dat restaurant waar je van die hele gegrilde kippen kan eten met verschillende sausjes.'

'Nando's,' zeg ik.

Ze knikt en glimlacht. Waarschijnlijk ziet ze levendig voor zich hoe ik daar vroeger een gegrilde kip zat te eten na mijn werk, en dat klopt. Toen Nando's een paar jaar geleden zijn deuren opende, liep ik met een kortingsvoucher die tussen de reclamefolders zat naar binnen en bestelde een gegrilde kip met piri-pirisaus. 50 procent korting werd er gegeven, en vanaf dat moment werd ik vaste klant. Na een tijd werd het zo'n succes dat ik wel eens drie kwartier op mijn gebraden kippetje zat te wachten, en daar kan ik niet tegen, dus ging voortaan naar Benny's of TJ Burger; daar kreeg je het binnen vijf minuten voor je neus en ook nog voor véél minder geld.

'De uitslag van het laboratorium is ook vandaag, dus het is best veel allemaal.'

Ik streel haar blote bovenbeen en als ik per ongeluk richting haar kruis ga, pakt ze snel mijn hand vast.

'Sorry, dat kan echt niet,' zegt ze, duwt mijn hand van haar been en gaat een stukje verder van me af zitten.

Ik schud mijn hoofd, zeg dat het niet de bedoeling was, dat ik haar been streelde.

'Nee, dat was het wel, ik snap het, maar het kan niet, het spijt me.'

'Nee, echt niet, Anca, ik wilde je been strelen,' zeg ik.

'Er komt een dag dat het kan, geloof me,' fluistert ze.

Nooit zal het meer gebeuren, dat weet ik heel zeker, maar ik heb me er al bij neergelegd.

'Zeg dat nou niet,' zeg ik.

'Ik weet dat je het wilt, iedere man wil het toch?'

'Ik ben niet iedere man.'

'Kom op,' zegt ze en geeft me een knipoog, 'denk je niet dat ik het weet?'

Ik schrik, kijk haar zo onschuldig mogelijk aan, maar dat resulteert in een raar zenuwtrekje rond mijn rechteroog.

'De filmpjes...'

'O,' zeg ik. Ik ben helemaal vergeten de porno van de computer te halen. Waarom heb ik daar nou niet aan gedacht?

'Je hoeft je er niet voor te schamen, dat doet iedere man die alleen is, maar om nou te zeggen dat je het niet wilt? Vind je dat niet een beetje hypocriet?'

'Ik meen het, ik hoef dat niet, ik ben gelukkig met hoe het is,' zeg ik.

Ze schudt haar hoofd, kijkt naar de stapel papieren van Terry Collins en zegt: 'Je bent gewoon een man, je bent echt geen uitzondering, hoor.'

Ik heb in de loop van de middag zeker twintig keer sorry gezegd, steeds weer herhaald dat het echt mijn bedoeling niet was, dat ze me moet geloven. De eerste keren keek ze me zelfs niet eens aan, maar later op de middag zei ze dat ik nou eens op moest houden me zo nederig op te stellen. Dat ik mezelf juist ongeloofwaardig maak door zo vaak mijn excuses aan te bieden.

Als ze het appartement verlaat mompel ik: 'Het is ook nooit goed,' maar ik weet vrij zeker dat ze het niet kan horen.

Als ik in trance naar *EastEnders* zit te kijken – er is weer eens iemand verdwenen, en een ander blijkt opeens ongeneeslijk ziek – gaat de deurbel.

Ik snel naar de intercom en vraag wie het is.

'Politie,' schalt door mijn gang.

Ik voel me meteen duizelig, probeer me vast te houden aan een kledingrek in het gangetje, maar het valt om.

'Hallo?' zeg ik.

'Steven Mellors?'

'Ja,' zeg ik, 'wat is er aan de hand?'

'U kunt beter even naar beneden komen, dat praat een stuk makkelijker,' zegt een stem die ik niet herken.

Ik rits mijn gulp dicht, trek mijn jas aan en neem de lift naar beneden.

In de grote spiegel zie ik dat mijn hoofd rood is en er zweet op mijn voorhoofd staat.

In de gang staan twee agenten die ik nog nooit gezien heb.

'Meneer Mellors?'

'Ja, zeg ik, 'wat is dit?'

'Of u even met ons mee wilt komen,' zegt een lange, donkere agent.

'Ik werk voor de politie, ik ben rechercheur,' zeg ik. Ik zie dat de portier naar ons staat te kijken vanuit zijn glazen kantoor.

'Dat weten we, toch moet u met ons meekomen,' zegt de kleinste van de twee.

Dat het zo moet eindigen. Zo schaamtevol en triest. Terwijl ik achter in een politieauto word gezet, probeer ik te bedenken wat de reden kan zijn. Misschien gaat het om een verhoor, hebben ze op camerabeelden gezien dat ik in de gevangenis was op het moment dat de meisjes verkracht werden. Misschien hebben ze me voor de deur zien staan? Of heeft Terry Collins mijn naam genoemd bij Bill Morgan? Ik voel me misselijk van angst, zit te trillen op de achterbank en kijk naar de geschoren achterhoofden van de agenten.

'Van welk district komen jullie?' vraag ik.

'U krijgt zo antwoorden op uw vragen, wij mogen niet met u praten.'

'Ik heb niets gedaan,' zeg ik zachtjes.

'Als u niets heeft gedaan, hoeft u zich ook geen zorgen te maken,' zegt de donkere agent.

We rijden via Oxford Street St Nicholas Circle op, dan High Street in, Humberstone Gate op, precies wat ik al dacht: we gaan naar bureau Charles Street.

'Kunnen we hier niet over praten?' stamel ik, maar er komt geen antwoord.

Plots stopt de politieauto en stappen de agenten uit. Mijn portier wordt geopend en op het moment dat ik de auto uit stap zie ik dat de twee agenten glimlachen: we staan voor de Polar Bear en boven het Guiness-bord staat met enorme letters: STEVE 50 JAAR.

'Jezus christus,' mompel ik als Bill lachend op me afkomt.

'Dag man, kom binnen, het is feest!'

'Ik ben me kapot geschrokken,' zeg ik.

'Ja? Ben je geschrokken? Slecht geweten,' lacht Bill en slaat me op mijn rug.

'Echt kapot geschrokken,' zeg ik nog een keer.

Midden in de pub zijn tafeltjes bij elkaar geschoven waar al mijn collega's aan het bier zitten. Er staan knabbelnootjes en twee slagroomtaarten van de supermarkt die nog in hun plastic verpakking zitten.

Iedereen staat op en komt naar me toe. Ze geven me bemoedigende klapjes op mijn rug zoals Bill dat net deed.

'Van harte,' zegt Arnold.

'Nog vele jaren!' schreeuwt Jim door de ruimte en heft zijn glas bier onhandig zodat er een straaltje langs zijn arm naar beneden loopt.

Ik word door Bill naar een stoel aan het hoofd van de tafel geleid. 'Ga maar lekker zitten,' fluistert hij, 'wat wil je drinken?' Bill praat tegen me alsof ik stervende ben en eigenlijk voel ik me ook zo. Iets ellendigers dan dit had ik zelf niet eens kunnen bedenken, en daarnaast verbaast het me; als het goed is, hebben mijn collega's wel iets anders aan hun hoofd dan het vieren van mijn verjaardag.

'Doe maar iets fris,' zeg ik.

'Iets fris,' zegt Bill tegen de barman.

Terwijl er luidkeels voor me gezongen wordt, kijk ik naar alle gezichten. Vooral die van Jim en Arnold hou ik in de gaten, maar nergens is enige spanning voelbaar, nergens is er te zien dat ze bang zijn voor overmorgen. Ze zijn behoorlijk aangeschoten, misschien is dat het.

'Hoe gaat het, man?' vraagt Bill als we allemaal over een puntje taart gebogen zitten.

'Het gaat niet fantastisch,' zeg ik.

'Heb je mijn e-mail gekregen?' fluistert hij.

'Ja, bedankt,' zeg ik, 'ik heb nog niet kunnen antwoorden.'

Bill knikt, eet muizenhapjes van het toch al kleine stuk taart.

Terwijl ik mijn tweede cola drink, denk ik aan Anca en Cozana die op nog geen tweehonderd meter afstand, onder het eten van gegrilde kip, de zaak bespreken. Het is een raar idee dat op zo'n korte afstand hun verkrachters mijn verjaardag vieren, het uitbrullen van plezier, bier drinken en handen knabbelnootjes in hun monden proppen. Ik verbaas me erover hoe luchtig dit alles gaat, hoe ontspannen Bill is. Misschien is er verandering in de zaak gekomen, heeft justitie het al afgewezen en is dit eigenlijk hun feestje en niet het mijne.

Bill vraagt iedereen stil te zijn. Hij staat op en slaat zijn handen in elkaar. 'Steve,' zegt hij nadrukkelijk, 'wat kunnen we van Steve Mellors zeggen?'

Iedereen moet lachen en ik grijns, denk aan wat hij bij de deur zei over een slecht geweten en lach krampachtig.

'De afgelopen vijftien jaar heeft Steve bewezen een fantastische rechercheur te zijn, een enorme kracht binnen ons team en een hartelijke, vrolijke persoonlijkheid op de werkvloer. Ik zal, als Steve het goedvindt, een kleine anekdote vertellen die ook iets te maken heeft met ons cadeau, mag dat?'

Het belooft niet veel goeds, maar ik knik. Echt veel erger kan het allemaal toch niet worden.

'Goed,' zegt Bill. 'Toen Steve bij ons kwam, was hij al een beetje... ja, eh... fors. Ik zei tegen hem dat hij iets aan sport moest doen, maar zoals u weet kíjkt Steve alleen naar sport. Steve zei toen: "Ik heb gelezen dat als je sport, je hart twee keer zo snel klopt, en een hart heeft maar zo veel slagen, dus daarom hou ik me rustig!"' Iedereen lacht, zelfs ik, al kan ik me niet herinneren dat ik dat ooit gezegd heb.

'Maar Steve houdt weer van andere dingen, dingen die ik zelf erg saai en moeilijk vind, maar toch als sport zie: Steve houdt van tuinieren, en daarom hebben we met z'n allen een cadeau voor je uitgezocht waarvan ik denk dat je er erg veel aan hebt, vooral in deze moeilijke tijd waarin je vooral dingen moet doen die je fijn vindt.'

Terwijl een groot pak met blauwe linten op de tafel wordt gezet, denk ik onmiddellijk aan mijn veertigste verjaardag. In de morgen was Susan vertrokken. Ik had haar uit bed horen gaan en verwachtte eigenlijk dat ze een ontbijt zou maken, of slingers op zou hangen; allemaal kinderlijke verlangens misschien, maar het was in een tijd waarin alles nog goed was tussen ons, een tijd waarin er nog plaats was voor aardigheden. Na een halfuur de stilte in huis te hebben aangehoord, besloot ik op te staan en een boterham te smeren, om daarna snel weer in bed te gaan liggen, wachtend op wat er komen zou. Pas na uren kwam ze terug, hijgend en puffend hoorde ik haar door het huis lopen. Met twee klingelende mokken thee sloop ze de slaapkamer in, ging op het voeteneinde zitten en vroeg met een piepstem of ik al wakker was.

'Net,' zei ik.

'Weet je wat het vandaag voor een dag is?'

'Ehm,' mompelde ik, rolde op mijn zij en nam de thee aan. 'Zondag?'

'Je weet het wel, lieverd,' zei ze.

Ik glimlachte en kreeg een zoen op mijn wang, waarna ik als een zieke in mijn badjas werd gehesen en aan mijn hand naar de woonkamer werd geleid.

Midden op de eettafel stond een groot pak.

'Maak maar open,' fluisterde Susan.

Het was een multifunctionele tuinset van een goed merk. Twee harkjes, vele schepjes in verschillende grootte, een paar groene tuinhandschoenen, een heggenschaar en een klein tangetje voor rozenstruiken.

'Het is prachtig,' zei ik, en ik streelde de zwart plastic doos waarin alle gereedschappen op een bedje van wit piepschuim lagen, 'ik ben er dolgelukkig mee.'

Terwijl ik de blauwe linten losmaak, bedenk ik dat blijkbaar niemand van mijn collega's op de hoogte is van mijn situatie. Dat geen van hen had kunnen bedenken dat ik geen tuin meer bezit en dat terwijl ze de moeite hadden genomen te informeren waar ik nu woonde; op een vijftiende verdieping in een mistroostig gebouw. Misschien was het miscommunicatie.

'Ja, ja,' roept Bill terwijl ik het papier van de doos scheur.

Een sproeisysteem is het. Op de doos staat: 'Voor tuinen tussen de twintig en vijftig vierkante meter, met mogelijkheid tot uitbreiding. Kindveilig en ISO-gekeurd.'

'Dat is fantastisch,' zeg ik, en ik bedank iedereen met een glimlach.

'We dachten al dat je er blij mee zou zijn, maar kijk even in de doos,' zegt Bill, zijn handen in elkaar wrijvend als een vlieg, 'onderin zit nog meer leuks.'

'O jee,' zeg ik, en baan me een weg door de plastic slangen en sproeiers. Onderin ligt een klein houten doosje met een schuifdeksel.

'Maak open!' schreeuwt iemand die te veel gedronken heeft.

'Ja, ja,' zegt Bill weer als ik de deksel open, 'zaden. Iedereen heeft een soort groente of fruit uitgezocht, dus straks heb je een tuin vol collega's!' Iedereen moet lachen.

'Fantastisch,' roep ik nog een keer.

Op het moment dat ik naar de wc loop, legt Arnold zijn hand op mijn schouder.

'Van mij heb je radijzen gekregen,' zegt hij. 'Hoe is het met Steve?'

'Gaat wel,' zeg ik. 'Met jullie?'

'Goed man!' zegt hij met een grote glimlach.

'Echt?'

'Hoezo? Zie ik eruit alsof ik stervende ben?'

'Nee, ik las iets vreemds in de *Mercury*...'

'O, dát,' zegt hij en hij moet lachen.

'Het klonk ernstig,' mompel ik en ik neem snel een slok van mijn cola.

Arnold wenkt Jim en die komt meteen aangewaggeld, legt zijn hand op mijn andere schouder en roept hard 'Stevo!' in mijn oor.

'Steve las dat stuk in de *Mercury*,' zegt Arnold met een grijns.

Ik knik en voel me voor het eerst echt niet veilig. Door hun handen op mijn schouders, hun hangende gezichten, de vrolijke kabeltruien en sportschoenen.

'Dat is overmorgen ja, een rechtszaakje van niets,' zegt Jim.

'Gelukkig maar,' zeg ik.

Jim buigt zich naar me toe, dicht bij mijn oor schraapt hij zijn keel. Ik kan zijn muffe adem ruiken en hij zegt: 'Wij hebben níets gedaan en zij kunnen níets bewijzen. Het zijn prostituees die gewoon liegen en bedriegen bij het leven. Het zijn domme hoertjes.'

Arnold buigt zich ook naar me toe, hij knikt driftig en zegt dat Jim gelijk heeft. 'Precies,' zegt hij. 'Ze denken dat ze iets slims doen, maar dat zien ze verkeerd, dan onderschatten ze ons toch echt. Ik denk dat we wel een leuke smaadzaak kunnen opstarten. Misschien dat ze dan weer een tijdje mogen brommen voor die smeerlapperij van ze, dat zal ze leren.' Arnold is een betere leugenaar, een slimmere jongen ook, dat was me in de tijd dat we samenwerkten ook al opgevallen.

'Weet je dat we een DNA-test moesten ondergaan? Hoe idioot is dat?' zegt Jim.

'Dat meen je niet,' zeg ik en schud verbaasd mijn hoofd.

Ze grijzen en nemen allebei een grote slok bier.

Dan gaat mijn telefoon. Ik schrik als ik zie dat het Anca is, ik snel naar buiten en bel haar terug op de stoep voor de Polar Bear.

'Waar ben je?' vraagt ze. Aan haar stem kan ik horen dat ze gehuild heeft.

'Ik ben wat gaan drinken met mijn collega's, liefje,' zeg ik.

'Kun je alsjeblieft zo snel mogelijk naar huis komen?'

'Ja natuurlijk, wat is er aan de hand?'

'Kun je gewoon naar huis komen?'

Met een kloppend hart loop ik de pub weer in, spreek Bill aan, die met de barman een gesprek voert over parkeertarieven in het centrum.

'Ik moet naar huis,' zeg ik.

'Nu al? En het begint net leuk te worden!'

'Ik ben mijn medicijnen vergeten,' zeg ik, 'drinken jullie nog maar wat van mij.'

Terwijl ik met het pak onder mijn arm naar huis loop, bel ik Terry Collins. Ik voel hoe mijn hart zich verzet, hoe het pijnlijk hard klopt zodat ik steeds duizelig word, maar als zijn donkere stem aan de andere kant van de lijn klinkt, lijkt het juist alsof er een last van me af valt, alsof de redding nabij is.

'Meneer Collins, u spreekt met Steve Mellors,' begin ik.

'*Terry*, Steve, Terry moet je zeggen. Ik heb net gegeten met de meisjes. Was de kip niet goed?'

'Nee, dat is het niet. Ik moet met je spreken, Terry, ik moet je wat vertellen,' zeg ik.

'Kom naar Zanzibar, ken je dat?'

'Nu?' vraag ik.

'Man, ik zit hier al een uur, daar kan nog wel een uur en zes gin-tonic bij, ik draai daar mijn hand niet voor om, schiet maar op. Het zit op Gravel Street. Zanzibar heet het hier.'

38

'Het is kleinerend,' zegt Anca vanaf de bank. Ik sta met mijn jas aan tegen de keukennis geleund, eigenlijk op een te grote afstand, maar durf niet goed dichterbij te komen.

'Maar Terry doet die zaak toch niet voor niks?' zeg ik.

'De DNA-testen vielen negatief uit, er was niets te vinden. Hij keek wantrouwend en spottend naar ons. Ik denk echt niet dat hij ons serieus neemt en dat doet eigenlijk meer pijn dan wat er gebeurd is, want dit gaat me achtervolgen, Steve, ik kan mijn verblijfsvergunning kwijtraken als we niet geloofd worden.'

'Ben je boos op mij?'

'Waarom in hemelsnaam zou ik boos op je zijn?'

'Omdat ik zei dat je aangifte moest doen, daarom.'

Ze zucht, kromt haar voeten en schudt haar hoofd. 'Waarom denk jij altijd aan jezelf?'

'Ik denk niet aan mijzelf,' zeg ik snel, 'ik was het die zei dat je aangifte moest doen.'

'Jawel, ook vanmiddag met die hand. Je peilt steeds of ik boos op je ben, terwijl ik in de problemen zit. Je doet er zo luchtig over de hele tijd. Ik snap niet dat je niet begrijpt hoe ingrijpend dit alles is. Ze kunnen van alles gaan roepen, dat we liegen, dat we bedriegen en oplichters zijn. Misschien gooien ze me wel het land uit en dan is alles voor niets geweest, ik snap niet dat je dat niet begrijpt.'

'Dat met die hand...' begin ik.

'Hou je mond,' onderbreekt ze me, 'je doet het weer! Laat me met rust, wil je?'

Ze staat op en gaat achter de kamerschermen zitten huilen, zegt dingen in het Roemeens. En ik? Ik sta nog altijd tegen de keukennis geleund en veeg wat kruimels van het aanrechtblad in de gootsteen. Dan spoel ik ze door.

'Ik heb een rit,' zeg ik.

Weer klinkt er iets in het Roemeens, nu wat zachter en gedempter.

'Ik ben straks terug,' zeg ik, 'sorry, het is mijn werk.'

Als ik op de gang mijn oor op de voordeur leg, hoor ik dat ze door het huis loopt. Naar de keuken gaat en iets uit de ijskast pakt. Geritsel van cellofaan, schoenen die worden uitgedaan, een plof op de bank en het nare melodietje dat mijn televisie maakt als je hem aanzet.

Dan hoor ik de weerzinwekkende stem van Jeremy Kyle door mijn appartement, gevolgd door hard boegeroep.

Op weg naar Zanzibar zit ik vast in het verkeer. Voor mij staat een melkkar vol kratten lege flessen; ik zie de melkkragen nog in de hals zitten. Er zijn nog maar weinig steden in Engeland waar ze rijden, maar hier in Leicester worden nog elke morgen twintigduizend flessen melk voor de deuren gezet. Op de achterkant van de kar staat: KIRBY & WEST SERVES LEICESTERSHIRE. Als je niet beter zou weten, zou je denken dat de deze stad bevolkt wordt door mensen die evenwichtige voeding belangrijk vinden, maar dat lijkt maar zo, men behoudt hier gewoon graag tradities.

Als ik mijn auto voor de Zanzibar parkeer, zie ik door het raam Terry Collins aan de bar zitten. Verdomme, denk ik, zelfs van een afstand is zijn kaak mannelijk, zijn z'n schouders breed en is zijn haar mooi.

Bij binnenkomst glijdt hij soepel van zijn kruk, geeft me een stevige hand en wijst naar de lege plek naast hem. Hij is dronken, dat zie ik aan zijn ogen, maar zijn sterke eau de cologne maskeert de geur van alcohol.

'Ik zit hier al twee uur,' zegt hij, 'wat wil je drinken?'

'Ik wil wel een wodka,' zeg ik.

'Een wodka voor mijn vriend,' zegt Terry tegen de barman, laat zijn elleboog op de bar rusten en pakt me met zijn vrije hand stevig bij mijn schouder. Op een kalme, maar dreigende manier vraagt hij: 'Waarom wil jíj me spreken?'

Niet zoals op school, waar je onderwezen wordt in vakken waarvan je jezelf tijdens de proefwerken steeds de vraag stelt waaróm je dat moet leren, wát je er in hemelsnaam aan hebt, heb ik tijdens mijn loopbaan bij de politie juist bepaalde trucjes geleerd die goed toe te passen zijn in het dagelijks leven. Zo leerde ik tijdens verhoren dat je nooit te veel weg moet geven, niet zelf met verdachtmakingen moet komen, maar moet wachten tot de verdachte het zelf ter sprake brengt. Binnen ons bureau noemt Bill Morgan dat een 'hole in one', waarbij hij enthousiast een denkbeeldige golfclub door de lucht laat zwaaien, precies zoals hij dat als amateurgolfer op het drassige baantje van St Margaret's Sportcenter elke zondag doet.

'Het gaat over de rechtszaak,' zeg ik.

'Ja, ik snap dat je niet over aspirientjes met me komt praten, Steve. Maar wat kan ik voor je doen? Heeft je meisje het moeilijk?'

'Ze twijfelt of het zin heeft wat ze doet, of ze überhaupt wel een kans maakt,' zeg ik.

Terry zucht, bestelt nog een gin-tonic en vraagt om een extra limoentje. Hij tikt met zijn vingers op de bar. Hij draagt een trouwring en een opzichtig sporthorloge, maar ik zie dat zijn nagels vuil en kort zijn.

'In principe hebben ze een kans, maar ik heb soortgelijke zaken onderzocht en het is en blijft een heel moeilijk verhaal,' zegt hij.

'Ja,' zeg ik en blijf naar zijn handen kijken.

'Geen sporen van DNA, politieagenten die verkrachters zijn, fraude en oplichting binnen een Roemeense gemeenschap en dan óók nog eens verdacht van prostitutie... Het zal erom spannen, dat geef ik toe.'

'En eigenlijk is er geen bewijs,' zeg ik.

'Geen camerabeelden, geen getuigen, geen DNA, geen soortgelijke gevallen... Weet je wat het is, Steve, de meeste mensen geloven de politie blindelings. Dat heeft met positieve beeldvorming te maken, de politieagent is hoe dan ook een *goed iemand*, iemand die je kan vertrouwen, een voorbeeldburger. De mensen van de jury zullen niet geloven dat ze zoiets hebben gedaan, die hebben veel te veel vertrouwen in ze.'

'En jij?'

'Of ik het geloof? Bedoel je dat?'

Ik knik.

Terry moet lachen, schraapt zijn keel en kijkt me dan met gefronste wenkbrauwen ernstig aan: 'Terry zal wel moeten,' zegt hij, 'het zijn míjn cliënten, vriend. Ik geloof ze op hun woord.'

Ik staar naar mijn glas, naar mijn handen op de houten bar en de zompige bierviltjes die daar liggen. Ergens op de achtergrond klinkt muziek. De melodie ken ik goed, maar ik kan er niet op komen wat het ook alweer is.

'Ik moet je wat vertellen,' zucht ik dan, 'het is ingewikkeld en vervelend, maar heel belangrijk.'

Terry draait zich naar me toe.

In korte, onsamenhangende zinnen vertel ik Terry Collins meer dan ik me in de auto op weg naar de Zanzibar had voorgenomen. Terwijl ik praat, hangt hij boven zijn cocktailglas en knikt continu, tikt met zijn wijsvinger op een bierviltje, maar zegt geen woord. Ik vertel hem van mijn werkelijke beroep, tot de verkrachting, die ik zag, maar waar ik niets aan deed. Ik vertel over onze eerste ontmoeting op straat, over mijn gelogen beroep als taxichauffeur, over de kamerschermen die ik voor haar kocht, over het schuldgevoel en mijn liefde voor haar. Ik praat neurotisch en gespannen, maar zonder enige moeite verlaten de feiten mijn mond, en juist dat geeft me het gevoel dat dit het juiste is, dat dit moest gebeuren.

'En wanneer kwam je op dit idee?' vraagt Terry.

'Toen ik op een feestje was vanavond. Mijn collega's hadden iets georganiseerd omdat ik vandaag vijftig ben geworden. Daar zag ik die twee weer, sprak zelfs met ze, en merkte dat ze helemaal niet bang zijn, sterker nog, ze spraken heel beledigend en schaamteloos over de meisjes. Toen brak er iets.'

Hij kijkt me langdurig aan, prutst een beetje aan zijn horloge en trekt zijn manchetten onder zijn mouwen vandaan. Dan zegt hij: 'Dit gaat je je baan kosten, besef je dat?'

Ik knik.

'En mogelijk haar.'

Weer knik ik, en zeg dat ik dat weet.

'Is dat echt wat je wilt?'

'Ja,' zeg ik, 'ik ben het verplicht.'

Terry zucht, kijkt naar zijn lege glas en moet dan lachen.

'Waarom lach je?' vraag ik.

'O gewoon, om de situatie,' zegt hij.

'Ja dat snap ik,' zeg ik. Op de achtergrond speelt 'Bobby Jean' van Bruce Springsteen.

'Moedig van je, Steve,' zegt hij.

Ik haal mijn schouders op.

'Spectaculair is het,' mompelt Terry na een korte stilte, wenkt de ober voor een nieuw glas en slaat onverwachts met zijn vuist op de bar. Tijdens het wachten op de volgende gin-tonic herhaalt hij het steeds: 'Spectaculair is het!'

37

's Nachts deed ik geen oog dicht, wat natuurlijk niet verwonderlijk is. Steeds draaide ze zich even om en zei dan slaperig: 'Je bent zo onrustig, je beweegt zoveel.'

Sorry zeg ik niet meer. Ik zeg nu: 'Het spijt me.' Haar reactie is precies dezelfde: waarom ik altijd en eeuwig mijn excuses aanbied voor niets. Wat het voor zin heeft.

Ze moest eens weten.

Het is een vreemd idee dat deze morgen zich nog zal herhalen, maar de middag of de avond waarschijnlijk al niet meer. Morgen tegen deze tijd zijn we op weg naar het Crown Court. Ze zal achter in de auto zitten en Cozana's hand vasthouden. Ze zal zo nu en dan naar me glimlachen door de achteruitkijkspiegel en ik zal terug glimlachen, bemoedigende woorden spreken en met hevige pijn in mijn maag naar de slachtbank rijden. Misschien zal ik een omweg nemen, zelfs even tanken onderweg, uitstellen. Het maakt me melancholisch en gespannen tegelijk, dus probeer ik wat huishoudelijke taken te doen, zoals het rangschikken van de schoonmaakmiddelen onder de gootsteen en Anca's haren uit het doucheputje vissen. Als ik dat doe, word ik altijd kalm; door de absolute controle over simpele dingen of misschien juist de geruststellende onbenulligheid ervan.

In de middag zit ze op de bank en leest de krant. Ze speurt naar berichten over de zaak, maar die zijn er niet. Morgen zal het overal op televisie te zien zijn, zullen de kranten bol staan van berichten over een kale rechercheur die verliefd werd op een prostituee. Terry Collins zal in praatprogramma's verschijnen en Bill Morgan zal met pensioen gaan. Vanaf dat moment zal hij dagelijks balletjes op de golfbaan slaan en hevig op mij schelden.

'Heb je vandaag nog een afspraak met Terry?' vraag ik.

'Nee,' zegt ze, 'vandaag is er niets.'

'Weten je ouders eigenlijk van de zaak?'

Ze kijkt geschrokken, het is blijkbaar vreselijk wat ik haar vraag.

'Natuurlijk niet,' schreeuwt ze, 'wat denk je wel?'

'Oké, oké,' zeg ik en ik houd mijn handen hoog in de lucht, alsof ik me over wil geven, wat eigenlijk ook zo is, ik wil me overgeven.

'Ik snap jou echt niet. Hoe kun je nou denken dat ik hier iets over aan mijn ouders zou vertellen? Ze denken dat ik op een kantoor werk, van negen tot vijf.'

'Het had gekund,' zeg ik en ik ga naast haar op de bank zitten. Ik bedenk opeens dat ze eigenlijk weinig anders doet dan daar op die bank zitten, televisiekijken en de krant lezen, op precies dezelfde plek waar Susan vroeger zat.

'Hou op met dit soort absurde vragen waar je het antwoord al op weet. Vraag me gewone dingen, Steve, je doet me opzettelijk pijn en je doet je dommer voor dan je bent. Natuurlijk had dat niet gekund, dat weet je zelf ook heel goed.'

Ik draai me van haar af, vouw mijn handen in elkaar en blijf net zo lang zitten tot ik haar hand op mijn rug voel. 'Sorry,' zegt ze, 'ik ben erg gespannen, ik moet wat afleiding hebben, echt, anders word ik gek.'

'Laten we naar het Space Centre gaan,' mompel ik.

'Wat is dat?'

'Ken je dat niet?' Ik draai me weer naar haar toe. Ze is wat dichter bij me komen zitten, streelt mijn hoofd en houdt het hare scheef. Als een nederig hondje kijkt ze me aan.

'Het National Space Centre,' zeg ik. 'Ze wilden ooit van Leicester een soort Houston maken, maar dat is natuurlijk mislukt. Nu is het een groot pretpark met spaceshuttles en raketten.'

'Hm,' zegt ze en ze staat op om iets te drinken te halen.

'Er is ook een planetarium,' zeg ik snel.

Ze omklemt een pak melk met twee handen, neemt een grote slok, die ze in haar mond doseert tot kleine slokjes, die een raar klokkend geluid maken.

'Oké, is goed, maar alleen als jij dat ook leuk vindt.'

'Het is afleiding,' zeg ik, 'ik ben er ook wel aan toe.'

Ik kon wel raden dat ze onderweg zou vragen wanneer ik er dan geweest was en met wie. Als ik vertel dat dat met Susan was, zucht ze diep en zegt op geïrriteerde toon dat ik haar waarschijnlijk nog steeds mis, dat ik er nog altijd niet overheen ben.

'Jawel,' zeg ik, 'ik denk nauwelijks meer aan haar, maar het is natuurlijk onvermijdelijk dat er plekken zijn waar ik met haar geweest ben. Ik heb vijftien jaar met die vrouw geleefd.'

'Dan heb je overal herinneringen,' zegt ze.

'Ja klopt, als je zo lang met iemand samen bent geweest, zit de stad vol herinneringen, bijvoorbeeld hier…' zeg ik en wijs naar een klein Italiaans restaurant waar ik ooit met haar kwam.

'Maar vertel die maar niet aan mij, ik wil ze namelijk niet horen,' onderbreekt ze me snel.

De grote attractie in het National Space Centre zijn de twee raketten die ik van kilometers afstand zie oprijzen. In 1999 hebben ze er een staal-glasconstructie omheen gebouwd en is het voorzien van trappen, zodat de burger dichter bij de ruimtevaart kan komen dan ooit tevoren. Het is erg populair onder middelbare scholieren die van *Star Wars* of sciencefiction houden, en bijna net zo populair onder mensen van mijn leeftijd.

Als we rondlopen, zie ik dat de meesten sportkleding dragen. Een enkeling zelfs bergschoenen en een survivalbroek, misschien speciaal voor deze gelegenheid aangetrokken. Veel vrouwen met kortgeknipte kapsels, windjacks en rugzakken die door hun mannen door het park gesleept worden.

De keer dat ik hier kwam, was omdat Susan een kortingsbon uit de krant had geknipt. Weken lag die op het kastje in de gang, naast een spuuglelijk porseleinen beeldje van een engel met een gouden trompet dat uit haar ouderlijk huis kwam. Ik had gehoopt dat ze het zou vergeten, dat de kortingsbon zou verlopen en dat we samen verdrietig naar de datum op het vodje zouden kijken en dat ik dan zou benadrukken hoe jammer het wel niet was. Maar dat ging niet door. Susan was een echte koopjesjager, een vrouw die elke huis-aan-huisfolder in de gaten hield, speciaal naar ver gelegen supermarkten reed als er daar een gunstige aanbieding was, en in haar hoofd een perfecte organisatie hield van dit soort buitenkansen. Een dag voor de voucher verliep, zwaaide ze ermee en zei: 'We gaan vandaag naar het nieuwe Space Centre, anders verloopt mijn bon, en dat zou toch zonde zijn.'

'Er zijn hier weinig kinderen,' zegt Anca als we naar het planetarium lopen.

'Het is voor grote kinderen,' zeg ik.

We moeten twintig minuten wachten om in het planetarium te kunnen. In het restaurant ernaast drinken we koffie uit speciale ruimtemokken; er zit een deksel op en er steekt een rietje uit, maar gelukkig kun je die er ook afhalen.

Toen ik hier met Susan kwam, serveerden ze ruimtevoedsel. Vloeibare prutjes en frisdranken uit platte zakjes met een tuitje. Nu zijn er broodjes, drie soorten taart en twee soorten pudding. Het valt me op dat er inderdaad nergens kinderen zijn.

'Misschien is het uit de mode,' zeg ik.

'Wat?'

'Ruimte. Toen ik kind was, was er niets spannenders dan de ruimte. Zwarte gaten, astronauten en raketten... Je had stripboeken en speelgoed. Ze verkochten zelfs ruimtepakken met helmen bij de speelgoedwinkels. Buitenaards leven was ook heel hip.'

'Zeg nou niet "hip".'

'Waarom niet?'

Ze moet lachen en schudt haar hoofd. 'Laat maar,' zegt ze, neemt een slok koffie en kijkt naar de ingang van het planetarium waar de wachttijd in minuten, seconden en zelfs in tienden van seconden wordt weergegeven op een groot lcd-scherm.

'Ik bén hip,' zeg ik en ze moet lachen, staat op uit haar stoel en omhelst me onhandig, waardoor het tafeltje wankelt en onze koffiemokken rinkelen.

'Sorry voor de afgelopen dagen,' zegt ze, 'jij doet ook alleen maar je best voor mij.'

'Ach, valt wel mee,' zeg ik. Ik leg voorzichtig mijn handen op haar onderrug.

'Nee, echt, het moet ook heel zwaar voor jou zijn, en ik ben een lastpak.'

'Nee, ben je niet,' zeg ik en ik hou haar in mijn armen. 'Ben je niet,' herhaal ik zachtjes.

Opeens klinkt er een zacht gezoem dat steeds luider wordt. Als in een film openen de deuren van het planetarium met een hoorbare zucht en spuit er rook uit de deurpost, die een groep gillende kinderen tot waanzin drijft. Een als Darth Vader verkleed jongetje schreeuwt: 'Fucking cool!' en zwaait met een plastic laserzwaard naar mij.

'Daar zijn de kinderen dus,' zegt Anca.

We krijgen een show te zien die *We Are Astronomers* heet en duidelijk voor jonge kinderen of demente ouderen bedoeld is. Toch zijn juist de vijftigers degenen die ademloos zitten te kijken. Zelfs ik vind het indrukwekkend, en toen ik hier met Susan kwam, was het planetarium de enige attractie waar ze niet naar binnen wilde. Al haar hele leven beangstigden donkere ruimten haar. Een bioscoop had ze maar één keer bezocht, en ze was tijdens de film weggelopen. Susan hield van helderheid en bij ons thuis waren 's avonds altijd alle lampen aan. In het donker konden je verschrikkelijke dingen overkomen, zei ze altijd.

Terwijl we met een knoppenkastje op de stoelleuning meedoen met een meerkeuzequiz, voel ik mijn telefoon in mijn zak afgaan. Precies tegen mijn hart trilt hij. Nadat hij drie keer is overgegaan, besluit ik naar de wc te lopen.

'Kom snel terug,' fluistert Anca, die zodra ik de zaal uit loop haar hoofd weer in de neksteun duwt en aandachtig naar boven kijkt.

Het was Terry Collins, zie ik als ik in de gang sta. Als ik hem terugbel, neemt hij meteen op en begroet me als een goede vriend, compleet met vragen over hoe ik me voel en hoe mijn dag is.

'Ik ben in het Space Centre, Terry,' zeg ik.

'Mooi man,' zegt hij, 'maar luister goed. Morgen is de grote dag.'

'Ja,' zeg ik. Ik hou de deuren van het planetarium strak in de gaten.

'Eerste vraag,' zegt Terry, 'heb je het haar al verteld?'

'Nee,' zeg ik, 'en dat wil ik zo houden.'

'Oké, daar snap ik geen zak van, maar als dat is wat jij wilt, Steve: prima. Nou even goed luisteren, wat ik nu ga zeggen moet je heel goed onthouden: morgen om twaalf uur kom ik de meisjes halen bij jou thuis. Je moet zorgen dat je om twee uur in het Court House bent. Twee uur precies. Ik haal je niet op, je moet zelf daarnaartoe. Als je daar bent, hoef je niets uit te leggen, gewoon naar mij vragen en niet vergeten je paspoort mee te nemen. Ik heb de afgelopen dag heel goed nagedacht en wil er een beetje een spektakel van maken. Niemand die dit natuurlijk verwacht, of kán verwachten – ik heb de *Mercury* expres niets laten weten, dus wil ik je aankondigen op het laatste moment, als een soort eh…'

'Toetje,' zeg ik.

'Ja, precies, als een toetje,' zegt hij en schraapt zijn keel.

36

De *Leicester Mercury* van woensdag 17 maart kopt: 'Zedenzaak tegen politie zaait onrust'.

Echt nieuws zal er niet in de krant staan, maar toch zou ik deze laatste uren graag in liefde doorbrengen en niet in angst. Het zou afleiden, ze zou het aandachtig lezen en Cozana bellen en weinig tijd meer voor mij hebben, dus verstop ik hem snel onder een van de kussens van de bank, waar ik vroeger verpakkingen van Marsen en ander snoepgoed verstopte voor Susan. Een keer per week tilde ik het kussen op en verzamelde snel alles in een plastic zak die ik onderweg naar mijn werk ergens weggooide. Er is een dag geweest waarop ik moe terugkwam van mijn werk en midden op de eettafel een berg van die snoepwikkels lag. Alle papiertjes waren vakkundig gladgestreken. Het kussen op de bank stond dreigend omhoog en Susan schudde alleen maar haar hoofd; ik was het straal vergeten en verdomme, wat had ik me geschaamd.

Anca is zich aan het aankleden. Ik hoor haar zachtjes dingen mompelen, maar versta ze niet. Het is halftien en ik ben vanmorgen al om acht uur begonnen met twee chocolademuffins, een kwart liter wodka en drie paracetamol-codeïne. Een prima ontbijt, al zeg ik het zelf, en zij heeft er niets van gemerkt door het flesje Odol dat in de zak van mijn joggingbroek zit.

Ik bak spiegeleieren waarvan ik het eiwit in een hartvorm snij, en daarna neem ik voor de zekerheid twee bètablokkers en een Zoloft in. Goed drogeren is volgens mij absoluut beter dan de werkelijkheid onder ogen zien.

'Wat lief,' zegt ze als ze de spiegeleieren ziet. Ik heb er voor de gelegenheid een blaadje sla bij gelegd. 'En jijzelf hebt ze óók in een hartje,' zegt ze, terwijl de helft van het eerste hart in haar mond verdwijnt. Inderdaad, ik heb mijn spiegeleieren precies zo gesneden als de hare.

Tegen elven word ik doodnerveus. Eigenlijk heb ik helemaal niets voorbereid. Terry zal van mij verlangen dat ik precies vertel wat ik gezien heb, maar wat als de rechter mij vragen zal stellen? Ik zie er vreselijk tegen op om daar in de zaal heldhaftig te moeten zijn, mijn collega's aan te kijken, Anca… Hoe zou ze naar me kijken? Wat zou er na de rechtszaak overblijven van ons? Wat zou ze zich straks herinneren?

Toen Susan bij me wegging, bleek er vrijwel niets over te zijn van onze liefde. De eerste nachten dat ze bij Peter Bird ingetrokken was, had ze haar telefoon uitgezet met als gevolg dat ik net zo veel voicemailberichten achterliet tot haar voicemailbox vol zat en ik echt geen kant meer op kon. De volgende dag ben ik een waterkoker gaan kopen in de stad. Susan had een paar weken daarvoor een nieuwe gekocht en vond blijkbaar dat die beter op het aanrecht van Peter Bird stond dan bij mij. Ook had ze een gloednieuwe stofzuiger meegenomen die ik een week daarvoor had gekocht bij een bouwmarkt. Ik had ingesproken dat dat gewoon diefstal was, dat ik de stofzuiger terug wilde en dat ze die zelf maar moest komen brengen. Daarna zei ik dat ik er niet meer tegen kon, dat ik kapotging van verdriet en dat ze terug moest komen. Aan het einde van het bericht fluisterde ik dat ik van haar hield en dat ze niet op mocht houden van mij te houden.

'Gaat het wel?' vraagt Anca, een donkere rok en een spijkerbroek voor zich houdend.

'Jawel,' zeg ik.

'Ik vroeg: wat zou jij doen, een rok of een broek?'

De broek met de glitters. Ik krijg tranen in mijn ogen, maar gelukkig gaat de deurbel en rent ze naar de intercom.

'De rok,' roep ik haar na vanaf de bank.

'Dacht ik al, is wat netter,' hoor ik vanuit het gangetje, 'het is Cozana, ze is gelukkig op tijd.'

Als Cozana de woonkamer binnenloopt, bedenk ik dat ik haar eigenlijk helemaal niet ken. Ze zegt zelden een woord, groet me zelfs niet. Ze heeft koele blauwe ogen en geblondeerd haar dat ze altijd strak in een staart draagt. Heel soms heb ik het idee dat ze me niet vertrouwt, maar misschien is dat mijn schuldgevoel.

'Spannend,' zeg ik als ze naast elkaar op de bedrand zitten.

Ze knikken kort en praten daarna weer in het Roemeens. Ik voel me wazig en niet lekker. Mijn handen trillen, de alcohol is uitgewerkt.

'Ik voel me zo buitengesloten,' jammer ik opeens.

Anca kijkt me verbaasd aan. 'Wat?' vraagt ze.

'Nou gewoon, als jullie in het Roemeens praten voel ik me buitengesloten. Ik zit hier maar, snap je?'

'Steve,' begint ze, 'snap je niet dat dit even iets belangrijker is?'

Ik haal mijn schouders op. 'Laat maar,' zeg ik, 'praat maar door.'

'Heb je last van ons? We kunnen ook naar buiten gaan, hoor,' zegt Cozana.

'Nee, nee, laat maar,' zeg ik weer.

'Kom,' zegt Anca en neemt Cozana aan de hand, 'we gaan alvast naar beneden, dan kan Steve lekker zwelgen in zelfmedelijden.'

'Nee, niet doen!' schreeuw ik, 'wacht nou hier… Het is niet veilig beneden…'

'Ik denk er niet over,' zegt Anca, 'ik heb je altijd gezegd dat ik je met rust laat als ik je tot last ben, en je geeft het nu duidelijk aan. En wat bedoel je met niet veilig? Wat is niet veilig?'

'Dat bedoelde ik niet zo,' zeg ik en ik sta op uit de bank. Ik voel me zwak, mijn benen lijken vastgenageld aan de grond. 'Alsjeblieft, laten we niet zo eindigen, Anca, alsjeblieft!' roep ik.

Cozana staat al bij de deur. In de spiegeling van de ramen zie ik hoe idioot ik eruitzie in mijn joggingbroek en voetbalshirt, hoe raar het afsteekt bij Anca's zwarte kleding en net gekamde haren.

'Je moet niet zo raar doen!' bijt ze me toe, 'en wat bedoel je met dat het niet veilig is?' Ik zie de tranen in haar ogen staan en probeer haar nog snel te omhelzen, maar op het moment dat ik haar tegen me aandruk, gaat de deurbel.

'Dat is Terry,' zegt ze, 'wat is er verdomme niet veilig?'

'Niets,' zeg ik.

De deur slaat met een klap dicht. De wind zal het vast niet zijn, in de gangen kunnen de ramen niet open met het oog op insluipers of suïcide.

Ik trek de krant onder het kussen vandaan en lees het bericht: 'Een aanklacht tegen twee agenten van het City District, verdacht van mishandeling en verkrachting, leidt vandaag tot een rechtszaak. Onze redactie sprak met Terry Collins, de advocaat van de twee Roemeensen die drie maanden geleden verdacht werden van deelname aan een terroristische organisatie en het witwassen van geld. In een eerder bericht vroeg

Collins mogelijke andere gedupeerden contact met hem op te nemen. In de tussenliggende periode zijn er geen verdere aangiften binnengekomen. Het bureau City District is van plan na vandaag een smaadzaak te starten tegen de twee nog niet veroordeelde Roemeensen, en neemt de aantijgingen zeer serieus. Bill Morgan, chef van het City District: "Nooit eerder heb ik zulke onzin gehoord, ik voel me persoonlijk aangevallen en wil dat dit per direct recht wordt gezet. Wij laten niet met ons spotten.'"

35

Ik bezit twee geruite jasjes die Susan voor me kocht om te dragen met kerst of Pasen, maar waar ik al bang voor was: ze gaan niet meer dicht. In de berging onder in het gebouw vind ik, naast een uitgebreide kampeerset, een zak met wollen truien en broeken, een stapeltje geblokte overhemden zonder mouwen, een paar zwarte instappers met profielzolen en een spierwit overhemd met een rode vlek op het borstzakje. Nog nooit heb ik het gezien, ik kan me ook de vlek niet herinneren. Als ik mijn arm in een van de mouwen probeer te stoppen, merk ik dat het niet past, dat het onmogelijk van mij kan zijn.

Als ik door de vuilniszakken kleding woel, denk ik aan Travis, die voorafgaand aan de aanslag zijn outfit in orde maakt. Ik zie het groene legerjasje en de glimmende cowboylaarzen voor me. De shot waarin hij in die kleren op zijn bed ligt en in één enkele beweging omhoogkomt, het aan zijn been vast getapete mes losrukt en naar de kijker priemt.

Ik kies voor een zwarte wollen trui en een donkere spijkerbroek. Met donker zit je eigenlijk altijd goed, las ik een keer in de *Elle*. Ze ruiken niet fris, maar zoals het er nu voor staat, maakt dat niets uit, het gaat erom wat ik te zeggen heb.

Ik scheer voorzichtig mijn slapen, knip mijn neusharen bij en denk ondertussen aan het witte hemd. Het is misschien wel van hem, denk ik, terwijl ik mijn gezicht insmeer met Prep-crème. Mijn ex-vrouw heeft waarschijnlijk tegen de siergotenspecialist gezegd: 'Peter, geef maar mee, ik krijg die vlek er wel uit', en is het daarna straal vergeten.

Voor de spiegel in de gang ontdek ik een vrij groot mottengat in de trui. Het zit aan de linkerkant van mijn borst en aangezien ik geen andere T-shirts heb dan witte, is het lelijk, staat het slecht. Haastig zoek ik naar een naald en draad, maar kan die nergens vinden. In de koektrommel waar ik soms kleingeld in stop, vind ik tussen vele muntjes van vijf en tien pence een donkerblauwe button. Ik heb die ooit op straat gevonden. Ik speld hem voorzichtig over het gat op de trui, prik mezelf en scheld hard door mijn appartement.

Om halftwee verlaat ik mijn huis met een raar gevoel in mijn buik. Misschien had ik nog even naar de wc moeten gaan, maar als ik in de lift sta, bedenk ik dat het ook daar kan. In het Crown Court hebben ze vast prima wc's.

Als ik aan de voorzijde aankom, zie ik de pers al staan. Camera's op statieven, verslaggevers die onder paraplu's schuilen en met verwrongen gezichten in de lenzen kijken. Ik rij een rondje en vind een parkeerplaats aan de zijkant van het gebouw. Hier is het voor de pers verboden om te filmen, want hier worden verdachten aangevoerd in geblindeerde bussen, melden advocaten zich, speelt zich alles af wat voorafgaat aan een proces. De hoofdingang is voor na afloop, want dan mag er gescholden worden, klampen de journalisten zich aan je vast op de traptreden, stellen je vragen, willen alles weten. Het is een schouwspel dat ik als rechercheur maar zelden van dichtbij heb meegemaakt, maar vaak genoeg op televisie heb gezien.

Precies om twee uur meld ik me bij de receptie.

'U bent getuige?' vraagt een man achter het getraliede loket.

'Ja,' zeg ik, 'ik kom voor meneer Collins', en overhandig mijn paspoort.

Ik moet mijn schoenen uittrekken en riem afdoen. Een jonge jongen met een nors gezicht laat een handscanner over mijn lichaam gaan, vraagt of ik mijn benen uit elkaar wil doen en mijn handen in de lucht wil houden.

'Prima, bedankt,' zegt hij dan.

Ik word met een bekertje koffie in een piepklein kamertje gezet. De muren zijn er slecht gestukt en er is alleen tl-licht dat pijn doet in mijn ogen. Ik voel me heel gespannen en mijn handen trillen.

Na enkele minuten komt Terry binnen, een aktetas onder zijn arm, in een double-breasted krijtstreeppak met opvallende roze stropdas.

'Steve,' zegt hij en gaat tegenover me zitten, zet de aktetas op tafel en zucht diep.

'Niet goed?' vraag ik.

Terry schudt zijn hoofd, schraapt zijn keel krabt aan zijn oor. Hij trekt zijn witte manchetten onder zijn revers uit. Ik zie grote gouden manchetknopen met hondjes erop.

'Ze deden precies wat ik vroeg, dat deden ze heel goed zelfs – en dat is moeilijk, hè, met de daders in de zaal, maar echt, perfect vertelden ze het verhaal – maar ik kon aan de rechter zien dat hij ze niet geloofde, en zij zagen dat ook. Jouw meisje moest huilen, ik dacht nog: bingo! Maar het hielp niets. Jij bent nu mijn grote hoop, Steve.'

'Ik ben wel heel zenuwachtig nu,' zeg ik.

Hij komt dichter bij me zitten en pakt mijn schouder vast. 'Je moet me redden,' fluistert hij, 'je mág me niet laten zitten nu, heb je dat goed begrepen?'

Ik knik, zie dat het cockerspaniëls op zijn manchetknopen zijn.

'Even goed luisteren nu: je moet alles zo realistisch mogelijk vertellen, maar wat je niet mag vertellen, is dat je Anca kent. Dat werkt alleen maar verwarrend, snap je dat? Het is verboden om dat te vertellen.'

'Ja,' zeg ik.

'En je moet proberen te huilen, denk je dat dat lukt?'

'Ik weet het niet,' zeg ik en schud mijn hoofd, 'ik denk dat ik vooral heel bang ben voor iedereen die daar zit.'

'Die chef van jou, die Bill Morgan, dat is een arrogante klootzak, wist je dat?'

'Dat weet ik,' zeg ik.

'Ik wil dat je huilt,' zegt hij met een stalen gezicht, 'en je moet niet bang zijn, je bent toch alles al kwijt, je kunt nu iets goedmaken, dat is toch wat je wilde? Daarom kwam je toch naar Terry toe?'

Ik knik.

'Je ziet er netjes uit, dat is ook belangrijk,' mompelt hij.

'Bedankt,' zeg ik.

'Wel straks je jas uitdoen,' zegt hij en strijkt met een vlakke hand over zijn pak.

Ik knik en tuur naar zijn handen. De rouwrandjes onder zijn nagels zijn weggepoetst en eigenlijk wijst alles erop dat hij deze zaak denkt te gaan winnen: in zijn netste pak staat hij daar, misschien speciaal laten maken voor deze gelegenheid, het pak waarin hij op foto's in de kranten zal staan, breed glimlachend, zijn scheve tanden blootleggend; bijna met als onderliggende boodschap dat ook een straatschoffie een gevierde advocaat kan worden.

'We gaan beginnen, de pauze is voorbij,' zegt hij als hij op zijn horloge kijkt.

Ik ga staan en voel dat mijn benen trillen. 'Ik heb iets nodig,' zeg ik, 'een borrel, of iets.'

'Nee, nee, je gaat zo. Je voelt je slecht en bent bang, je trilt zelfs een beetje, dat is precies hoe ik het wil hebben, *emotie!*'

'Eén drankje,' stamel ik.

'Na afloop gaan we net zoveel drinken als je maar wilt.' Hij duwt ruw tegen mijn schouder. 'Stel me niet teleur,' zegt hij dicht bij mijn oor.

'Ik wil niet te dicht bij ze zitten, dat kan ik niet,' zeg ik op de gang.

'Je mag niet eens zitten, Steve. Je moet staan, en wel vóóraan. Het is onvermijdelijk dat ze je zullen zien.'

Hoe heeft het zover kunnen komen? Toen Susan bij me wegging, had ik alle kansen om opnieuw te beginnen. Ik kon veranderen, verbeteren. Ik was vaak somber en altijd eenzaam, maar zorgde vrijwel niet voor problemen. Ik had genoeg aan het eten, drinken en mijn computer en droomde soms over de plotselinge dood van Peter Bird, waarna Susan op mijn stoep zou staan en zou zeggen dat ze een fout had gemaakt. Dat niemand ooit zo goed voor haar geweest was als ik. Ik denk aan de slot-scène uit *Taxi Driver*. De ouders van Iris sturen een brief waarin ze Travis bedanken voor het redden van hun dochter. Op dat moment is Travis natuurlijk al een held. Ik was verdomme vrij, denk ik als ik aan het einde van de gang de twee klapdeuren naar de rechtszaal zie – precies zoals Bill tegen me zei, of Karl: *free as a bird* was ik.

Voor de deuren wordt de duizeligheid erger. De doffe steken achter mijn ribben, mijn trillende armen en benen, allemaal vertellen ze me hetzelfde: dat het een stomme fout is geweest, dat ik lekker in mijn bed had moeten blijven liggen.

'Ik ga je aankondigen,' zegt Terry.

'Wacht!' roep ik.

Terry komt dicht bij me staan, schudt zijn hoofd en vraagt wat er nu weer is.

'Weten ze het?'

'Weten wie wat, Steve?'

'De meisjes. Weten ze dat ik ga getuigen?'

Terry schudt zijn hoofd. 'Je komt als verrassing,' zegt hij.

'Ik kan dit niet, ik kan het gewoon helemaal niet. Waarom zou ik het doen?' fluister ik.

'Moet ik je overtuigen? Is dat wat je wilt?'

Vanuit de raampjes boven de deuren zie ik fel licht de zaal uit komen.

Ik haal mijn schouders op en kijk naar de grond.

'Omdat jij iets goed te maken hebt,' zegt Terry terwijl hij verdwijnt in de kier tussen de deuren.

34

Het gemompel in de rechtszaal zegt genoeg. Ik kom van links en hou mijn blik op de vierkante neuzen van mijn schoenen gericht. Terwijl ik mijn jas uitdoe en op het plateau naast de rechter klim, hoor ik iemand mijn naam noemen. Heel nadrukkelijk, ook op een heel nare manier, waardoor het bonzen van mijn slapen heftiger wordt, waardoor de pijn in mijn middenrif een moment ondraaglijk lijkt. De rechter slaat hard op zijn plankje, vraagt om orde in de zaal.

Ik sta krampachtig tegen een houten schotje, een microfoon en een glas water staan voor mijn neus.

'Kunt u ons uw naam noemen?' vraagt de rechter.

Ik knik. 'Steven Mellors, *my lord*,' zeg ik met overslaande stem. Ik schrik van het rumoer in de zaal. Ergens denk ik gehuil te horen, maar nog steeds durf ik niet te kijken. Overduidelijk en boven alles uitstijgend is het briesende gezucht.

Mijn stem klinkt raar door de microfoon als ik de eed afleg de waarheid en niets anders dan de waarheid te zullen spreken. Mijn hand trilt hevig als ik hem in de lucht steek.

De rechter zegt: 'Het woord is aan de openbaar aanklager.'

Hoewel ik niet naar haar kijk, kan ik Anca's aanwezigheid voelen. Ik kan het niet opbrengen op te kijken, ik wil haar niet zien, wil niet dat ze mij ziet, maar dat laatste is natuurlijk een vrij idiote gedachte, want ik sta recht voor haar.

'Meneer Mellors, kunt u mij vertellen wie u bent, en wat u doet,' begint hij.

'Ik ben Steve Mellors,' zeg ik dicht tegen de microfoon.

'Gaat u verder, meneer Mellors, wat is uw beroep?'

'Ik ben rechercheur van politie.' Ik spits mijn oren om de reacties op te vangen, maar het is doodstil. Als ik een heel klein beetje onder mijn wimpers doorkijk zie ik Anca's voeten die onrustig van plaats verwisselen.

'Wilt u dat nogmaals herhalen?' vraagt de openbaar aanklager.

'Ik ben rechercheur van politie,' zeg ik nu iets harder.

'Interessant,' zegt hij, 'hoe lang werkt u al bij de politie, meneer Mellors?'

'Ruim vijftien jaar.'

Het is nog steeds doodstil. Ik heb mijn handen in elkaar gevouwen tegen het trillen, mijn benen zijn gelukkig onzichtbaar achter het houten schot.

'Op 17 december dit jaar was u werkzaam in de gevangenis in Tower Street, klopt dat?'

Ik knik en zeg: 'Dat klopt.'

'Meneer Mellors,' zegt hij en komt dichter bij me staan, 'kunt u ons vertellen wat u die dag heeft gedaan?'

Ik schraap mijn keel en zucht diep.

'De verhoren van een zaak die in verband werd gebracht met een mogelijke terroristische organisatie vonden in de Tower-gevangenis plaats, zodoende moest ik daar zijn.'

'Waarom daar?'

'Omdat het te druk was op het bureau. Er waren zeventien verdachten aangehouden, daar hadden we geen plaats voor.'

'Tot hoe laat was u precies aanwezig?'

'Ik was er ongeveer tot een uur of zeven,' zeg ik.

'Waren er toen nog veel van uw collega's?'

'Nee, vrijwel iedereen was al naar huis.'

'Kunt u ons vertellen waar u zich rond halfzeven bevond?'

'Ik was even alleen toen.'

'Hoe bedoelt u dat?'

'Ik zat op de wc.'

'Aha, nou, dat moet ook gebeuren,' zegt hij. Ik hoor iemand van de pers lachen. 'Kunt u ons vertellen wat u toen hoorde?' gaat hij verder.

'Ik hoorde stemmen, ik hoorde twee collega's praten.'

'Wat zeiden uw collega's?'

'Ze hadden het over de verdachten in de cellen.'

'Kunt u zich nog herinneren wat ze *precies* zeiden?'

'Ik herinner me dat een van hen zei dat hij zijn baan niet op het spel wilde zetten.'

'En toen?'

'Toen zei de ander dat de nachtwakers pas over een uur zouden komen, dat er echt plaatjes bij zaten.'

'Wat bedoelde deze collega met "plaatjes"?'

'Dat ze mooi waren.'

'De verdachten in de cellen?'

'Ja.'

'En toen, wat heeft u toen gedaan?'

'Ik ben achter ze aan gegaan.'

'U volgde ze?'

'Ja, ik wilde weten wat ze gingen doen, ik vond het raar wat ze zeiden.'

'Wat zag u vervolgens?'

De advocaat van Jim en Arnold maakt bezwaar. 'My lord,' zegt hij, 'getuige Mellors zegt dat hij zijn twee collega's heeft *gehoord*, niet dat hij ze heeft *gezien*.'

De rechter wijst het bezwaar af en vraagt de openbaar aanklager met een diepe zucht door te gaan.

'Wat zag u vervolgens?' vraagt hij weer.

'Ik zag hoe ze door de spionnetjes in de celdeuren keken en uiteindelijk een cel openden.'

'Gaat u verder,' zegt hij.

'Ik wil graag iets drinken,' zeg ik.

Meteen wordt er een nieuw glas water voor mijn neus gezet. Als ik een slok neem, zie ik de glazen cel aan het einde van de ruimte. Daar zitten de verdachten. Ik zie alleen de onderkant van Jims gezicht. Hij houdt zijn lippen strak op elkaar.

'Ik eh… Ik ben naar de celdeur gelopen en heb door het spionnetje gekeken. Daar zag ik…'

'Wacht even, wacht even,' onderbreekt de openbaar aanklager me, 'u liep direct naar de deur die ze zojuist geopend hadden, en u keek door het spionnetje naar binnen?'

'Ja, dat deed ik. Nog nietsvermoedend op dat moment.'

'Wat zag u?' vraagt hij met verheven stem.

'Ik zag mijn twee collega's en twee meisjes.'

'Wat deden ze daar?'

'De twee meisjes werden verkracht door mijn twee collega's.' Op het moment dat ik 'verkracht' uitspreek, ontstaat er onrust in de zaal. Mensen beginnen opeens te praten en ik schrik me kapot als de rechter zijn hamer op het plankje slaat en iedereen tot de orde roept.

'U was getuige van een verkrachting?'

'Ja.'

'Kunt u ons gedetailleerd vertellen wat u zag?'

'Ik zag alles,' zeg ik, 'is dat genoeg?'

'Het gaat erom, meneer Mellors, weet u zeker dat het om een verkrachting ging?'

'Heel zeker. De meisjes verzetten zich en er werd geslagen door mijn collega's.'

'Heeft u uw collega's herkend?'

'Ja.'

'Kunt u uw collega's hier aanwijzen in de zaal?'

'Jawel,' zeg ik en als ik een heel klein beetje omhoogkijk, kijk ik recht in het gezicht van Arnold. De ruimte waarin hij zit is helverlicht. Hij heeft een glimlach om zijn mond en doet niets anders dan spottend zijn hoofd schudden.

'Hij,' zeg ik en ik wijs naar hem, 'en hij,' en ik wijs naar Jim. Ik durf niet naar Anca te kijken, maar als ik weer een slok water neem, zie ik per ongeluk toch haar gezicht. Het is emotieloos, ze kijkt me strak aan, vol verbazing.

'Dan nu,' gaat hij verder, 'kunt u zich ook de twee verkrachten herinneren?'

Ik knik. 'Jazeker,' voeg ik eraan toe.

'Kunt u ze voor mij aanwijzen?'

Heel langzaam en met toegeknepen ogen kijk ik op en voel meteen een steek in mijn borst. Het gezicht van Cozana vertoont bijna meer emotie dan dat van Anca. Haar hoofd is rood aangelopen en ik kan zien dat ze gehuild heeft. Anca kijkt langs mij heen.

Ik wijs naar ze. 'Dat zijn ze,' fluister ik in de microfoon.

'Meneer Mellors, dat waren mijn vragen,' zegt de openbaar aanklager.

Ik hoor mensen opstaan en als antwoord daarop weer de tik van de hamer. 'Het woord is aan de advocaat van de tegenpartij,' zegt de rechter.

'My lord,' zegt de advocaat, 'ik zou graag vijftien minuten beraad willen krijgen.'

Terry springt op uit zijn stoel. 'My lord, ik maak bezwaar!' roept hij.

'Ik zie niet in waarom mijn confrère beraad nodig zegt te hebben, het lijkt me zonde van de tijd.'

De advocaat schudt zijn hoofd. 'My lord, getuige Mellors is onaangekondigd verschenen. Ik wil graag tijd krijgen om overleg te plegen met mijn cliënten.'

De rechter wijst het toe.

Als Terry me aan zijn hand de zaal uit werkt moet ik opeens heel nodig naar de wc.

'Er is weinig tijd,' zegt hij, 'ik ga met je mee.'

Ik dacht dat het een grap was, maar het bleek serieus te zijn. Als ik in een wc-hokje verdwijn blijft hij bij de wasbak staan en zegt: 'Dat ging redelijk, Steve, al moet je proberen iedereen aan te kijken. Vooral de jury en de rechter. Ik vraag me echt af of ze geschrokken zijn, heb jij dat gezicht van die Bill Morgan gezien?'

'Nee,' zeg ik.

'Die keek zo geïrriteerd toen je opkwam, dat had je moeten zien.'

'Ik ben bang,' zeg ik en probeer zachtjes te persen, zo min mogelijk geluid te maken, maar opeens hou ik het niet meer uit en produceer zo'n harde scheet dat Terry hard 'Cheers!' roept.

'Sorry,' zeg ik, 'mijn buik is erg van slag.'

Net voor de deuren naar de rechtszaal houdt hij me staande. Dicht bij mijn oor zegt hij: 'Aankijken, iedereen aankijken, ook de aanklager. Je hebt niets te verliezen, alleen te winnen.'

'Meneer Mellors,' begint de advocaat van de tegenpartij, 'klopt het dat u twee dagen voor u aanwezig was in de Tower-gevangenis een hartinfarct heeft gehad?'

'Ja,' zeg ik, 'dat klopt.'

'U bent na dit voorval met ziekteverlof gegaan, u heeft enkele gesprekken gevoerd met een psychiater, is mij ter ore gekomen, klopt dat ook?'

'Ik ben in therapie,' zeg ik.

'Slikt u medicijnen?'

'Ik slik een antidepressivum en medicijnen voor mijn hart.'

'Meneer Mellors, waarom heeft u niet eerder aangifte gedaan tegen uw collega's?'

'Omdat ik dat niet durfde. Ik werk daar.'

'Als u, ik zeg áls u getuige bent geweest van zoiets gruwelijks, bent u dan niet verplicht daar aangifte van te doen?'

'Ik durfde het niet,' herhaal ik.

De advocaat kijkt me onderzoekend aan, komt zelfs iets naar me toe.

'Mag ik u vragen wat er op de button op uw linkerborst staat?' vraagt hij en wijst naar mijn borst.

'Pardon?' zeg ik.

'U heeft een button op uw linkerborst zitten. Een blauwe button met een tekst erop. Ik kan het vanaf hier niet goed lezen, kunt u mij vertellen wat er staat?'

Er klinkt gemompel uit de zaal en ik zie onder mijn wimpers door hoe mensen omhoogkomen om het beter te kunnen zien.

Dan kijk ik naar mijn trui. Er staat met gele letters 'FBI' en daaronder, klein: FEMALE BODY INSPECTOR. Ik schrik me kapot. Ik dacht dat het er een van een voetbalclub of een muziekband was.

Terry maakt bezwaar, zegt dat het dragen van een button niets met de zaak te maken heeft, het is vrijheid van meningsuiting. De rechter wijst het af, omdat de advocaat aanvoert dat het helemaal niet om een leus of boodschap gaat.

'Meneer Mellors, ik herhaal de vraag: kunt u oplezen wat er op uw button staat?'

'Er staat FBI,' mompel ik.

'En daaronder?'

'Female Body Inspector,' mompel ik zachtjes.

'Dank u wel,' zegt de advocaat.

'Ik was me daar niet van bewust,' zeg ik snel, 'er zit een gat onder, dat wilde ik verbergen. Ik heb het niet gezien, ik pakte de verkeerde button.' Mijn handen trillen nu hevig en gelukkig merkt Terry het op en vraagt de rechter om pauze.

In groepjes verlaat iedereen de zaal. Met slapende voeten en koude handen word ik door Terry de gang op getrokken en in een kamertje geduwd. 'Hier blijven,' zegt hij alleen maar.

Minutenlang zit ik alleen. Kijk naar mijn handen en pers tranen uit mijn ogen; ik weet dat ze er zitten, maar zonder geweld krijg ik ze niet uit mijn ogen. Dan kijk ik weer naar de button op mijn trui.

Als hij binnenkomt begint hij meteen te praten: 'Dit kan zo niet, Steve! Wat is dat met die button? Doe die button ogenblikkelijk af!' zegt Terry en wijst naar mijn borst.

'Ik wist het niet, ik dacht dat er iets anders op stond,' mompel ik.

Voorzichtig maak ik het speldje los en kijk naar het gat.

'We komen over als idioten, snap je dat?'

Ik haal mijn schouders op en kijk naar de button. Het staat er echt: Female Body Inspector.

'Je moet de zaal aankijken, je moet duidelijker praten en emotie tonen. Ik voel geen emotie, Steve!'

'Ik ben zo vreselijk bang, je hebt geen idee,' zeg ik.

'En dan die vragen over je hartinfarct. Waarom vertelde je me daar niets over? En die psychiater?'

'Ik dacht niet dat het ertoe deed.'

'Alles doet ertoe, Steve, echt alles... Je bent getuige. O, dit gaat een ramp worden. En die button... Wat zullen ze wel niet denken. Hoe kom je daarop? Hoe kon je dat niet zien?'

'Ik wil een borrel,' zeg ik.

Hij slaat hard op het tafelblad. 'Ik wil dit winnen!' roept hij.

'Ik heb geen echt hartinfarct gehad. Ik heb het bedacht om te kunnen ontkomen, Terry,' probeer ik nog.

'Onzin Steve, als je dat nu gaat beweren, maak je het alleen maar erger.'

'Maar het ís zo, ik heb geen hartinfarct gehad!'

'Luister goed naar de vragen, die advocaat van ze is een heel gladde jongen, en dit nu alleen al, deze pauze, dat is heel gevaarlijk. Ze kunnen praten met Bill Morgan, godverdomme, Steve, ze kunnen morgen het rapport bij je psychiater opvragen en je...'

'Wat? Me wat?'

'Ze kunnen misschien aanvoeren dat je niet in orde bent. Je bent iemand die in de war is, dat is niet gunstig, vriend. Je komt heel slecht over.'

'Ja,' zeg ik.

'Wat ja? Hoe ga je me nu helpen?'

Ik hou mijn mond.

'Ik ga Anca nogmaals laten horen, dat is het beste,' zegt hij.

'Hoe is het met haar?'

'Jezus man, wat een vraag: ze is geschrokken, dat snap je toch?'

'Maar ik bedoel het niet slecht, dat weet ze toch wel?'

Terry schudt zijn hoofd, kijkt op zijn horloge en zegt: 'Meekomen.'

Ik mag helemaal achter in de zaal zitten. Van een afstand zie ik haar dikke zwarte haar naast het geblondeerde van Cozana. Ik vraag me af wat ze denkt. Of ze wel weet dat ik haar juist wil redden, dat mijn intenties alleen maar goed zijn. Wat zouden ze tegen elkaar hebben gezegd in de pauze? Zou Cozana tegen Anca zeggen dat ze altijd al het gevoel had dat er iets niet aan me klopte?

Ik zie hoe iemand van de jury naar me zit te kijken. Het is een oudere man in een groene trui. Misschien verbeeld ik het me, maar ik denk hem zijn hoofd te zien schudden. In al die jaren dat ik voor de politie werk heb ik nog nooit in een rechtszaal gezeten. Alleen in een klein zaaltje van de Family Division, maar dat telt niet echt mee, dat was toen Susan officieel bij me wegging.

De juryleden die hier zitten zijn hier verplicht. Het schijnt dat de meeste burgers ongeveer één keer in hun leven opgeroepen worden. Je krijgt zomaar een brief met de mededeling dat je dan en dan moet verschijnen. De keuze die justitie maakt is geheel willekeurig. Het zijn toevalstreffers. Ik heb ooit eens gelezen dat het deelnemen aan een jury voor veel inwoners van Engeland een van de hoogtepunten in hun leven is.

De rechter tikt hard met zijn hamer en zegt: 'Het woord is aan de openbaar aanklager.'

De eerste vraag die hij stelt is waarom Anca zo laat met haar aangifte is gekomen.

'Ik wist vrij zeker dat het niet geloofd zou worden. Ook was ik veel te bang ze tegen te komen, de verkrachters.'

'En waarom hebt u toch besloten aangifte te doen?'

Anca's diepe zucht klinkt door alle speakers in de rechtszaal. Ik zie dat ze twijfelt. Ze kijkt naar Terry, die zijn hoofd schudt. Ik weet dat Terry haar verboden heeft iets over mij te vertellen. Ik mag niet bestaan voor haar, ik ben een rechercheur, ik ben net zo goed van de slechte kant, maar in dit geval van grote waarde.

'Een oom heeft me dat aangeraden,' zegt ze.

Ik bijt op mijn nagels en laat mijn hoofd slap naar beneden bungelen.

De advocaat van Jim en Arnold vraagt het woord.

'Mevrouw Alexandrescu, kunnen wij deze oom oproepen als getuige?' vraagt hij.

Anca kijkt naar Terry die weer zijn hoofd schudt.

Ze schudt haar hoofd.

'Kunt u dat herhalen?'

'Nee, het was een oom in Boekarest,' zegt ze zachtjes.

'Bedankt,' zegt de advocaat en richt zich tot de rechter. 'My lord, hoewel meneer Mellors de enige getuige is, ben ik van mening dat meneer Mellors geen betrouwbare getuige is. Hoe vreemd deze situatie ook moge zijn, alles wijst erop dat getuige Mellors psychische problemen heeft. My lord, ik wil de zaak morgen graag voortzetten om zo de kans te hebben het een en ander te onderzoeken.'

De rechter krabt aan zijn kin en zegt: 'Morgen om twaalf uur zetten we de zitting voort.'

Terry pakt zijn tas in en loopt langzaam naar me toe. 'Het is voorbij,' zucht hij, 'ik ga de meisjes naar Stoneygate brengen.'

'Naar Stoneygate?' vraag ik.

Hij knikt. 'Ze slapen vannacht in een hotel. Ik wil geen gezeik met de pers nu, we zitten midden in een proces, en daarnaast, Anca heeft geen woonruimte meer na vandaag.'

In een flits zie ik de poster van Parijs voor me. De handgeborduurde kussentjes op het bed, het bakje zure yoghurt in mijn ijskast.

'Ik kom je morgen ophalen, zorg dat je iets normaals draagt,' zegt Terry.

Ik sta meteen op en pak zijn hand vast. 'Nee,' zeg ik, 'je mag me niet alleen laten nu, ze zullen me iets aandoen!'

'Jij kijkt te veel televisie,' zegt hij en hij duwt me terug in het bankje.

33

's Ochtends word ik door Terry weer naar het Court House gereden. Ik heb geen tijd gehad om me te wassen of schone kleren aan te trekken, wel heb ik de trui met het mottengat vervangen voor een geruit overhemd met korte mouwen.

De hele nacht ben ik opgebleven, heb gewacht op een wonder, maar dat kwam natuurlijk niet. Wel was er een interessante documentaire op televisie over een vrouw die jarenlang in een kist onder het bed van een echtpaar gevangen werd gehouden. Ze had al die tijd nauwelijks daglicht gezien, maar kwam desondanks nog heel normaal over – al heb ik misschien niet alles meegekregen, want ik lette vooral op mijn mobiele telefoon naast me op de bank: de kans dat ze zou bellen bestond. Misschien zou ze me verrot schelden of alleen maar huilen, maar dan was het íets; vannacht was er niets.

Tijdens de rit zegt Terry weinig. Eigenlijk heeft hij het alleen over de lange wachttijd voor de stoplichten en de vele bouwwerkzaamheden waardoor hij om moet rijden. Ikzelf zeg geen woord, kijk alleen maar naar buiten, naar de mensen op straat.

Als we de parkeergarage van het Court House in rijden en tot stilstand komen naast een geblindeerde justitiebus, draait hij zich naar me toe.

'Luister eens. Ik heb echt heel slecht geslapen, echt geen oog dichtgedaan, en dan word ik heel chagrijnig, dus als ik nu onaardige dingen ga zeggen dan moet je maar even stilstaan bij die feiten, oké?'

Ik knik.

'Als we dit verliezen, en die kans is vrij groot na wat je gisteren hebt gedaan, dan ben jij officieel een *persona non grata*. Dat houdt in dat mensen je zullen haten, nóg veel meer dan toen je rechercheur was, oneindig veel meer, Steve. De kranten staan hier vol van, je naam wordt genoemd en we worden belachelijk gemaakt. De vierentwintig uur beraad die gevraagd is zullen ze gebruikt hebben om je psychiater op te roepen, je cardioloog, je kan het zo gek niet bedenken wat ze allemaal kunnen in vierentwintig uur. Misschien doen ze zelfs navraag bij je ex-vrouw, alles kan. Naar mijn idee kunnen ze je niet aanhouden, want je bent geen misdadiger, je bent gewoon een zak, iemand die iedereen straks een eikel vindt hier in de stad, behalve ik. Terry vindt jou geen eikel, Terry vindt je zielig, dus ik heb een plan bedacht om je straks heelhuids weg te kunnen sluizen: je gaat op een Grieks eiland een jaartje uitbriezen in een vakantiehuisje dat heel toevallig, echt héél toevallig, in het bezit is van de enige andere persoon in deze auto, ik dus. Na een jaar zijn ze het allemaal vergeten en kun je terugkomen. Ik zou persoonlijk tegen die tijd van stad wisselen, maar dat moet je natuurlijk zelf weten. Wat vaststaat, is dat Steve Mellors een tijdje moet verdwijnen.'

'Hoe is het met Anca?' vraag ik.

'Heb je me gehoord?'

'Ja, ik heb je gehoord,' zeg ik. 'Hoe is het met Anca?'

'Je hebt het goed verpest, als je dat soms wilt weten. Ik heb ze in het hotel nog even gesproken over morgen. Ze heeft veel steun aan dat blondje.'

'Cozana?' vraag ik.

'Ja, die. Ze vroeg natuurlijk of ik het wist en ik heb haar gewoon verteld dat ik het ook pas twee dagen voor de zaak hoorde, dat jij me zelf hebt opgezocht en dat ik van jou niets mocht zeggen. Ik heb ook verteld dat ik niets over je medische achtergrond wist.'

'Moest ze huilen?'

Terry schudt zijn hoofd. 'Geen moment, ze is vooral boos.'

Ik knik en kijk naar het schermpje van Terry's navigatiesysteem. 'Bestemming bereikt', staat er met grote oplichtende letters. 'Zullen we naar binnen gaan?' vraag ik.

In de gang wordt me een *Leicester Mercury* in de handen gedrukt. Er staat een groot stuk op de voorpagina over de zaak. 'Steven Mellors, lekkende rechercheur Leicester City District,' lees ik.

Als mijn ouders nog in leven waren, zouden ze nu schande over me spreken. Ze zouden in geen geval naar mijn kant van het verhaal luisteren; alle details zijn te smerig, te pijnlijk en te slecht, te onbegrijpelijk vooral. In die zin is het maar beter dat ze dood zijn, maar aan de andere kant zou ik er nu veel voor over hebben om met mijn moeder te praten;

ouderloos door het leven gaan geeft me de laatste jaren een onrustig gevoel. Als je geen partners of ouders meer hebt, ben je in wezen moederziel alleen.

Zou Susan de krant van vanmorgen hebben gelezen?

Ik voel me lusteloos en misselijk, maar vrijwel niet meer nerveus. Wel trillen mijn handen als een bezetene en voel ik mijn linkerbeen kloppen terwijl mijn rechterbeen slaapt. Ik heb voor de zekerheid een hele strip paracetamol-codeïne meegenomen.

De tweede dag van het proces begint met het verhaal van Cozana, die zachtjes en beheerst spreekt, en ongeveer hetzelfde verhaal vertelt als Anca. Als de openbaar aanklager haar vraagt of ze bang is geweest, zegt ze dat ze sinds de verkrachting geen oog meer dichtdoet. Als ik op dat moment naar de jury kijk zie ik dat sommigen van hen fronsen. Er volgt een zacht gesnik dat in mijn ogen niet erg oprecht overkomt, maar misschien is het de verlichting die vandaag feller lijkt te branden; op deze tweede zittingsdag is de zaal twee keer zo vol als gisteren. Vooral veel journalisten die aantekeningen aan het maken zijn, en hier en daar zie ik de tekenaars van de kranten zitten. Als ik verder rondkijk, zie ik in de hoek Bill Morgan. Hij lijkt heel kalm, heel zelfverzekerd ook, zijn schoenen glimmen en zijn haar is donkerder dan ooit.

In de pauze komt Terry naar me toe. Hij kijkt gepijnigd en boos, behandelt me ruwer dan voorheen; de schouderklopjes zijn harde duwen geworden, zijn rauwe rokersstem lijkt nog donkerder. 'Je moet zo verschijnen, ze gaan je doorzagen, foute boel,' is alles wat hij zegt.

Als ik tegen het schot sta, breekt het zweet me uit. Recht voor me zit Bill Morgan die uitdrukkingsloos naar me kijkt. Zou hij teleurgesteld in me zijn? Ik denk opeens aan het sproeistysteem dat ik voor mijn verjaardag kreeg.

'Meneer Mellors, wat is uw relatie tot mevrouw Vladoi en mevrouw Alexandrescu?' begint de advocaat.

Ik schrik me kapot en kijk snel Terry aan, die zijn keel schraapt en zegt dat ik daar niet op hoef te antwoorden. De rechter wijst het af. 'Wilt u antwoorden op de vraag, meneer Mellors,' zegt hij op boze toon.

'Geen,' zeg ik en voel mijn slapen weer bonzen van de zenuwen.

'U heeft de twee nooit eerder gezien?'

'Nooit eerder dan op de dag dat ik door het spionnetje keek.'

'My lord, ik wil een nieuwe getuige aan het proces toevoegen,' zegt de advocaat. Als ik snel naar Bill kijk zie ik dat hij grijnst. Als ik omhoog-kijk, naar het glazen hok waar Arnold en Jim zitten, zie ik dat zij ook grijzen.

'Naam?' vraagt de rechter.

'Alice Mcintosh,' zegt de advocaat.

Ik kijk Terry aan, die er natuurlijk niets van begrijpt. Hij knijpt met zijn ogen en staat dan op van zijn stoel. 'Ik wil vijftien minuten beraad, my lord,' zegt hij, 'met dezelfde reden als mijn confrère gisteren.'

In de gang lijkt zijn geduld op te zijn. In onsamenhangende, panieke-rige woorden vraagt hij wie Alice Mcintosh is en waarom hij, Terry Collins, niets van dit alles wist.

'Het is allemaal mijn schuld,' zeg ik met mijn hoofd naar de grond, 'ik heb er niet goed over nagedacht, het spijt me.'

'Wie is Alice Mcintosh, Steve?' schreeuwt hij nu.

'Een zwerfster die ik gevraagd heb Anca te waarschuwen op de dag van de inval.'

'Dit slaat echt alles! Wat heb jij eigenlijk gedacht toen je me belde? Die Collins ga ik het leven zuur maken? Ik ga hem eens goed voor schut zetten? Dacht je dat soms?'

Ik schud mijn hoofd. Het belangrijkste is nu dat dit alles zo snel mo-gelijk achter de rug is, dat ik naar huis kan om het op een drinken te zet-ten. Ik zeg nogmaals dat het allemaal mijn schuld is en voeg eraan toe dat ik een domme idioot ben.

'Wat heb ik daaraan? Wat kan ze ons maken?'

'Alles,' zeg ik.

Terry kijkt naar de grond, ontdekt een veeg op de punt van zijn schoen en poetst die snel met wat spuug weg. 'Ze zijn verkracht,' zegt hij, 'vertel me dat ik dat niet mag vergeten, Steve.' Hij kijkt me verdrie-tig aan. Ik zie dat zijn ogen rood doorlopen en vochtig zijn.

'Ze zijn verkracht,' herhaal ik.

32

'Kunt u ons uw naam noemen?' vraagt de advocaat.

'Alice Mcintosh.'

'Uw beroep?'

'Ik ben een liefdadigheidsinstelling,' zegt ze.

'Hoe komt u aan geld?'

'Ik bedel op Granby Street.'

'U bent dus zwerver?'

'Dat heeft u heel goed gezien, meneer.'

Ze lijkt in een goede bui. Misschien dat ze wel geniet van de aandacht. Voor deze gelegenheid heeft ze haar hoofddoek afgedaan en is het donshaar op haar schedel zichtbaar. Dat heeft ze expres gedaan, dat weet ik zeker. Iedereen mag weten dat ze kanker heeft, dat het heel slecht met haar gaat. Ik vraag me af hoeveel geld ze van Bill Morgan heeft gekregen om hier vanochtend te verschijnen.

'Kunt u ons vertellen wat er op 15 december jongstleden gebeurd is?'

'Jawel,' zegt ze, 'ik had een afspraak met een Pakistaan die zei dat hij van me hield, althans dat zei hij de twaalfde, en toen hebben we afgesproken voor Costa Coffee...'

'Kunt u ons vertellen wat Costa Coffee is?'

'Kent u dat niet? Dat is een koffietent op Humbertone Gate.'

'Gaat u verder, mevrouw Mcintosh.'

'Graag. Ik heb twee uur voor Costa gestaan, maar geen spoor van de Pakistaan, en ik had vreselijke dorst, dus ik vroeg mensen om wat liefdadigheidsgeld, en toen kwam Steve op me af.'

'Steve Mellors?'

'Nee, Steve Gerrard, nou goed? Steve Mellors natuurlijk!'

'Gaat u verder alstublieft.'

'Hij wilde me wat vragen en omdat ik nog niets gedronken had, zijn we naar een pub gegaan en daar heb ik gedronken en toen vroeg hij me een klusje voor hem te doen.'

'Wat hield dat klusje in?'

'Ik moest een boodschap op een bierviltje afleveren in de varkensslachterij.'

'De varkensslachterij?'

'Ja, dat gebouw op Lower Brown Street van Walker's, daar was iemand met de naam Anca die Steve een bierviltje wilde geven.'

'Een bierviltje wilde geven?'

'Ik bedoel: Steve had een boodschap op een bierviltje geschreven, dat moest ik afleveren, dat bierviltje.'

'Oké, duidelijk. Heeft u dit ook gedaan?'

'Nou, half. Ik bedoel: ik probeerde het, maar weet u, ik ben al twintig jaar verslaafd en wilde eerst scoren, dus dat ben ik gaan doen en onderweg ben ik het bierviltje verloren, maar goed, ik had geld van Steve gekregen, dus ben uiteindelijk naar het slachthuis gegaan om dat meisje op te zoeken.'

'Kunt u ons vertellen wat er op dat bierviltje stond?'

'Nee, daar heb ik dus al vierentwintig uur over na moeten denken, maar ik weet het echt niet meer. Ik weet dat het belangrijk was, maar dat is dan ook alles.'

'Stond erop dat er een inval zou plaatsvinden misschien?'

'Ik zou het u niet kunnen zeggen.'

'U weet toch nog wel ongeveer wat erop stond?'

Ze schudt haar hoofd, buigt naar de microfoon en zegt: 'Sorry, mensen, ik was stoned.'

Terry Collins vraagt het woord. Ik zie in zijn ogen dat hij hoop heeft gekregen en eigenlijk begin ik dat zelf ook te krijgen. Als ik alles bij elkaar optel heeft Bill Morgan zojuist een waardeloze getuige opgeroepen.

'Mevrouw Mcintosh, wilt u ons vertellen hoe uw afgelopen dag eruit heeft gezien?' vraagt Terry.

De advocaat maakt meteen bezwaar, en ik zie de rechter twijfelen, maar Terry Collins krijgt zijn zin.

'Ik ben van mijn bankje in Victoria Park gelicht.'

'Wanneer gebeurde dat?'

'Gisteren, ergens in de avond.'

'Wilt u ons vertellen wat er toen gebeurde?'

'Ik ben naar het politiebureau gebracht en daar hebben ze me verhoord, het ging allemaal over Steve Mellors.'

'Kent u Steve Mellors goed?'

'Nou, goed, ik ken hem al jaren. Hij is altijd aardig voor me geweest.'

'U kent Steve Mellors als een goed mens?'

'Absoluut. Wel een somber mens, maar goed, zonder twijfel.'

'Bent u slecht behandeld?'

De advocaat maakt weer bezwaar, en als de rechter het goedkeurt zegt Terry dat deze getuige volgens hem onbetrouwbaar is. Ze is drugsverslaafd en hoewel ze over een bierviltje praat, is er geen enkel bewijs dat er ooit een bierviltje is geweest. Met opgeheven hand zegt hij richting de jury dat er moedwillig een zijweg wordt ingeslagen, dat het hier om een brute verkrachting gaat en dat de verdachten dit hele proces nog helemaal niet gehoord zijn.

De rechter wijst het toe.

Tijdens het verhoor van Jim lijkt Terry zich niet meer in te kunnen houden van woede. Hij wordt door de rechter om de zo veel vragen op het matje geroepen. Terry probeert op het gevoel van de juryleden te spelen door de citaten voor te dragen die in de verklaringen van de meisjes staan. Ik moet toegeven, de juryleden lijken aangedaan, maar de rechter zelf lijkt niet erg overtuigd. Terry gebruikt grove taal en slaat zo nu en dan op zijn tafel, iets wat hem al snel uitdrukkelijk verboden wordt.

Ik voel inmiddels alleen nog maar vermoeidheid en tuur zo nu en dan nerveus over het publiek, mompel in mezelf en bijt mijn nagels tot bloedens toe kapot. Als Jim zijn verhaal doet, zie ik hoe zelfverzekerd hij verdachtmakingen van tafel veegt en simpelweg verklaart helemaal niet op dat tijdstip in de gevangenis te zijn geweest. Jim was namelijk met Arnold in de Polar Bear, een pub om de hoek van het bureau, daarna zijn ze samen een hamburger gaan eten bij Burger King en toen zijn ze allebei gewoon naar huis gegaan, allemaal onzin dus.

De rechter vraagt of hij schuldig of onschuldig is.

'Onschuldig, my lord,' zegt Jim en kijkt hierbij naar de rechter en dan naar de jury. 'Onschuldig,' herhaalt hij.

'En waarom zou Steve Mellors, jullie collega, zoiets uit zijn duim zuigen?' vraagt de openbaar aanklager.

'Dat weet ik niet, ik ken Steve al jaren, maar dit is een groot raadsel voor me.'

Ik zie dat Anca huilt. Cozana slaat een arm om haar heen en Terry reikt haar met een hoffelijk gebaar een zakdoek aan, kijkt daarbij naar de jury en de rechter, schraapt zijn keel en richt zich tot Arnold.

Arnold komt minder zelfverzekerd over. Zijn voorhoofd glimt van het zweet, en tijdens het praten zwaait hij steeds met zijn handen in de lucht.

Arnold zegt vooral heel geschokt te zijn door mijn beschuldigingen. Hij zegt dat hij dit alles aanzag voor een grote gemene grap om de politie een hak te zetten, maar nu zijn dierbaarste collega tegen hem getuigt, is hij vooral erg in de war.

De openbaar aanklager vraagt hem zijn relatie met mij te beschrijven.

'Ik kan alleen maar zeggen dat we altijd op goede voet met elkaar omgingen. Dat we er soms andere meningen op na hielden, maar dat ik me niet voor kan stellen dat ik dit verdiend heb.'

'Waarom denkt u dat meneer Mellors met deze verklaring komt?' vraagt de rechter.

Arnold denkt na, haalt zijn schouders op en zegt: 'Ik denk dat Steve veel meer problemen heeft dan wij ooit gedacht hebben. Ik denk ook dat hij heel makkelijk te beïnvloeden is, ik heb me de afgelopen dag helemaal ziek gepiekerd waarom hij zoiets zou doen en snap er nog steeds niets van. Wat me het meest verbaast, is dat hij zegt het te hebben gezien, maar er niets aan heeft gedaan. Ik vind dat helemaal niet bij een rechercheur als Steve passen. Als hij echt getuige is geweest van een verkrachting, waarom deed hij dan niets? Eigenlijk is alles voor mij één groot vraagteken, ik weet het gewoon echt niet.'

'En u,' vraagt de rechter, 'bent u schuldig of onschuldig?'

'Onschuldig, my lord!' roept Arnold.

Als de rechter aftikt en zegt de zaak morgen voort te zetten, vlucht ik naar de wc's. Tijdens het laatste deel van het verhoor voelde ik me vooral heel erg zwak, dacht zelfs een moment weemoedig aan Susan, maar terwijl ik op de wc mijn lul kneed, probeer ik aan Anca te denken, en zie meteen weer voor me wat ik door het spionnetje zag. Ik probeer uit alle macht klaar te komen, en sjor hard aan mijn lul. Het is echt het enige medicijn, mijn enige redmiddel, maar ik voel in de verste verte niets komen.

Na tien minuten hou ik het voor gezien, was mijn handen en vlucht door de zijuitgang de stad in, waar het koopavond is.

31

Terry nodigt zichzelf de volgende ochtend bij mij thuis uit. Er is volgens hem geen plek in de stad waar we veilig kunnen praten, en praten moeten we. Zijn kantoor is een heuse *no go area*, en als ik hem zeg dat de kans bestaat dat Bill Morgan inmiddels mijn huis laat afluisteren, zegt hij weer dat ik echt te veel films heb gezien.

Terwijl we tegenover elkaar aan de eettafel zitten, voel ik me verschrikkelijk moe en wazig. Gisteren heb ik twee slaappillen ingenomen en drie paracetamol-codeïne, wat resulteerde in een twintig minuten durende paniek waarin ik tegen de plotselinge slaperigheid vocht, koffie zette en nog voor ik een slok kon nemen in slaap viel op de bank.

'Dat je dit kunt drinken zegt meer over jou dan alle getuigenissen bij elkaar,' zegt Terry als hij een slok koffie neemt.

'Sorry,' zeg ik, 'ik drink bijna nooit koffie.'

'Humor heb je ook al niet,' zegt hij.

Ik zie hoe hij iets te lang kijkt naar de keukennis, naar het gordijntje dat de makelaar prees om zijn functionaliteit, maar dat ik nooit dichtschuif. Het bed is gelukkig netjes opgemaakt en de kamerschermen staan in elkaar geklapt tegen de wand.

'Ik heb vannacht natuurlijk weer geen oog dichtgedaan, maar jij waarschijnlijk ook niet,' zegt hij en roert in zijn koffie.

Ik knik en denk aan de idiote dromen die ik vannacht had. Over ritjes door de stad met dieren achter in mijn auto, over een rechtszaak waarin ik terechtstond voor een gewapende overval bij een slijterij, en tot slot, net voordat ik wakker werd gebeld, een los beeld van een grote roze baby die over een zwarte, glinsterende grond kroop en daarna een stukje de lucht in werd geblazen.

'Het probleem met deze zaak is niet dat de aanklacht zwak of ongeloofwaardig is, het probleem ben jij.'

'Wat kan ik doen om ze te helpen?' vraag ik.

Terry zucht en tuurt naar mijn koekoeksklok. Het is een plastic koekoeksklok die ik zelf in elkaar heb gezet uit een ingewikkeld bouwpakket dat Susan me ooit cadeau deed.

'Hij werkt niet,' zeg ik, 'het is halftien.'

'Wat ik dus denk, is dat je vanaf nu maar het beste eerlijk kunt zijn,' zegt Terry.

'Alles vertellen.'

'Alles,' zucht Terry, 'ze hebben nu weer een dag de tijd gehad om meer bewijs te verzamelen om jou te kunnen bestempelen als valse getuige, of in ieder geval iemand die de twijfel heeft. Wat ze doen is de aandacht afleiden van de aanklacht zelf. Dat de meisjes in de prostitutie zaten kan ze nog problemen bezorgen, maar uiteindelijk gaat het daar niet om, het gaat erom dat ze verkracht zijn. Je zult dus eerlijk moeten zijn, moeten vertellen over de manier waarop je haar ontmoet hebt, zelfs over het samenwonen moet je praten, echt Steve, als je ze wilt helpen, moet je alles vertellen.'

Ik knik.

Hij leunt een beetje achterover in zijn stoel. 'Dus, vertel Terry eens het een en ander.'

Ik vertel over de e-mail van Flirtbox, over de eerste avond waarop ik haar bezocht en met haar naar bed ging voor zeventig pond. Met enige trots vertel ik hoe ik de keren daarna niet meer met haar naar bed ging en alleen maar praatte. ('Echt?' vraagt hij tussendoor. 'Ja, echt,' zeg ik.) Hoe ik een knuffelkoe voor haar kocht en we op een avond sushi aten. Als ik 'knuffelkoe' uitspreek voel ik mijn ogen volstromen met tranen, mijn lippen trillen en opeens kan ik me niet meer inhouden.

'Nou,' zeg ik jammerend als de tranen over mijn wangen stromen.

'Geeft niet, maakt niet uit,' zegt Terry. Hij legt een hand op mijn schouder. Hij ruikt naar een combinatie van een duur parfum en zacht kalfsleer. Misschien komt het door zijn bureaustoel, waar hij vast uren per dag in zit. 'Kijk, dit is precies wat we moeten hebben: *emotie*,' zegt hij zachtjes, 'je houdt van haar...'

'Ja,' zeg ik en snuit mijn neus in een servetje.

Ik zie eigenlijk niet in wat zijn winst zal zijn als ik vertel hoe ik haar ontmoet heb, in combinatie met het zien van de verkrachting en het uiteindelijke samenwonen. Het beeld dat men van de meisjes krijgt, wordt er ook niet beter op – het zijn straks geen studenten economie meer, maar illegale prostituees. Eigenlijk lijkt het me juist een heel slechte zet, bedenk ik op weg naar het Court House, maar goed, Terry zal het wel beter weten, dus ik zeg geen woord.

Elke dag dat het proces langer duurt, wordt het drukker in de zaal. Ik zie een tekenaar een schets maken van Anca die met een stoïcijnse blik in het bankje tegenover de rechter zit. Ze ziet er klein uit op die tekening, breekbaar.

'Mevrouw Alexandrescu, blijft u bij uw verklaring van gisteren dat uw oom uit Boekarest u aangezet heeft tot het doen van aangifte?' is de eerste vraag die de advocaat van Jim en Arnold haar stelt.

'Nee,' zegt ze, 'het was Steve Mellors die met aanraadde aangifte te doen.'

Er klinkt gemompel en ik zie hoe de mensen van de pers snel aantekeningen maken. Alle leden van de jury kijken me aan. Een van de tekenaars draait zich heel kort naar me toe en schudt zijn hoofd.

'Wat is uw relatie met meneer Mellors?'

'Geen,' zegt ze, 'niet meer althans.'

Als mijn hart nog niet gebroken was, breekt het nu. Ik voel hoe mensen in de zaal naar me kijken en ben misselijk van angst, maar ergens denk ik dat ze door Terry geïnstrueerd is dit te zeggen en er niets van meent.

'U sliep met elkaar?' vraagt de advocaat.

'We hebben één keer met elkaar geslapen, ja.'

'Kwam u elkaar tegen in een café of is het anders gegaan?'

Terry maakt bezwaar, zegt dat het niet ter zake doende is hoe de relatie tot stand kwam.

'Toch wel, my lord,' zegt de advocaat, 'we zijn in het bezit gekomen van de gegevens van de computer van getuige Mellors. Daar komen bezoeken in voor aan Flirtbox, een zogenaamde datingsite. Meneer Mellors heeft zich ingeschreven op deze datingsite om vrouwen te ontmoeten.'

De rechter wijst het bezwaar af en Terry zakt neer in zijn stoel en schudt onophoudelijk zijn hoofd. Ik zie hoe Anca naar hem kijkt, even hoest en dan zegt: 'Ik heb hem een e-mail gestuurd.'

'Wat stond er in die mail?'

'Dat... dat ik hem wilde ontmoeten.'

'U wilde meneer Mellors ontmoeten? Gewoon bij het bekijken van zijn profiel dacht u: die wil ik wel ontmoeten?'

'Ja,' zegt ze.

De advocaat vraagt haar te beschrijven wat voor iemand ik ben. Ik durf haast niet meer te kijken, hou mijn handen voor mijn gezicht en tik nerveus met mijn been; gek, denk ik, juist hier krijg ik waarschijnlijk het eerlijkste antwoord mogelijk.

'Gewoon een man,' is haar antwoord. Ik kijk voorzichtig op of er tranen te zien zijn, maar vanaf deze afstand is alles te wazig.

'Een man met geestelijke problemen?'

'Ik weet dat hij naar een psychiater ging,' zegt ze.

'Wist u van zijn beroep?'

'Nee, ik wist niets van zijn werk bij de politie, ik dacht dat hij taxichauffeur was.'

'Taxichauffeur?'

'Ja, dat zei hij.'

Er klinkt gemompel uit het publiek. Ik denk gelach te horen, maar als ik naar de jury kijk zie ik dat ze vooral verbaasd zijn. De man in de groene trui draagt vandaag een te groot tweedjasje.

'Wanneer zei hij dat voor de eerste keer tegen u? Wanneer begon hij het eerst met liegen?' vraagt de advocaat.

Terry maakt meteen bezwaar, maar de rechter vindt het interessant en keurt het bezwaar af.

'De tweede keer bij mij thuis.'

'Dank u wel. Ik wil graag meneer Mellors wat vragen stellen,' zegt de advocaat.

Ik sleep mezelf naar voren en ga tegen het schot geleund staan.

'Wat is uw relatie tot de gedupeerde, meneer Mellors?' is de eerste vraag.

'Ze is mijn vriendin,' zeg ik zachtjes in de microfoon. Ik durf niet naar haar te kijken.

'Uw vriendin?'

'We wonen samen.'

'Kunt u ons vertellen hoe u uw vriendin ontmoet heeft?'

'Ik heb met haar gepraat via een website.'

'Flirtbox heet die website toch?'

'Dat klopt,' zeg ik.

'Wat voor gesprekken vinden daar plaats, meneer Mellors?'

'Het is gericht op relaties, min of meer dan, het gaat vaak om afspraakjes.'

'Het is een pornosite?'

'Nee, het is geen pornosite.'

'Wist u dat achter het IP-adres dat mevrouw Alexandrescu gebruikte een criminele organisatie schuilging?'

Terry slaat op zijn tafel en zegt dat ik niet hoef te antwoorden. Er is geen verband met criminele activiteiten en de datingsite, zegt hij.

'My lord,' begint de advocaat, 'mijn cliënten hebben onderzoek gedaan naar een mogelijke terroristische organisatie en hoewel dat niet bewijsbaar bleek, is het overduidelijk dat de organisatie waar mevrouw Alexandrescu en mevrouw Vladoi voor werkten zich bezighoudt met drugs en witwassen van geld. Ik vind dat ik mag spreken van een criminele organisatie.'

'My lord, er is géén sprake van een werkverband,' zegt Terry, 'het ging om huisvesting. Wat mijn cliënten in hun vrije tijd doen, is hun zaak.'

De rechter wijst het bezwaar af. Terry zucht eerst diep en slaat dan nogmaals op zijn tafel. De rechter zegt: 'Als u zich niet kunt gedragen, laat ik u verwijderen!' Hij zwaait vervaarlijk met zijn hamertje naar Terry en zegt: 'Meneer Mellors, wilt u antwoorden op de vraag?

'Nee,' zeg ik, 'ik wist daar niet van af.'

'Uw bureau was toch bezig met een onderzoek naar deze organisatie ten tijde van uw "bezoeken" aan mevrouw Alexandrescu?' vraagt de advocaat.

'De locatie was mij toen nog niet bekend,' zeg ik, 'volgens mij bij niemand op het bureau.'

'Bent u zich wel bewust van het feit dat u een operatie van de politie heeft proberen te laten mislukken?'

'Nee, dat heb ik niet,' zeg ik, 'hoe komt u daarbij?'

'We hebben gisteren kunnen horen dat u getracht heeft de aangever te bereiken middels een bericht. Klopt dat?'

'Ja, dat klopt,' zeg ik.

'Kunt u ons vertellen wat er in dat bericht stond?'

Ik kijk naar Terry. Hij knikt langzaam.

'Er stond in dat ze zo snel mogelijk weg moest gaan, dat de politie een inval ging doen om acht uur.'

'Aha,' zegt de advocaat, 'en u vindt niet dat u op die manier heeft geprobeerd de operatie, waar u zelf overigens de leiding over had, heeft willen laten mislukken?'

'Ik wilde alleen háár waarschuwen, de rest maakte me niet uit,' zeg ik, 'het ging om haar.'

'Andere vraag, meneer Mellors: heeft u het meisje betaald voor haar diensten?'

Zonder naar Terry te kijken zeg ik meteen dat dat klopt. Ik noem zelfs het bedrag: zeventig pond. 'Maar na die eerste keer heb ik nooit meer betaald, in wezen was ik haar klant dus niet,' voeg ik eraan toe.

Terry vraagt het woord en als ik naar hem opkijk zie ik dat hij woedend is. 'My lord, ik ben van mening dat we weer afdwalen. Het gaat hier om verkrachting en mishandeling, ik vind dat mijn confrère voorbijgaat aan de reden waarom wij hier staan!'

'Dat ziet meneer Collins verkeerd,' zegt de advocaat. 'Aangezien meneer Mellors de enige getuige is die meneer Collins heeft opgeroepen, vergaar ik zo veel mogelijk informatie over de betrouwbaarheid van deze getuige. De leden van de jury hebben het recht te weten wat voor persoon meneer Mellors is. Ik ben van mening dat een man met psychische problemen, een mogelijk pathologische leugenaar, géén betrouwbare getuige kan zijn! Het is mij allemaal veel te dubieus. Meneer Mellors zegt getuige te zijn geweest van een verkrachting en doet vervolgens niets om het te voorkomen. Meneer Mellors bezocht een illegale prostituee die onderdeel uitmaakt van de criminele organisatie waar zijn eigen team onderzoek naar doet, en als klap op de vuurpijl probeert hij zijn eigen collega's, en dus indirect u, my lord, te dwarsbomen. Liefde maakt blind, my lord, ik ben van mening dat meneer Mellors niet getuige is geweest van een verkrachting, maar van zijn eigen zwakte en fantasie.'

Terry is ziedend van woede. Zijn hoofd is vuurrood aangelopen als hij de jury aankijkt. Dan zegt hij: 'My lord, leden van de jury… Stelt u zich het volgende voor: u bent eenzaam en somber. Een tijd geleden bent u gescheiden. Opeens krijgt u een e-mail waarin iemand schrijft dat ze met u af wil spreken. Een mooie, jonge vrouw. U verzamelt moed en gaat op die uitnodiging in. Er blijkt sprake te zijn van prostitutie, maar bewust van de illegaliteit daarvan doet u daar niet aan mee. Er ontstaat iets tussen u en het meisje en u vergeet in alle gauwigheid dat u rechercheur bent, want liefde maakt blind, my lord, het is waar wat mijn confrère zegt, maar liefde maakt niet zo blind dat een verkrachting kan worden ingebeeld. Liefde maakt niet zo blind dat mijn cliënt waanbeelden ziet. Maar de kans dat meneer Mellors in shock is geraakt door wat hij heeft gezien, is groot. Dat hij niets gedaan heeft om het te voorkomen, is natuurlijk een ongelukkig detail, maar het zegt niets over zijn betrouwbaarheid, meer over zijn staat van doen op dat zeer choquerende moment. Mijn confrère zegt net dat u, juryleden, recht hebben om te weten wie meneer Mellors is. Nou luistert u goed naar mij: getuige Mellors heeft een onberispelijke staat van dienst binnen zijn politiekorps. Eergisteren werd de vraag gesteld waarom hij niet eerder aangifte deed. Nou, ik denk dat het verschrikkelijk pijnlijk voor hem moet zijn geweest om dit te moeten zien. Niet alleen zijn vriendin werd verkracht, ook zijn twee naaste collega's zaten opeens diep in de problemen. Dit getuigt naar mijn mening juist van enorme betrouwbaarheid en absolute loyaliteit.'

De rechter zucht diep. 'Dat was het?' vraagt hij.

Terry knikt en de rechter vraagt of de advocaat van Jim en Arnold nog iets toe te voegen heeft.

'Helemaal niets meer,' zegt hij grijnzend.

Als de rechter aftikt en mededeelt dat de uitspraak over vier weken plaatsvindt, zit ik met mijn handen voor mijn gezicht. Ik luister naar de krassende stoelen, het steeds harder wordende praten van de journalisten, het geluid van de deuren die zich openen en sluiten, en als ik opkijk zie ik dat de tekenaar voor me een laatste hand legt aan mijn lippen.

30

Als ik de volgende ochtend mijn ogen open, heb ik het vermoeden dat het allemaal niet echt is gebeurd. Een moment vraag ik me af of het de pijnstillers zijn die mij hallucinaties hebben bezorgd, maar als ik nog slaperig de televisie aanzet en meteen het Crown Court zie, een weidse shot te zien krijg van Anca en Cozana die, bijgestaan door Terry – die de camera's probeert af te weren met zijn dikke dossiermappen – de trappen af lopen, en de lome stem van de commentator hoor die 'It's a remarkable case' zegt, krijg ik het sterke vermoeden dat iemand mij erin geluisd heeft. Iemand die me opzettelijk pijn wil doen, die me waarschijnlijk moet haten.

Vanuit mijn bed probeer ik Anca te bellen, maar krijg steeds haar voicemail. Ik durf niets in te spreken, en eigenlijk zou ik ook niet weten wat ik zou moeten zeggen.

Ik besluit het klusje af te maken dat ik eergisteren in de wc van het Crown Court begon. Steeds hou ik de voordeur in de gaten, want hoewel alles verloren lijkt, bestaat nog steeds de kans dat ze binnenkomt, ze heeft namelijk een sleutel. Dat ze mij dan aantreft met mijn lul in mijn hand, lijkt me op dit moment niet helemaal gepast. Als ik grommend onder de deken klaarkom en mijn schaamstreek schoonveeg aan het dekbed, voel ik me voor het eerst in dagen een beetje opgelucht.

Vanaf de wc bel ik Terry en krijg ook zijn voicemail. Wat een doorleefde stem heeft die man toch, denk ik als ik zijn boodschap hoor. Ik laat geen bericht achter. Ik veeg mijn billen af, loop naar de keukennis en trek een blik bier open, neem een Zantac, twee bloedverdunners, een Zoloft én een bètablokker in.

'Nu kan je dag beginnen, jongetje,' zeg ik in de weerspiegeling van de ramen.

Het is raar hoe levens die je gisteren nog leefde, in één klap voorbij kunnen zijn. Ik loop de hele dag met mijn mobiele telefoon in mijn hand, want ergens heb ik het idee dat mijn geluk nog niet helemaal op is, dat ze misschien tot inkeer komt en me zal bellen, of sms'en. Ik lees de oude sms'jes terug die ze me gestuurd heeft. Het zijn er in totaal maar vier, en allemaal zijn het huishoudelijke mededelingen, maar toch, op deze manier ben ik minder alleen, hou ik nog enige hoop.

Ik stofzuig de woonkamer en dweil de badkamer. Krab de kalkaanslag tussen de voegen weg, ga met een stofdoek over het beeldscherm van mijn televisie en computer. Tussen het bed en de vensterbank vind ik een leeg bakje yoghurt waarin een lepel zit. Met geen mogelijkheid krijg ik de versteende yoghurt van de lepel; ik gooi het geheel in de vuilnisbak en kijk weemoedig naar de inhoud, die nu alweer die van een alleenstaande is: verpakkingen van magnetronmaaltijden, lege blikken bier, een lege wc-rol, twee wikkels Cadbury's fruit & nut, een verpletterd schuursponsje.

Als ik de ramen aan het lappen ben, bedenk ik dat ik zelfs dit alleen voor haar doe. Voor het geval ze terugkomt.

Dan gaat de telefoon. Het is een afgeschermd nummer. Meestal neem ik dan niet op, omdat ik altijd te laf ben om tegen een callcentermedewerker te zeggen dat ik geen zin heb in een consumentenonderzoek. Toch neem ik op.

'Steve,' hoor ik Terry zeggen.

'Ja, Terry,' zeg ik.

'Hoe gaat het met je?'

'Niet zo goed,' zeg ik.

'Ik bel om een afspraak te maken om Anca's bezittingen op te komen halen.'

'O,' zeg ik.

'Ja, ze wil ze natuurlijk terug. Kan ik vandaag nog langskomen?'

'Ik heb het een beetje druk, Terry,' zeg ik, 'vandaag komt me slecht uit.'

'Ik heb een sleutel, ik kan mezelf binnenlaten, als je dat goedvindt?'

'Ja, dat is goed,' zeg ik, 'wanneer wilde je komen? Misschien ben ik wel thuis.'

'Einde van de dag ergens, rond een uur of zes.'

'Komt ze met je mee?'

'Nee, dat wil ze niet, daarom bel ik je ook.'

'Terry,' begin ik, 'ik, ehm…'

'Wat? Wil je met haar praten? Kun je vergeten, man. Ik wist dat je dat ging vragen, maar ze wil je echt niet meer zien of horen. Ze vraagt je trouwens op te houden met bellen, echt, ze is er slecht aan toe.'

'Dat begrijp ik.'

'Heb je nagedacht over mijn voorstel?'

'Over weggaan?'

'Ja.'

'Nee.'

'Wil je daar dan nu over na gaan denken, alsjeblieft?'

De telefoon wordt opgehangen. Ik vind dat altijd heel onbeschoft. Je ziet het vaak in films: iemand zegt iets en hangt op, zomaar, zonder gedag te zeggen, zonder enige vriendelijkheid.

Het idee dat ze me niet meer wil zien en dat ze zelfs haar spullen laat ophalen door Terry, verpest de rest van mijn middag. Ik zit een uur lang met een fles schuurmiddel en een sponsje in mijn handen onbeweeglijk op de bank. Heel even schijnt de zon naar binnen en zie ik hoe schoon het hier is, hoe onberispelijk maar ook onpersoonlijk mijn huis wel niet is. In de hoek, onder een wollen deken, staan mijn verhuisdozen verstopt. Haar rokjes, schoenen, de spijkerbroek met de glitters, de fotolijstjes en haar make-up zijn het enige fleurige in mijn huis.

Als ik al haar spullen in de sporttassen gestopt heb die onder het bed lagen, kijk ik met verwondering naar de verwijdering die plaatsvindt in mijn woonkamer. Nu haar spullen weg zijn, lijkt ook zij verdwenen. Het doet me pijn om te zien hoe weinig spullen hier eigenlijk van haar waren. Dat alles in twee zwarte Puma-sporttassen past. Hoe gemakkelijk dingen je ontnomen kunnen worden.

Terwijl ik op de wc zit, trek ik een haarborstel en een crèmespoeling uit het badkamerkastje. 'Zijdezacht haar door toevoeging van zijde-extracten en aloë vera,' lees ik. Ik stop ze in het zijvak van een van de tassen.

Om kwart voor zes trek ik mijn jas aan. Terwijl ik een vlek van mijn broek haal met wat speeksel, zie ik de twee tassen op de eettafel staan.

In de lift hangt een advertentie waarin iemand drie IKEA-Billy-kasten verkoopt. Met grote letters staat er: MOET SNEL WEG IN VERBAND MET VERHUIZING! Er is een klein fotootje aan vastgeplakt waarop de drie kasten een verdrietige stapel planken zijn.

Het centrum durf ik niet in, dus blijf ik in de buurt. Aan het eind van Lower Brown Street zit een Amerikaans hamburgerrestaurant dat eigendom is van een Pakistaanse filmster. Deze Pakistaan heeft het helemaal gemaakt in Hollywood en staat breed glimlachend op de vele foto's aan de wand. Op sommige foto's staat hij naast een dure sportauto, op andere zit hij aan een zwembad, maar op de meeste poseert hij naast een bekende filmster. Ik ga zitten onder de foto waarop hij naast Harrison Ford staat, en bestel een hawaiiburger en patat en een bananenmilkshake. Met die milkshakes adverteren ze wel eens in de *Leicester Mercury* met de slogan: 'Once you taste it, you can't get over it!'

Als ik even later een hap van mijn tweede hamburger neem – eentje met gefrituurde uienringen, kaas en gegrilde paprika – zie ik opeens Terry Collins langs het raam lopen. Ik sta meteen op en reken snel af.

Aan de overkant van de straat volg ik hem. Steeds ga ik even in een portiek staan en kijk voorzichtig om het hoekje. Hij is aan de telefoon, kijkt naar de grond en neemt grote passen. Hij loopt het terrein van Montfort House op. Ik voel de grove bakstenen muur van het slachthuis onder mijn vingers en zie hoe hij de deur opent, de portier groet met een knik en dan uit het zicht verdwijnt.

Een tijdje sta ik doelloos tegen de brandtrap van het slachthuis geleund. Het is stil op straat, en hoewel het al donker is, heeft bijna niemand in het gebouw lichten aangedaan. Eigenlijk kan ik mijn raam vanaf hier niet zien, dus neem ik de brandtrap naar boven, kijk vanaf een platje, maar nog steeds ben ik niet hoog genoeg. De langste trap leidt naar een groot geteerd plat dak waar tegen de dakramen lege bierblikken liggen.

'Het is echt oneerlijk,' mompel ik terwijl ik op het dak ga zitten. Vanaf de straat gezien is het een afzichtelijk gebouw. Hier, op ongeveer acht meter hoogte, is het gewoonweg onbegrijpelijk. Wie heeft zoiets kunnen bouwen, vraag ik me af, en hoe heb ik toch ooit de keuze kunnen maken daar te gaan wonen?

Heel kort springt er licht aan in mijn appartement. Ik slaak een zucht als het gebeurt, knars met mijn tanden en wrijf met mijn handen over het ongelijkmatige oppervlak van het dak. Als het licht weer uitgaat, hou ik de voordeur in de gaten. Ik zie het achterhoofd van de portier, kan zelfs meekijken op zijn beveiligingsbeeldschermen.

Terry Collins lijkt vanaf hier een poppetje in een lange wollen jas. Met de twee tassen in zijn handen loopt hij snel het terrein af, de poort door, de straat op, op weg naar zijn auto die vast ergens veilig in een parkeergarage staat.

Zodra hij uit mijn blikveld is verdwenen, ga ik plat op het dak liggen, spreid mijn armen, dan mijn benen. Ik licht mijn handen op en laat ze weer vallen, wiebel met mijn pijnlijke enkels en schuur mijn billen over het teer.

Ik zie de donkere lucht en soms een schim van een vogel, en als ik even mijn hoofd draai de twee zendmasten van een mobiele-telefonie-aanbieder. Hoog torenen ze uit boven Montfort House. Ik ga weer stil liggen, probeer plat te zijn als het dak en zo te ademen als zij me geleerd heeft.

Het moeilijkste, het allermoeilijkste, is het sluiten van mijn ogen.

29

's Ochtends belt Terry me het laatste nieuws door. In de *Leicester Mercury* staat een kort interview met Bill Morgan, die tussen flauwe woordgrapjes en zijn inmiddels beroemde slogans over veiligheid en criminaliteit door, natuurlijk ook over mij spreekt.

'Luister je?' vraagt hij.

'Ik ben een en al oor,' zeg ik.

'Ik citeer: "Steve Mellors is jarenlang een zeer betrouwbare kracht geweest binnen mijn korps, maar blijkbaar heeft Mellors van zijn hobby zijn werk gemaakt. Op zijn in beslag genomen computer hebben wij porno aangetroffen en is te zien hoe hij tijdens werktijd op porno- en datingsites zat. Het eerste contact met een van de aanklagers is ook via de internetverbinding van ons bureau gelopen. Stelt u zich eens voor dat u aangifte komt doen van een geweldsdelict en de rechercheur tegenover u heeft zich vijf minuten daarvoor tot een hoogtepunt gewerkt. Dat is ronduit respectloos en ik kan dat niet tolereren, iemand die bij de politie werkt moet een voorbeeldburger zijn en in geen geval een viespeuk."'

Een viespeuk.

'Ja, dat is niet mis,' zegt Terry, 'maar die Morgan moet ook wat, natuurlijk.'

'Ja,' zeg ik, 'maar viespeuk…'

'Ze lijken nergens bang voor. Ze hebben ook de zaak van de varkensslachterij weer heropend, wist je dat?'

'Nee,' zeg ik.

'Ja, ze gaan natuurlijk kijken of ze de meisjes achter slot en grendel kunnen krijgen. Zo doen ze dat: opsluiten als ze voor moeilijkheden zorgen. Ik heb alle stukken opgevraagd en zal ze bijstaan als dat gaat gebeuren. Zo makkelijk krijgen ze Terry Collins er natuurlijk niet onder.'

'Wat stond er nog meer over mij?'

'O, *This Is Leicestershire* noemt je een gefrustreerde rechercheur. Ze schrijven over die button, ze vinden het ironisch. Ze vergelijken je met iemand uit een politieserie.'

'Wie dan?'

'Ja, weet ik niet meer, een politieagent die zich tegen de politie keert. Koop zelf even die kranten, ik ga je niet alles voorlezen.'

'Is dat wel de held van het verhaal?'

Terry schraapt zijn keel. 'Wat bedoel je, wie is de held in welk verhaal?'

'Nou, in die serie, is die politieagent in die serie uiteindelijk de held van het verhaal?'

'Nee, niet bepaald, maar snap je welk beeld de inwoners van Leicester en ver daarbuiten nu van je hebben?'

'Ik weet het niet, Terry. Misschien geloven ze het niet allemaal.'

'O jawel, dat geloven ze meteen. In deze tijd is er juist grote behoefte aan personen zoals jij, dan hebben mensen iemand om boos op te zijn, of iemand om te kunnen bespotten. Echt, beste man, je doet er goed aan mijn raad op te volgen en te vertrekken. Al is het maar voor een halfjaartje, lekker in de zon, beetje feesten, lekker relaxen, even nergens aan denken.'

'Feesten?'

'Ja, het is een feesteiland, met allemaal jonge meisjes, man. De zee, frisse lucht, een paradijs!'

Jaren geleden was ik met Susan naar Mallorca gegaan. Het was vrij goedkoop geweest. Susan wilde er al een tijdje tussenuit en toen ik een keer na mijn werk langs een reiswinkel liep, zag ik op een bord een gunstige aanbieding staan. Het was een groot fiasco, want de kamers leken op geen stukken na op de kamers op de foto's in de reisgids. Het beloofde 'luxe zwembad' was piepklein en altijd vol en dat terwijl de zee ver weg was. Susan rende soms al om acht uur 's ochtends met een strandhanddoek naar dat zwembadje om een plek aan de rand te veroveren, maar al snel bleek dat iedereen dat deed. Hoe vroeg ze ook ging, altijd was het vol. Ze heeft naderhand nog geprobeerd de reismaatschappij aan te klagen, maar dat verloor ze omdat in de folder stond dat alle foto's onder voorbehoud waren.

'Ik voel me niet goed, Terry,' zeg ik en ga op mijn bedrand zitten, 'ik voel me serieus heel slecht, ik denk dat ik daar alleen maar somberder word.'

'*Suit yourself*, Steve. Ik zeg het omdat ik je wil helpen, maar je laat je niet helpen, dus zoek het dan maar lekker uit. Je zult er snel genoeg achter komen dat je beter even weg kunt gaan. *Mark my words...*'

'Niet ophangen nu,' onderbreek ik hem in paniek.

'Ik hang toch niet op?'

'Ik bedoel, als je ophangt moet je iets zeggen, iets normaals. Niet zomaar de hoorn op de haak gooien, maar iets zeggen.'

'Dag Steve,' zegt hij, en hangt op.

Vanuit het raam kijk ik naar het platte dak. Daar lag ik goed, denk ik terwijl ik hard in een energiereep bijt.

28

Mark my words, zei Terry, en dat klopte. De volgende dag al hoor ik bij de brievenbussen iemand 'viespeuk' zeggen, en dat blijkt nog maar het prille begin, want er is een tekening van mij verschenen in zowel de *Leicester Mercury* als *The Sun* en bij de kiosk herkent de verkoper me meteen. Hij weigert me een Mars te verkopen. Hij zegt dat mensen als ik geen recht hebben op iets lekkers.

Ik bel Terry om te vragen of hij iets kan doen aan die tekening, die nu ook op vele internetfora circuleert, maar Terry zegt dat het journalistiek is, dat ik daar geen zaak tegen kan beginnen. 'Pas als je in elkaar geslagen wordt, kan ik iets voor je betekenen,' zegt hij.

Ik lees alle reacties op het forum grondig en verbaas me hoeveel meningen er bestaan over mij. Hoe ik van een man die iets wilde doen voor zijn land verworden ben tot iemand die aan de publieke schandpaal wordt genageld.

'Een man met zo'n kop, die krijgt al een hartinfarct als hij zich aftrekt,' schrijft een member met de nickname Serioustrouble.

Ik probeer te kalmeren met wat glaasjes wodka en twee paracetamolcodeïne, maar het helpt niet. Pas een klein beetje rustig word ik als ik een All Day Breakfast van Iceland in mijn maag heb.

De hele dag blijf ik op het forum hangen en zie hoe de reacties verdubbelen, zelfs verdriedubbelen. Tussen de spottende opmerkingen zitten enkele wat positievere, waarschijnlijk van mensen die de politie toch al haten, die wellicht zelf in aanraking met ze zijn gekomen, maar dan is er nog iemand die beweert dat hij mij kent van vroeger en zich een hoedje schrok toen hij de tekening vanmorgen in de krant zag. De forumleden vragen wat voor iemand ik ben. 'Een wat simpele man,' is het antwoord. Ik bezeer mijn hand als ik hard tegen het computerscherm sla.

'Weet je wat ik denk? Ik denk dat hij die verkrachting wél gezien heeft, maar niets heeft gedaan omdat hij er gewoon fucking opgewonden van werd. Ik denk dat hij bang was dat hij een stijve zou krijgen als hij aangifte zou doen. Wat een fucking vieze gast,' schrijft Derby58.

Hoe pijnlijk en beschamend het ook allemaal is, ik lees alles. Elke hit die Google me geeft, bezoek ik. Soms moet ik me ergens inschrijven als member om de berichten te kunnen lezen, en zelfs dat doe ik, want hoewel ik er nu vrij zeker van ben dat het heldendom aan mij voorbij zal gaan, wil ik het weten, en neem elk woord dat aan mij besteed is in mij op, herhaal de zinnen binnensmonds en drink steeds kleine slokjes wodka terwijl ik mijn hoofd blijf schudden van verbazing.

Op een drukbezocht forum voor jongeren kom ik een reactie tegen van ene Jadel Fnuck. Fnuck blijkt elke dag ongeveer één keer commentaar te leveren op nieuwe *posts*. Zijn opmerkingen zijn opvallend ingetogen en getuigen van intelligentie. Hij is al zeven jaar actief op het forum, Jadel is een *goldmember*. Hij schrijft over mijn afbeelding alleen: 'Laf en laag.'

Op het moment dat ik mijn e-mail wil bekijken, gaat de telefoon. Het is Susan. Ik laat hem een tijdje overgaan, neem nog een slok wodka uit de fles en installeer me voorzichtig op de bank.

Ik haal diep adem en neem dan op.

'Steven?' zegt ze.

'Ja?'

'Ik, eh, nou, je weet vast waarover ik bel, toch?' Haar stem galmt door een grote ruimte. Misschien heeft Peter Bird inmiddels een paar muurtjes uitgebroken en een kookeiland voor haar geïnstalleerd.

'Hm,' is het enige wat ik kan uitbrengen.

'Ik wist niet wat ik hoorde, en dan wil ik erbij zeggen dat ik het nog via mijn ouders moest horen ook, wat een...'

'Wat een wat?'

'Nou, wat een ellende. Ik weet niet wat ervan waar is, maar ik ben me helemaal kapot geschrokken. Ben je nu je baan kwijt?'

'Is dat nou echt wat je me nu moet vragen, Susan?'

'Wat een ellende zeg,' mompelt ze, 'dat je nou zo terecht bent gekomen, ik vind het vooral zo sneu. Schaam je je niet ook heel erg?'

Ik zie dat ik mijn vrije hand gebald hou, mijn vuist is nog vuurrood van de klap tegen het scherm. Mijn hoofd zal ook wel die kleur hebben.

'Alsjeblieft,' zeg ik, 'begin nou niet zo.'

'Ik ben gewoon zo verbaasd, zo ken ik je helemaal niet. Je bent heel erg veranderd weet je dat?'

'Dat is niet waar, ik ben altijd dezelfde gebleven. Jij bent veranderd, jij moest zo nodig vreemdgaan met een siergootspecialist, *of all people.*'

'Ben je Peter nu belachelijk aan het maken, Steven?'

'Weet je wat ik een week geleden vond?'

'Nou, wat vond jij een week geleden?'

'Een overhemd van de siergootspecialist. Een wit overhemd met een wijnvlek, die lag in mijn berging, in míjn berging, hoor je me?'

Ik hoor haar lachen.

'Hoor je me wel? Ik heb een wit overhemd van de siergootspecialist in mijn berging gevonden. Je hebt een foutje gemaakt en ik ben erachter gekomen, Susan.'

'Steve, ga niet over fouten beginnen, wat ik allemaal lees… Vertel nou eens eerlijk aan mij, heeft die verkrachting nou plaatsgevonden of ben je gewoon verliefd geworden op een hoertje?'

'Bel je me om dat te vragen?'

'Wat een ellende, wat moet jij je naar voelen,' hoor ik haar mompelen.

'Ja, heel naar ja,' zeg ik.

'Wat heb je Bill aangedaan, en je andere collega's?'

'Ik heb Bill niets aangedaan, het is gebeurd! Arnold en Jim hebben die meisjes verkracht, Susan, dat is geen verzinsel, dat heb ik met eigen ogen gezien!'

'En niets gedaan.'

'Nee,' stamel ik.

'En níets gedaan!' zegt ze hard.

'Alles is mislukt,' zeg ik zachtjes, 'weet je dat wel? Alles is helemaal misgegaan de laatste jaren.'

'Arme jongen,' zegt ze snierend, 'arme, árme jongen toch.'

'Ik ben helemaal alleen nu, er is niemand waarmee ik nog kan praten, alleen met die advocaat, maar daar wil ik niet mee praten. Echt, ik ben vreselijk somber,' zeg ik. Voor het eerst in dagen voel ik tranen.

'Peter zegt dat je hulp nodig hebt,' zegt ze met een piepstemmetje.

'Zegt Peter dat?'

'Ja, Peter zegt dat je professionele hulp nodig hebt.'

'Wat weet Peter Bird in godsnaam van het leven? Hoe kan Peter over zulke dingen meepraten, Susan, hoe kun je zo respectloos met mij omgaan? Ik ben hier kapot aan het gaan en jij belt me even tussen het koken van de aardappels door om me te laten weten dat je het nieuws gehoord hebt.'

'Weet je, Steve, jij moet eens ophouden altijd te denken dat jij de enige op aarde bent. Peter heeft genoeg levenservaring om te kunnen zien dat jij hulp nodig hebt, professionele hulp, en hij is echt niet de enige, mijn ouders zeiden het ook meteen.'

Ik huil met mijn hand op de microfoon. Aan de ene kant gun ik het haar niet, en aan de andere kant wil ik het haar niet aandoen. Als ik mijn neus gesnoten heb zucht ik diep in de telefoonhoorn. Dat mag ze van me horen.

'Taxichauffeur... Wat een giller,' mompelt ze. Ik hoor het gepiep van een magnetron, dan het opengaan van het deurtje en hoe ze 'Au, heet' fluistert.

Ik leg neer en ga op de bank liggen, krab zachtjes aan mijn ballen en strijk over de zachte stof van mijn joggingbroek.

27

De volgende ochtend strompel ik naar de wc en geef over zonder geluid te maken. Een tijdje zit ik op de betegelde grond, dep mijn zweterige voorhoofd droog en kijk naar de inhoud van de wc-pot. Ik heb het maag-darmkanaal altijd een wonderlijk orgaan gevonden.

'Het beste is niet bij de pakken neer te gaan zitten,' zeg ik tegen mezelf, 'ik moet iets zoeken wat alles absoluut de moeite waard maakt. Die dingen zijn er.'

Ik streel de zijkanten van mijn wc-pot, die glad en schoon zijn, brandschoon zelfs, merk ik als ik mijn neus tegen het porselein druk en diep inhaleer. 'Alleen nu even niet,' mompel ik.

Terry Collins belt met de vraag of de naam Beth Rendals me iets zegt.

'Beth Rendals? Nee, nooit van gehoord,' zeg ik.

'Denk eens goed na, wil je?'

'Ik ken geen Beth Rendals, wie is dat?'

'Een vrouw op Lavender Road die naar de krant is gestapt. Ze heeft je herkend en is heel erg boos.'

'Dit meen je niet, Terry, dit is een grap...'

'Nee, was het maar waar. Mevrouw Rendals zegt dat je haar seksueel geïntimideerd hebt terwijl je je uitgaf voor taxichauffeur. Ik heb het nagezocht, en in principe kan ze niets, maar er blijft natuurlijk het feit dat je je valselijk uitgegeven hebt voor taxichauffeur. Dat is niet strafbaar, maar er bestaat een kans dat de eigenaar van de taxicentrale in beroep gaat. Amin, heet die man.'

'Amin, ja, en hoor eens, die vrouw stalkte mij maanden achter elkaar, ik ben alleen boos op haar geworden, meer niet.'

'Die Amin zegt je onder een andere naam te kennen,' gaat Terry door, 'hoe dan ook, het is wéér iets wat Terry Collins niet wist en wél had moeten weten.'

'Ja,' zeg ik, 'maar hoor je wat ik zeg? Die vrouw stalkte mij!'

Terry zucht. 'Weet je dat ik meer tijd aan jou besteed dan aan de meisjes?'

'Dat hoeft echt niet, Terry,' zeg ik.

'Je denkt toch niet dat ik jou in de steek laat? Een andere advocaat zou je allang de deur hebben gewezen, maar ik niet. En ik ben niet eens jouw advocaat. Wil je daar eens heel goed over nadenken? Wie doet zoiets nou?'

'Jij,' zeg ik.

'Precies, *Terry* doet zoiets. Vraag me niet waarom, vraag het alsjeblieft niet, maar ik dóe het.' Als hij dit zegt, met op de achtergrond een liedje van Dolly Parton, begin ik te geloven dat Terry niet zomaar in mijn leven is verschenen. Dat er sprake moet zijn van een groot misverstand, dat Terry misschien niet is wie ik denk.

'Mijn vrouw belde me gisteren,' zeg ik.

'Ben je nu ook nog getrouwd?'

'Nee, ik was getrouwd. Mijn ex-vrouw bedoel ik.'

'Ja,' zegt Terry.

'Die vond het heel ellendig allemaal.'

'Ja,' zucht hij, 'dat is het ook.'

'Ze zei dat ik professionele hulp nodig heb, of eigenlijk zei haar man dat, in ieder geval, ze zei dat dus.'

'Ja, kan zijn, kan zeker zo zijn, maar ik denk dat je vooral even uit het beeld moet stappen nu. Neem van mij aan dat dat voor jou de beste hulp is op het moment, dat zeg ik als professional.'

'En Anca dan?'

Het blijft een moment stil. Terry zit in de auto en ik hoor hem zachtjes schelden, dan schraapt hij weer zijn keel.

'Bumperklevers, dat zijn klotemensen,' zegt hij. 'Maar wat zei je net?'

'Anca,' zeg ik.

Terry moet lachen. Dan zegt hij: 'Je denkt toch hopelijk niet dat het weer goed komt tussen jullie twee? Wat had je eigenlijk voor beeld van jullie relatie?'

'We hadden het fijn.'

'Onzin, jij hielp haar een beetje met onderdak, meer niet. Je moet uit je hoofd zetten dat het echt iets tussen jullie was. Ik heb haar heel veel gesproken en ze is er heel koel onder. Het kan een shock zijn, maar mijn gevoel zegt dat je maar beter niet in haar buurt moet komen. Ze is vreselijk kwaad en heel verdrietig. Je hebt haar veel verdriet gedaan, Steve, en bedrogen, niet dat ik je veroordeel, ik weet hoe moeilijk het met vrouwen is, maar toch.'

'Ik wil haar niet kwijt, ik wil het goedmaken, ik wil haar vertellen waarom ik het allemaal deed.'

'Vertel mij eens waarom je het deed dan.'

'Omdat ik het niet kon, omdat ik toen te zwak was, ik was bang!'

'Kijk, dat bedoel ik. Slap gelul. Je maakt haar alleen maar bozer als je zoiets zegt... Weet je hoe lang ze al bezig zijn met de x7? Ik denk wel vijf jaar nu, ik overdrijf niet, vijf jaar lang ligt die snelweg al open en elke maand kruipen ze maar drie of vier meter verder. Tegen de tijd dat ik in een bejaardentehuis lig, rijden daar pas weer auto's.'

'Als ik haar een brief schrijf, zorg jij dan dat die bij haar komt?'

'Je gaat geen brief schrijven, jij gaat met vakantie, beste man. Lekker uitwaaien op een van de leukste eilanden ter wereld.'

Ik zucht, sper mijn ogen wijd open en doe ze dan weer dicht.

'Je hebt rust nodig, straks krijg je weer een hartinfarct.'

'Het was geen echt hartinfarct, ik heb een hartinfarct gespeeld, om daar weg te kunnen,' zeg ik.

'Een hartinfarct kun je niet spelen, Steve, maar mocht dat zo zijn, speel eens een ingeklapte long voor me?'

'Ik meen het, het was niet echt. Je gelooft me echt niet, hè?'

'Ik heb het rapport van de cardioloog toch gelezen, man? Ik kijk altijd naar de feiten. De feiten zijn alles wat we hebben, de rest is speculatie, en zoals je nu zelf ondervindt, speculatie is iets onrechtvaardigs.'

'Ik kan nu niet gaan, het is een heel slecht moment om te gaan. Ik denk dat ik dat niet overleef.'

'Juist wel! Je rust goed uit, kan lekker tot jezelf komen. Het huis staat midden in een community van Engelsen, je buurman daar zal niet eens zo heel veel verschillen met je huidige, er zijn leuke bars en talloze disco's en heerlijk, wat zeg ik, verrukkelijk eten. Mooie witte stranden met allemaal mooie meisjes en niet te vergeten prachtige natuur, een grote tuin...'

'Een grote tuin?'

'Ja, een tuin met een oppervlakte van een hectare, of iets in die grootte.'

26

Met gespreide armpjes en beentjes waaide een opvallend roze baby in mijn droom steeds rondjes in een luchtstroom ergens in een ruimte. Elke keer als het haarloze hoofdje bijna de grond raakte, beet ik op mijn lip, maar wentelde de baby nét op tijd om. Er klopten dingen niet. Er stond namelijk een wind die zo straf was dat ik mijn adem in moest houden, en de bewegingen die de baby maakte waren langzamer, alsof hij zo gewichtloos als een eikenblad was. Ergens kwam muziek vandaan, maar steeds als ik me daar bewust van werd, was de muziek opeens verdwenen.

Vreemde droom, denk ik als ik mijn ogen open.

Ik heb de halve nacht liggen piekeren over Terry's vakantiehuisje. Vannacht, vlak voordat ik dan eindelijk in slaap viel, nam ik de beslissing het niet te doen, maar nu ik wakker ben, denk ik aan die tuin van een hectare. 'Lekker tot mezelf komen', het lijkt wel of die woorden me het meeste doen twijfelen; ik weet niet of ik daar wel recht op heb.

Ik zoek een beetje rond op internet en zie dat de reacties op de fora tot stilstand zijn gekomen. Ik log in en stuur Jadel Fnuck een privébericht, want zijn reactie blijf ik de pijnlijkste op het hele forum vinden, juist door die stellige twee woorden: laf en laag.

'Waarom laf en laag?' schrijf ik hem.

In de online-editie van *The Daily Telegraph* staat een klein stukje over de zaak. Ik word in de eerste regels afgeschilderd als een klokkenluider. Er wordt een link gelegd met verschillende andere zaken waarin de agenten in kwestie het voor een 'groter plan deden', en ik krijg even hoop, maar verderop lees ik dat mijn beweegredenen volgens de krant waarschijnlijk voornamelijk egoïstisch zijn.

Er is geen enkele e-mail, wat me verbaast.

Als Terry belt, is zijn openingszin: 'Heb je je koffers al gepakt, man?'

'Nee,' zeg ik, 'ik wil wachten tot de uitspraak.'

'Nee, nee, juist niet, Steve, dat duurt te lang. Ik denk niet dat je het snapt: als de uitspraak komt, zit jij lekker in de zon en bel ik je op je mobiele telefoon terwijl je net een duik in de zee wilde nemen.'

'Waarom, Terry? Misschien valt het allemaal wel mee.'

Terry zucht.

'Ja dat kan toch? Het is toch nog niet verloren?'

'Denk je dat je een held gaat worden, Steve?'

'Nee dat hoeft niet, maar ik wil dat ze winnen.'

'Al zouden ze het winnen, jij hebt niet bepaald een goede naam meer. Ik wil graag tegen de pers kunnen zeggen dat je ondergedoken zit. Ik denk dat dat heel goed staat, dan is het een interessanter verhaal dan dat je in dat hokje van je bier zit te drinken en te treuren om dat meisje.'

'Ik heb verdriet, Terry.'

'*Join the club*, Steve. Waarom heb ik het gevoel dat je helemaal niet mee wil werken?'

'Omdat ik dat niet kan, Terry, omdat ik wil dat het goed komt.'

'Oké, nou, weet je wat, ik ga het makkelijker voor je maken. Heb je een moment?'

'Jawel,' zeg ik.

Het blijft minuten stil. Ik kijk naar mijn mobiele telefoon of er nog verbinding is, maar die is er nog. Ik prop snel een mellowcakeje in mijn mond.

'Ben je er nog?' zegt Terry.

'Ja, ik ben er nog,' zeg ik.

'Goed. Ik heb iemand voor je.'

Ze zegt alleen: 'Dag.' Ze heeft een schorre stem.

'Anca?'

'Ja,' zegt ze.

'Ik wil het allemaal uitleggen, er is zoveel wat ik je wil vertellen...'

'Nee,' zegt ze, 'ik wil niets meer van jou horen, ik wilde dit niet eens doen, weet je dat?'

'Met mij praten?'

'Ja, met jou praten.'

Ik zit te trillen op de bank, heb een loopneus en hevige buikkrampen.

'Alsjeblieft,' zeg ik.

'Nee,' zegt ze. Op de achtergrond hoor ik het grommende stemgeluid van Terry. 'Ik wil je nooit van mijn leven meer zien, als ik je tegenkom sla ik je in elkaar, dat meen ik.'

'Geef me een kans, alsjeblieft!' schreeuw ik.

'We hebben nooit iets gehad, er is geen sprake van welke *kans* dan ook, idioot.'

'We hebben wél iets gehad, Anca, ben je alles vergeten?'

'Noem me één moment dat je niet tegen me loog?'

'Zo veel momenten, zo veel!'

'Indirect loog je tegen me, toch?'

'Ik bedoelde het niet verkeerd, dat weet je toch wel, ik probeer jullie toch nu ook te helpen? Ik ben alles kwijt wat ik had, denk daar maar eens over na.'

'Je snapt er echt helemaal niets van, hè?' zegt ze. 'Je hebt het zien gebeuren en je hebt niets gedaan. Niets! Je hebt me voor de gek gehouden.'

'Je moet met me praten, je moet mijn kant van het verhaal horen. Je weet toch dat ik geen slecht mens ben, je kent me toch?'

'Herinner je je dat gesprek over onze ouders nog?'

'Wat?'

'Wat ik je toen zei: je kent iemand nooit, Steve, ik weet niet wie jij bent en jij weet al helemaal niet wie ik ben.'

'Ik herinner me daar niets van,' zeg ik, 'wat bedoel je nou? Luister alsjeblieft naar me, Anca.'

Ze zucht diep. 'Ik geef je weer aan Terry, en doe alsjeblieft wat Terry zegt. Succes met je leven, Steve Mellors.'

Met mijn telefoon in de hand ren ik naar de wc. Hoewel ik het gevoel had te moeten overgeven, blijkt het mijn buik te zijn. Ik heb acute diarree.

'Gehoord?' zegt Terry.

'Geef haar nog een keer, ik heb niet kunnen zeggen wat ik wilde zeggen, alsjeblieft.'

'Nee,' zegt hij, 'ze wil niet meer. Maar heb je het begrepen? Het komt niet goed, het komt nooit meer goed tussen jullie, ze wil je niet zien, nooit meer.'

'Nee,' kerm ik. Mijn stront ruikt afgrijselijk, naar teer en verrotting.

'Verman jezelf en ga je koffers pakken. Ik ga nu een ticket voor je boeken. Mochten we winnen dan kun je weer terugkomen, mochten we niet winnen dan zullen ze de straten hier met je aanvegen, en eigenlijk kan ik ze geen ongelijk geven. Begrepen?'

Ik knik vanaf de wc. 'Ja,' zeg ik, 'ja.'

'Inpakken,' zegt Terry.

'Mijn darmen zijn ziek,' zeg ik nog, maar de verbinding is verbroken.

25

Het inpakken van een koffer vind ik een van de verdrietigste dingen die er zijn. Vooral tijdens mijn huwelijk had ik er de grootste moeite mee. Ik had altijd het gevoel dat er een hoop kon veranderen tussen Susan en mij tijdens een vakantie. Ze zou bijvoorbeeld bij me weg kunnen gaan. Van dat idee was ik soms zo overtuigd, dat ik in het vliegtuig al weemoedig werd vanwege iets wat nog helemaal niet gebeurd was. Soms raakte ik zelfs zo in paniek dat ik even naar de wc moest gaan om daar rustig te worden met een sudoku. We zouden slaande ruzie kunnen krijgen en Susan zou mij in de onpersoonlijke omgeving van een bungalow of hotelkamer zeggen dat ze niets meer voor me voelde. Juist daar zouden we onbeschermd zijn, en juist tijdens een vakantie zou ze misschien inzien dat ik niet de man van haar dromen was. Toen ze een keer een reis voor twee won bij een belspelletje op televisie, kon ik zelfs niet blij voor haar zijn. We zouden een week naar een klein Spaans eiland gaan, en de kans dat ze me zou inruilen voor een Spaanse god bestond al vanaf het moment dat ze stond te juichen in de huiskamer.

Ik doe er uren over voor mijn twee rolkoffers zijn gevuld met keurig opgevouwen stapels shirts, broeken en bolletjes sportsokken. Onder in een van de koffers zitten het sproeisysteem en de zaden die ik van mijn collega's kreeg.

Terry Collins heeft een vlucht geboekt om drie uur 's middags. Ik vlieg met British Airways en tijdens mijn reis krijg ik een late lunch en een vroeg diner aangeboden, vertelt hij aan de telefoon.

'Ik wil niet,' zeg ik.

'Je gaat,' zegt Terry met zijn angstaanjagende stem.

'Wat moet ik daar, Terry?'

'Uitrusten en zwemmen. Ga een mooie zwembroek kopen, ze hebben daar afzichtelijke zwembroeken, althans, dat vind ik.'

Ik ruim de keukenkastjes op en ontdooi mijn vriesvak. Ik eet een halve doos mellowcakes tijdens het stofzuigen en controleer de rest van mijn voedselvoorraad op houdbaarheid. Wat blijkt: het meeste is nog prima als ik straks terugkom, dat is een opluchting, want ik hou niet van verspilling.

Dat zinnetje: 'Als ik je tegenkom, sla ik je in elkaar' spookt door mijn hoofd terwijl ik de ramen lap. Ze meende dat, dat kon ik horen. Ik ga een moment met mijn ogen gesloten op de bank zitten. Het plastic heb ik er weer omheen gedaan, in een paar maanden tijd ontstaat er een hoop stof. In mijn hand heb ik een ruitenwisser en een fles Glassex en ik bedenk dat ik eigenlijk helemaal geen tijd heb voor deze dingen. Ik moet nog de stad in om een zwembroek te kopen, medicijnen te halen en een paar geschikte schoenen te vinden.

'Ophouden met schoonmaken,' zeg ik tegen mezelf, 'ophouden met die onzin jongen, de stad in!'

Met een petje op mijn hoofd en een zonnebril in mijn zak loop ik het terrein af, de straat op. In mijn ooghoek zie ik een groot bord met TE HUUR op de fabrieksdeuren van de slachterij hangen, ik blijf geen moment stilstaan, voor ik het weet herkent iemand me.

In een sportwinkel vlak bij de Clocktower helpt een medewerker me vriendelijk, wijst me in een hoek een rijtje zwarte Speedo's en daarnaast een aantal in felle kleuren. Zwart kleedt af, zeggen ze. 'Het is niet echt het zwemseizoen,' zegt hij.

'Ik ga naar een health club,' mompel ik.

'Lekker,' zegt de jongen.

Geschikte schoenen, denk ik nerveus in Granby Street terwijl ik de TJ Burger passeer; ik kan daar niet gaan zitten, zelfs niet heel even, want alles is dichtbij in deze stad. Mensen die mij kennen zijn er genoeg, Alice kan om de hoek staan te bedelen en Arnold of Jim doet misschien nu zijn ronde. Ik schiet een grote schoenenwinkel in en koop zonder te passen een paar Lacoste-bootschoenen waarbij ik een grote witte schoenlepel cadeau krijg. Het zijn CRAZY WEKEN, staat op een bord bij de kassa – kortingen tot wel 70 procent.

Als laatste ga ik naar Boots om een aantal doosjes paracetamol-codeïne te kopen en een toilettas. Bij de kassa wordt me gevraagd of ik bekend ben met het medicijn.

'Jazeker,' zeg ik.

'Weet u dat één doosje al dodelijk kan zijn?' vraagt het meisje achter de kassa met een verveelde blik.

'Nee,' zeg ik, 'maar ik neem geen hoge dosis, ik neem er nooit meer dan één, twee.'

'Ja, sorry, maar sinds kort moeten we dit aan klanten laten weten, het is voor uw eigen veiligheid, één doosje kan al dodelijk zijn.'

'Ik neem nooit een doosje,' zeg ik en gris het tasje van de toonbank.

Als ik op weg naar huis weer langs de varkensslachterij loop, zie ik dat er ook borden aan de zijkant van het gebouw hangen. TWEEDUIZEND VIERKANTE METER BEDRIJFSRUIMTE, staat er. Was ik er maar eerder achter gekomen dat ze daar werkte. Misschien had alles dan voorkomen kunnen worden, zou ik nu thuiskomen en op de gang al gehaktballetjes ruiken. Nu is allesreiniger het enige wat ik ruik als ik mijn voordeur open.

Via de website Local Food Delivery bestel ik een Indiase curry en twee kokosijsjes. Het bezorgrestaurant zit in Enderby, dé buurt voor een lekkere curry, maar nu iets te ver rijden voor mij. Via een *realtime*-scherm kan ik in de gaten houden hoe het er met mijn bestelling voor staat. Ik zie een klein plattegrondje waarop de route te zien is die de bezorger gaat afleggen. Er staat: 'Bestelling ontvangen' en even later: 'Keuken'. Best een grappig idee vind ik dat, op dit moment staan ze dus voor mij te koken.

Als ik mijn e-mail open, zie ik dat ik een bericht van Jadel Fnuck heb ontvangen.

Er staat: 'Het is mijn mening maar, en er zit vast niemand op mijn mening te wachten, maar ik denk dat deze Steve Mellors narcistische trekjes heeft. In de krant stond dat hij al vijftien jaar voor de politie werkt en al enige tijd arbeidsongeschikt was. Hij is getuige in een proces tegen zijn eigen collega's en kiest ervoor te vertellen wat hij *zogenaamd* gezien heeft. Dat vind ik laf, want hij had gewoon zelf aangifte moeten doen als hij getuige was van zoiets verschrikkelijks als een verkrachting. Ik vind het dus laf als je opeens met zoiets komt, trouwens, het slachtoffer wist zelfs niet dat hij rechercheur was, dat hij de inval leidde, en dat is toch laag? Wat ben je dan voor iemand? En wat zegt het wel niet over hem dat hij als agent een illegaal bordeel bezoekt? Nou goed, hier heb je mijn antwoord. Doe ermee wat je wilt. Groeten, Jadel Fnuck.'

Ik surf weer naar het profiel van Fnuck en zie dat hij in 1983 in Marrakech is geboren en heeft gestudeerd aan de University of Leicester. Overal op het forum heeft hij zijn sporen nagelaten. Er zijn onderwerpen die Fnuck zeer aan het hart gaan, vooral de topics over religie en politiek vindt hij blijkbaar het reageren waard. Soms mengt hij zich heel kort in een discussie, maar dat bij hoge uitzondering; meestal is juist hij degene die discussies sluit.

Ik begin aan een uitgebreid antwoord, maar kom niet verder dan de woorden: 'Hij wilde juist goeddoen', want er wordt aangebeld.

Minutenlang sta ik tegen de deur en kijk door het spionnetje. Er is geen beweging te zien en ik word ongeduldig. Dan opeens gaan de liftdeuren open en stapt een jongen in een motorpak uit. Op zijn hoofd heeft hij een helm en in zijn hand bungelt het plastic zakje met mijn bestelling. Ik hou mijn adem in en zie hoe hij naar de nummers op de deuren kijkt, een moment komt hij heel dichtbij, ik zie zijn helm langs het oog van het spionnetje gaan, maar dan verdwijnt hij weer. Ik weet niet waarom, maar ik durf de deur niet te openen, en blijf kijken hoe hij steeds nerveuzer rondjes loopt. 'Fucking shit,' hoor ik hem mompelen. Zo wordt mijn curry koud, denk ik, maar krijg mezelf niet zover om gewoon de deur voor hem te openen.

Hij zet het zakje op de grond en pakt zijn mobiele telefoon, mompelt dingen die ik niet kan verstaan en belt, tegen de liftdeuren geleund. Waarschijnlijk met het bezorgrestaurant in Enderby.

Ik hou zijn blik in de gaten, zie dat hij knikt en dan naar mijn deur kijkt. Als hij neerlegt, komt hij opeens heel dichtbij, zijn helm verspert het zicht. Dan belt hij aan.

Ik hou even stil en doe dan ik alsof ik loop, door kleine rondjes door de gang te maken. De bel gaat nogmaals. Dan doe ik de deur open en zeg: 'Dat duurde lang.'

'Pardon, ik kon uw deur niet vinden,' zegt de jongen, 'ze lijken allemaal op elkaar.' Hij heeft een klein vlassig snorretje.

Terwijl ik voor de televisie zit te eten, voel ik me eventjes heel gelukkig. Er is bijna niets in het leven waar ik zo blij van kan worden dan een lekkere maaltijd. De curry is verrukkelijk en de papadum is precies goed gebakken. Tussendoor proef ik alvast van het kokosijs. 'Heerlijk,' zeg ik, 'echt heerlijk!'

Ik kijk hoe Jeremy Kyle een gigantisch dikke, gothic geklede vrouw uitscheldt op het toneel. *'You are a selfish mother, you take no responsibility at all, and sorry to say, but you are extremely fat,'* zegt Kyle. Ik kan hem geen ongelijk geven, maar aardig is anders.

Midden in de nacht word ik wakker met hevige buikkrampen. Ik ren naar de wc, maar al op weg daarnaartoe voel ik het lopen. De halve nacht zit ik op de pot. Steeds als ik weer ga liggen, voel ik buikkrampen en ren mijn bed uit. Mijn onderbroek heb ik uitgewassen in het wasbakje terwijl ik zit te persen. Ik heb geen schone aangedaan, want ik red het steeds niet om hem uit te doen.

Ik merk dat de pijn erger wordt als ik lig, dus blijf ik net zo lang op de wc zitten tot de bril een pijnlijke rode afdruk op mijn billen heeft gemaakt en ik zeker weet dat er niets meer in mijn buik kan zitten. Ik neem een half potje Norit in, maar de pijn blijft even hevig en ik word zo langzamerhand duizelig van misselijkheid. Ik probeer over te geven, maar dat lukt niet. Ik huil zachtjes een *Leicester Mercury* nat terwijl ik dubbel geklapt van de kramp op de pot zit.

'Ze proberen me te vergiftigen,' kerm ik, 'die vieze stinkmensen.'

Ik begraaf mijn hoofd in een badhanddoek die aan een haakje hangt en zie voor me hoe Terry Collins de meisjes elke dag naar een ander hotel brengt in afwachting van de uitspraak. Zal hij ze nog moed inspreken, of heeft hij de hoop al opgegeven? Terwijl de laatste diarree in de pot druppelt, probeer ik aan rustgevender dingen te denken: kleine kabbelende beekjes met glanzende vissen. Aan fijn zand op stranden en koele glazen water met rinkelende ijsblokjes. Aan loeiende koeien in een groene weide. Ik moet aan reine dingen blijven denken, anders word ik weer misselijk.

Net voordat ik in slaap val, denk ik aan de knuffelkoe. Zou ze die nog hebben?

24

'Je stelt je echt verschrikkelijk aan,' zegt Terry tegen me in de auto.

'Nee, echt, ik had de hele dag nergens last van, tot ik die curry at. Ze wilden me ziek maken, opzettelijk ziek maken, Terry.'

'Een Indiaas restaurant in Enderby wilde jou ziek maken?'

'Ja, wat bedoel ik anders?'

Terry moet lachen, zegt alweer dat ik me verschrikkelijk aanstel en dat ik dit soort dingen maar beter niet in het openbaar kan zeggen.

Toen ik vanmorgen opstond, voelde ik me nog steeds ellendig, maar ik kreeg het toch voor elkaar de plastic hoezen om mijn televisie en computer te doen. Toen ik om twaalf uur vanuit de gang naar mijn appartement keek, zag ik iets afgrijselijks: werkelijk alles was in plastic verpakt, de eetkamerstoelen vormden samen met de eettafel een grote plastic tent midden in de huiskamer, alsof er een terminaal kind in quarantaine lag.

'Je gaat er iets van maken, hè?' vraagt Terry als we Midlands Road op rijden.

Ik mompel iets tegen hem wat ik zelf niet eens kan verstaan.

'Oké, afgesproken dan,' zegt hij en zet de radio aan. Het programma *Golden Classics* staat vandaag in het teken van David Bowie. 'Je gaat niet zitten drinken en voor je uit staren, Steve.'

'Nee, nee,' zeg ik.

Buiten glijdt het grauwe landschap voorbij. Ik zie de Sainsbury's-megasupermarkt, de McDonald's en iets verderop het tuincentrum waar ik vroeger bijna wekelijks kwam. Als we daar langsrijden, zie ik de jongens staan die vroeger zakken potgrond in mijn auto legden. Aardige jongens waren dat.

'Is het een mooie tuin?' vraag ik.

'Jij houdt van tuinieren, hè?' zegt Terry en draait de radio zachter.

'Ja, vroeger had ik een moestuin.'

'Nou, mooi is niet het woord, groot is het wel, maar er staat bijna niets, op een paar olijfbomen na. Ga je iets met die tuin doen?'

'Ik denk het,' zeg ik.

Na een uur rijden maken we een plotse tussenstop bij een tankstation. Ik voelde opeens weer vreselijke krampen en ik zag aan Terry's gezicht dat hij het ergste voor de bekleding van zijn auto vreesde. Met enorme snelheid nam hij een afslag en stopte precies voor de openbare toiletten. Ik leeg scheldend mijn darmen in een groezelige wc die beklad is met teksten. Het handschrift is overal hetzelfde, dus waarschijnlijk was het iemand met een heel moeilijke stoelgang die toevallig een grote benzinestift met zich meedroeg. IF YOU READ THIS, MAKE SURE YOU WASH YOUR HANDS YOU FUCKING ASSHOLES, ASSHOLES YOU HEAR ME? staat er met grote hakerige letters op de binnenkant van de deur. Het YOU HEAR ME buigt druipend af naar beneden omdat de deur daar ophoudt.

'Gaat het, man?' Terry kauwt op een Twix, heeft voor mij ook een Twix gekocht, maar ik zeg dat ik nu beter niets kan eten, dat het nog steeds heel slecht met mijn darmen gaat.

Als ik de borden naar de East Midlands-luchthaven langs zie schieten, word ik zenuwachtig. Eigenlijk gaat dit allemaal toch veel te snel. Morgen word ik wakker in het vakantiehuis van Terry Collins, op een eiland midden in de Egeïsche zee, duizenden kilometers verwijderd van thuis, van informatie, en vooral: van haar.

'Je houdt me op de hoogte, hè?' vraag ik.

'Natuurlijk. Ik bel je de uitspraak door, en als we het verliezen, ga ik in hoger beroep, zonder twijfel.'

'Je vecht voor ze, je blijft voor ze vechten.'

'Ja,' zegt hij.

'En als er meer geld nodig is dan bel je mij, oké?'

'Maak je geen zorgen, als ik ook maar één cent tekortkom zul jij die betalen, beste man.'

'Serieus, ik ben ze dat verplicht,' zeg ik.

Terry knikt en volgt de *departure*-borden die overal in het landschap staan. 'Moet je kijken,' zegt hij, 'wel tien van die borden, alsof we debielen zijn.'

'En telefoon, is er telefoon?' vraag ik.

'Nee, je moet je eigen mobiele telefoon maar gebruiken. Er is ook geen internet, maar er zijn genoeg internetcafés in het stadje. Leuk stadje trouwens, met heel leuke bars. Heel authentiek allemaal.'

Bij het afgeven van mijn koffers krijg ik tranen in mijn ogen als ik ze langzaam zie wegdrijven op de rolband.

'Steve,' zegt Terry, 'je paspoort.'

Ik zucht een paar keer diep en Terry zegt boos dat ik me nu eindelijk eens moet vermannen, dat ik mijn paspoort moet afgeven en niet zo kinderachtig moet doen.

Als hij bij de rijen voor de gates de sleutels met een brede grijns op zijn gezicht in de lucht laat rinkelen heb ik weer dat angstige gevoel dat dit allemaal niet zomaar gebeurt, dat de plotse verschijning van Terry Collins in mijn leven niet gewoon stom toeval is, maar allemaal onderdeel van een plan. Misschien kom ik wel niet eens heelhuids aan land, denk ik opeens. Zit er allemaal veel meer achter dan ik kan bedenken.

'Het is een linksdraaiend slot,' zegt Terry en stopt de sleutels in mijn hand, 'en nu opschieten, je mag je vlucht niet missen.'

Ik wil hem van alles vragen. Bijvoorbeeld of ik nog op bepaalde dingen moet letten in het huis, hoe het allemaal werkt met vervoer op zo'n eiland, waar ik mijn boodschappen kan doen, en nogmaals benadrukken dat hij absoluut contact met me moet houden, dat hij me nu niet in de steek mag laten. Maar op het laatste moment vist hij een boekje uit zijn binnenzak en zegt met een vinger in de lucht dat ik even goed moet opletten.

'Het adres staat hierin, niet onbelangrijk,' zegt hij, en overhandigt me een dunne reisgids van het eiland. Op de titelpagina heeft hij in zijn kinderlijke handschrift het adres opgeschreven. Hij houdt het voor mijn neus.

'Vergeet je me niet?' vraag ik.

'Nee, maar nu moet je echt gaan, het is nu echt genoeg geweest.'

Vlak voor de gate veeg ik mijn zweterige hand af aan mijn broek en steek hem in zijn richting. 'Nou, dat was het dan,' zeg ik zachtjes.

'Doe niet zo zielig, man, je gaat niet naar het slachthuis, je gaat naar de zon,' zegt hij en schudt stevig mijn hand.

Ik verdwijn al snel uit het zicht. Ik loop verkrampt langs de paspoortcontrole en doe nog voor ze erom vragen mijn riem af en haal mijn broekzakken leeg.

Met een verwrongen gezicht loop ik langzaam door het winkelcentrum. Recht voor mij lopen twee Arabieren in djellaba's met stalen rolkoffers. Ze smoezen met elkaar. Dan legt de een voorzichtig zijn hand op de schouder van de ander.

'Foute boel,' mompel ik binnensmonds.

Het is een verdrietige vlucht. Ik krijg een plaats bij het raam, maar ik kan niets van het uitzicht zien. Ik zit precies op de vleugel. Hoe ver ik mijn hoofd ook buig, ik zie alleen dikke wolken en kleine klepjes op de vleugel die op en neer gaan. Om mij heen wijzen mensen naar buiten.

De stewardess is humeurig en als ik om een tweede glaasje water vraag laat ze bij het aangeven ervan een hele plas water over mijn broek lopen, opzettelijk, heb ik het idee, want ze glimlacht erbij.

'Sorry,' zeg ik.

Als we een uur in de lucht zijn, ruik ik de bedompte lucht van het vliegtuigeten. Steeds kijk ik achterom en zie het karretje in het gangpad staan, maar er lijkt geen beweging in te komen, en dat terwijl ik een knagende honger heb. Als een andere stewardess langsloopt, vraag ik of ik heel misschien iets te eten kan krijgen, maar ze hoort me niet.

Op een klein beeldschermpje in de lucht is een duikinstructeur bezig uit te leggen dat we ons er zelden van bewust zijn dat er onder water ook een complete wereld is. Een *andere* wereld dan de onze, maar wel een die er iets van weg heeft. In de onderwaterwereld is er net als bij ons liefde, haat, schoonheid, lelijkheid en natuurlijk geweld. Er is zelfs sprake van huisvesting voor de vissen. 'Net als de mens zoekt de vis zo nu en dan beschutting in een rustige, veilige omgeving,' zegt hij met een brede glimlach.

23

Bij het uitchecken worden mijn koffers onderworpen aan een grondige controle. Op een schragentafel liggen mijn shirts, broeken en een paar bolletjes sokken. Vooral het sproeisysteem wordt aandachtig onderzocht, door met een zaklamp in de tuinslangen te schijnen en het geheel een paar keer door het röntgenapparaat te laten gaan. Als laatste kiepert de man van de controle de inhoud van mijn toilettas in een blauw mandje.

'Wat is dit?' vraagt hij als hij mijn doosjes medicijnen bekijkt.

'Voor mijn hart,' zeg ik en wijs naar mijn borst, 'ik ben een hartpatiënt.'

De man knikt en leest aandachtig de etiketten. Als hij de vele doosjes paracetamol-codeïne in het oog krijgt, schudt hij zijn hoofd.

'Niet goed?' vraag ik.

'Sorry, dit moet hier blijven,' zegt hij en schuift alle doosjes in een rood mandje.

'Waarom, ik heb dat nodig,' stamel ik.

'Nee meneer, codeïne, dat is verboden in Griekenland, het spijt me.'

'Dat meent u niet,' jammer ik, 'ik heb dat nodig, ik heb pijn.' Ik wijs weer naar mijn hart.

'Wilt u het zwart op wit?'

Ik schud mijn hoofd en kijk weemoedig naar mijn doosjes paracetamol-codeïne.

'U kunt het op doktersvoorschrift krijgen, maar u mag het niet invoeren. Het is hier verboden, valt onder de Opiumwet.'

Ik mag zelf mijn koffers weer inpakken en moet daarna nog even meekomen. Als ik vraag waarom, zegt de man dat het routine is.

Het gaat om mijn schoenen. Ik moet mijn schoenen uitdoen en ze aan een vrouwelijke medewerkster geven die met latex handschoentjes aan haar handen in de neuzen knijpt, aan de binnenkant voelt en de zolen grondig inspecteert.

'Prima, u mag ze weer aantrekken,' zegt ze en ze houdt ze ver van zich af.

Buiten staan er donkere wolken aan de hemel en recht voor de uitgang van de aankomsthal zie ik een bouwvallig hotel annex restaurant dat dicht is. Het uithangbord is ingepakt met zwart zeil, evenals de verlichting.

Als ik met de koffers aan mijn hand over de lege parkeerplaats loop en weer naar de lucht kijk, krijg ik toch echt het idee dat Terry Collins mij een loer heeft gedraaid. Het weer is slecht en nergens is enig leven te zien, op een schoonmaakster na die steeds alleen een paar sigarettenpeuken uit de vuilnisbakken vist. Ze staat me vriendelijk te woord als ik vraag hoe ik hier weg kom. Ze belt zelfs een taxi voor me met een mobiele telefoon die in een leren hoesje om haar nek bungelt. Ik glimlach, ze glimlacht kort terug en loopt dan naar de volgende vuilnisbak.

Het wachten duurt eindeloos, en als de taxi dan eindelijk vanuit een klein zandweggetje mijn kant op rijdt, stopt de chauffeur ook nog halverwege om zijn telefoon op te nemen. Als hij uitgesproken is, rijdt hij de vijf meter naar mij toe, stapt uit de auto en opent de achterbak.

'Waar moet u heen?' vraagt hij.

'Kefalos, kan dat?' lees ik op uit de gids die Terry me gaf.

'Dat kan,' zegt hij.

'Komt u uit Engeland?' vraagt de taxichauffeur als we op weg zijn.

'Ja,' zeg ik, 'kunt u dat zien dan?'

Hij knikt. 'Goede mensen,' zegt hij en slaat een grote rechte weg in waarlangs talloze tankstations staan. Ik zie op de borden dat de benzineprijzen per pomp erg verschillen, maar toch is het maar eenkwart van wat ik thuis betaal.

'De benzine is hier goedkoop,' zeg ik tussen de stoelen voorover gebogen.

De man haalt zijn schouders op.

Toen het eten in het vliegtuig dan eindelijk geserveerd werd, was het tot mijn teleurstelling een muf pasteitje gevuld met champignons en een lauwe ragout, een klein kaasbroodje en een koolsalade. Ik kreeg vrijwel direct buikpijn en heb een kwartier op de wc in het vliegtuig gezeten, maar daar lukte het niet, omdat ik de stewardessen hoorde praten en er twee keer aan mijn deur werd gerammeld. Toen ik de wc verliet, stonden er vier mensen in het gangpad met gepijnigde gezichten. Op de luchthaven was het gelukkig een stuk rustiger. Ik heb zelfs een paar moeilijke sudoku's kunnen afmaken waar ik vorige maand al mee begonnen was.

We rijden nog steeds over een kaarsrechte weg die zo nu en dan door een dal gaat. Nergens zie ik de zee, wel een hoop oude vrachtauto's die toeterend langsrijden.

Ik denk weer aan mijn pillen. Ik had genoeg pillen om de eerste drie maanden van mijn pijn af te zijn. Dieven zijn het, die Grieken.

'Waar moet u zijn in Kefalos? In het dorp?'

Ik geef de man de gids en wijs naar de krabbel van Terry.

Hij knikt. 'Niet in het dorp, bij de Engelsen,' zegt hij en neemt een zandweg die naar de zee lijkt te gaan, maar opeens naar links afbuigt richting een diepe krater waarin een groepje wit betonnen huisjes staan. Ik tuur vanuit mijn open raam naar het complex dat iets weg heeft van een klein bungalowparkje. Alles is helemaal kaalgeslagen, bijna nergens staan bomen of struiken.

We passeren stapvoets een uithangbord waarop in krullende letters SERENITY staat. Ik zie een witte pick-up staan, dan het silhouet van een man in een roze poloshirt die met de hand boven zijn ogen naar ons kijkt. Achter hem een lange waslijn met witgoed. Ik zie een Britse vlag in zijn tuin wapperen.

'Dit is het?' vraag ik.

De taxichauffeur knikt.

22

Het klopt wat Terry zei, het slot is linksdraaiend. In de woonkamer staan een grote zwartleren bank en een designeettafel met een rookglazen blad, vier stoelen met zwarte plastic zittingen en een aluminium televisiemeubel met een kleine Salora-breedbeeld. Op de vloer ligt een geknoopt gifgroen tapijt. Verder is de kamer leeg.

Een tijdje loop ik met mijn jas aan door het huis. Het is zeker drie keer zo groot als mijn eigen appartement en alles is netjes onderhouden, maar door Terry's designmeubels en de kale betonnen vloer voel ik me niet erg op mijn gemak. Ik heb het gevoel dat ik nergens aan mag komen. Wat me meteen al verbaast, is dat er weinig persoonlijks te vinden is. Nergens hangt iets aan de witte muren en bijna alle kastjes en laden zijn leeg. In de keuken staan zes gloednieuwe whiskyglazen in de verpakking en onder de gootsteen alleen een fles afwasmiddel. In de kledingkast liggen vier witte handdoeken van Club Med. Een roestige spuitbus wc-spray en een half flesje shampoo staan in de badkamer. Wel hangt er een klein bordje boven de wc waarop staat dat je geen wc-papier mag doorspoelen, anders maak je de 'heer des huizes' boos. Er is trouwens helemaal geen wc-papier te bekennen.

Ik leg mijn koffers op het tweepersoonsbed. De gladde donkerbruine lakens geven zelfs het bed iets onpersoonlijks, alsof het niet de bedoeling is daar te slapen, er alleen maar naar te kijken. Als ik heel even ga liggen voel ik een verschrikkelijke hoofdpijn opkomen.

Ik denk aan Bill Morgan, die vast bezig is met mijn ontslagprocedure. Wat zou mijn bedrijfsarts denken? En Liana Deller? Zouden ze het begrijpen? Vast niet. Ze hadden al ingezien dat het helemaal niet goed met me ging. Ze denken vast dat dat die kale, dikke rechercheur die ze voor zich hadden, zijn onschuld is verloren, kwaadaardig is geworden en wil afrekenen met zijn collega's. Misschien denken ze zelfs dat ik een viespeuk ben.

Ik sta op en sluit de gordijnen, kleed me helemaal uit en ga op het groene vloerkleed liggen in een houding die je op schilderijen uit de romantiek ziet; op mijn zij gelegen, mijn hoofd op mijn handpalm rustend, de andere hand losjes op mijn heup. Krampachtig probeer ik zo een tijd te blijven liggen, te kalmeren, niet naar de designmeubelen te kijken.

'Tja,' zeg ik hardop en luister naar de koeienbellen die in de verte rinkelen. Anca. Ik wil aan haar alleen denken, maar steeds word ik afgeleid door andere zaken: ik moet iets te drinken en te eten kopen. Wc-papier. Ik moet een afwasborstel en andere schoonmaakmiddelen in huis halen. Een goede emmer en mop, tandpasta en pijnstillers voor mijn hoofdpijn.

Ik sta op en kleed me weer aan. Ik las in *Overwin je depressie* dat stilstand het allerslechtste is, dat je in actie moet komen voor het te laat is. Misschien had ik dat boek toch mee moeten nemen, bedenk ik opeens. Ik had het voor mijn vertrek al in mijn koffer gestopt, maar ik heb het boos in de prullenbak gegooid toen ik op de achterkant las: 'Overwin je depressie – Zo doe je dat: zet je gevoelens op papier. Doe iedere dag iets wat je leuk vindt. Kijk eens naar virtuele groepstherapie op internet. Trakteer jezelf af en toe op een pedicure.' Dat het boek uit de serie *Briljante ideeën* komt maakte het allemaal nog verdrietiger.

Buiten is het donker. Als ik de deur op slot draai, zie ik de tuin waar Terry het over had. Het is niet veel meer dan een grote kale lap klei. Hier en daar zie ik wat onkruid en drie treurige olijfboompjes met een flinke groeiachterstand. Er staan ook vier citroenbomen, maar die zijn dood.

Hoe hoger ik kom, hoe naarder het huis er van een afstand uitziet. In het naastgelegen huis brandt licht. Dat moet de man met het roze poloshirt zijn, mijn nieuwe buurman. Misschien kunnen we vrienden worden, denk ik, maar dan zie ik een paar surfplanken aan een ketting liggen; de kans dat hij een sportfanaat is, is groot.

Ik sjok het kronkelende weggetje omhoog, volg de bordjes met KEFALOS erop en rust zo nu en dan even uit tegen een muurtje. Overal staan geraamten van huizen aan de weg. Uit de betonnen palen steekt roestig metaal in de lucht. Opeens komt er een quad voorbij met twee toeristen. Ze zwaaien vriendelijk naar me en als ze uit het zicht verdwijnen kan ik wel huilen van geluk. Er is hier toch leven, ik ben hier niet de enige.

De tocht naar het dorpje is een regelrechte hel. Ik kruip de steile weggetjes omhoog en ben steeds verschrikkelijk buiten adem. Mijn hart
bonst vervaarlijk in mijn borst en ik heb zin om het op te geven en terug
te gaan, maar net op het juiste moment zie ik een bord waarop staat:
SUPERMARKT, I KM.
'Dat red je nog wel,' zeg ik tegen mezelf.
Als ik de supermarkt bereik, zie ik de quad van de twee toeristen voor
de deur staan, en als ik een karretje pak en naar binnen loop, zie ik ze tussen de schappen staan. Tot mijn geruststelling verkopen ze hier alles wat
je maar kan bedenken. Ik vul mijn wagentje met repen chocola, pakken
koekjes, wc-papier, bleekmiddel, een afwasborstel en afwashandschoe-
nen. De toerist groet me bij de frisdranken.
'Hey,' zeg ik, en ik vraag hem of hij toevallig ook uit Engeland komt.
'Liverpool,' zegt hij, 'en jij?'
'Leicester.'
'Geniet van het eiland,' zegt hij en loopt naar de kassa.
Ik duw mijn karretje snel achter hem aan en tik hem bij de kassa op
zijn schouder. 'Meneer,' zeg ik, 'mag ik u iets vragen?'
'Tuurlijk,' zegt hij, 'vraag maar raak.'
'Weet u een plek waar je een beetje lekker kan eten?'
Hij kijkt zijn vrouw bedenkelijk aan. 'Hm,' zegt hij, 'hier?'
Ik knik hoopvol.
'Ben je hier bekend?'
'Nee, ik ben hier pas net,' zeg ik.
'Oké, nou, als je buiten naar rechts gaat zit er meteen aan je linker-
hand een heel grote taverna, die zijn wel goed, geloof ik.'
'Bedankt, heel erg bedankt,' zeg ik.
Ze stappen op hun quad en verdwijnen.
De vrouw aan de kassa zegt in het Engels dat ze geen Engels spreekt.

Even later zit ik op het terras van de taverna waar de toerist het over had.
Onder mijn tafel staan de tasjes van de supermarkt. De ober zegt dat dat
het toeristenseizoen nog niet is begonnen en dat ik alleen van de kleine
kaart kan bestellen. Ik kies voor een mixed grill met aardappels en een
boerensalade, bestel een glas bier en tuur nerveus over het eiland. Ik zie
een grillige baai, piepkleine auto's en een lange boulevard met hier en
daar lichtjes, die niet ver van mijn huis moeten zijn. In de verte een knal-
rode vissersboot die in een klein haventje ligt.

Na mijn derde glas bier maak ik een praatje met de gastheer van de taverna. We praten over de hoogte waarop we zitten en ik vertel over de tocht die ik te voet ondernam. Hij zegt dat dat echt veel te zwaar is, dat niemand dat doet, iedereen heeft hier een auto of een brommer.

'Ach,' zeg ik, 'het is goed voor mijn conditie,' en wijs naar mijn buik.

'In welk hotel zit u?' vraagt hij.

'Ik zit in een appartement, daar ergens,' zeg ik en wijs naar het dal.

'Bij de Engelsen?' vraagt hij.

Ik knik en prik een aardappel aan mijn vork.

Na het eten koop ik een fles wodka bij een slijterij en loop voorzichtig over het kronkelende pad terug naar huis. Hoe dichter ik bij de krater kom, hoe onrustiger ik me voel. Vanaf de rand tuur ik naar beneden. De lichten in het huis van mijn buurman zijn nog steeds aan en als ik het goed heb, zie ik hem in zijn keuken zitten.

Als ik mijn boodschappen in de ijskast leg, wordt er zachtjes op de deur geklopt. Ik stop snel het pak wc-papier in het gootsteenkastje en open de deur. Het is de man met het roze poloshirt, samen met een Aziatische vrouw in een groot wit T-shirt en legging. Ze dragen teenslippers.

'Hey hallo,' zegt de man met een onmiskenbaar Engels accent, 'ik zag licht branden, dacht dat Terry er was.'

'Nee,' zeg ik, 'ik ben een vriend van Terry, Steve,' en schud de twee de hand.

'Robert,' zegt de man, 'en dit is mijn vrouw Stella.' De vrouw mompelt, maar ik versta haar niet. In zijn oor heeft hij een headset zitten. Hij houdt zijn mobiele telefoon stevig in zijn hand, kijkt er tijdens het praten steeds naar, alsof hij op een belangrijk telefoontje wacht.

'Vakantie?' vraagt hij.

'Ja, lekker even relaxen,' zeg ik zo vrolijk mogelijk, nonchalant tegen de deurpost geleund, 'beetje zwemmen misschien.' Ik knik nerveus, weet niet goed wat ik moet zeggen, dus vraag ik of ze hier wonen.

'Ja, ja,' zegt de man, 'al vier jaar, hè, Stella?'

Zijn vrouw knikt en steekt vier vingers in de lucht.

'Waar komen jullie vandaan als ik vragen mag?'

'Ik kom uit Grinsby. Stella hier komt uit Brazilië. Ze is half Braziliaans, half Japans, een perfecte mix,' zegt hij enthousiast en knikt erbij alsof hij het over een prijswinnend hondenras heeft.

De vrouw glimlacht verlegen en hij knijpt zachtjes in haar billen. Ze geeft een gilletje.

Dan vraagt hij: 'En jij uit Leicester, net als Terry?'

'Ja, klopt,' zeg ik.

'Terry is hier al twee jaar niet geweest. Ik zei nog tegen Stella: misschien gaat hij het huisje wel verkopen, hè, Stella, dat zei ik toch?' De vrouw knikt nerveus.

'Het is rustig hier,' zeg ik.

'Het is nu nog het voorseizoen, maar over ongeveer een maand zit het hier helemaal vol met toeristen, dan gaan ook alle bars open op de boulevard, is er weer leven,' zegt de man. Weer knikt zijn vrouw, maar nu heviger, alsof ze erg verlangt naar het opengaan van de bars op de boulevard.

'Leuk,' zeg ik en tuur naar hun slippers. Ik moet ook slippers kopen, mijn sportschoenen vallen hier uit de toon, het is een party-eiland.

'Hey, wij gaan weer, laten je een beetje acclimatiseren. Als je iets wilt weten, kom langs, ook gewoon om iets te drinken.' Hij knipoogt naar me.

'Heel graag,' zeg ik, 'bedankt,' en zwaai naar ze als ze naar hun hek lopen. Dan wordt de man inderdaad gebeld. Hij loopt mompelend zijn tuin in, die bestaat uit grote platen graniet en in het midden een jacuzzi. Er staat nergens een boom of plant. De vrouw verschijnt even later in het raam. Ze tuurt kort naar haar man en schuift dan de gordijnen dicht.

'Aardige mensen,' mompel ik en neem een hap van een *chocolate chip cookie*. Ik schenk een glas wodka in en zet de televisie aan. Ik slaak een zucht van verlichting als ik Phil uit *EastEnders* op mijn scherm zie. Goddank, Terry heeft een schotel.

21

Ik word vroeg in de morgen gewekt door het geblaat van geiten en het schor geroep van een hoeder. Onder andere omstandigheden zou ik me hebben omgedraaid en met mijn handen op mijn oren weer in slaap zijn gevallen, maar nu trek ik geïrriteerd mijn kleren aan en warm wat water voor thee op. Als ik al scheldend uit mijn raam kijk, zie ik de geitenhoeder boven aan de krater staan. Hij rookt een sigaret en zijn geiten vreten rustig kleine struikjes kaal.

Om halfacht zit ik voor de televisie met een kop thee en een blik bier. Er zijn herhalingen van *The Jeremy Kyle Show* en daarna is het nieuws. Eigenlijk let ik helemaal niet op, ik kan me tijdens het nieuws alleen nog herinneren dat Kyle iemand vroeg een leugendetectortest te ondergaan, maar dat doet hij tijdens elke uitzending.

Ik voel me vies, maar zie op tegen de douche en alles wat daarna komt.

In de middag bel ik Terry, maar die neemt niet op. Ik spreek in dat hij me even terug moet bellen als hij tijd heeft, dat ik in zijn huisje zit en dat het niet erg mooi weer is en dat ik meteen al op de eerste dag de buren van nummer drie heb ontmoet. Dat ze zeiden dat ze dachten dat hij het huisje misschien ging verkopen, omdat hij al twee jaar niet was langs geweest. Aardige mensen, voeg ik eraan toe.

In een joggingbroek en voetbalshirt loop ik over het veld rond het huis. Het is inderdaad iets van een hectare, en op de olijfbomen en de vier dode citroenbomen na ontdek ik vlak bij de veranda nog een verwaarloosd kruidentuintje. Er staat peterselie en scherp ruikende basilicum, twee droevige plantjes tijm en wat oregano. Wonderlijk dat die dat overleefd hebben, want de grond is kurkdroog. Als ik omhoogkijk, zie ik dat in Terry's dakgoot precies boven het kruidentuintje een groot gat zit. Slim, Terry, denk ik, heel slim.

Als ik gehurkt op de grond ga zitten en over het veld kijk, fantaseer ik hoe ik het in zou delen. Vlak bij het hek zouden de bonen moeten komen. Als die groot genoeg zijn, zou ik aan het hek met bamboe kleine boogjes kunnen maken waarover ze zouden kunnen groeien. Courgettes en aubergines moeten midden in het veld komen, want die hebben veel zon nodig, maar wel op genoeg afstand van de olijfbomen, die keurig in een rijtje staan. Sla, uien en wortels kunnen in de schaduw van de veranda en later in het jaar kunnen de broccoli, bieten en spinazie langs de achterwand van het huis, of misschien zelfs tegen het hek van Robert en Stella, als ze dat tenminste goedvinden.

Uit mijn koffer haal ik het doosje zaden. Mijn collega's hebben een mooie selectie gemaakt. Er zitten zelfs radijzen en venkel bij. Met dat doosje in mijn hand voel ik me opeens een beetje opgelucht. Misschien dat dit verblijf toch nog leuk gaat worden. 'Zijn vruchten afwerpt,' zou Bill Morgan in dit geval zeggen.

Net voor de middag loop ik over de boulevard. Precies zoals Robert zei is alles nog gesloten. De bars hebben namen als Melody, Escape en Memories. Ze hebben allemaal een grote open danszaal die nu is afgedekt met bouwzeil. Geopend zijn alleen een kleine taverna en een minisupermarkt, die voornamelijk zwembanden verkoopt in vele dierenvormen. Een grote dolfijn en een enorme waterschildpad liggen op het dak, in kleine rekjes voor de deur verschillende soorten zonnebrand. De verkoper groet me vriendelijk, heet me hartelijk welkom op het eiland. Ik koop een Mars, en een doosje paracetamol en een flesje zonnebrand om die Mars te verantwoorden.

Aan het einde van de boulevard ligt Agios Stefanos, een opgraving. Op het bordje staat dat die bijna 2500 jaar oud is. Ik zie alleen een paar muurtjes en wat stompjes zuil, maar als ik het zand van de bodem een beetje wegveeg, ontdek ik kleurrijke mozaïeken. Hier begint de baai die ik vanuit de taverna in het dorp heb zien liggen. Ik klauter naar beneden en hou steeds de zee in de gaten, die prachtig wild is.

Midden op het strand rijdt een tractor die lege blikjes en flessen verzamelt. Twee kinderen rennen gillend om de machine heen, een klein mager hondje snuffelt rond tussen de bergen vuil.

Ik groet de man op de tractor, maar hij ziet me niet.

Op mijn sportschoenen loop ik langs de kustlijn en voel steeds of de sleutels nog in mijn zak zitten. Ik eet de Mars midden op het strand en probeer een beetje te neuriën, maar steeds word ik afgeleid door het geluid van de zee en het ronken van de tractor in de verte.

Ik moet beter worden, fitter, zeg ik tegen mezelf als ik happend naar adem omhoogklim naar een grote bar aan het strand die als enige in het rijtje open is. Als ik dichterbij kom, zie ik dat er wel drie toeristen op het terras zitten. Hijgend klim ik het trapje op en loop meteen naar de bar. Ik bestel een wodka met sinaasappelsap die ik aan de bar achteroversla. Ik kauw twee paracetamol fijn en bestel een clubsandwich. Binnen drie minuten staat hij voor mijn neus. In de slappe boterhammen steekt een vlaggetje waarop staat: 'Welcome to Kos!'

20

's Avonds ga ik naar een bar die net open is gegaan. De eigenaar heet Kostas en draait flinterdunne sigaretten waar hij op het laatst een klein filtertje in duwt. Hij komt uit Kefalos, vertelt hij. Hij heeft de ruimte goedkoop kunnen overnemen en gaat er een cocktailbar annex poolcafé van maken. Hij heeft er heel veel zin in, zegt hij. Volgens mij is hij vooral verveeld, want steeds zucht hij diep en aanstellerig en draait steeds al een sigaret als hij er nog een in zijn mond heeft bungelen.

'Wat doe jij hier?' vraagt hij.

'Ik hou vakantie,' zeg ik.

Hij knikt en zapt naar voetbal op televisie. 'Manchester,' zegt hij.

Ik tuur een tijd met hem mee naar de voetbalwedstrijd, maar vind er weinig aan. Ik kan mijn gedachten maar niet uitschakelen, moet steeds aan haar denken, misschien wel vooral nu, in deze lege bar. Inmiddels zal ze wel heel slecht over me denken, dat weet ik vrij zeker, en ook Terry heeft nog steeds niet teruggebeld. Mijn telefoon ligt naast mijn glas bier op de bar en ik hoop eigenlijk vurig dat het beeldschermpje oplicht en ik gebeld word.

'Rustig hier,' mompel ik.

Kostas knikt. 'Niet lang meer,' zegt hij, 'niet lang meer.'

'Ik woon hier vlakbij,' zeg ik en wijs zomaar een richting op.

'O,' zegt hij zonder op te kijken van de televisie.

Ik knik en vermorzel zachtjes een bierviltje.

'Ja,' zegt hij en krabt zich achter zijn hoofd en wijst naar mijn lege glas, 'nog eentje?'

'Ja, doe maar, ik zit hier nu toch,' zeg ik.

'Hoe lang blijf je hier?' vraagt hij tijdens de reclame.

'Geen idee, misschien maar een maand, maar het kan net zo goed een halfjaar worden.'

'En waar kwam je ook alweer vandaan?'

'Leicester,' zeg ik.

'Ah, dat vertelde je al, nooit geweest.'

'Nou, je mist niets, het is niet zo'n leuke stad.'

'Ik woonde een tijd in Athene, dat is ook niet zo'n leuke stad, hier is het allemaal een stuk beter, denk ik.'

'Ik hoop het,' zeg ik.

Hij buigt zich over de bar naar me toe, fluistert: 'Volgende week komt er een serveerster uit Slovenië.' Hij geeft me een knipoog en deinst weer naar achteren.

'O,' zeg ik.

'Ik heb haar foto gezien, echt een heel sexy meisje,' grijnst hij.

'Leuk,' zeg ik.

'Je moet ze van ver halen, want Griekse meisjes willen niet werken en spreken meestal slecht Engels, of zelfs helemaal geen Engels. Mijn broer heeft hier vorig jaar een bar gehad en is zelfs bestolen door zo'n trut. Ik ben heel goed met internet, dus heb gewoon gezocht, advertentie gezet, en bam! Sexy meisje!'

'Is vast goed voor de bar,' zeg ik en kijk naar mijn mobieltje.

'Zal ik jou hét geheim vertellen van een goedlopende bar?'

Ik knik, maar voel opeens weer buikpijn. Ik prop snel wat nootjes in mijn mond en vraag om een glaasje water.

'Het geheim is dat je een serveerster moet hebben waar iedereen mee naar bed wil. Uiteindelijk gaat niemand met haar naar bed behalve ik, maar je moet je gasten hoop blijven geven, hongerig houden, dat ze kwijlen bij het zien van je serveerster, echt kwijlen, en dan de hele avond drankjes bestellen tot sluitingstijd en dan hopen dat ze mee wil.' Hij houdt zijn wijsvinger op zijn slaap. 'Knettergek worden ze dan, de hele zomer lang, en ik word stinkend rijk,' lacht hij.

Ik doe alsof ik ook lach, maar blijkbaar komt het niet geloofwaardig over, want hij vraagt met een ernstige blik of ik soms erg omhoogzit.

'Nee, dat is het niet,' zeg ik, 'ik voel me gewoon niet zo lekker, ik denk dat ik maar naar huis ga.'

'Oké man,' zegt hij. 'Wat deed je eigenlijk in Leicester?' vraagt hij als ik als ik al bij de deur sta.

'Ik was taxichauffeur,' zeg ik in de deuropening.

'Wat verdiende je per dag?'

Ik haal mijn schouders op, zeg dat het per dag verschilde.

Als ik terug naar huis loop, voel ik me verdrietig. Ik merk dat de buik-pijn minder wordt, maar mijn hoofdpijn steeds erger. Ik moet daar maar niet meer heen gaan. Kostas Cocktails heet de bar, makkelijk te onthou-den.

Ik loop over een braakliggend terrein dat ik nog niet gezien heb. Een zwerfhondje schiet voorbij, maar ik kan zo snel niet zien of het hetzelf-de is als vanmiddag op het strand. Ik strompel over het terrein weer te-rug naar de weg en schrik van een stekelige plant die in mijn enkels prikt. Ik kan de krater niet vinden, ik zie zelfs niets meer wat ik herken. Achter me ligt het dorpje, voor me de zee, het kan eigenlijk niet missen; ik moet steeds rondjes lopen, maar de verlichting is schaars en alles lijkt op elkaar. Ik probeer te bedenken hoe ik bij die bar ben gekomen, maar ik raak al snel in paniek als ik gebouwen zie die ik denk te herkennen van vanmorgen, helemaal aan de andere kant van de baai. Ik ga even op de grond zitten om te kalmeren. Ik vecht tegen mijn tranen en de vre-selijke hoofdpijn, die zich van midden op mijn hoofd naar achteren ver-plaatst.

Na vijf minuten besluit ik Terry te bellen. Hij neemt meteen op met: 'Vakantieganger, hoe gaat-ie?'

'Slecht,' zeg ik, 'ik ben verdwaald.'

'Nu al?'

'Ja,' zeg ik.

'Waar ben je dan?' vraagt hij.

Ik kijk om me heen. In de verte zie ik een motor rijden. Dan opeens herken ik een omvergereden bord aan de rand van de weg. Dat is vlak bij mijn huis. 'Nee, ik denk dat ik het al gevonden heb, ik herken iets!' zeg ik opgewonden.

'Mooi man, ik ken de weg daar namelijk niet goed.'

'Hoe gaat het met de zaak?' vraag ik onder het lopen.

'Geen nieuws, we wachten op de uitspraak, dan weten we meer,' zegt hij.

'Hoe is het met haar?' vraag ik terwijl ik begin te rennen over een zandweg.

'Ze zien het allebei somber in, en dat is het natuurlijk ook, maar ik probeer ze optimistisch te houden. Gisteren heb ik ze verplaatst naar een hotel in Liverpool want de journalisten zaten op hun lip... Hoe die gas-ten met mensen omgaan, niet te geloven.'

'Weet ze dat ik hier zit?'

'Ja, natuurlijk weet ze dat, maar Steve, zet haar uit je hoofd, je bent haar verloren.'

Ik struikel over een grote kei, sta weer op en kijk vanaf de rand naar de huisjes. Alles is nu donker, nergens brandt licht. Ik moet in het vervolg de buitenlampen laten branden, anders hou ik het hier niet lang vol.

'Ik heb het gevonden,' fluister ik.

19

Ik had nooit verwacht dat het gevoel ooit weer terug zou komen, maar als ik mezelf in de weerspiegeling van het raam zie staan, een schep in mijn hand, mijn hoofd gutsend van het zweet, en mijn handen onder de aarde, moet ik concluderen dat het misschien gewoon mijn roeping is. Vroeger al kon ik even alles vergeten als ik in de aarde wroette, vloeiden gedachten aan mijn werk weg vanaf het moment dat ik een gieter vulde en de schuifdeur naar de tuin opende.

'Heb je niet gemorst?' vroeg Susan dan vanuit de woonkamer, waar ze *The Sun* las en knäckebröd met smeerkaas at. Snel controleerde ik mijn gangen vanaf de keuken naar buiten: nog geen spatje te bekennen.

Het sproeisysteem is veel te kort voor de tuin, maar gelukkig is er de mogelijkheid van uitbreiding, zoals op de verpakking staat. Ik laat het stuk land helemaal onderlopen; goede bewatering is het begin van een succesvolle moestuin, heb ik gelezen in *Moestuinen voor Dummies*, een handig boek vol tips en trucs dat ik van Susan kreeg toen we ons huis kochten.

Tegen de middag komt Robert langslopen. Hij draagt een survivalbroek en een pilotenbril. In zijn oor hangt nog steeds de headset. Het zou me niet verbazen als hij er zelfs mee slaapt.

'Ik dacht dat je een overstroming had,' zegt hij met zijn armen op het hek geleund.

'Ik ga iets met de tuin doen,' mompel ik.

'Als je hulp nodig hebt, ik hoor het wel,' zegt hij en loopt weg.

Als ik doorschep hoor ik opeens zijn stem weer. 'Steve,' zegt hij.

'Ja?'

Hij kijkt heel serieus, alsof hij iets heel vervelends gaat zeggen. Misschien dat hij mij herkend heeft en over de zaak heeft gelezen. Ik voel mijn hart sneller kloppen.

'Jij hebt geen auto, hè?'

'Nee,' zeg ik opgelucht, 'heb ik niet.'

'Wil jij mijn auto lenen?'

'O, dat is aardig,' zeg ik, 'het zou wel handig zijn, dan kan ik wat grind en aarde halen, en even kijken of ze ergens langere tuinslangen verkopen, deze zijn wel heel kort.' Ik wijs naar de tuinslangen.

Robert tuurt over het hek. Tuinieren is absoluut zijn ding niet, dat zie ik aan zijn onverschillige blik, maar vooral aan hoe zijn eigen tuin erbij ligt. Hij heeft de vruchtbare grond willen verstoppen onder die granieten platen, die in de zomer vast onbegaanbaar warm gloeien.

'Ik rij je er wel even heen, ik weet een goed tuincentrum in Zipari,' zegt hij.

'Graag,' zeg ik.

'Nu dan maar?'

Ik laat mijn schep uit mijn handen vallen. 'Nu meteen?'

Robert knikt en geeft me een knipoog. 'Ik weet de weg,' zegt hij.

Zijn witte pick-up ruikt naar schoonmaakmiddel. Hij draait tijdens het rijden rapmuziek en zegt steeds niet veel meer dan: 'Kijk, een molen', of: 'Hier is een mooi strand.' Steeds als hij mij iets wijst, gaat hij heel traag rijden, zodat ik het niet kan missen.

Als ik hem vraag hoe lang hij hier al woont, zucht hij diep en zegt dat dat al een eeuwigheid is. Vroeger was hij astronaut, nou ja, bijna dan, zegt hij. Toen Engeland in de jaren negentig van plan was iets aan ruimtevaart te gaan doen, kwam Robert in the picture. Al snel werd alles afgeblazen door geldgebrek en zat hij zonder werk en in de shit, maar, zoals dat soms gaat, zijn oom overleed enige tijd later en liet hem genoeg geld na om niet meer te hoeven werken.

'Ik ben laatst nog in het Space Centre geweest,' zeg ik.

'Cool,' zegt hij en wijst me op een stel ezels langs de weg. 'Zielige beesten, de mensen hier laten ze de hele zomer in de brandende zon staan, aan kettingen. Ik heb een vriend die afdakjes voor ezels bouwt, die zet hij 's nachts neer, omdat hij anders overdag weggejaagd wordt door boeren. Als die dingen er eenmaal staan, zien ze er het nut van in. Als hij ze aan het bouwen is, snappen ze er niets van.'

'Waarom hadden die twee dan nog geen afdakje?' vraag ik.

'Ja, dan blijft hij bezig, er zijn net zo veel ezels als mensen hier.'
Als het een tijdje stil is en ik naar de eindeloze rechte weg tuur zonder dat we ooit tegengehouden worden door een stoplicht, vraagt Robert opeens wat ik hier eigenlijk doe. Zeggen dat ik een taxichauffeur met behoefte aan vakantie ben zou stom zijn, want deze man kent Terry persoonlijk, dus vertel ik hem de waarheid, althans, een gedeelte daarvan.

'Een rechercheur, mijn god! Heb ik gedronken? Nee, ik heb niet gedronken,' lacht hij.

'Wees maar niet bang,' zeg ik, 'ik ben nu een rechercheur met verlof.'

'Is dat eigenlijk spannend werk?' vraagt hij.

'Nee, het is vreselijk vervelend,' zeg ik. Robert lacht en zet de muziek uit om me beter te kunnen horen. 'In het begin was het nog wel spannend, maar na een tijd heb je alles gezien.'

'Ja, dat is met alles zo, *dude*,' zegt hij.

Toen hij in de tuin de naam van het stadje noemde, dacht ik nog dat het misschien anders was dan Kefalos, maar alles blijkt hier op elkaar te lijken. Het enige verschil is dat de bars hier zijn afgewisseld met doe-het-zelfzaken en niet met supermarkten, zoals in Kefalos.

Het tuincentrum is een grote teleurstelling, maar ik zeg Robert dat het werkelijk fantastisch is. Ik koop veel zakken potgrond en twee netten zwarte en witte kiezels die een paar mannen in de bak van de pick-up gooien. Ik kies een paar harkjes en schepjes uit en dunne tuinhandschoenen. De uitbreiding van het sproeisysteem kan ik vergeten, hier in Griekenland hebben ze zulke dingen niet. De verkoper, een oude man met een klein hondje dat steeds op de toonbank kruipt en op een calculator gaat liggen piepen, zegt dat ik het ook niet hoef te proberen in een andere zaak: als hij het niet heeft, heeft niemand het.

Bij de auto zegt Robert dat ik winkeliers hier nooit moet geloven. 'Ze sterven hier nog liever dan dat ze je naar een concurrent sturen. Ik had een tijd geleden vliegtuiglijm nodig – ik bouw gevechtsvliegtuigjes – en toen gebeurde hetzelfde. Ik verder zoeken, en bij een concurrent hadden ze het gewoon. Ik ging ik terug, liet die lijm zien, zegt die verkoper dat dat rotzooi was, dat hij dat zelf nooit zou durven verkopen. Ik verzeker je, het is echt de beste lijm die ik ooit heb gehad. En ik heb me wat lijmen gebruikt in mijn leven.'

In de auto zeg ik zonder erbij na te denken: 'Ik heb gelekt, als je dat soms wilde weten.'

'Gelekt?'

Ik knik. 'Ik heb twee van mijn collega's verraden, en daarom zit ik nu hier. Ik ben getuige in Terry's zaak.'

Een tijdje is hij stil, ik vraag me af of hij geschrokken is, maar als we de lange rechte weg op rijden, zegt hij dat ik me absoluut geen zorgen hoef te maken. Bij Robert is alles veilig, zegt hij. Hij belooft niets te zeggen, maar daarnaast, ik ben niet de enige. 'Het hele dorp zit vol met Engelsen met problemen. Die komen hier voor even, maar blijven voor altijd. Duitsers idem dito. Dit is een eiland vol vluchtelingen, je moet eens opletten, soms zie je van die oude Mercedessen met honderdjarige kale mannetjes rijden, dan weet je ook genoeg. Er woont ook een ex-politieman in Kefalos-dorp, die heeft de boel opgelicht geloof ik, iets met drugs, heel aardige man. In de winter zit ik wel eens met hem in de bar. Voor de rest zijn het belastingvluchtelingen, maar ik zeg altijd tegen mijn vrouw: belastingvluchtelingen zijn ook maar mensen. Maar wat hebben je collega's gedaan dan?'

'O, lang verhaal,' zeg ik, en ik zie twee ezels onder een afdakje van plastic golfplaat aan de rand van de weg. Ik wijs ernaar.

'Ja, dat is dus zijn werk, een echte dierenvriend is het,' zegt Robert, 'en een fantastische surfer. Surf je?'

Ik schud mijn hoofd en terwijl ik naar buiten kijk denk ik aan alle idioten die hier op dit eiland moeten wonen: foute Duitsers, ex-politieagenten, mislukte astronauten, mensen die afdakjes voor ezels bouwen – het belooft niet veel goeds. Over een tijd zal ook ik daarbij horen en zullen ze zeggen: daar heb je die rechercheur die dacht dat hij Travis Bickle was.

'Ik voel me niet zo goed,' zeg ik als we aankomen bij het huisje van Terry.

Ik ren naar binnen en geef over in de wasbak. Op de achtergrond hoor ik hoe Robert de zakken potgrond in de tuin gooit. Steeds klinkt er een doffe plof.

Terwijl ik de kots van mijn kin veeg met een stuk wc-papier en naar mijn rode kop in de spiegel kijk, hoor ik hoe hij zachtjes het huis in loopt en stilhoudt bij de deur van de badkamer. Ik draai heel voorzichtig de deur op slot en ga op de grond zitten.

'Gaat het, Steve?' hoor ik dicht bij de deur.

'Ze zullen me allemaal haten,' mompel ik, 'ze zullen erachter komen wie ik ben en me dan verjagen.'

'Zei je wat, Steve?' vraagt hij met een piepende stem. Nog steeds is hij heel dicht bij de deur.

'Ik kom zo, Robert,' zeg ik, 'ik voel me niet zo goed.'

'Nou, ik ga eten, alles ligt in de tuin, hoor, beterschap, *officer*,' zegt hij en loopt weg.

18

Als ik van de kiezels een lijnrecht pad leg van de voordeur naar het hek, staat Robert steeds naar me te kijken vanachter zijn keukenraam. Hij heeft een grote rode mok in zijn handen en slurpt van thee of koffie. Ik doe alsof ik hem niet zie en giet de kiezels in een mal die ik van lange stukken sloophout heb gemaakt.

Gisteren kwam hij 's avonds aan de deur om te vragen of het weer een beetje met me ging. Ik deed niet open en sprak vanaf de bank tegen hem. 'Ik heb migraine,' zei ik, 'laat me maar even.'

Toen liet hij zich niet meer zien.

Aan het einde van de ochtend drink ik bier op het plastic bankje op de veranda. Met genoegen kijk ik naar de kiezels die glinsteren in de zon. Ik heb twee smalle zijpaden gemaakt die bijna helemaal om het huis heen gaan, maar nét niet aaneensluiten, want de kiezels waren op. Morgen ga ik aan de moestuin beginnen. Ik heb waarschijnlijk net genoeg potgrond, en anders ploeg ik wat klei om, de moestuinen die ik gisteren vanuit Roberts auto voorbij zag schieten, bestaan uit niets anders dan dat. Blijkbaar is de grond vruchtbaar.

In de middag maak ik de wandeling naar het dorp. Mijn bier is bijna op en ik wil kijken of er zwaardere pijnstillers verkocht worden, of ik misschien zelfs gewoon aan paracetamol-codeïne kan komen, of alleen codeïne, dan slik ik daar wel wat paracetamol bij.

'Ibuprofen is het zwaarste wat we verkopen,' zegt de apotheker. 'Codeïne is hier niet voorhanden, alleen op doktersrecept.'

Op weg naar huis slik ik twee ibuprofen, leeg een blik bier en waggel het kronkelende weggetje naar de boulevard. Ik ben nog steeds erg buiten adem, voel vervelende steken in mijn linkerarm en -schouder, maar loop door.

Onderweg passeer ik een klein autoverhuurbedrijf. Er staan witte Seats en Subaru's en een aantal quads voor de deur. Als ik voorbijloop, bedenk ik me halverwege en loop terug. In de glazen showroom zit een man achter een ouderwetse computer. Het is helemaal geen gek idee, denk ik, al is het maar voor even. Als ik Roberts auto wil lenen, zit ik direct aan hem vast, dan wil hij vast mee, en daar heb ik geen zin meer in. Ik heb mijn oog laten vallen op een metallicblauwe Suzuki Swift, een wat ouder model.

'Hoe lang wilt u hem huren?' vraagt de man vanachter zijn bureau.

'Geen idee,' zeg ik, 'krijg ik korting als ik hem voor langere tijd huur?'

De man loopt naar buiten en trapt tegen de banden. Hij rekent iets uit op zijn rekenmachine en zegt met een moeilijk gezicht dat ik 10 procent korting kan krijgen als ik hem een maand huur. Als hij dit gezegd heeft, steekt hij met een sierlijk gebaar een sigaret op en inhaleert diep, blaast de rook door zijn neus uit.

'Goed,' zeg ik, 'dan ga ik ervoor.'

Als er niemand op de boulevard loopt, probeer ik snel de claxon. Ik schiet kleine weggetjes in die ik te voet nooit zou nemen en ontdek een groot Chinees restaurant in een zijstraat. Er hangen papieren lampionnen in de bomen en ik lees op hun uithangbord dat ze naast de Chinese keuken ook de Italiaanse uitmuntend beheersen. Goed om te onthouden, denk ik als ik de hoofdweg op rijd.

Stapvoets neem ik de kronkelende weg naar beneden. Roberts auto staat er niet, een pak van mijn hart. Ik zet de auto aan de achterkant van het huis en loop het pad na. Het is werkelijk keurig, als er straks overal groente en fruit staat, komt alles misschien wel goed.

Als ik me op de bank heb geïnstalleerd met bier, een zak chips en het wilde gejuich van het publiek van *The Jeremy Kyle Show*, zie ik het display van mijn mobiele telefoon flikkeren door het rookglas van de eettafel.

'Ik bel je al de hele dag, man,' zegt Terry boos.

'Hij stond op stil, sorry, ik had het niet door.'

'Heb je je voicemail al beluisterd?'

'Nee, Terry, nee.'

'Wil je het horen of niet?'

Mijn hart bonst in mijn borst en ik neem een grote slok bier. 'Ja,' zeg ik schor.

'Nou, we hebben het verloren, hoor. We gaan natuurlijk in hoger beroep, maar we hebben wel verloren. De jury was het unaniem eens met die twee klootzakken.'

'Nee,' mompel ik. 'Nee,' herhaal ik.

'Jawel, en jij als getuige... Er was een elektrotechnicus die een marihuanaplantage had ontdekt en daar bij jou melding van maakte en waar vervolgens geen enkele aangifte van te vinden bleek. En die vrouw van Lavender Road, die Beth Rendals, die had ook niet zulke fraaie verhalen over je, zei dat je een gestoorde gek bent. Nee, het ziet er allemaal heel somber uit, de rechter staat duidelijk aan hun kant.'

'Dit kan niet, Terry, het gaat niet om mij, het gaat om de verkrachting, ik heb het gezien, ik ben toch niet gek?'

'Nou, Steve, dat weet ik niet. Je psychologische rapport ziet er ook niet al te vrolijk uit. Mevrouw Deller schreef op dat je zeer labiel bent en waarschijnlijk alcoholist.'

'Ik ben geen alcoholist, Terry!' schreeuw ik. Stampvoetend verpletter ik de zak chips. 'Godverdomme!'

'Het erge is dat als ik jou niet als getuige had, we nog wel een kans hadden gemaakt, weet je dat?'

'Het spijt me, het spijt me zo verschrikkelijk,' jammer ik.

'Ik heb niets aan spijt. Spijt is voor idioten. Ik weet het nu eigenlijk ook niet meer. Ik krijg hier een heel slechte naam door. De kranten staan vanavond bol van de berichten, de mislukking, alles...'

'De mislukking,' zeg ik en prop een handje verkruimelde chips in mijn mond, 'en zij?'

'Zij is kapot, helemaal kapot, dat snap je toch wel?'

'Ik wil haar spreken,' mompel ik, 'ik moet haar gewoon spreken...'

'Nee,' zegt hij en schraapt zijn keel, 'dat zou heel dom zijn, en dat wil jij ook helemaal niet. Hou jij je nou maar koest daar, we wachten het hoger beroep af, al weet ik niet waar we dan mee moeten komen, maar goed, ik zoek door naar een oplossing. Misschien is er toch iets te bedenken, hebben we iets over het hoofd gezien, je weet het niet.'

'Wat kan ik doen?' vraag ik.

'Jij moet je koest houden, op de achtergrond blijven en je telefoon opnemen als ik je bel.'

'Ik wil hier weg, ik heb vreselijke pijn en ik voel me hier nutteloos,' zeg ik.

'Je blijft daar, geen discussie mogelijk.'

'Verdomme,' mompel ik en kijk uit het raam naar het kiezelpad.

'Ja, je hebt het zelf verpest, hoor. Je bent trouwens je baan kwijt, ik ontving de aangetekende brief vanmorgen. Ze zeggen het arbeidscontract direct op. Je hebt dat geld van dat verkochte huis toch nog wel?'

'Ja,' zeg ik, 'ik heb daar nog niets van uitgegeven.'

'Mooi, dan hou je het daar in ieder geval even vol.'

'Ik ben werkloos,' zeg ik.

'Ja, Steve, je hebt geen baan meer, maar dat maakt volgens mij nu toch geen moer meer uit, lees de kranten maar.'

17

's Avonds drink ik me goed in voor ik naar de kiosk durf te gaan. Eerst twee blikken Mythos, een vies Grieks bier met een hoger alcoholpercentage dan ik van thuis gewend ben, en daarna nog twee wodka. Terwijl ik mijn jas aantrek en de autosleutels van tafel pak, besluit ik de fles wodka mee te nemen. Je weet maar nooit.

De straatverlichting is minimaal. De grote hanglampen boven de boulevard zijn allemaal nog in plastic verpakt. Ik neem de hoofdweg naar het oosten, waar ik nog niet eerder ben geweest. Ik passeer een rijtje bars die allemaal gesloten zijn, maar al van een afstand zie ik de bar van Kostas, die als enige in het rijtje een groot neonbord aan de weg heeft staan. ALL DAY HAPPY HOUR, flikkert het licht. Ik trap hard mijn gaspedaal in.

Helemaal aan het einde van de weg, tegenover een tankstation, staat een groot houten bouwwerk dat iets weg heeft van een tuinhuis. SUPERMARKT JIM, staat erop. Er wapperen Griekse, Engelse, Duitse en Italiaanse vlaggen op het dak. Alweer een schap met zonnebrandcrème voor de deur, maar ook een molen met tijdschriften en buitenlandse kranten.

De enige Britse krant die ze verkopen is *The Sun* en die kopt: 'Politiezedenzaak verloren en uit de hand gelopen', met daaronder een tekening van Anca en Cozana in de rechtbank. Met de krant onder mijn arm loop ik de kiosk in en een klein mannetje met een piepstem begroet me met de woorden: 'Dag goede vriend, zo laat nog een krantje kopen jij?' Hij trekt een pruillip en kijkt me onderzoekend aan. 'Bent u nieuw hier?' vraagt hij dan.

'Ja,' mompel ik en leg snel wat kleingeld en de krant op de balie.

'Leuk hier?' vraagt hij.

'Heel leuk, maar ik heb haast, sorry,' zeg ik.

Hij wenst me een 'spetterende' avond en ik wens hem hetzelfde, ren naar mijn auto, stuif weg en parkeer in een zijweggetje met uitzicht op zee, waar ik snel de dop van de fles draai en met de flessenhals tegen mijn tanden gedrukt kleine slokjes drink terwijl ik nerveus de krant doorblader.

Op de eerste pagina wordt in het klein de zaak voorgelegd aan lezers die misschien wel alles gemist hebben. Het bericht staat vooral vol met verklaringen van Bill Morgan, die op luchtige wijze benadrukt hoe erg hij het vindt wat hem aan is gedaan. 'Steve Mellors is een onbetrouwbare getuige, ik ben diep en diep teleurgesteld in hem, echt, hij had eerder aan de bel moeten trekken, wij wisten allemaal niets van zijn alcoholisme, depressies en bordeelbezoeken. Deze poppenkast had voorkomen kunnen worden.' In de rechteronderhoek staat de tekening van mijn gezicht, iets grauwer en veel pafferiger dan de tekening die op internet circuleert.

Ik veeg de tranen uit mijn ogen 'Zo zie ik er toch niet echt uit?' jammer ik en zet de fles weer aan mijn mond.

Op de tweede pagina staat: 'De rechter kwam vandaag tot een besluit in de Leicester-zedenzaak. De zaak waarin de Roemeense Anca Alexandrescu en Cozana Vladoi een aanklacht indienden tegen twee politieagenten, werd vandaag abrupt beëindigd. Er zou geen overtuigend bewijs zijn geleverd voor de zware aanklacht van verkrachting en mishandeling die plaats zou hebben gevonden in de beruchte Leicester Tower-gevangenis. De getuige, Steve Mellors – zelf rechercheur bij het district waar de twee verdachten werkzaam zijn en gisteren al in het nieuws door een spraakmakende aanklacht die tegen hem loopt (zie pagina 3) –, was afwezig tijdens de uitspraak. De rechter benadrukte in zijn relaas dat Mellors volgens hem geen betrouwbare getuige is door zware lichamelijke en psychische problemen en alcoholisme. Terry Collins, de advocaat van de twee aanklagers, gaat in hoger beroep tegen de uitspraak. Of de Attorney General hiermee instemt is nog niet duidelijk, mede door de agressieve houding van Collins tijdens het vonnis. Collins probeerde na de uitspraak een stoel in de rechtszaal te vernielen en verkocht later twee journalisten rake klappen op de trappen van Crown Court. BBC2 is van plan een kort geding aan te spannen tegen Collins.'

Precies onder het stuk staat een grote foto van Terry Collins die inslaat op de journalist van de BBC. Zijn grote handen zwaaien door de lucht en op de wang van de journalist zie ik een rode veeg. Op de website van de BBC is het fragment te zien, schrijft de krant.

Ik voel me afgemat en bezopen, mijn benen doen pijn en ik heb het benauwd, maar er lijkt voor het eerst geen spoor meer te zijn van verbazing. Het lijkt opeens alsof ik er eigenlijk niets mee te maken heb, dat de Steve Mellors over wie ze schrijven een ander is. Ik schrik zelfs niet als ik bij het openslaan van pagina drie een foto van Mooievrouw46 zie. Erboven staat met grote letters: BETH RENDALS: IK WERD SEKSUEEL GEÏNTIMIDEERD TERWIJL MIJN POES HET LEVEN LIET.

16

Toen ik gisteravond thuiskwam, keek ik op televisie naar een oude Franse zwart-witfilm waarin een man zijn baas vermoordde met een briefopener. Ik vond het na de eerste paar scènes meteen al een heel irritante film, en dat terwijl hij aangekondigd werd als een van de beste ooit gemaakt. Ik voelde me niet goed en kreeg het gaandeweg steeds benauwder, alsof iemand mijn keel heel langzaam aan het dichtknijpen was. Vooral tijdens de delen waarin er lome trompetmuziek speelde, werd de ademnood groter.

Ik stopte met drinken, wachtte gespannen wat er zou gebeuren en probeerde zo min mogelijk te bewegen. Toen kroop er een pijnlijke tinteling van mijn kuiten naar mijn middenrif en straalde vandaar uit naar mijn nek en slapen, alsof ik onder zwakstroom stond. Ik zette snel de televisie uit en ging geschrokken op bed liggen, hopend dat het gevoel zou verdwijnen in die positie, wat niet gebeurde. Tegen een uur of elf moest ik plotseling overgeven en haalde op een haar na de wc niet. Ik had de fut niet om het braaksel van de drempel te vegen, en dat terwijl zoiets geheel tegen mijn principes is.

Rillend van de kou lag ik onder de twee dunne dekens op Terry's bed en probeerde rustig adem te halen, heel diep in en langzaam uit, maar het diep inademen zorgde voor een snijdende pijn in mijn borst en ik schreeuwde al snel vanuit bed dat het echt niet meer ging, dat dit dan wel het einde zou zijn, mijn trieste einde, dat iets of iemand me vergiftigd had met een geniepig gif dat langzaam al mijn organen uitschakelde en dat het allemaal de schuld was van de klootzak die me hier in dit huisje gevangenhoudt, degene die me weghoudt van haar die me goed heeft leren ademen.

Met ingehouden adem keek ik minutenlang naar een grote ader op mijn linkerbeen die heel snel op en neer bewoog. Ik vond het weerzinwekkend, keek door mijn gespreide vingers naar mijn blote bovenbeen, en het was waar: de ader pulseerde als een ingekapseld insect precies op het ritme van mijn hart, zichtbaar, tastbaar.

Midden in de nacht was ik nog steeds klaarwakker, lag op mijn rug en hield mijn lichaam strak in de gaten. Er ontstonden steeds vreemdere klachten, zo vreemd dat ik mezelf ervan moest overtuigen dat het tussen mijn oren zat, dat er niets van kon kloppen. Elke keer als ik aan een lichaamsdeel dacht, voelde ik daar pijn – soms alleen een trilling of een kleine stuiptrekking, maar ik voelde iets. Zo dacht ik lukraak aan mijn oren en voelde vrijwel meteen mijn oorschelpen vervaarlijk kloppen. Ik probeerde te denken aan wat Liana Deller me had verteld, over de cirkel waarin je terechtkomt als je bang bent, de invloed die de aanmaak van adrenaline op je hartslag heeft. En toch, het hielp allemaal geen ene zak.

Wat wel hielp, was dat ik een longdrinkglas met wodka vulde en die in twee grote teugen achter elkaar opdronk. In een paar minuten was ik weg.

15

Als ik 's ochtends door de tuin strompel, zie ik dat er hier en daar kiezels naast het pad liggen. Als ik ze met mijn schepje weer netjes op hun plek schep, zie ik de geteenslipperde voeten van Robert onder het tuinhek door.

'Hey man,' zegt hij.

Langzaam kom ik omhoog, vermoeid buig ik mijn nek in zijn richting. 'Hallo,' zeg ik.

'Hoe bevalt het tot nu toe, Stefan?'

'Steve,' mompel ik, en ik zoek steun tegen het hek. Mijn benen voelen alsof ik vannacht kilometers heb gelopen.

'O ja, natuurlijk, maar het lijkt erop, vind je niet? Stefan en Steve, maar jezus, man, het wordt hier steeds mooier. Terry heeft maar geluk met jou!'

'Ik doe mijn best,' zeg ik met het schepje in mijn hand.

'Ja,' begint hij, hij schraapt zijn keel en kijkt naar de paden, 'maar waarvoor ik kom, is het volgende: morgen gaan we een beetje beginnen met verbouwen. Dus mocht je wat herrie horen, niet schrikken, wij zijn het maar: ik en Stella.'

'Oké,' zeg ik, 'gaat het lang duren?'

'Nee, ben je gek… ik schat een maandje. Ze gaan een serre bouwen, het meeste werk wordt de eerste week gedaan, daarna zal de herrie minder worden. Nou, ik stoor je niet langer, je hebt het maar druk met de tuin!'

Als hij uit het zicht is, slaak ik een diepe zucht, maar als een soort antwoord daarop zie ik hem terugkomen en zijn hand omhoogsteken. 'O, Steve, als je nog iets voor de tuin nodig hebt, of iets anders, klop maar gewoon aan, oké?'

'Oké,' zeg ik, 'bedankt.'

'Maak er een mooie dag van,' zegt hij met een brede glimlach. Het oortje van zijn headset schittert in het zonlicht, net als de nette rij tanden in zijn mond.

'Jij ook,' kerm ik. 'Eikel,' fluister ik binnensmonds.

'Bedankt, Stefan,' zegt hij. Pas als ik zijn voordeur dicht hoor vallen, durf ik weer te zuchten.

In de loop van de middag komt het rare gevoel in mijn kuiten weer terug. Ik heb expres nog niets gedronken vandaag. Het kost me veel meer moeite dan ik dacht. Als de tintelingen weer naar mijn rug en nek en zelfs naar mijn handen vloeien, heb ik er genoeg van en trek een spijkerbroek en voetbalshirt aan, zoek naar een petje in een van mijn koffers en stap in de auto.

'Iemand moet me helpen,' zeg ik tegen mezelf, 'ik kan niet nog zo'n nacht hebben, echt, echt niet, dit gaat niet meer.' Ik voel tranen, maar richt me op de weg naar boven, wil weg uit deze krater, weg van mijn buurman die in zijn tuin met een glas cola in zijn hand naar me staat te kijken.

De autoradio laat me kennismaken met populaire Griekse muziek. Het klinkt verschrikkelijk, alsof ze vijftig jaar achterlopen, en dat dan op een zeer ongunstige manier. Ik zet hem weer uit.

'Een dokter?' vraagt de man van Supermarkt Jim.

'Ja, een huisarts,' zeg ik.

'Hm, even denken,' zegt hij en kijkt naar een vrouw achter de kassa. Ze haalt haar schouders op, wijst een richting op.

'Daar?' zeg ik en wijs met haar mee.

'In de stad, in Kos-stad,' zegt de man. Hij kijkt weer naar zijn vrouw, die nadrukkelijk knikt en intussen van haar koffie drinkt. 'Ja, vriend, ga naar Kos-stad,' zegt hij.

Als ik hem bedank en de zaak uit wil lopen zegt hij: 'Geen krant vandaag?'

Ik kijk snel naar de krantenmolen. Op de voorpagina van *The Sun* staat een foto van een tank. Ik schud mijn hoofd. 'Vandaag niet,' zeg ik.

Er zijn nergens stoplichten. Er zijn ook vrijwel geen kruispunten, alles is één lange rechte weg naar Kos-stad, steeds aangegeven in een afnemend aantal kilometers op kleine paaltjes in velden naast ezels onder afdakjes, naast kleine cafetaria's met terrassen die bezet worden door oude mannetjes die kettinkjes tussen hun vingers laten ronddansen, en verdwaalde toeristen in felle surfkleding die hun quads voor de deur hebben gezet. Ik zie er gelukkig weinig van; ik rij honderdtwintig. 'Twaalf kilometer,' mompel ik als ik weer een bord voorbij zie schieten, 'nog maar twaalf, jongetje.'

Ik voel me opgelucht als ik de stad bereik, want het is een échte stad vol verkeer en drukte. Hier zijn alle toeristen dus, hier gebeurt het allemaal, denk ik als ik de vele mensen met schreeuwerige T-shirts en rugzakken zie lopen.

Als ik bij een broodjeszaak aan de haven naar een dokter vraag, stuurt een vrouw me naar het ziekenhuis om de hoek. Het is een beroemd ziekenhuis, vertelt ze erbij. Dat laatste interesseert me echt helemaal niets, maar ik zeg: 'Och, echt?' Ze knikt en wijst met een gracieus gebaar naar de saladbar onder haar handen. 'Ook goed voor de gezondheid,' zegt ze met een vermoeide glimlach. Ik zie vooral gesneden rode kool en zompige tomaten.

'Ander keertje, maar ziet er lekker uit,' zeg ik en verlaat snel de zaak.

In het ziekenhuis word ik geholpen door een jonge arts die slecht Engels spreekt. Ik vertel dat ik last van tintelingen en pijn heb. Hij legt zijn vinger op mijn pols en kijkt naar zijn horloge.

'Pijn,' zegt hij en kijkt in mijn ogen.

'Paniek,' zeg ik, 'ook paniek, ik kan niet slapen.'

'Rookt u?' vraagt hij.

'Nee, ik drink wel, als u dat wilt weten. Soms zelfs heel veel, de hele nacht door. Ik ben in paniek geraakt gisteren en ik kon niet slapen, ik had allemaal rare klachten, tintelingen, stuiptrekkingen, pijn...'

'Ho!' onderbreekt hij met een hand in de lucht. 'Ik begrijp er niets van, u gaat veel te snel.'

'Ik wil gewoon iets om te kalmeren,' zeg ik.

'Om rustig te worden.'

'Ja,' zucht ik, 'precies, om rustig te worden.'

De man knikt, pakt een papiertje en begint te schrijven. Ik kan haast niet beschrijven hoe blij ik ben als hij het papiertje bestempelt en naar me toeschuift.

Ik moet honderd euro betalen voor zijn consult, ik kan geen bonnetje van hem krijgen om bij mijn verzekering te declareren, wel krijg ik een recept van veertig stuks Oxazepam 30 mg mee, en dat is die honderd euro toch meer dan waard. Ik bedank hem met een stevige handdruk, zeg dat ik me vereerd voel in zo'n beroemd ziekenhuis te mogen zijn en vlucht dan snel het gebouw uit, hinkend van een slapend been, duizelig van de vermoeidheid.

Op weg naar huis druk ik per ongeluk, in plaats van op het knopje van de radio, op play van de cassettespeler. Tot mijn verbazing klinkt er muziek. Ik zet de auto aan de kant en tuur in de gleuf, waar ik een bandje zie zitten. Als ik op eject druk, komt het bandje er niet uit. Met mijn vinger voel ik eraan, maar het zit muurvast. Weer druk ik op play. Ik schud mijn hoofd, kan het bijna niet geloven, maar fluisterzacht hoor ik de stem van Mark Knopfler. 'On Every Street' is het.

14

Midden in de nacht zit ik op het veld met mijn goedkope harkje waarvan de tanden nu al krom zijn. Ik ploeg de grond voorzichtig om, zorg voor luchtigheid in mijn aarde. 'Dat is het geheim, luchtige grond is vruchtbare grond,' fluister ik en zet het sproeisysteem aan. Als ik aan het tweede perk begin, waar de komkommerplanten straks komen, voel ik de kleine druppeltjes water op mijn rug. Hoewel het buiten best fris is, heb ik het bloedheet, zelfs in mijn blote bast.

Toen ik de afgelopen avond de eerste twee Oxazepam nam, voelde ik me na een kwartier al beter. Ik voelde me rustiger en ook een stuk gelukkiger. Ik keek vanuit het keukenraam dromerig naar de tuin die zo duidelijk om mijn aandacht vroeg. Als zulke dingen gebeuren, moet ik nooit te lang twijfelen, want anders zit ik hoe dan ook weer op de bank voor de televisie. Dus trok ik mijn voetbalshirt uit en liep op blote voeten over de gladde kiezels, keek op naar de donkerblauwe lucht die vol sterren stond. Dit zou ze moeten zien, dacht ik nog. Ze houdt vast van sterren.

In een lome, dromerige toestand werk ik de tuin af. Gaandeweg merk ik dat ik meters achter me het harkje heb laten liggen en mijn blote handen gebruik. Het gevoel van aarde op mijn huid heb ik altijd heel prettig gevonden. De klei kapselt zich tussen elke porie in mijn handen alsof hij daar hoort.

Om drie uur 's nachts kijk ik met een biertje in mijn hand vol verwondering naar mijn werk. Ik ben echt heel erg opgeschoten en voel nauwelijks iets van vermoeidheid. Zoals het er nu voor staat, kan ik morgen beginnen met zaaien. Ik moet nog een oplossing vinden voor de bewatering, maar misschien kan ik in Kos-stad wel aan verlengstukken komen voor het sproeisysteem van mijn collega's.

Ik zou een paar pruimenbomen moeten kopen, precies zulke als op de foto van haar ouderlijk huis. Als ik me de foto voor de geest probeer te halen, herinner ik me ook opeens de andere bomen op de achtergrond: vijgen, appels en abrikozen, misschien zelfs granaatappels. Die groeien hier waarschijnlijk nog beter dan daar, en tegen de tijd dat ze me vergeven heeft, staat alles hier in bloei, kan ze zo een appel van de boom plukken, een zachte abrikoos tegen haar gezicht houden en genieten van een mierzoete vijg. 'Het zal haar aan niets ontbreken,' glimlach ik naar de grond.

Aan de eettafel maak ik een plan. Ik wil kijken of de citroenen nog te redden zijn. Je hebt tegenwoordig medicijnen voor zieke bomen die hun werk goed schijnen te doen. Ik zou het heel fijn vinden als ze beter zouden worden.

In de bijsluiter staat dat je heel erg voorzichtig moet zijn met alcohol in combinatie met de pillen, dat je in een ernstig geval zelfs het bewustzijn kan verliezen, dus drink ik kleine slokjes wodka vermengd met water, terwijl ik de tuin inricht op een vel papier.

Net als bij mensen zijn er bepaalde soorten die elkaar niet verdragen. Net als bij mensen wordt vaak een van de twee ziek, onttrekt de ene te veel energie aan de andere. En zo sterft uiteindelijk een van de twee af, en net als bij mensen gaat deze mislukte match vrij ongemerkt en is er in het begin weinig te zien, maar uiteindelijk zijn ze slecht voor elkaar. In een ander geval worden ze allebei ziek. Zo weet ik dat bonen en meloenen een slechte combinatie zijn, want de meloen onttrekt heel veel vocht aan de grond, zo veel dat er niet genoeg voor de bonen overblijft, maar de bonen op hun beurt vergiftigen de aarde als ze aan het sterven zijn, dus voor beide partijen is dat niet echt handig. Ik plaats ze zes meter uit elkaar, net als bij de witte kool en de aardappels, de tomaten en de komkommers, prei en bieten. Aardappels en maïs is weer geen enkel probleem, die leven namelijk juist graag in elkaars directe omgeving, net als kropsla en koolrabi, dat zijn ook goede buren.

13

Ik zit in de Sebastian, een grote bar aan de boulevard die vanavond voor het eerst open is gegaan. De eigenaar heet Sotiris en is opvallend klein en mager, heeft een haviksneus, kale kop en een heel schorre stem. Waarschijnlijk van het onophoudelijke roken dat hij doet. Zijn Engels is opvallend goed en hij zegt dat dat komt omdat hij al ruim twintig jaar in het toerisme zit. Dit is het zevende achtereenvolgende jaar dat hij deze bar pacht en hij voorspelt een fantastische zomer en een torenhoge omzet.

Terwijl ik rustig van een biertje drink, loopt hij nerveus rond met een boormachine. Nog niet alles is klaar, en eigenlijk had alles al klaar moeten zijn, zegt hij. Hij roept steeds dingen als: '*Fuck!*' en '*You bastards!*' als hij een schroefje uit zijn handen laat vallen of als plotseling de stroom uitvalt.

Ik zit op een rieten stoel met een kussentje, aan de zijkant, zodat ik de andere gasten goed kan bekijken. Veel zijn het er nog niet. Achter in de zaak zit een dik stel achter een paar glazen bier, en voor de televisie zitten twee vrouwen van in de dertig die denken dat ze nog twintigers zijn, naar een voetbalwedstrijd te kijken. Hun buiken puilen uit te strakke broeken en ze hebben beiden een heel klein tasje waaruit ze steeds lipgloss halen en nerveus hun lippen bijwerken. Ze dragen plateauzolen, en elke keer als er een naar de wc moet, zie ik hoeveel moeite het lopen ze kost. Treurig, denk ik steeds als ze langs me lopen.

Ik draag een paar klompjes die ik bij de supermarkt heb gekocht. Teenslippers waren nog niet op voorraad. Misschien is het de mode van vorig jaar, maar dat maakt me niet zoveel uit, ik ben niet hip.

'Dit is de drukste bar van heel Kefalos,' zegt Sotiris als hij een korte pauze neemt om een sigaret te roken.

'Oké,' zeg ik en tuur naar zijn gigantische handen.

'De rest hier zijn optimistische idioten, ben je al bij een andere bar geweest, chef?'

'Alleen bij Kostas of zoiets.'

Het mannetje moet hard lachen en krijgt dan een hoestbui. 'Kostas,' zegt hij, 'ja, Kostas is nieuw, die had een bedrijf in airco's boven in het dorp, maar hij houdt van meisjes. Helaas voor hem houden de meisjes niet zo van hem. Hij heeft die bar gewoon geopend om met de serveersters naar bed te kunnen.'

'O,' zeg ik en neem een slok bier.

'Zou ik nooit doen, nooit, nooit, nooit,' zegt hij. Hij kijkt me vurig aan, houdt zijn wijsvinger in de lucht en grijnst dan heel even naar me. Ik knik. 'Verstandig,' mompel ik, 'heel verstandig.'

'Jij snapt het,' zegt hij en geeft me een klopje op mijn schouder, 'nog eentje?'

'Doe maar een whisky, voor de verandering,' zeg ik.

'Een whisky voor mijn vriend uit...?' zegt hij en rent naar de bar, gooit een glas in de lucht en laat er van grote hoogte een straal whisky in lopen.

'Leicester,' zeg ik. 'Bij Liverpool is dat.'

'Ja, ik ken het. Ik heb klanten uit Leicester, leuke mensen.' Ik krijg een groot glas en hij drinkt er zelf een met ijs.

'Hoe lang blijf je hier?'

'Lang,' antwoord ik.

'Lekker hoor, chef,' zegt hij en zucht diep.

'Lange vakantie?' vraagt hij.

'Zoiets,' zeg ik.

'Mysterieus hoor,' zegt hij en geeft me een knipoog.

'Ik heb vandaag gezaaid,' begin ik, maar dan staat hij snel op omdat een van de vrouwen met plateauzolen aan de bar is komen staan. Hij begroet haar met complimenten die zó onrealistisch zijn dat ik opeens heel goed snap dat dit de populairste bar in de omgeving is.

'Jij bent echt de mooiste vrouw die ik in een jaar tijd heb gezien,' hoor ik hem bijvoorbeeld zeggen.

Ik begin langzaam helder te worden. De pillen zijn bijna uitgewerkt en opeens voel ik me een beetje angstig. Ik kijk naar mijn oranje klompjes en snap niet meer waarom ik die heb durven aantrekken. Ik probeer ze een beetje te verbergen onder mijn stoel.

Als Sotiris weer naast me gaat zitten, zegt hij: 'Zag je hoe ik dat deed?'

'Wat?'

'Met die vrouw met die uitstekende voortanden bij de bar, heb je dat gezien, chef?'

Ik knik. 'Ja, dat zag ik,' zeg ik.

'Zo doe je dat, dan bestellen ze twee of drie drankjes extra. Die ene vertelt het nu aan de andere en dan wil ze kijken of dat bij haar ook lukt. Als je er zo uitziet, heb je echt een paar complimenten nodig, anders heb je een klotevakantie. Let maar goed op, zie je ze naar me kijken, zie je ze giechelen, chef?' Inderdaad zitten ze te lachen en hebben blosjes op hun wangen, zien er zelfverzekerder uit dan net. Sotiris zwaait vriendelijk naar ze vanuit zijn stoel. 'Domme wijven,' fluistert hij en glimlacht breed naar ze, zodat zijn schots en scheve tanden zichtbaar worden.

'Wat heb je vandaag gedaan?' vraagt hij, naar me toe gebogen.

'Ik heb gezaaid,' zeg ik, 'ik heb mijn tuin helemaal...'

'Ja, ik ga even zo zitten, want anders blijven ze maar naar me kijken,' onderbreekt hij me, 'het moet wel speciaal blijven, ze zijn natuurlijk niet op hun achterhoofd gevallen, althans, niet heel hard.' Hij moet schaterlachen, en als hij de man van het dikke koppel in de hoek bij de bar ziet staan, springt hij weer op uit zijn stoel en zegt: 'Nog eentje, mijn goede vriend?'

Ik loop naar de bar en haal mijn portemonnee uit mijn broekzak, maar Sotiris schenkt mijn glas ongevraagd weer vol met de mededeling dat deze van het huis is. Ik glimlach vriendelijk, maar voel me zo langzamerhand heel labiel en vermoeid. Misschien kan ik even snel naar huis, zo'n pil nemen en dan weer terugkomen.

'Ik moet even geld halen, ik heb stom genoeg geen geld meegenomen,' zeg ik.

'Komt volgende keer wel, drink nog lekker een drankje, lekker relaxed, nergens aan denken,' zegt hij. Het tweede meisje staat ongemakkelijk naast me, is nog lelijker dan ik van een afstand kon zien en wordt door Sotiris onthaald met de woorden: 'De vrouw uit mijn wildste dromen!'

De vrouw giechelt achter haar hand en bestelt een Strongbow met ijs. Waggelend loopt ze naar haar vriendin met het glas in de lucht en blosjes op haar wangen. Ze wordt door haar onthaald alsof ze zojuist een diploma in ontvangst heeft genomen.

Boven de bar hangen rijen foto's met dronken mensen erop. Bijna overal zie je het kleine mannetje met zijn haviksneus tussen de menigte staan. Zo nu en dan poseert hij met een straalbezopen jongen in een hawaïshirt of een meisje met een roodverbrand hoofd en een glas in haar hand. Naast de kassa hangt een zwart-witfoto van Sotiris met een opgeheven vuist naar de camera. DON'T FUCK WITH THE BOSS! staat er in gotisch schrift onder. Misschien heeft hij echt een probleem met serveersters.

'Wie zijn dat?' vraag ik en wijs naar een drietal mannen van mijn leeftijd die op veel foto's voorkomen. Als ik goed kijk, zie ik dat ze eigenlijk net zo vaak als Sotiris op de foto staan.

'Waar? Wie?' vraagt hij en loopt achter de bar vandaan.

Ik wijs verschillende foto's aan. Er zit soms jaren tussen, lijkt het wel, ik heb zelfs het gevoel dat ik ze ouder kan zien worden, steeds gerimpelder, maar ook steeds zongebruinder.

'O ja, dat zijn Kev, Danny en Stavros, die wonen hier op het eiland, komen altijd bij me in de zomer, als er hier vrouwen zijn.'

'Is die Stavros een Griek?' vraag ik en kijk naar een blonde man met een spits gezicht.

'Nee, maar die noemt zichzelf tegenwoordig zo, hij heet iets van eh… Weet ik veel, Stan of zo, vindt-ie leuk, een Griekse naam. Zijn rustige types, poolen een beetje, drinken bier, goeie gasten, nooit last van gehad. Maar waar hadden we het nou net over, chef?'

'Geen idee,' zeg ik en leeg mijn glas. Opeens merk ik dat er helemaal geen muziek is. Het enige wat ik hoor is het krassende stemgeluid van het mannetje en het gebulder vanuit het stadion in Liverpool op televisie. Het klinkt als oorlog. Ik voel me echt niet goed meer en de whisky is als een steen op mijn maag gevallen, ik wil niets liever dan hier wegkomen en naar huis gaan om een Oxazepam te nemen, op de bank te kruipen en naar *The Jeremy Kyle Show* te kijken.

'Sotiris?' zeg ik. Hij staat te praten met een blonde vrouw in een legging en geeft geen antwoord. Ik zie de twee vrouwen op de bank ongelukkig naar de blondine kijken. Het ziet er hartverscheurend uit; ze is absoluut niet mooi, maar wel mooier dan zij zijn.

Ik loop naar hem toe en leg mijn hand op zijn benige schouder.

'Ja,' zegt hij en kijkt naar me op, 'wat is er, chef?'

Ik word helemaal gek van dat 'chef', ik wil tegen hem roepen: 'Ik ben je chef niet, of een chef in het algemeen,' maar zeg in plaats daarvan dat ik maar eens naar huis ga.

'Is goed, chef,' zegt hij, en hij praat verder met de blondine.

Ik strompel op mijn klompjes langs de dansvloer naar de uitgang. Ik kijk niet om me heen, focus me op de grond.

'Ik krijg zesentwintig van je, onthoud je dat, chef?' hoor ik zijn stem achter me krassen.

12

Vanaf de bank zie ik hoe Jeremy Kyle tegen een vrouw schreeuwt die volgens het onderschrift bijna driehonderd kilo weegt. Kyle zegt dat ze, als ze niet iets aan haar eetgewoontes verandert, op een dag dood neer zal vallen, dat haar man – die naast haar zit – haar al heel lang niet aantrekkelijk meer vindt. Hij vraagt, terwijl hij zijn kin op zijn handpalm laat rusten, of ze wel doorheeft hoe walgelijk ze eruitziet.

Zowel de man, haar zoon als Kyle kijken haar strak aan, maar ze zegt geen woord.

Na een lange stilte zegt ze: 'Ik ben depressief.' Er klinkt meteen boegeroep uit de zaal, en dan – hoe kan het ook anders – verschijnt de psychiater in zijn grijze pak. Hij knikt en bekijkt de vrouw van top tot teen, dan begint hij met: 'Tja.' Iedereen in het publiek juicht en klapt.

Ik zet de televisie uit en schenk een glas wodka in, neem twee Oxazepam en een Ibuprofen en bel dan Terry Collins.

'Steve,' mompelt hij.

'Dag Terry, hoe gaat het?'

'Slecht, heb je daar kranten?'

'Ja,' zeg ik, 'ik heb *The Sun* gelezen. Ik zag een foto van je.'

Hij zucht diep. 'Ja, dat was weer niet zo slim van mijn kant, maar wat moest ik?'

'Ik weet het niet,' zeg ik.

'Je maakt er wel uit op dat ik heel begaan ben met mijn cliënten, toch?'

'Jazeker, dat zeker.'

'Als je dat leest en die foto ziet, dan denk je toch: die man moet ik hebben als ik ooit in een zaak verwikkeld raak?'

Ik zeg dat ik geen moment zou twijfelen en hem zou bellen.

'Oké, nou, dan is het goed,' zegt hij, 'hoe gaat het daar?'

'Redelijk goed. Ik ben aan de tuin begonnen, heb een kiezelpad gemaakt en gisteren de hele dag gezaaid, courgettes, bieten, radijzen, aubergines, en nog veel meer. Ik ga pruimenbomen kopen en je citroenbomen redden...'

'Ik wist niet eens dat die er stonden,' zegt hij.

'Ja, vier stuks, maar helemaal verdroogd, ze hebben vorig jaar ook geen vrucht meer gedragen, ze zijn helemaal in de war. Ik wil ze proberen te redden.'

Terry is stil, een moment denk ik dat hij opgehangen heeft, maar als ik zijn naam noem zegt hij: 'Wacht even, ik heb opeens een geweldig idee om van jou een held te gaan maken, ik bel je zo terug, oké?'

Weer legt hij neer zonder op mijn antwoord te wachten. Normaal zou ik schelden, maar de Oxazepam is gaan werken en ik hoor een heerlijk suizend en klotsend geluid in mijn hoofd, alsof ik in de zee lig en mijn oren steeds even onder water komen. Ik ga op de bank liggen met het toestel in mijn handen en hoewel de verbinding al vijf minuten verbroken is, mompel ik 'Geen probleem, ouwe reus, ik wacht wel, ik heb alle tijd' tegen het ding.

Wat een heerlijke pillen, denk ik nog op het moment dat ik in slaap val.

In mijn droom sta ik op een foto bij een Chinees echtpaar aan de muur. Ik sta naast Kev en Stavros en hou mijn hand op de schouder van een Chinese man in een zwembroek en poloshirt. Mijn andere hand ligt op Anca's heup. Ze glimlacht en is prachtig, draagt een linnen shirt en heeft haar haar opgestoken, zongebruind is haar huid. Op de achtergrond zie je Sotiris een cocktail voor ons maken. Mijn eigen gezicht is vuurrood, waarschijnlijk ben ik verbrand, en al heel lang gelukkig. De foto is vakkundig ingelijst. De eigenaar, een man die ik in mijn droom duidelijk in zijn woonkamer hoor praten, herinnert zich mij als een goedlachse Engelsman waar hij een leuke avond mee doorbracht in een pittoresk stadje op het eiland Kos. Hij herinnert zich mij als een held, een rechercheur die zijn twee collega's voor jaren in de gevangenis kreeg, een man met een prachtige moestuin en veel vrienden.

Terwijl ik droom, gaat steeds mijn telefoon, maar het lukt me niet om uit de huiskamer van de Chinese man te komen. Ik blijf als aan de grond genageld voor de foto staan en hoor hem praten in korte, onbegrijpelijke bewoordingen die ik lijk te herkennen uit de enkele keer dat de keukendeur in het Chinese restaurant op High Street een beetje openstond. Als ik wakker word, heb ik hoofdpijn. Ik strompel naar de wc en ga zittend plassen. Buiten klinkt een drilboor en geschuifel. Als ik voorzichtig uit het badkamerraampje kijk, zie ik Robert en Stella met mondkapjes op door de tuin lopen. De herrie uit hun tuin is verschrikkelijk, mijn hoofd doet echt vreselijke pijn.

Als ik mijn voicemail afluister, hoor ik Terry zeggen: 'Steve, wat je over die tuin vertelde, vooral hóe je over die tuin vertelde, over die eh... citroenbomen die je wilde redden, daar wil ik iets mee doen. Ik heb een idee, je moet goed naar me luisteren: ik ga die vriend van me, die journalist van de *Mercury*, een verhaal laten plaatsen over jou. Niet over je getuigenis, of over het verlinken van je collega's, de ontrouw naar je werkgever of over die Beth *fucking* Rendals, nee, gewoon over jou als mens, als mens die wilde redden wat er te redden viel. Jij gaf je baan op voor de *goede zaak*, je bent dus een *goed mens*, ik ga die tuin er gewoon bij pakken. Als voorbeeld. Steve Mellors die het liefste in de aarde staat te wroeten. Hoe kan een mens die het allerliefste in de aarde staat te wroeten, die zich wil ontfermen over zieke bomen, een slecht mens zijn? Ja, dit ga ik doen, ik bel je snel, groeten, Terry.'

I I

In de dagen die volgen, hou ik steeds mijn mobiele telefoon bij de hand, maar Terry belt me niet. Ik denk omdat hij druk bezig is om van mij een held te maken, en dat, in combinatie met de hier en daar al ontluikende plukjes groen in de tuin, geeft me een tevreden gevoel. De snelheid waarmee het gaat verbaast me, maar als ik er in het tuincentrum in Zipari over vertel, zegt de verkoper dat dat heel gewoon is. De zon is hier vele malen sterker dan in noordelijke landen en de eeuwenoude grond is rijk aan mineralen en geitenstront.

Ik heb twee pruimenbomen gekocht en de citroenbomen behandeld met een zeer kostbaar goedje waarmee ik stapsgewijs de bodem moet verrijken. Elke dag vijftig milliliter meer, vermengd met water uit de kraan. Er zitten antioxidanten in en een vitamine die ook in kuurtjes tegen haaruitval wordt gebruikt. Ik denk na twee dagen al enig verschil te zien, maar misschien verbeeld ik me dat.

De dagen voltrekken zich in een prettige, gedempte roes waarin ik mezelf constant onder de Oxazepam hou en er zelfs zonder problemen stevig bij drink. Bij de slijter in het dorp sla ik een partij wodka en bier in en bij een kleine slagerij haal ik runderlapjes die ik in een kruidenmengsel marineer en urenlang laat pruttelen op het kleine kookplaatje. Ik stoof bietjes en kook kleine, jonge aardappels in de schil.

Ik bedenk dat als zij hier straks komt, ik haar eindelijk iets behoorlijks kan voorzetten. Misschien zal het lang duren voor er weer vertrouwen is, maar in de weg daarnaartoe zal ze zien dat ik een beter mens ben geworden.

Op een middag maak ik een lange autotocht naar een dorpje met de naam Pyli. In de reisgids die ik van Terry kreeg, staat dat het een van de meest authentieke dorpjes op het eiland is. Eeuwen geleden brak er de pest uit en werden de inwoners geëvacueerd naar het bergdorp Zia, dat bekendstaat om zijn goede honing. Men durfde de stad niet meer te betreden en er was niemand die er wilde wonen, dus bleef alles precies zoals ze het eeuwen geleden hadden achtergelaten. Nog steeds durft niemand er te wonen, maar als bezienswaardigheid staat het op nummer zes in de top tien van *must sees* in mijn reisgids.

Op het cassettebandje dat vastzit in mijn speler, staat alleen 'On Every Street'. Elke keer als het nummer afgelopen is, begint het weer, en dat het hele bandje lang, alsof dat liedje gewoon bij deze auto hoort.

Pyli blijkt inderdaad een spookdorp te zijn. Er is nergens een mens te bekennen, en als ik door de kleine straatjes wandel, voel ik me niet prettig. De meeste huisjes hebben geen deuren en steeds kijk ik voorzichtig naar binnen. Ze zijn stuk voor stuk kaalgeslagen en er staan geen meubels. Er lopen opvallend veel zwerfkatten rond. De meeste zijn gewond, missen een oog of poot en hebben geen staarten meer. Hier en daar hoor ik gejammer uit de huisjes. Op een plein met een vervallen kerkje zie ik boven een huisje een bord hangen waarop staat: AUTHENTIC GREEK HOUSE.

Het is een soort minimuseum met een steenoven waarop een paar kruikjes staan en in het midden een boerentafel met een paar oude stoelen. Ik zie een spinnewiel in de hoek waaraan een T-shirt met I LOVE KOS is bevestigd. Voor de rest hangen aan de muren kitscherige schilderijen van een lokale kunstenaar. Op het bordje staat dat ze allemaal te koop zijn.

Ik verlaat het dorp en ga teleurgesteld in mijn auto zitten. 'Ik wil genieten,' mompel ik, 'misschien dan maar naar Zia.'

Met gemak neemt de Suzuki de steile weggetjes naar boven, nog steeds klinkt de stem van Mark Knopfler in de auto, en als ik heel even naar het steeds dieper wordende dal kijk, zie ik de zee. 'Godverdomme, wat mooi,' mompel ik en kijk snel weer naar de weg; als je hier een ongeluk krijgt, duurt het vast dagen voor je gevonden wordt.

Zia is mogelijk een nog grotere teleurstelling. De natuur is best aardig, maar het stadje draait volledig op toerisme en – zoals al in mijn reisgids werd beschreven – de handel in honing en producten op basis van honing. Ik loop door een straatje waar ik gelukkig niet de enige ben. Er lopen een paar stelletjes met bergschoenen aan hun voeten en rugzakken op hun ruggen, en hier en daar zitten mensen achter kopjes koffie in kleurrijke eettentjes. Ze eten allemaal baklava die volgens de menuborden bereid wordt met 'de heerlijke honing uit Zia'. Volgens mijn reisgids is dit ook dé plek om baklava te eten, en dat kan ik natuurlijk niet aan me voorbij laten gaan. Ik installeer me op de veranda van een kleine taverna en bestel snel twee porties en een biertje.

Naast me zit een groepje mensen uit Duitsland. Een lange blonde vrouw eet voorzichtig van haar baklava en een kale man met een stoppelbaard drinkt koffie. Ik groet ze vriendelijk met mijn vorkje in de lucht. 'Eet smakelijk,' zeg ik.

Ze knikken vriendelijk naar me, maar zeggen geen woord. Misschien verstaan ze me niet. Ik kauw snel een Oxazepam fijn.

In mijn reisgids lees ik dat de zonsondergang in Zia een ervaring op zich is. Ik besluit het toeristische dorpje te verlaten en rij tot ik niet hoger kan komen. De rest van de berg is eigendom van het leger, overal staan dreigende stopborden met de afbeelding van een militair met een machinegeweer.

Ik laat de auto in een berm staan en ga op een stukje rots zitten wachten. Als de zon dan ondergaat, is het inderdaad een ervaring op zich: de kleuren zijn fel en de zon is gigantisch groot. Ik verdraag het ongeveer een minuut, en dan nog zelfs zuchtend en vol onbegrip. Ik haal mijn schouders op, ik snap niet wat men toch zo prachtig aan een zonsondergang vindt.

Op de terugweg naar huis krijg ik honger. In een dorpje met de naam Lagoudi zie ik een grote touringbus van TUI staan voor taverna Andreas.

Op de kaart staan onder meer lamskoteletten en een mixed grill, en in dat laatste heb ik eigenlijk al de hele dag zin.

Even later zit ik in een donkere ruimte waar toeristen in zwembroeken de sirtaki dansen. Er is goedkoop serviesgoed dat kapotgegooid mag worden en in de hoek van de ruimte zit een treurig ogende man in een wit overhemd met strikje en een grote zwarte bril op zijn neus achter een muziekinstallatie. 'Harry Vasilatos, allround performer' staat op een sticker die op zijn keyboard geplakt zit. Ik zie een klein drumstel staan en er liggen nog verschillende andere instrumenten.

Er komt een vrouw in een mantelpakje naar me toe. 'Bij welke groep hoort u?' vraagt ze met een klembord en een pen in de aanslag.

'Pardon?' zeg ik.

'Wat is uw kleur?' vraagt ze.

'Ik kom hier alleen om te eten,' zeg ik en wijs naar de menukaart.

'O, u bent niet van Porto Bello?'

'Nee,' zeg ik, 'wat is Porto Bello?'

'Dat is een resort in Kardamena, iedereen hier hoort bij elkaar, we hebben groepjes gemaakt en elke groep heeft een eigen kleur, dat is wel zo handig. We organiseren vanavond een héérlijk Grieks avondje.'

'O,' zeg ik, 'nou, ik eet snel, en dan ik ben weg hoor.'

'Nee, blijf rustig zitten, of dans lekker mee, het is vanavond toch feest,' zegt de vrouw met een vermoeide glimlach.

'Goed om te weten,' glimlach ik en neem snel een slok bier.

Er zitten voornamelijk Duitsers en Italianen. Sommigen zijn al behoorlijk oud. Ik zie de spataderen voor mijn ogen dansen, en schrik elke keer van het klaterende serviesgoed en het daaropvolgende gejuich. Vreemd, denk ik nog, als ze dit thuis zouden doen, betekent het meestal ruzie.

De allround performer kan absoluut geen piano spelen en al helemaal niet zingen. Eigenlijk is het maar goed dat hij net liet weten dat hij 'My Way' van Frank Sinatra zou gaan vertolken, anders had ik het nooit herkend.

Na mijn vierde glas bier komt eindelijk de mixed grill op tafel. 'O, heerlijk,' zeg ik tegen de serveerster. Vrijwel meteen springt een mager rood katje op mijn schoot en wurmt zich tussen mijn buik en de tafelrand om bij mijn bord te kunnen komen.

'Ksh, ksh,' doet de serveerster en wuift met haar dienblad naar het beestje.

'Het is goed,' zeg ik, en leg mijn hand op zijn kop. 'Ik heb er geen last van.'

'Ze zijn niet schoon,' zegt ze, 'het is er een van de straat.'

'Hij heeft honger,' zeg ik en voer het katje kleine stukjes lamskotelet. De serveerster kijkt geïrriteerd en loopt schouderophalend weg.

Hij is nog heel jong, zijn tandjes zijn spierwit en hij is uitgehongerd. Ik pluk kleine stukjes vlees van het bot en gretig eet hij ze uit mijn hand.

Al snel trek ik zo veel bekijks met het beestje dat ik zelf geen tijd heb om te eten. Soms krijg ik nog de kans om snel een gebakken aardappel in mijn mond te stoppen, maar meestal staat er een resortgast naast me die het beestje wil aaien, of moet ik het katje aan jonge kinderen laten zien.

'Is het een hij of een zij?' vraagt een oude Duitser die al een tijdje naast me staat te kijken. Hij draagt een korte broek en heeft gespierde haarloze benen. In zijn hand houdt hij een bierpul van hard plastic.

Ik haal mijn schouders op. 'Ik zou het niet weten,' zeg ik.

'Kijken?' vraagt hij hoopvol en zet zijn bierpul op mijn tafeltje.

Ik knik en haal mijn handen van zijn magere rug.

De man pakt het beestje bij zijn nekvel en heft het heel langzaam hoog de lucht in. Ik sta meteen op en hou mijn handen er snel onder.

'Voorzichtig,' zeg ik, 'voorzichtig met het katje.'

'*Ein mann*,' zegt hij en zet het terug op mijn schoot, 'van u?'

'Nee,' zeg ik, 'het is een zwerfkat.'

Gaandeweg de avond voel ik me steeds nerveuzer worden. Ik heb bijna niets gegeten, maar wel al heel veel gedronken, en hoe langer het katje op mijn schoot zit te spinnen, hoe banger ik word dat iemand hem van me zal afnemen. De vreselijke muziek die de allround performer ten gehore brengt, maakt alles nog erger. Op dit moment zingt hij een bekende aria uit een opera. Het gaat werkelijk door merg en been.

Als een jong meisje het beestje voorzichtig aait en vraagt of hij van mij is, knik ik trots.

'Heeft u hem gevonden?' vraagt ze.

'Hij heeft mij gevonden,' zeg ik en kriebel onder zijn kin.

'Lief,' fluistert ze zachtjes en aait over zijn kop.

Ik blijf zitten tot halftwee in de nacht. Pas als iedereen weg is en Harry Vasilatos, de allround performer, zijn instrumenten inpakt, sta ik snel op en duw het katje voorzichtig onder mijn windjack. Er is niemand van het personeel meer aanwezig. Ik loop zo snel mogelijk naar buiten, ondersteun zijn hoofdje dat uit mijn half geopende ritssluiting komt. Buiten hoor ik krekels en het gerinkel van de afwas.

IO

's Ochtends ligt het diertje in diepe slaap op mijn schoot. Ik kijk naar de herhalingen van *Jeremy Kyle* en *EastEnders*, drink bier en aai ondertussen over zijn magere rug. Hij is opvallend klein, vast te vroeg bij zijn moeder weggegaan, misschien zelfs door haar verstoten. Ik voel voorzichtig aan zijn pootjes en staart die onder de korsten en kleine wondjes zitten. Uit zijn rechteroor is een klein hapje genomen; hij ademt trouwens zwaar valt me op.

Ik heb het geluid van de televisie heel zacht staan. Rond deze tijd is er altijd in de rechteronderhoek een man te zien die gebarentaal doet. Hij draagt altijd hetzelfde geruite overhemd met grijze kabeltrui. Ik heb hem al talloze malen gezien, hij maakt me altijd rustig, vooral tijdens *The Jeremy Kyle Show*. Als Kyle vurig tegen een gast tekeergaat, maakt deze man ingetogen, beheerste gebaren; ook is hij altijd net iets te laat. Die doven en slechthorenden hebben het maar lekker rustig.

Als ik hem voorzichtig op de bank leg en stilletjes mijn jas en autosleutels pak, wordt hij gapend wakker, rekt zich uit en rent snel naar me toe. Hij zigzagt tussen mijn benen door en miauwt met lange uithalen.

'Ik ga eten voor jou kopen,' zeg ik en ga met moeite door mijn knieën om hem over zijn kop te aaien. 'Wacht maar hier, ik ben zo terug met iets lekkers,' zeg ik.

Buiten zie ik Robert naast een cementmolen staan bellen. Langzaam stort hij cement in een grote zwarte emmer. Wat hij ook doet, alles irriteert me mateloos. Ik steek mijn hand naar hem op maar hij ziet me niet.

In Kefalos loop ik door de kleine straatjes op zoek naar een dierenwinkel, maar niemand die ik het vraag schijnt te weten waar die zit – wel dat er een zit, maar waar, dat weten ze niet.

Ik sta een tijdje te kijken naar een Engelse taxi die in rood met gele strepen is overgespoten. Het taxibord zit nog wel op het dak. In de tuin van het huis waarvoor de auto geparkeerd staat, zie ik een Engelse vlag wapperen.

Ik zie een oudere man door de tuin waggelen met een blik bier in zijn hand.

'Hallo!' roep ik en steek mijn hand in de lucht. 'Goed volk,' zeg ik erachteraan, waarom weet ik eigenlijk ook niet.

'Ken ik jou?' kermt de man vanachter zijn hek.

'Nee,' zeg ik, 'ik zag uw auto.'

'Ja, wat is daarmee,' zegt hij en komt naar het hek. Hij stinkt vreselijk naar drank.

'Niets,' zeg ik, 'ik ben taxichauffeur.'

'O,' zegt hij, 'zoek je werk?'

Ik denk aan de baas van de taxicentrale in *Taxi Driver*. Hij vraagt bij de sollicitatie of Travis psychisch in orde is. '*Clean. Real clean. As clean as my conscience*,' is zijn antwoord.

'Nee dat niet,' zeg ik.

'Oké,' zegt hij. Hij draait zich om, houdt het blik bier in de lucht en verdwijnt in het gat van de deur. 'Laat me dan met rust, man,' roept hij vanuit zijn gang.

'Sorry,' zeg ik en loop snel door.

Uiteindelijk beland ik bij de Marinopoulos, de supermarkt waar ik alleen op de eerste dag ben geweest. Ik koop kattenmelk, blikvoer en veel blikjes sardientjes. Buiten haal ik nog een stuiterbal uit een automaat.

Het katje eet een halfuur onafgebroken en werpt zich daarna languit op het groene tapijt.

'Je bent moe, hè,' praat ik tegen hem vanaf de bank, 'slaap maar lekker.'

Ik moet mezelf inhouden om niet steeds bij hem te gaan liggen. Elke keer als er reclame op televisie is, kruip ik op handen en voeten naar hem toe en ga naast hem op het tapijt liggen. Ik aai over zijn buik, kriebel zachtjes onder zijn kin, strijk met mijn hand van zijn nek tot aan het puntje van zijn staart. Als hij zachtjes met zijn voorpoten over zijn kop gaat en zijn oren begint te wassen, hou ik het opeens niet meer uit. Ik schok zachtjes op en neer en laat mijn tranen stromen, hou mijn hand voor mijn mond, rol de andere kant op en huil met lange uithalen. Dan voel ik zijn nagels in mijn rug, hoor hard gespin en een nies.

'Waar heb ik dit aan verdiend,' jammer ik. Ik droog mijn tranen terwijl het katje aan mijn pink begint te sabbelen

's Avonds eten we sardientjes op de vloer. Het valt me op dat hij maar aan zijn oren blijft krabben, en daarbij steeds zachtjes kreunt. Als ik ze wil bekijken, slaat hij hard op mijn rechterpols en deins ik geschrokken achteruit. Van een afstand zie ik zijn pupillen verkleinen en vergroten, hij blaast nog steeds en begint weer achter zijn oren te krabben.

Ik ga geschrokken op de bank zitten. De vijf piepkleine gaatjes op mijn pols bloeden nauwelijks, en hoewel ik door de pillen bijna niets voel, ben ik geen held.

9

De volgende dag rij ik met het beestje naar Kos-stad. In Kefalos is geen dierenarts te vinden en vannacht heeft hij mij uit mijn slaap gehouden door aan een stuk door te janken en hysterisch door de woonkamer rond te rennen. Midden in de nacht heb ik een handdoek gepakt en hem daarin gevangen, hield hem stevig tegen me aan in bed en probeerde hem rustig te krijgen door zachtjes tegen hem te praten. Het lukte niet. Hij bleef als een gek krijsen en 's ochtends ontdekte ik in de huiskamer overal braaksel.

In de wachtkamer van de dierenarts komt een Engels stel binnen dat meteen op het katje af springt.

'Wat een schatje,' zegt de vrouw, 'is het een straatkatje?'

Ik knik en hou het stevig vast in de handdoek. Ik had niets anders kunnen vinden om hem in te vervoeren.

'Woon jij ook op het eiland?' vraagt ze.

'Ja, in Kefalos,' zeg ik.

'O, wat leuk! Een landgenoot, toch?'

Ik knik en glimlach naar haar scheve tanden.

'Ik ben Sue en dat is mijn man, Dave.' Ze wijst naar een magere man met een dun snorretje die een klein hondje op zijn schoot heeft. De man knikt vriendelijk naar me.

Ik schud de vrouw de hand en zeg meteen: 'Terry, aangenaam.' Ik weet niet precies waarom ik het zei, maar er kwam zo snel niets anders bij me op.

Ze gaat op haar knieën voor het katje zitten en kriebelt op zijn hoofd.

'Voorzichtig, hij is een beetje wild,' zeg ik.

'O, maar ik ben niet bang voor jou hoor,' zegt ze en kriebelt rustig door.

Het is een opmerkelijk lelijk stel. Eigenlijk heb ik in jaren niet zoiets spuuglelijks bij elkaar gezien: de vrouw heeft een doorlopende kin en uitstekende voortanden, terwijl haar ondertanden juist naar binnen wijzen. Ze draagt een korte broek en heeft dikke bovenbenen en een heel slank lijfje. Om haar nek hangt de helft van een gouden hartje, en als ik naar haar mans nek kijk zie ik de andere helft hangen. Hij heeft een afzichtelijk hoofd met een dunne krans grijs haar, draagt een te wijde zwarte broek van glimmende stof, een wit overhemd en een grijs giletje. Hij zal wel ergens ober zijn, denk ik, en als ik vraag wat ze hier op het eiland doen, blijkt dat te kloppen: hij is ober bij een Italiaans restaurant in Kardamena, volgens mijn reisgids een stad die volledig in het bezit is gekomen van Engelsen. Je hebt er traditionele pubs en poolcafés die allemaal gerund worden door landgenoten die zich hier permanent gevestigd hebben. Het schijnt in het hoogseizoen een paradijs te zijn voor jongeren tussen de achttien en de vijfentwintig die van feesten houden. Op de foto's zag ik hoe cocktailbars afgewisseld werden met fish and chips-zaken.

'En ik werk in een resort, hier vlakbij. Vreselijk werk!' zegt Sue.

Dave heeft een heel rare stem, het lijkt bijna een parodie, maar als ik de eerste keer moet lachen, zie ik aan zijn gezicht dat het serieus is en luister ik heel aandachtig naar zijn verhalen over het eiland. Ik heb het gevoel dat vooral Sue mij erg aardig vindt. Ze komt steeds dichter bij me staan en moet om alles lachen wat ik zeg, en dat terwijl ik bijna niets zeg. Ik wissel alleen wat ervaringen uit die gaan over het huren van auto's, maar Dave en Sue huren niet, die hebben hun eigen auto meegenomen.

'Jullie blijven hier?' vraag ik.

'Voor altijd,' zegt Sue. 'Ik wil nooit meer terug.'

We worden onderbroken door de dierenarts, die zegt dat ik aan de beurt ben.

'Ga je zo nog iets met ons drinken bij het restaurant waar Dave werkt?' vraagt Sue.

'Leuk,' zeg ik en loop met de dierenarts mee naar de behandelkamer. Op de gang leg ik uit wat het probleem is.

'Vlooien,' zegt de dierenarts als hij het katje aan zijn oren ziet krabben, 'dat zie ik meteen.'

'Is dat ernstig?'

'Nee, valt mee, u bent op tijd. Bij heel jonge katjes als deze kan het soms fataal aflopen. Als het veel vlooien zijn, vergiftigen ze het bloed, daarom moest hij ook braken. Jonge katjes hebben nog niet zo veel weerstand als volwassen katten… U heeft hem zeker van de straat?' Het katje blaast. De dierenarts ontbloot zijn witte tandjes.

'Ik heb hem uit Lagoudi,' zeg ik.

'Hoe heet hij?'

'O, geen idee,' zeg ik, 'hij heeft eigenlijk nog geen naam.'

'Dan moet u die maar snel bedenken, dan kan hij daaraan wennen. Een kat zonder naam is hier als een kat zonder huis.'

De dierenarts bestuift het jammerende beestje met een agressief vlooienmiddel. Een paar vlooien vallen direct op de behandeltafel dood neer, de rest kamt de man voorzichtig uit zijn vacht. 'Zo,' zegt hij en tilt zijn staart op, 'nog een wormenkuur en hij kan er weer tegenaan.'

In de wachtkamer werpt Sue zich meteen op het beestje.

'Vlooien,' zeg ik, 'niets ernstigs.'

'Arm klein katje,' zegt ze, 'jij hebt maar geluk met zo'n lief baasje.'

Dave geeft me een kaartje van het restaurant. La Gondolina heet het.

'Bedankt,' zeg ik.

'Wij zijn er over een uurtje ongeveer, je kunt er vast heen gaan, zeg maar dat je een vriend van Dave bent,' zegt hij met een grote glimlach.

Als ik het katje in de auto heb gelaten en met moeite afscheid heb genomen, wandel ik door het centrum van Kos-stad. De laatste keer dat ik hier was, was ik blind van de angst en pijn, en nu ben ik toch weer een stapje verder gekomen. Ik voel me zelfs goed, al heb ik echt geen zin in het bezoek aan het stel, vooral omdat het in Kardamena zit, een stad waar waarschijnlijk The Daily Telegraph en The Sun door iedereen worden gelezen.

Vlak bij het ziekenhuis stuit ik op een klein pleintje waar een grote uitgeholde plataan staat. Door een ijzeren hekwerk wordt alles bij elkaar gehouden. Eigenlijk is het alleen nog maar de bast van de boom. Op het informatiebordje staat dat dit de boom van Hippocrates is. Hippocrates was de eerste echte arts in de geschiedenis, staat er. Hij is onder andere de ontdekker van aspirine. Hij liet zijn leerling-artsen omstreeks 400 voor Christus een eed afleggen. Die eed staat op een ander bordje, in krullende letters en in vier talen.

'Nooit zal ik, om iemand te gerieven, een dodelijk middel voorschrijven of een raad geven die, als hij wordt gevolgd, de dood tot gevolg heeft,' lees ik onder andere.

In een toeristenwinkeltje koop ik een wit petje en een zonnebril. Tot mijn vreugde hebben ze teenslippers. Ik sla er meteen drie paar van in en zie buiten dan tot mijn schrik dat er al bijna een uur voorbij is gegaan.

'Ik moet je een naam gaan geven,' zeg ik tegen het katje dat in de auto vrolijk op mijn schoot springt en meteen begint te spinnen. 'Maar zo makkelijk is dat nog niet,' mompel ik terwijl ik de stad uitrij en de borden richting Kardamena volg. 'Dave? Nee, niet Dave, dat is een naam voor idioten,' praat ik tegen hem.

Als ik aankom bij restaurant La Gondolina, een triest ogende kantine met papieren onderleggers en steakbestek op de tafels, zie ik een bruine Vauxhall station voor de deur staan, precies hetzelfde model als de mijne in Leicester, misschien zelfs uit hetzelfde jaar.

'Ik heb precies dezelfde auto!' zeg ik enthousiast als ik binnenkom.

Dave en Sue zitten verslagen aan een tafeltje bier te drinken. Daves gilet ligt op de vloer en er staat zweet op Sues voorhoofd. Ze zucht een moment heel diep.

'Is er iets niet goed?' zeg ik en doe mijn petje af. Misschien herkennen ze me niet.

'Kom maar even zitten, Terry,' mompelt Sue.

Opeens voel ik de spanning die ik in Leicester voelde toen alles losbarstte. Ik kijk snel rond of er ergens een krant ligt waar op de voorpagina mijn hoofd staat, maar ik zie niets. Dave verplaatst een stoel voor me en wenkt me te komen zitten.

Als ik eenmaal zit, legt Sue haar hoofd op de tafel en zegt: '*Oh my god...*'

'Wat is er?' vraag ik gespannen. Mijn handen beginnen zelfs een beetje te trillen.

Ze kijkt weer op en zucht diep. 'Zal ik het maar zeggen?' vraagt ze haar man. Hij knikt.

'Dave hier, die is zijn baan zojuist kwijtgeraakt,' zegt ze. Ze legt haar hoofd weer op tafel. '*Oh my fucking god,*' zucht ze.

'Mijn god,' stamel ik en gooi theatraal mijn handen in de lucht. Ik ben vooral opgelucht dat het niet om mij gaat.

'Ja,' zegt Dave en schud zijn hoofd, 'ik heb het net gehoord.'

Ik weet niet goed wat ik moet zeggen, dus zeg ik maar: 'En nu?' Dat werkt altijd goed, de meeste mensen zijn na een tegenslag vooral op zoek naar een oplossing en willen daar meestal maar al te graag van gedachten over wisselen. Maar dit stel zit anders in elkaar, ze lijken de hoop al te hebben opgegeven.

'Nou moeten we dus ons appartement uit,' zegt Sue. Ze slaat met haar hand op het tafeltje en kijkt me heel ernstig aan.

'En dan gaan we maar in de auto wonen,' zegt Dave zachtjes.

'Nee,' zeg ik, 'hij kan toch wel werk vinden?'

'In het voorseizoen? Vind maar eens werk nu. Nee man, pas over een maand. We hadden al helemaal geen cent meer, nee, dit is echt einde verhaal, hoor je me, Dave? Einde verhaal!' roept Sue.

'Mijn god,' mompel ik.

'Weet je wat het was,' begint hij, 'ik was niet leuk genoeg. Ze zochten denk ik een clown, en ik ben geen clown.' Hij wijst naar zijn gezicht en inderdaad, als je een leuke ober zoekt, ben je bij Dave totaal aan het verkeerde adres.

'Ik wil hier weg, ik wil hier geen minuut meer zijn, Dave,' jammert Sue. Ze pakt haar hondje op en loopt naar buiten, waar ze nerveus een sigaret opsteekt en op het stoepje gaat zitten.

'Laten we wat drinken, jullie kennen vast de leuke plekken,' zeg ik.

Dave haalt zijn schouders op en schudt zijn hoofd.

'Ik betaal,' zeg ik.

Terwijl we allemaal achter een mixed grill zitten in een taverna aan de haven, springt het katje in de auto van de voorbank naar de achterbank en terug. Ik moet erom lachen.

'Moet je zien,' zeg ik en wijs met mijn mes naar de auto.

Ze kijken op, glimlachen snel en eten verder. 'Leuk,' zegt Dave met zijn gekke, nasale stem.

'Hoe zouden jullie hem noemen?' vraag ik.

Ze knijpen met hun ogen.

'Bobby,' zegt Sue.

'Of Pussy,' zegt Dave. Sue moet lachen. 'Jij bent echt *weird*, Dave,' zegt ze en geeft me een knipoog, 'hij is echt een *weirdo*.'

8

In de loop van de volgende week knapt het katje zienderogen op. Mensen in het dorp hebben me geadviseerd hem zo lang mogelijk binnen te houden om hem aan zijn nieuwe huis te laten wennen, dus sluit ik de deuren als ik in de tuin werk, en ben elke keer heel voorzichtig als ik een raam openzet. Ik vind het zielig, want hij wil niets liever dan naar buiten, zit elke keer voor het raam te miauwen als ik in de tuin bezig ben.

Hij geeft me kopjes als ik mijn hand op het raam leg. 'Nog maar even,' zeg ik dan, 'het duurt niet lang meer.'

Ik vertroetel het beestje als een kind. Kom zelfs een keer met een grote moot makreel thuis. De visboer op het plein in Kefalos verzekerde me dat katten niets lekkerder vinden dan deze vette vis, en dat klopt, alleen al de lucht die uit de plastic zak komt maakt hem gek van verlangen, hij maakt wilde sprongen tegen de keukenkastjes als ik de vis in stukjes snijd.

Bijna elke dag word ik gebeld door Sue. Tijdens het uitwisselen van onze telefoonnummers had ik een beetje mijn twijfels, maar ik durfde geen vals nummer op te geven, dus doet ze me nu elke dag op dramatische toon verslag van hun hopeloze zoektocht naar werk. Soms krijg ik ook even Dave aan de lijn, die het verhaal min of meer herhaalt, maar dan met zijn eigen idiote stemgeluid en onderkoelde humor. Dan bijt ik op mijn knokkels van het lachen, maar dat schijnt ze weinig uit te maken; Sue zegt dat ze erg blij is met onze toevallige ontmoeting, dat het allemaal heel anders had kunnen lopen en dat we nog leuke dingen gaan beleven met z'n drieën, mits ze natuurlijk werk vinden, want anders moeten ze terug naar Engeland, en daar moeten ze beiden echt niet aan denken. Engeland is voorbij, zeggen ze.

Ik heb drie gewone tuinslangen gekocht en daar kleine gaatjes in geprikt, ze met waterdicht tape aan de uiteinden van het sproeisysteem bevestigd en het werkt allemaal prima: elke dag laat ik uren achter elkaar de kraan openstaan en de plukjes groen hebben inmiddels kleine blaadjes gekregen. Soms knik ik tevreden naar de zon terwijl ik op het veld sta; het is toch geweldig allemaal!

Robert zoekt vrijwel geen contact meer, waarschijnlijk omdat hij het te druk heeft met zijn verbouwing. Door de Oxazepam slaap ik als een blok en bereiken de geluiden uit zijn achtertuin me maar heel zachtjes, eigenlijk heb ik er helemaal geen last van.

Op een middag stond ik in de tuin bamboe te buigen voor de bonenplanten en reed hij langs.

'Hey Stefan, alles goed?' vroeg hij vanuit zijn open raam. Zijn vrouw zat naast hem, glimlachte op een panische manier naar me.

'Prima, heel goed!' riep ik, 'met jullie ook?'

'Top!' riep hij en tuurde even naar mijn tuin, zag de plukjes groen en de teenslippers aan mijn voeten. Toen reed hij snel weg.

Zoals mijn tuin tot bloei komt, zo ontluiken er ook elke avond meer lichtjes op de boulevard. Vanaf de weg zie ik een lange streep gekleurd licht tot aan de baai, en bijna elke avond breng ik bezoeken aan bars die net zijn opengegaan.

De eigenaar van de Dolphin Bar draait leuke muziek uit de jaren tachtig en zegt vroeger muzikant te zijn geweest. Naar eigen zeggen heeft hij één hit op zijn naam staan, en als hij die laat horen, besef ik dat zijn carrièreswitch meer dan verstandig is geweest.

'Het is een liefdeslied,' zegt hij, 'ik had liefdesverdriet en een gitaar, toen ben ik gaan reflecteren, schrijven, en kwam dit eruit.'

'Het is prachtig,' zeg ik en drink van mijn wodka.

'Ik weet het,' zegt hij en tuurt naar zijn gitaar die nu boven de bar hangt, tussen de flessen drank.

'Waar hou jij van?' vraagt hij.

'Op het moment van Dire Straits,' zeg ik, 'ik huur en auto en daarin zat een bandje...'

'Mark Knopfler! Fantastische gitarist, wacht!' onderbreekt hij me en loopt naar zijn computer en zet 'Money for Nothing' op. Hoe kan het ook anders. 'I should have learned to play the guitar,' zingt hij en speelt luchtgitaar vanachter zijn bar.

Er zijn maar weinig gasten, en als ik daarover begin, zegt hij dat het niet verwonderlijk is. Pas over een paar weken wordt het hier een beetje gezellig.

'Nu zijn er alleen mensen zoals jij, die hier wonen. Heel af en toe een paar toeristen die gewoon te vroeg zijn gekomen, het is heel goedkoop nu, maar je kan absoluut niet zwemmen, het is véél te koud nog. Heb jij al gezwommen?'

Ik schud mijn hoofd en tuur naar zijn gespierde bovenlichaam, dan gaat mijn telefoon.

'Het thuisfront,' glimlach ik naar de barman, 'ik loop even naar buiten.'

'Ben je er?' zegt Terry over de krakerige lijn.

'Ja, ik ben er.'

'Steve, hoor je mij?'

'Ja, ik hoor je prima, hoor je mij?' Er staat een straffe wind die steeds mijn voetbalshirt omhoog waait.

'Ik hoor je niet goed, maar het gaat erom dat je mij goed kunt horen. Luister even naar dit: "De man die het goede wilde doen", dat is de titel, en nu komt het: "Steve Mellors, de rechercheur die getuigde in de Leicester-zedenzaak tegen zijn collega's, zegt het te betreuren hoe hij in de media wordt afgeschilderd. Mellors kwam in opspraak toen hij besloot te getuigen in de ingewikkelde zaak waarin door een raar toeval zijn kersverse vriendin op ruwe wijze werd verkracht in de Tower-gevangenis, door – naar eigen zeggen – zijn collega's. Mellors verblijft op dit moment in het buitenland in afwachting van het door zijn advocaat aangevraagde hoger beroep. Mellors zegt nooit van kwade zin te zijn geweest. Bij het zien van de verkrachting was hij in shock geraakt door de gruwelijkheden. Kort voor het incident werd hij slachtoffer van een hartinfarct en slikte daar medicatie voor. Ook werd bij hem een depressie geconstateerd en daarvoor slikte hij een antidepressivum. 'Ik was niet helder, ik sliep vrijwel niet meer en kon niet in actie komen, pas later hervond ik mijn kracht en kon ik getuigen.' De rechter verweet Collins de staat waarin zijn opgevoerde getuige verkeerde tijdens de zitting, al eerder werd melding gemaakt van alcoholisme, maar volgens Mellors zijn dit slechts geruchten: 'Ik roep een bepaald beeld op bij de officier, het beeld van een dikke, dranklustige patiënt, maar ik ben helemaal geen alcoholist, ik ben een gelegenheidsdrinker. Ondanks mijn hartinfarct en depressie ben ik wel degelijk in staat tot getuigen. Ik heb alles gezien, ik verzin dit allemaal niet, wat zou daar het nut van zijn? Het is al pijnlijk genoeg voor mijzelf, ik ben zelfs mijn baan kwijtgeraakt,' zegt Mellors in een gesprek met ons. Mellors werkte vijftien jaar lang met plezier en grote toewijding voor het Leicester City District. In al die jaren zijn er nooit klachten over hem binnengekomen. Pas toen hij getuige werd van de gruwelijkheden van zijn naaste collega's, is daar verandering in gekomen. 'Zoals ik al zei, ik sliep niet meer en kon de vreselijke beelden van de verkrachting van mijn vriendin niet uit mijn hoofd zetten. Ik had erg met haar te doen, maar het ging ook om mijn collega's, en die zijn mij altijd dierbaar geweest. Daarom heb ik enige tijd gewacht, ook omdat mijn vriendin in eerste instantie geen aangifte wenste te doen. Toen daar verandering in kwam, heb ik de knoop doorgehakt. Dit moest gestopt worden, en ik was de enige die haar daarbij kon helpen."'''

'Ben je er nog?' vraagt Terry.

'Ja, ik ben er,' fluister ik.

'Oké, nu komt het beste deel: "Op de vraag hoe hij zelf tegen de zaak aankijkt, antwoordt hij vurig: 'Ik heb jarenlang voor de politie gewerkt, en ik weet heel goed hoe het er daar aan toe gaat: dit soort zaken liggen heel gevoelig en zijn slecht voor het vertrouwen dat de burger in de politie heeft. Een politieagent hoort een voorbeeldburger te zijn. Ik ben dan ook absoluut niet verbaasd dat ze me zo neer hebben gezet in de media, ze zijn veel te bang dat deze zaak grote schade aanricht, maar ik vind dat de feiten onder ogen moeten worden gezien, of zoals mijn advocaat Terry Collins zei: dat de burger weerloos tegen een supermacht als de politie is, maar dat het recht moet zegevieren.' We spraken Mellors in zijn moestuin, de enige plek waar hij zich nog veilig zegt te voelen. Mellors: 'Nu ik ten onrechte zo'n slechte naam heb gekregen, geeft de moestuin mij rust. Ik ben op dit moment vooral druk met een paar citroenbomen, die stonden er verdroogd en futloos bij, ik probeer ze beter te maken, te *redden* op een bepaalde manier."''"

7

Van: stevenmellors@gmail.com
Aan: ancaalexandrescu1984@yahoo.co.uk

Lieve Anca,

Ik hoop heel erg dat je deze e-mail niet meteen naar de prullenbak verplaatst. Hoewel ik slecht in brieven ben en Terry zegt dat
je me absoluut niet wilt spreken, wil ik toch proberen je op deze
manier het een en ander uit te leggen. Misschien snap je het beter
en geeft het rust. Dat zou het mij in ieder geval geven als ik zou
weten dat je dit leest.
Ik denk wel dat je door hebt gehad dat ik niet zo heel lekker in
mijn vel zat toen we elkaar ontmoetten. Ik had verdriet en pijn,
dronk en at elke avond te veel en had vrijwel geen hoop meer op
welke toekomst dan ook. Ik bleef thuis zitten drinken omdat ik
het buiten eng vond; iedereen was maar in beweging, ondernam
dingen, en ik was juist bezig gigantisch te mislukken. Ik hoop niet
dat je vindt dat ik me aanstel, maar de dingen lagen gewoon zo
voor mij; ik vond het allemaal nutteloos, begon het plezier in
mijn werk te verliezen, walgde er soms zelfs van.
Toen ik jou voor de eerste keer bezocht, voelde ik zo'n opluchting. Je zat vol hoop en was onbeschadigd (op je baarmoeder na
dan). Ik hoor je nog vol optimisme praten over de toekomst en
dat, samen met de arm die je om me heen legde, had ik zo verschrikkelijk nodig op dat moment.
Waarom ik gelogen heb over mijn beroep? Eigenlijk omdat ik
bang was dat jij bang zou worden. Prostitutie is illegaal zoals je

weet en ik was een rechercheur. Je zou me niet vertrouwen, en toen ik je liet raden wat mijn beroep was en jij zei dat ik op een taxichauffeur leek, ging ik voor het gemak daarin mee. Dom. Vreselijk dom, maar ik deed het niet om je pijn te doen, geen moment. Toen ik erachter kwam dat mijn bureau jullie in de gaten hield, was het al te laat. Ik heb geprobeerd om contact met je te zoeken, maar durfde je niet te mailen door het onderzoek waar ik op dat moment zelf de leiding over kreeg. Ik heb die zwerfster gevraagd je te waarschuwen. Dat het kloterige mens dat niet gedaan heeft maar zo nodig high moest worden, kon ik niet weten, echt niet. Ik heb nog een paar keer aangebeld, maar er kwam geen reactie. Tijdens de inval heb ik een hartinfarct in scène gezet waardoor ik er in ieder geval niet bij zou zijn, maar ik zag je vanuit de ambulance op straat, ik moest vreselijk huilen, maar had hoop: ik zou je er heel snel uit krijgen, zonder dat jij het hoefde te weten zou ik je kunnen redden.

Wat er in de gevangenis gebeurde weet jij net zo goed als ik. Ik stond voor de cel en deed niets. Dat is nooit goed te praten, maar ik was op dat moment verlamd van verdriet en angst, en in wezen kón ik ook niets doen. Althans, niet echt.

Je vraagt je nu vast af waarom ik je aanspoorde aangifte te doen, nou dat is simpel: ik kon het allemaal niet meer verteren, kon er eigenlijk niet mee leven, en nu nog steeds niet... Ik heb Terry een dag voor de rechtszaak gebeld en een afspraak met hem gemaakt. Die avond waarop je terugkwam van Nando's en ik zei dat ik naar mijn werk ging, ging ik eigenlijk met hem praten. Hij vertelde me dat ik mijn baan kwijt zou raken, en wellicht ook jou. Ik stemde daarmee in, omdat ik nu eenmaal de ongelukkige ben die het heeft gezien, omdat ik op die manier iets kon repareren: jou en Cozana zou kunnen redden, maar nu ook echt.

Ik weet niet of je de *Mercury* van vandaag hebt gelezen, maar daar sta ik dus in. Je hebt dat vast wel van Terry gehoord. Ik doe mijn verhaal, het echte verhaal, althans wat Terry ervan heeft weten te maken. Het is in ieder geval niet dat wat tot nu toe in de media werd gebracht. Ik hoop erg dat het helpt in het hoger beroep en als je goed leest, snap je misschien wat mijn intenties waren.

Ik weet niet of je überhaupt wilt weten hoe het met me is, maar het gaat redelijk goed nu, al heb ik wel een hoop lichamelijke klachten, maar ik krijg goede pillen van de dokter en probeer gezonder te eten en weinig te drinken. Ik ontbijt in ieder geval nu met thee, niet meer met bier.

Ik ben in een periode terechtgekomen die ze hier 'het voorseizoen' noemen. Als ze het erover hebben, kijken ze allemaal een beetje beduusd, het is een periode in het toerisme waarin alles klaar wordt gemaakt voor de zomer, bars en restaurants opengaan zonder dat er klanten zijn. In het begin was ik hier de enige op straat, maar langzaamaan beginnen de toeristen te komen en straks zal het hier druk zijn. Het is te koud om te zwemmen, maar de natuur is prachtig. Ik ben een paar dagen geleden naar een bergdorpje gereden waar ik de mooiste zonsondergang van mijn leven heb gezien, jij zal het ook prachtig vinden, dat weet ik zeker.

Ik ben begonnen met een moestuin. Ik stuur een foto mee van de pruimenbomen die ik net geplant heb; die zijn voor jou. Als het goed is, is er straks genoeg groente voor de hele winter, maar tegen die tijd ben ik vast al terug.

De tweede foto is van een katje dat op een avond op mijn schoot kroop. De foto is niet zo scherp, ik heb hem met mijn mobiele telefoon gemaakt, maar je ziet vast wel hoe vreselijk lief hij is. Hij was uitgemergeld en ziek, ik heb hem naar de dierenarts gebracht. Hij zat onder de vlooien en had wormen. Hij is gek op vis, en dus haal ik dat steeds voor hem. Hij begint lekker dik te worden, knuffelt graag en snurkt keihard in zijn slaap, misschien wel harder dan ikzelf. Haha. Hij wil dolgraag naar buiten, maar iemand adviseerde me twee weken te wachten zodat hij kan wennen aan het huis, anders verdwaalt hij misschien. Morgen is het eindelijk zover, dan kan hij lekker met de kiezels op het pad spelen en in de zon liggen, dat doen alle katten hier graag, lekker luieren en goed eten.

Lieverd, ik weet niet wat je na het lezen van deze e-mail zult denken. Misschien verandert het niets aan ons, misschien ook wel, maar ik wil dat je weet dat ik het nooit slecht bedoelde, dat ik juist het goede wilde doen.

Liefs, Steve

6

's Avonds breng ik na het eten nog snel een bezoek aan het internetcafé op de boulevard. Er zijn twee ouderwetse computers met langzame verbinding. Ik drink rustig slokjes bier, en waar ik al bang voor was: er is nog geen antwoord van Anca.

Als ik mijn naam googel, zie ik dat er in de afgelopen vierentwintig uur vele tientallen hits zijn bij gekomen.

Ik surf naar het jongerenforum.

Jadel Fnuck schreef vandaag om drie uur 's middags: 'Steve Mellors wilde het goede doen. Je moet wel heel dom zijn om in zo'n charme-offensief te trappen. Wat een lafaard daar in zijn moestuin, citroenbomen willen redden terwijl zijn advocaat mensen in elkaar slaat. Best arrogant eigenlijk ook hoe hij over de relatie met een prostituee schrijft, alsof dat de normaalste zaak van de wereld is!'

Zoveel heeft hij nog nooit in één bericht achter elkaar geschreven en in de reacties die erop volgen, zijn bijna alle leden van het forum het roerend met hem eens.

'Het is een leugenaar,' schrijft Derby58.

'Ben blij dat ik nog nooit in aanraking ben gekomen met de politie, je zou die gestoorde alcoholist maar tegenover je krijgen!' schrijft Serioustrouble.

'Eens een hoerenloper blijft een hoerenloper,' schrijft FrankieXXL.

'Advocaatje leef je nog?' schrijft Derby58 in het daaropvolgende commentaar. In het bericht staat een link die naar een YouTube-filmpje verwijst waarin ik voor het eerst Terry in actie te zien krijg. De YouTube-gebruiker heeft een amateuristisch ogende titelpagina gemaakt waarop in scheve letters staat: 'Rechtszaak, Crown Court, advocaat deelt rake klappen uit. Lachen!' Onder het filmpje is 'You Can't Always Get

What You Want' van The Rolling Stones gezet. Ik draai het volume zacht, ik kan Jaggers stem niet aanhoren. Het filmpje is niet meer dan een rommelige shot van Terry die een journalist en een cameraman klappen en stompen geeft. Zijn hoofd is knalrood, zijn kaken zijn hoekiger dan ooit.

Er is helemaal niemand die het voor me opneemt, dus besluit ik onder de nickname AustronautRobert een bericht achter te laten.

'Waarom oordelen jullie zo snel over iemand? Kennen jullie deze man soms persoonlijk? Ik heb de zaak gevolgd en vind het laatste stuk in de *Mercury* getuigen van goede wil. Is dit soms een publieke schandpaal?'

De halve avond blijf ik zitten en wacht op reacties, drink in totaal tien flesjes bier leeg en begin in mezelf te praten, surf naar andere forums en kijk langdurig naar de verschillende tekeningen die er van mij in omloop zijn. 'Godverdomme,' mompel ik als ik op de onlineversie van de *Leicester Mercury* een lijst reacties onder het bericht zie staan. Ik word wel acht keer lafaard genoemd en zelfs een keer zwakkeling. Pas als ik begin te schelden en tussendoor harde boeren laat, voel ik de hand van de eigenaar van het internetcafé op mijn schouder. 'Kunt u een beetje stiller zijn?' vraagt hij en legt zijn vinger op zijn mond.

'Pardon,' zeg ik, 'ik dacht even dat ik thuis was.'

'Wilt u nog een halfuurtje? Uw tijd is weer bijna om,' zegt hij.

'Nee, ik moet zo weg, ik heb een ziek katje thuis,' zeg ik en controleer voor de laatste keer de reacties op het jongerenforum. Er zijn er geen bij gekomen, maar in Engeland is het nu twee uur vroeger, misschien zit iedereen te eten.

In de auto bel ik Terry en krijg zijn voicemail. Ik spreek in dat hij eens op internet moet kijken, dat het daar helemaal uit de hand loopt, dat iedereen het artikel verkeerd interpreteert, me niet wil geloven. Ik vertel hem ook over het filmpje dat op YouTube is gezet. 'Doe er alsjeblieft iets aan, je zou een held van me maken,' zeg ik als laatste.

In de supermarkt koop ik een tennisbal. De stuiterbal die ik vorige week voor het katje kocht is steeds zoek, en mijn rug doet te veel pijn om steeds onder de bank te kruipen als hij hem er weer onder heeft gerold.

Als ik het veld op loop, voel ik doffe steken van verdriet. Ik voel me gebroken, en dat terwijl de dag eigenlijk zo goed begon. Ik heb overal lichten aan gelaten en als ik het pad op loop, zie ik hoe het beestje roerloos voor zich uit zit te staren voor het raam. Ik weet niet waarnaar, want het is pikdonker buiten. Hij houdt zijn ogen wijd open, zit te dromen. Zelfs als ik heel dichtbij kom, reageert hij niet.

Als ik mijn hand op het koude raam leg, staat hij verschrikt op, krult zijn staart en begint meteen te miauwen, geeft kopjes tegen het glas. Ik rommel snel in mijn plastic tasje en hou dan de tennisbal voor hem omhoog.

5

'En wat dan nog?' zeg ik. Ik probeer zwoel te kijken, tuit mijn lippen en herhaal het nogmaals, nu met iets zwaardere stem en opgeheven hand. Ik kijk in de spiegel hoe de badjas staat die ik vanmorgen in Terry's kledingkast vond. Het is een witte hotelbadjas die netjes opgevouwen op de bovenste plank lag, weggestopt achter de handdoeken. Ik had hem niet gezien. Op de rechterborst staat het logo van Club Med. De panden over elkaar slaan is niet mogelijk, hij is me te klein, maar toch staat hij me helemaal niet slecht.

'Morgen mag je naar buiten,' zeg ik als ik zie hoe het katje verdrietig naar buiten kijkt. Elke keer dat ik iets tegen hem zeg, antwoordt hij met gekke kreetjes en piepjes, en die vind ik steeds zo ontroerend dat ik meer en meer tegen hem ga praten, gewoonweg omdat er altijd reactie komt. Als ik een broodje ham eet en kleine stukjes voor hem afscheur, vertel ik tijdens het voeren over Susan en hoe zij in mijn leven kwam. 'Het was tijdens een schoolreünie,' zeg ik. 'Ik had veel gedronken en leunde straalbezopen tegen een boekenkast in het appartement van Simon Luckhurst, een oud-klasgenoot die ik nooit erg heb gemogen en die vrijwel niets anders deed dan me uithoren over mijn werk als politieman. Ik voelde toen al helemaal geen trots, zelfs schaamte, want Simon had een koeriersbedrijf met zeventien medewerkers en zei over mijn werk steeds: iemand moet het doen. Ja, helaas wel, zei ik dan.

Susan Pickleton was haar naam. Tijdens mijn middelbareschooltijd was ze me niet echt opgevallen, misschien wel omdat ik eigenlijk nooit om me heen durfde te kijken. Ik was in die tijd vooral bezig met het verbergen van mezelf. Tijdens de pauzes sloot ik me op in de wc's en las daar stripboeken, en bij het naar huis gaan wachtte ik tot het plein leeg was en pakte dan pas mijn tas in.

"Ik kan me iedereen herinneren, maar jou niet," was het eerste wat ze tegen me zei. Ze was net als ik heel erg dronken en hield zich maar net staande in de hoek. "O," zei ik, "ik val niet zo op, denk ik." Ze moest lachen en dat was nog maar het begin. Bijna alles wat ik die avond zei, zorgde voor een bulderende, aanstekelijke lach. Toen we aan het einde van de avond samen overbleven in de woonkamer van Simon, die zelf in slaap was gevallen op de bank, wreef ze zachtjes over mijn bovenbeen. "Jij bent echt grappig," lalde ze. Diezelfde avond nog ging ik met haar mee naar huis. Ze woonde in een klein appartement boven een doe-het-zelfzaak in het centrum. Het was er een enorme troep. "Let daar maar niet op," had ze gezegd, "ik ben nog een beetje in een oriënterende fase in mijn leven." We vreeën tussen lege verpakkingen knäckebröd en vochtige handdoeken. Ik was heel onervaren en zij had al vele vriendjes gehad. Tijdens het vrijen hield ik onwennig haar borsten in mijn handen, en terwijl ik haar zachtjes hoorde kreunen, bedacht ik dat zij mijn reddende engel moest zijn, dat vanaf nu het leven zou beginnen.

Ik was vreselijk onzeker over mijn uiterlijk, hield tijdens het vrijen meestal mijn T-shirt aan, en als ik erover nadenk deed ik dat pas uit toen Susan minder met me naar bed wilde. Na ons huwelijk, dat volgens haar vooral nuttig was voor formaliteiten, vreeën we nog maar een keer in de twee weken en kreeg ik last van woedeaanvallen. Soms werd ik midden in de nacht wakker met een erectie en wreef die slaperig tegen haar aan, gewoon, zodat ze het zou weten. Onbewust wachtte ik juist op de afwijzende woorden "Niet nu, ik ben doodmoe", waarna ik opstond en met een goede reden in de huiskamer bier ging drinken tot ik een beetje gekalmeerd was. Deed ik dat niet, dan begon ik in een slaapdronken toestand te mompelen en hoorde de volgende morgen dat ik vreselijke dingen had gezegd. "Juist door je zo op te stellen heb ik geen zin," zei ze dan.'

Het beestje miauwt naar mijn broodje en ik aai hem over zijn kop en rug, voel voorzichtig aan zijn staart of de wondjes al genezen zijn. Het zijn nu alleen nog maar kleine korstjes.

'Met Anca was het meteen al heel anders. Ik ben natuurlijk in de loop der jaren heel erg veranderd, en juist de seks ontbrak bij ons. Ik heb dat trouwens zelf gedaan, met mijn stomme kop, maar goed, het ging daar niet om. Het ging om liefde. Ik wilde voor haar zorgen zoals ik voor jou wil zorgen, ik probeer alleen maar het goede te doen,' zeg ik tegen het katje.

Hoe ik tegen hem praat, doet me denken aan toen ik vijftien was, toen ik die verhalen tegen mijn hondje Ian hield. Wat toen al gebeurde en in de praktijk van Liana Deller onmogelijk bleef, lijkt zich nu weer te herhalen; ik ben volstrekt eerlijk.

Als ik in de badjas van Terry door de tuin loop, met verbazing al het opkomende groen bestudeer en de kraan openzet, word ik gebeld door Sue. Ze vraagt of zij en Dave langs kunnen komen. Ze zitten in grote problemen en ik ben hun enige vriend op het eiland.

Mijn hoofd staat er totaal niet naar, vooral als ik denk aan het slagveld dat ik straks op internet te zien krijg, het mogelijke antwoord van Anca dat me nu al vreselijk onrustig maakt, maar toch stem ik in, zeg zelfs dat ze kunnen komen eten.

Binnen schenk ik snel een glas appelsap in waar ik een klein scheutje wodka in giet, mijn maag is er slecht aan toe de laatste dagen.

'Straks komen er twee klaplopers,' zeg ik tegen het katje, 'die vinden jou heel lief.'

Tegen de middag wordt de spanning te groot en ga ik op weg naar het internetcafé.

Vanaf de weg zie ik mensen zwemmen in zee en dat lijkt me een goed teken; het voorseizoen loopt op zijn eind.

Er is geen e-mail van Anca en niemand reageerde op mijn bericht op het forum, maar als ik mijn naam googel zie ik op een ander forum dat in *The Sun* een bericht heeft gestaan over het verhaal dat Terry zo nodig in de *Mercury* moest plaatsen. Er wordt hier en daar gelachen om mijn citroenbomen en alweer word ik 'zwakkeling' genoemd.

Op de website van *The Sun* lees ik dat de politie weer bezig is met de zaak tegen de Roemeense gemeenschap. Voor het eerst worden de meisjes bij naam genoemd en opnieuw in verband gebracht met criminaliteit. De illegale prostitutie wordt onderzocht en men is bezig met een contra-expertiseonderzoek. 'Steve Mellors, die op dit moment op het Griekse vakantie eiland Kos verblijft, zal mogelijk ook worden vervolgd. Terry Collins spreekt over een samenzwering tussen politie en justitie en zegt niet te rusten voordat de twee eerder verdachte agenten achter slot en grendel zitten en de meisjes hun gelijk halen. Collins is nog steeds in afwachting van de toekenning van het aangevraagde hoger beroep. Door de zojuist weer opgestarte politiezaak lijkt de kans dat het Court of Appeal hiermee akkoord gaat steeds kleiner.'

Verlamd van angst loop ik door de Marinopoulos en vul mijn mandje met blikken bier. Ik mag de hoop niet opgeven. Hoe moeilijk het ook is, ik moet moed houden en me richten op dingen waar ik controle over heb. Het etentje van vanavond bijvoorbeeld. Ik drink alvast een biertje bij het schap zoutjes en kauw een Oxazepam fijn. Bij de kassa zet ik het geopende blik bier op de rolband. 'Ik had dorst,' zeg ik, 'sorry.'

Ik laat de slager een barbecuepakket samenstellen van hamburgers, worstjes en lamskoteletten. Bij een stoffig zaakje met kampeerartikelen koop ik een zak kolen, een rooster en een rol aluminiumfolie. Naast Terry's kruidentuintje maak ik van bakstenen vier kleine muurtjes waar het rooster precies op past. 'Ze zijn vast gek op barbecue,' zeg ik tegen het katje dat voor het keukenraam zit te krijsen.

Al van een afstand zie ik ze aankomen. Sue schreeuwt iets onverstaanbaars uit het raam en Dave zwaait onder de zonneschermpjes door naar me. Voorzichtig rijden ze de krater in. Ik heb nu al slappe knieën en sta strak van de spanning. Als ze hun auto parkeren en langs de heg naar me toe komen, heb ik zelfs het gevoel dat ik moet huilen.

'Terry!' zegt Dave opgewekt.

'Joehoe!' brult Sue en zwaait met een kleine fles Passoa.

Dave draagt een korte broek en een veel te groot wit T-shirt waarop I LOVE KOS staat, Sue heeft haar best gedaan om er wat netter uit te zien: ze draagt een linnen broek en een gifgroen hemdje.

'Jullie moeten even goed uitkijken met het katje, hij mag nog niet naar buiten,' zeg ik bij de voordeur.

'Begrepen, Terry,' zegt Dave en geeft me een knipoog.

Binnen gaan ze op mijn bank zitten en zeggen geen woord. Ze kijken naar de inrichting en terwijl ik drie glazen bier inschenk, zeg ik dat het mijn smaak niet is. Ik voel me heel gespannen, heb voor de zekerheid nog maar een Oxazepam ingenomen.

'Wiens huis is dit dan?' vraagt Dave.

'O, van een vriend,' zeg ik en geef ze de glazen aan, 'hij is hier zelf al twee jaar niet geweest.'

'Sue is nu ook haar baan kwijt,' zegt Dave opeens, 'dat is het slechte nieuws.'

'O nee,' zeg ik en hou mijn glas bier halverwege mijn mond, alsof ik opeens bevries van verbazing.

Sue knikt en duwt het katje weg als het op haar schoot wil springen.

'Ze was een ochtend te laat en kon toen gaan,' zegt Dave. 'Idioten zijn het.'

'Ja, echt,' zegt Sue en drinkt van haar bier.

'Wat een idioten,' zeg ik en neem een grote slok bier.

Als ik de buitenlichten aandoe en de barbecue aansteek, zie ik hoe ze door de tuin lopen en naar de ontelbare plukjes groen op de velden staren. 'Lijkt allemaal wel hetzelfde,' zegt Dave.

'Wat bedoel je?'

'Die planten.'

Ik schud mijn hoofd. 'Daar waar je nu staat, dat zijn courgettes, maar daar links, dat is kropsla. Houden jullie van barbecue?'

'Ben er gek op,' zegt Sue. Dave knikt, staat met zijn handen in zijn zakken te kijken hoe ik een vuurtje maak, de blokjes kool over de takjes verspreid en het rooster invet.

'En nu?' vraag ik.

'Nou, we hebben dus geen geld meer, dat is eigenlijk het meest dringende probleem,' zegt Sue. 'Ze hebben ook mijn loon nog niet uitbetaald. Misschien doen ze dat zelfs helemaal niet.'

'Jezus,' zeg ik en leg het vlees op het rooster. 'Jezus,' herhaal ik.

Terwijl we binnen zitten te eten, voel ik me vreselijk gespannen. Ze kijken me steeds onderzoekend aan, eten en drinken nauwelijks. Eigenlijk ben alleen ik het die blik na blik leegt en van de lamskoteletten kluift. Ik heb de televisie aangezet om de stilte te verbreken. Er is gelukkig een voetbalwedstrijd met een hoop lawaai.

'Iets niet goed?' vraag ik na tien minuten.

Dave haalt zijn schouders op en kijkt naar Sue, die opeens hard moet lachen, hem een beetje wegduwt en zegt dat hij een idioot is.

'Willen jullie een gepofte aardappel?' vraag ik.

Ze schudden hun hoofd.

Terwijl ik een hap in een worstje zet, zegt Sue: 'Ga je ons je citroenbomen nog laten zien?' Dave begint beschamend hard te lachen. 'Freak,' bijt Sue hem toe en stoot hem in zijn buik.

Ik tuur naar mijn gepofte aardappel en kijk naar het televisiescherm. Ik wist het wel, denk ik, het is nog een wonder dat het zo lang heeft geduurd.

'Je hoeft je voor ons niet te schamen,' zegt ze, 'wij begrijpen alles.'

'O,' zeg ik en kijk haar aan. Ze kijkt heel serieus en Dave drinkt rustig van zijn biertje, kijkt de andere kant op.

'Steve is je naam toch?' zegt ze.

Ik knik.

'Nou, Steve, je hoeft tegen ons niet te liegen, man.'

'Niet nodig,' mompelt Dave, die een grote hap uit een hamburger neemt en nog steeds alleen maar naar de voetbalwedstrijd kijkt.

'Ik ben geen slecht mens,' zeg ik.

'Nee, dat geloven wij ook wel,' zegt Sue zachtjes. 'We lazen het in *The Sun*. Er stond een tekening van je in en toen we het lazen wist Dave het opeens zeker, hè, Dave?'

'Heel zeker,' zegt Dave en laat een harde boer. 'Ai, ai, ai,' lacht hij en laat er nog een.

'Ik heb het echt gezien,' zeg ik zachtjes, 'ik stond erbij toen het gebeurde, het is geen verzinsel.' Ik kijk ze heel serieus aan. 'Ik hoop dat jullie me willen geloven.'

'Wees maar niet bang, wij zijn je vrienden,' zegt ze en staat op om naar de wc te gaan.

Als ik alleen achterblijf met Dave voel ik me misselijk van angst. De Oxazepam doet geen ene fuck meer, en hoeveel ik ook drink, ik blijf pijnlijk helder.

'Ik heb niet zo'n hoge pet op van de politie,' zegt Dave als Sue naar de wc is.

Ik schud mijn hoofd. 'Ik ook niet,' zeg ik, 'niet meer althans.' Ik ben inmiddels overgegaan op wodka en vul steeds dwangmatig mijn glaasje bij als het leeg is.

Dave kijkt niet naar mij. Hij kijkt naar de wc-deur. 'Ik weet niet wat ze daar toch altijd doet, als Sue gaat plassen duurt het soms wel een halfuur,' zegt hij.

Aan het einde van de avond ben ik dan eindelijk goed dronken, zo dronken zelfs dat ik op het bed ga liggen en het katje tegen me aan gedrukt hou. De hele avond zat ik te trillen van angst op een stoel aan de eettafel, dronk glas na glas en zei soms even iets over de zaak, maar het stel leek er helemaal niet in geïnteresseerd, ze keken liever televisie en zeiden geen woord.

Vanuit bed hoor ik Sue gieren van het lachen om een spelprogramma, gevolgd door het rare gehinnik van Dave. Het doet pijn in mijn hoofd. Wat doen ze eigenlijk nog in mijn huis, vraag ik me af. Ze zien toch dat het helemaal niet goed met me gaat? Midden in de nacht voel ik hoe iemand aan mijn schouder trekt. Als ik voorzichtig mijn ogen open, gonst het in mijn hoofd en hoor ik ver weg iemand mijn naam zeggen. Het katje ligt te slapen in mijn armen, ik druk mijn neus tegen zijn zachte vacht en inhaleer diep.

'Steve,' hoor ik weer, en dan: 'Hij slaapt, Sue, dat zeg ik net toch?'

Die idiote, irritante stem van Dave...

'Willen jullie geld lenen?' roep ik hard.

'Kan dat?' zegt Dave.

'Ja, pak maar wat er in mijn portemonnee zit. Hij zit in mijn grijze jack aan de kapstok. Pak alles er maar uit.'

Ik hoor hoe hij de kamer uit loopt en de deur achter zich sluit. Als ik mijn neus weer begraaf in de vacht van het beestje en naar zijn gespin luister, wordt dat overstemd door het lachen uit de woonkamer en daarna een harde klap van de voordeur. Ik kom met moeite omhoog, strompel naar het raam en kijk door een spleetje tussen de lamellen naar buiten. Ze lopen het kiezelpad af. Dave neemt gigantische stappen en zwaait erbij met zijn handen in de lucht, Sue moet lachen. 'Jij bent zo'n idioot, Dave,' zegt ze.

'Ze zijn bijna weg,' fluister ik tegen het katje en zie hoe Dave naar zijn autosleutels zoekt.

'Ze stappen nu in hun auto,' zeg ik zachtjes.

De banden kraken op de kleigrond. Sue kijkt uit het raam naar het huisje, ik zie dat ze een stapeltje bankbiljetten in haar handen heeft. Heel langzaam klimt de auto omhoog, uit de krater, weg van mij.

4

Vanmorgen was overgeven het eerste wat ik deed, en dat verbaast me niets; ik doe het nu bijna elke ochtend. Misschien heeft mijn lichaam na al die jaren eindelijk begrepen dat alcohol vergif voor me is, en dat terwijl ik een leeftijd heb bereikt waarop ik juist meer dan ooit behoefte heb aan drank; ik ben vijftig jaar geworden om baas over mijn lichaam en leven te zijn, en de omgangsvormen die ik met beide onderhoud, zijn mijn zaak en mijn zaak alleen. Er is trouwens toch geen hond die op me let.

Als ik in de badjas van Terry op de veranda bier drink, bedenk ik dat ik nu pillen slik tegen lichamelijke en geestelijke pijn, terwijl ik in de verste verte niet meer weet hoe dat voelt. De Oxazepam zorgt voor vervlakking, voor vergetelheid zelfs. Ik moet mezelf steeds uit alle macht herinneren aan wat er gisteren gebeurd is met Sue en Dave, tegen mezelf schreeuwen dat het eigenlijk schandalig was, maar echt voelen doe ik het niet. Het enige wat ik voel is een gedempte angst, een licht gevoel van stress, die ik makkelijk uit kan schakelen door me te richten op mijn tuin en het katje.

Wat Dave gisteren zei, over de gewassen die allemaal op elkaar lijken, is iets wat mij vanmorgen ook opeens opvalt. Maar als ik op mijn hurken de kleine blaadjes vergelijk, weet ik het weer niet zeker. In het begin lijkt namelijk elk leven op elkaar, en toch, hier en daar, bij de iets grotere blaadjes, zie ik rare overeenkomsten.

Rustig schoffel ik langs de paden, luister naar het sissende geluid van het sproeisysteem en voer het katje kabeljauw. Ik zie dat zijn ballen groter zijn geworden. Eerst waren ze nog onherkenbaar, zaten ze verstopt onder een dikke laag donshaar, maar nu zijn ze opeens prominent aanwezig, wiebelen heen en weer terwijl hij likkebaardend door de woonkamer loopt.

Elke keer als ik Terry Collins bel, krijg ik meteen zijn voicemail. Misschien is het hoger beroep wel afgewezen en zit hij zich te bedrinken in de Zanzibar, maar toch spreek ik elke keer in. Ik vertel hem over Sue en Dave en hoe onveilig ik me voel, vertel hem over de e-mail die ik Anca stuurde en vraag hem een goed woordje voor me te doen. Ik stel hem steeds vragen, bijvoorbeeld waarom hij mij niet op de hoogte houdt zoals afgesproken, en of het echt waar is dat ze mij willen vervolgen. Aan het einde van de ochtend voel ik me belachelijk, ik heb zo veel verschillende berichten achtergelaten, zo veel verhalen verteld, dat als hij niet al gek van me werd, hij het nu zeker is.

'Goed of slecht nieuws, ik wil het horen, Terry,' laat ik als laatste bericht voor hem achter.

'Misschien kan ik over twee weken wel zwemmen,' zeg ik tegen het katje. 'Op het weerbericht zeiden ze dat het vanaf nu elke dag iets warmer gaat worden. Als de wind gaat liggen warmt het water op.'

De kreetjes die hij slaakt, doen me steeds meer verdriet. Het is bijna huilen wat hij doet, en hij heeft me nu zo vaak naar de voordeur zien lopen en die voor zijn neus dicht zien slaan, dat hij niet meer voor het raam zit, maar in de gang, wachtend op het moment dat ik hem eindelijk in de tuin zal laten.

Ik weet niet wat het is, maar iets weerhoudt me ervan. Ik ben vooral bang dat hij er nog niet klaar voor is, nog niet kan omgaan met zijn vrijheid. Als compensatie haal ik nog steeds lekkere dingen voor hem in huis. Als hij even aan iets anders kan denken dan aan buiten, wordt hij kalmer, huilt minder en ligt na het eten van een stuk vette vis languit op het tapijt te spinnen, valt als een blok in slaap zodat ik naar de deur kan sluipen en zonder schuldgevoel in de tuin kan werken; de citroenbomen knappen langzaam op, maar hebben ook hun moeilijke dagen.

Ergens in de middag verschijnt er een wit bestelbusje aan de rand van de krater. Ik ben net bezig onkruid te wieden en word opgeschrikt door een hoog gegil vanaf de rand. Er staat een man met een rode kop. Ik haal mijn schouders op en schud mijn hoofd.

'Kan ik u helpen?' roep ik.

'Vis!' roept de man naar me.

'Vis?'

'Wilt u vis kopen?' schreeuwt hij met zijn handen langs zijn gezicht.

Als ik knik, stapt hij snel in zijn bestelbus en rijdt soepel het kronkelende weggetje naar beneden.

'Ik heb vis,' zegt hij als hij uit de auto stapt. Ik zie dat hij een gezwel in zijn nek heeft dat ook een groot deel van zijn kaak en wang in beslag neemt. Het zit onder de zweren, de huid is rood ontstoken. 'Ik heb forel, sardienen, zeewolf, tonijn en zelfs kreeft,' zeg hij en opent de schuifdeur van zijn bus. In witte bakken liggen de vissen op ijs, sommige liggen nog een beetje te kronkelen.

'Vers,' zeg ik.

'Natuurlijk, net uit de zee, meneer,' zegt hij trots.

'Wat is dat?' Ik wijs naar een kist met mooie rode vissen met grote glinsterende ogen.

'Dat is… Ik weet de naam niet in het Engels, wij noemen het *barbounia*.'

'Barbounia,' mompel ik.

Hij pakt er een van de stapel en houdt hem in zijn hand. 'Lekkere vis,' zegt hij, 'lekker op de grill of in de oven en niet duur.' Hij laat de vis van alle kanten zien, wiebelt een beetje met de staart en kijkt me dan hoopvol aan.

'Een moment,' zeg ik en loop naar binnen. Het katje krijst en tiert en net voor de slaapkamerdeur ga ik even door mijn knieën en aai hem over zijn rug. 'Ik heb zo iets lekkers voor jou,' fluister ik.

Ik haal wat geld uit een zijvak van mijn koffer. Sue en Dave hebben alles wat ik had meegenomen, zelfs geen vijfje hebben ze in mijn portemonnee laten zitten.

Ik koop een kilo die hij afweegt in een weegschaal die boven de passagiersstoel hangt. Ik krijg het mee in een papieren zak. 'Goed koelen,' zegt hij tot slot, rijdt snel de weg omhoog en verdwijnt dan. In de verte hoor ik hem weer gillen, maar nu in het Grieks.

Met de zak vis loop ik naar binnen. Het katje danst om mijn enkels en eventjes laat ik hem aan de zak ruiken. 'Barbounia,' zeg ik en til hem op het aanrecht, loop naar de ijskast en leg de zak in de groentelade.

Als ik weer naar buiten wil gaan, schiet hij onverwachts tussen mijn benen door. Ik weet hem nog net vast te klemmen tussen mijn kuiten. Hij jammert en blaast, probeert zich met geweld los te wrikken en als ik door mijn hurken ga en hem langs zijn lichaam vastpak, voel ik hoe vreselijk snel zijn hart klopt. Ik kijk naar het kiezelpad en het nu hermetisch groene veld, bijt op mijn lip en laat hem dan gaan.

Elke keer als hij vliegjes achternagaat, of torretjes voor zich uit slaat, voel ik steken in mijn hart. Het komt door de manier waarop hij met zijn atletische jonge lichaam hysterisch door de tuin rent, op de heg springt en in de olijfbomen klimt, het is omdat hij soms opeens onzichtbaar is en ik verschrikt opsta en hem ga zoeken. Maar bovenal komt het door de manier waarop hij naar me kijkt als ik hem dan vind – alsof ik hem betrap tijdens het ontdekken van iets mooiers, fijners en beters.

's Avonds lok ik hem stap voor stap naar binnen met een gegrilde vis die ik aan de staart rondjes in de lucht laat draaien. Als hij binnen is en krijsend naar de vis slaat, sluit ik snel de deur en zucht van opluchting.

'Zo is het wel even goed voor vandaag,' zeg ik. Ik leg de vis in zijn etensbakje en zet de televisie aan.

3

Mijn buren lijken verdwenen. Als ik om hun huis sluip, zie ik door het keukenraam dat alles netjes opgeruimd is. Alleen een rode Nescafé-mok en een glanzende lepel liggen op het aanrecht, verder niets. In de achtertuin steek ik mijn vinger in de cementmolen. Het cement is hard geworden. Op de tegels liggen hier en daar mondkapjes, grijs van het stof. Ook zie ik een spatel en een paar blikken vochtwerende verf waarvan de deksels opengelaten zijn. Misschien dat een van hun ouders plotseling is overleden. Ik weet het natuurlijk allemaal niet, maar toch blijft het gevoel dat het iets met mij te maken heeft. Ook de manier waarop Robert 'Top' zei, de laatste keer dat ik hem zag; al beweren de meeste mensen hier stellig dat ze nooit meer terug naar Engeland willen, ze lezen allemaal *The Sun*, kijken elke avond naar het journaal of een voetbalwedstrijd, en eten nog steeds het liefste wat ze thuis aten. Ach, denk ik als ik voorzichtig achter een stapel gasbetonblokken kijk, het zal mijn verbeelding wel zijn.

'Waar ben je dan?' fluister ik en doe: 'Pss, pss, pss, pss.'

Ik sluip langs Roberts heg en ritsel hier en daar met de bladeren. 'Je hoeft niet bang te zijn, ik ben het maar,' fluister ik.

Als ik de hele tuin heb doorzocht, zie ik hem opeens voor mijn eigen voordeur zitten, hij likt zijn pootjes schoon en miauwt zachtjes naar me.

'Daar ben je dus,' zeg ik als ik aankom. Ik aai hem over zijn rug die bloedheet is. Terwijl ik hem in paniek zocht met een stukje makreel in een boterhamzakje, heeft hij vast ergens in de zon liggen slapen.

Op blote voeten loop ik om de citroenbomen heen, voel aan de dorre blaadjes en schep de grond rond de wortels luchtig, vul de gieter en meng wat van het flesje dat ik bij het tuincentrum kocht door het water. Vanaf de veranda zet ik de kraan open en zie hoe mijn tuin in een paar tellen gehuld wordt in mistige motregen. Ik drink rustig een biertje en eet een zak chips leeg, kijk vol vertedering hoe het katje alles interessant vindt; kleine blaadjes die hij op zijn rug gelegen hoog tussen zijn voorpoten houdt, de tuinslang, trillend van het water, die minutenlang zijn volle aandacht heeft. Het mooist blijkt hij toch andere levende wezens te vinden. Zo nu en dan brengt hij kleine insecten in zijn bek naar me toe en legt ze voor mijn voeten neer. 'Ja,' zeg ik dan, aai over zijn kop en kijk naar een bromvlieg die geluiden maakt van een neerstortend vliegtuig, 'de vliegen zijn gekomen, dat hoort bij een moestuin, er komen vliegen, lieveheersbeestjes en nog veel meer moois op af.'

Aan de eettafel tel ik mijn pillen. Ik heb nog tien Oxazepam, misschien net genoeg voor een halve week, althans als het allemaal rustig blijft. Van bloedverdunners, bètablokkers en Zoloft heb ik er nog genoeg voor een halfjaar. Ik heb ze vrijwel niet aangeraakt sinds ik hier ben en eigenlijk is het ook onverstandig om medicijnen te gaan slikken als je ze helemaal niet nodig hebt.

's Middags stap ik in de auto en ga zomaar een stukje rijden. Er zijn grote delen van het eiland die ik nog niet gezien heb en ik vind het fijn om naar 'On Every Street' te luisteren en intussen naar het dorre landschap te kijken. Er is een deel van de weg naar Kos-stad die eerst omhoogloopt, zodat ik de zee kan zien, en dan in een diep dal verdwijnt waar ik met mijn tanden op elkaar het gaspedaal helemaal kan indrukken; het gevoel is weldadig, vooral omdat er nergens stoplichten zijn en ik bijna altijd de enige op de weg ben. Met honderdvijftig kilometer per uur schiet ik langs taverna's en benzinepompen, zie ik in een flits de fruitverkopers aan de weg. Bij deze snelheid lijkt het alsof de Suzuki een beetje van de grond komt. Nog iets harder en ik zou misschien opstijgen. 'Grote onzin natuurlijk, jongetje,' zeg ik tegen mezelf terwijl ik de lange gitaarsolo naspeel met één hand van het stuur.

Ik neem een afslag richting Tingaki, volgens mijn reisgids een minder toeristisch kustplaatsje met een aantal leuke bars. 'In Tingaki kunt u genieten van verse vis in authentieke taverna's. De prijzen liggen er iets hoger dan in Kos-stad, maar dan kiest u ook voor een locatie waar ook echte Grieken graag een vorkje prikken.'

'Echte Grieken' is wat te veel gezegd, want eigenlijk zie ik vooral toeristen lopen. Er is maar één taverna geopend die vooral gyros en souvlaki op de kaart heeft staan. Maar toch, het is een lieflijk stadje met een prachtig strand. Ik loop met opgerolde broekspijpen en mijn schoenen in de hand langs de kustlijn en bedenk dat ik al bijna twee maanden geen kutje meer gezien heb, zelfs geen tepel of billen – ik heb er zelfs helemaal niet meer aan gedacht, me zelfs nauwelijks afgetrokken. Zou dat een goed of een slecht teken zijn, vraag ik me af. Toen ik een puber was, masturbeerde ik wel eens stiekem in de wc's op school. Ik herinner me de spanning nog goed, vooral als er iemand de ruimte binnenkwam en ik bijna klaarkwam. Ik hield dan even stil, waardoor het allemaal nog langer duurde als ik weer alleen was. Als ik klaarkwam, liet ik mijn sperma op de grond lopen en voelde me eindelijk ontspannen. Ik was wel altijd zo netjes om het op te ruimen.

Al tijdens mijn huwelijk trok ik bijna nooit meer met plezier, het was bijna hetzelfde als naar de wc gaan; het moest, omdat het op een andere manier niet meer gebeurde. Tijdens het klaarkomen al voelde ik de somberte opkomen, maar na onze scheiding werd het bijna iets kwaadaardigs; ik kon zonder porno nog onmogelijk opgewonden worden, alle herinneringen aan seks waren uit mijn geheugen gewist of verworden tot beelden waarmee ik mijn geslacht niet hard kon krijgen. Als ik heel soms Susans borsten in gedachten voor me zag, vloeiden mijn gedachten meteen naar hoe alles mis was gegaan, dus keek ik naar mijn computerscherm waar een mij onbekend meisje hard werd geneukt door een gespierde man en kwam ik gepijnigd klaar op een stuk keukenrol. Ik moest daarna snel het filmpje stopzetten, want zodra de lust weg was, kon ik het niet meer aanzien.

Een aantal jaar geleden was er een interessante zaak geweest in Duitsland. Armin Meiwes, een vierenveertigjarige IT'er die in de media de Kannibaal van Rotenburg werd genoemd, stond terecht in een moordzaak. Via een internetforum over kannibalisme had hij zijn eerste slachtoffer aan de haak weten te slaan, de drieënveertigjarige Bernd Jürgen Brandes uit Berlijn, een man die bereid was zijn dood te bekopen met het eeuwig voortbestaan in de lichaamscellen van Meiwes. Er was geen sprake van een liefdesrelatie, het enige wat hen bond was de fascinatie voor het kannibalisme.

Nadat Meiwes zijn vrijwillige slachtoffer vol had gestopt met pijnstillers, slaapmiddelen en drank, sneed hij hem de keel door, hakte zijn lichaam in stukken en vroor het vlees vervolgens in. Hij scheen het eens in de zo veel dagen te ontdooien en samen met gebakken aardappeltjes en een steeds wisselend sausje op te eten. De aanhouding vond plaats nadat er melding van was gemaakt dat Meiwes op internet openlijk op zoek was naar een nieuw iemand die bereid was zich op te laten eten. Tijdens de aanhouding was er nog ongeveer tien kilo van Brandes over. In de rechtszaal werden de video's vertoond die Meiwes van zijn festijn had gemaakt.

Vraag zomaar iemand wat die van de zaak onthouden heeft en men begint meteen over de opgegeten penis. Brandes was nog in leven toen Meiwes zijn penis afsneed en door de bloem haalde. Brandes zelf schijnt er ook nog van gegeten te hebben. Het sprak erg tot de verbeelding, natuurlijk vooral bij mannen, want voor hen is dat toch de absolute nachtmerrie. Ze zouden misschien wel nooit meer kunnen neuken, stelden ze zich voor, en precies zo dacht ik er ook over toen ik het hoorde. Ik voelde zelfs meteen hevige pijn in mijn kloten. Als ik er nu aan denk, ben ik vooral bang voor het bloed en de moeite die het plassen me zou kosten.

Ik besluit naar huis te gaan. Ik voel me niet prettig als ik de Engelse toeristen aan de tafeltjes van de taverna zie zitten, en daarnaast: het katje is al meer dan twee uur alleen, wil waarschijnlijk graag naar buiten.

Als ik thuiskom, schiet hij meteen de tuin in en maakt sierlijke sprongen tussen de aardappelplanten en miauwt hard naar de lucht.

'Wat is er, beestje?' vraag ik.

Met wilde sprongen gooit hij zichzelf heen en weer, knaagt aan de blaadjes en begint dan opeens te graven in de vochtige aarde.

'Hé, voorzichtig met de planten,' zeg ik, duw hem weg en veeg de aarde weer terug, maar zie dan iets hagelwits in de grond.

Als ik er een uit de aarde trek, zie ik dat ik me vergist heb. Hier staan de aardappels helemaal niet, hier staan de radijzen.

2

Als ik de volgende morgen op de bank wakker word en gapend naar de keuken strompel om thee te zetten, bedenk ik tot mijn schrik dat het katje niet binnen is. 'Godverdomme,' mompel ik, trek snel mijn sportschoenen aan en loop in de badjas naar buiten. Als ik met toegeknepen ogen midden op het kiezelpad sta en probeer te luisteren of ik hem ergens kan horen ritselen, hoor ik helemaal niets.

'Pss, pss, pss,' doe ik, en ik loop rondjes om het huis. Gisteravond was er een extra lange *Jeremy Kyle Show* die helemaal gewijd was aan incest. Op het podium zaten zes mensen: drie vrouwen die slachtoffer van incest waren en drie mannen die zich er schuldig aan hadden gemaakt. Er was geen enkel verband tussen de zes gasten, vertelde Kyle om de paar minuten. Ik zat ademloos te kijken en werd steeds onderbroken door het katje dat op het televisietoestel sprong om mijn aandacht te krijgen. Hij wilde weer eens achter torretjes aan.

'Dan ga je ook maar naar buiten,' schreeuwde ik, stond op en gooide de deur voor hem open, deed die achter hem dicht en rende weer snel terug naar de televisie, waar ik een van de mannen hoorde zeggen dat hij nog altijd een voorkeur had voor veel te jonge meisjes. Hij vertelde daarna dat hij er nu niets meer mee deed, maar dat het verlangen was blijven bestaan. Kyle zei op rustige toon dat de man hulp moest zoeken en voegde eraan toe dat hij een smeerlap was. Een vrouw uit het publiek zei dat ze hem een gevaar voor álle kinderen vond. 'Zolang zulke mensen rondlopen, zullen mijn kinderen opgroeien in onveiligheid. Als die schoften hun vieze handen niet thuis kunnen houden, moeten ze ze opsluiten! Levenslang!' riep ze. De vrouw kreeg een applaus dat tot aan de reclame duurde. Intussen werd steeds het uitdrukkingsloze gezicht van de man in beeld gebracht, hoorde je het publiek boe roepen en zag je Kyle zijn hoofd schudden.

Tijdens het kijken ernaar dronk ik het ene glas wodka na het andere, voelde me steeds nerveuzer en bozer worden. Niet op de drie mannen, maar op het publiek. De dingen die ze durfden te roepen waren niet mis. Een van de mannen op het toneel was in tranen, een ander liep weg toen iemand hard riep dat hij gewoon het recht niet had te leven. Jeremy Kyle greep nergens in. Ik herhaalde de kreten uit het publiek terwijl ik in hoog tempo straalbezopen werd. Ik sloeg op mijn knieën en riep steeds: 'Jaahaa, jaaahaa, dat weten we nu wel, stelletje klootzakken!' Ik viel in slaap met mijn gezicht in een hoopje visgraten op een bord. Het katje was ik helemaal vergeten.

Nog steeds geen spoor van mijn buren, dus ik loop snel hun tuin in en maak daar weer dezelfde geluiden: 'Pss, pss, pss.' Geen reactie, zelfs niet in de verte.

Ik sta een tijd in mijn badjas boven aan de krater en zie nergens beweging, ook niet in de tuinen van de onbewoonde huisjes of in de struiken langs het kronkelweggetje. Als ik me omdraai zie ik de onmetelijk grote, vlakke velden met verdroogde bomen en hier en daar kleine witte huisjes, daarachter, heel ver weg, de zee.

Hoe heb ik zo stom kunnen zijn, denk ik als ik binnen een blik bier open. Ik heb niet op hem gelet. Toen ik vannacht in coma lag, heeft hij misschien zitten huilen voor de deur, heeft na een paar uur de hoop opgegeven en is vertrokken.

De hele middag ben ik op pad. Ik kam de tuinen van alle huizen in de omgeving af, loop als een dolle hond voortuintjes in en kijk snel om hoekjes en onder alle auto's die ik tegenkom. Alles lijkt hier op elkaar. Ooit is hier blijkbaar besloten dat alle huizen wit moeten zijn en de daken blauw, dat is herkenbaar op ansichtkaarten en foto's voor thuis, maar mijn katje zal zich makkelijk vergist hebben en mogelijk vanmorgen zijn ontwaakt in een verkeerde tuin, liefelijk gemiauwd hebben tegen een vreemd baasje en waarschijnlijk zijn weggejaagd. Ik loop in een spijkerbroek en een rood met blauw Walker's-voetbalshirt over kleine weggetjes, vind een stok waarmee ik makkelijker in de struiken kan prikken; mijn handen zitten onder de doornsteken van het woelen in de struiken.

Ik heb het benauwd en sta om de paar meter even stil om uit te rusten. Ik gebruik die pauze steeds om heel goed om me heen te kijken: of ik ergens iets roods zie, iets roodoranjes met witte strepen, maar nergens is iets anders te zien dan de bruine kleigrond, de dorre planten en bomen, en hier en daar een huis. Ik voel me gesloopt, en als ik omkijk zie ik de baai met het kleine haventje liggen; heel veel opgeschoten ben ik dus niet.

'Het was te vroeg,' jammer ik als ik langs de autoweg naar de boulevard loop, 'hij had meer tijd nodig.'

Als klap op de vuurpijl passeer ik een dode kat midden op de weg. Zijn kop is platgereden en het bloed al opgedroogd. Dat kan dus ook nog, denk ik; terwijl ik zat te zuipen tijdens *The Jeremy Kyle Show*, is mijn katje misschien wel doodgereden door een dronken toerist.

Ik besluit een tussenstop te maken bij de Sebastian. Ik heb de hele middag nog niets gedronken en voel me duizelig van de zon. Het mag dan het voorseizoen heten, een periode waarover mijn reisgids beweert dat die vooral ideaal is voor oudere stellen en mensen die niet goed tegen de zon kunnen, maar vandaag is het best warm, heb ik een rode kop en gutst het zweet zo van mijn kale kop dat Sotiris een kussentje voor me opschudt en me meteen een glas water met ijsblokjes brengt.

'Ik ben helemaal uitgeput,' zeg ik, 'doe meteen maar een biertje.'

'Een biertje voor de chef!' roept hij hard tegen een mollige serveerster die achter een laptop aan de bar zit, 'ben je helemaal komen lopen, chef?'

'Mijn kat is vannacht weggelopen,' zeg ik en neem een gulzige slok van mijn bier, 'ik zoek hem.'

'Heb jij een kat gezien?' schreeuwt hij tegen de serveerster, die weer achter haar laptop is gekropen. Ze schudt haar hoofd en richt zich weer op het scherm.

'Fucking kutwijf, die is hier pas twee dagen en doet nu al niets meer,' fluistert hij. 'Maar vertel eens, hoe ziet die kat eruit?'

'Hij is rood.'

'Een rode kat?'

'Een katertje, hij is heel jong nog.'

'Ik heb nog nooit een rode kat gezien hier, ik zal voor je opletten, chef, als ik hem zie, hoor je het meteen.'

Ik tuur naar buiten. Er raast een bestelbus voorbij en dan een motor.

'Ik zag net een dode kat op de weg,' zeg ik.

Sotiris knikt. Dat is niet zo bijzonder, zegt hij, de meeste zwerfkatten komen hier zo aan hun einde.

Ik kijk verdrietig naar mijn biertje en denk aan de e-mail die ik Anca stuurde, de meegestuurde foto van het beestje waar ik zo vol enthousiasme over sprak.

'Kop op, chef, misschien is hij wel thuis. Die kat wilde gewoon neuken, dan zijn ze vaak een dagje weg, net als wij. Ja, zeg nou eens eerlijk: als jij geneukt hebt, kom je dan ook op tijd voor het eten?'

'Nee,' mompel ik, 'dat is waar.'

'Ga maar naar huis, hij is daar vast,' zegt hij. 'Ik krijg trouwens nog geld van je, chef...'

Ik betaal, laat mijn telefoonnummer achter en ga dan op weg naar huis. Wat Sotiris zei, kan kloppen. Een jong katertje wil natuurlijk niets liever dan achter de vrouwen aan. Aan de ene kant vertedert het idee aan zijn eerste keer me, aan de andere kant vind ik het juist heel irritant. Dat hij zomaar vertrok zonder iets te laten horen.

Als ik bij de rand van de krater aankom, durf ik haast niet te kijken. Ik hou mijn hand voor mijn ogen en spreid heel langzaam mijn vingers. Niets.

Midden in de nacht word ik wakker van gekrijs ergens boven de krater. Ik trek onmiddellijk mijn badjas aan en loop de donkere nacht in, waar krekels zingen en ik in de verte de zee op het strand hoor slaan. Ik loop nerveus rondjes door de moestuin en ongemerkt vertrap ik vele honderden planten. Het maakt me allemaal niets meer uit, ik adem zwaar en heb pijn in mijn borst. Ik voel een intens verdriet dat mijn benen doet verweken en mijn tranen laat stromen. Ik jammer het geluid dat ik vanuit mijn bed hoorde na, maar alles is nu stil.

'Pss! Pss!' roep ik en sla hard tegen de bast van een van de zieke citroenbomen.

Ik wil hém roepen, maar verdomme, ik heb hem geen naam gegeven.

I

De man met de geiten houdt mijn mobiele telefoon stevig in zijn vieze handen. Hij kijkt heel langdurig naar de foto van het katje en dan voorzichtig naar mijn teenslippers en badjas. Dan draait hij het toestel om en bestudeert de achterkant, alsof daar nog meer te zien is. Hij schudt zijn hoofd.

'Niet?' vraag ik.

Hij haalt zijn schouders op en kijkt nogmaals naar de foto. Even krijg ik hoop, als hij zijn hand in de lucht steekt en met zijn wijsvinger naar de zee priemt, maar dan laat hij die hand weer zakken en schudt weer zijn hoofd.

'Bedankt,' zeg ik en waggel snel het pad naar beneden.

Als ik tijdens het drinken van mijn eerste wodka naar de foto op mijn mobiel kijk en weemoedig huil om zijn lieve oortjes en de permanente lach op zijn gezicht, krijg ik opeens een idee. Ik zou de foto kunnen uitprinten en verspreiden in het dorp. Ik zou een vindersloon moeten noteren, een redelijk bedrag, een bedrag waarvoor mensen hun bed uit komen.

'Tweehonderd euro,' mompel ik en kijk naar een andere foto die ik van hem gemaakt heb. Hoog op de pergola voor de veranda slaat hij naar de camera. Ik vind het een fantastische foto.

'Nee, vijfhonderd,' zeg ik en buk om een op de grond gevallen Oxazepam op te rapen. 'Met vijfhonderd euro kun je tenminste nog wat,' mompel ik terwijl ik de pil vermaal.

Ik neem de auto naar Andimachia, een stadje vlak bij het vliegveld waar ze volgens de verkoper van Supermarkt Jim absoluut over een kopieerapparaat beschikken. Het blijkt te kloppen; in een kantoorboekhandel die vooral kitscherige ansichtkaarten en religieuze boeken verkoopt hebben ze een kopieerapparaat en zelfs een printer en een kabeltje om de foto van mijn mobiele telefoon te halen.

'Leuke kat,' zegt de verkoper als de helft van zijn kop uit de printer komt.

Ik glimlach.

Boven de foto schrijf ik: 'Kat vermist! 500 euro beloning!' en onderaan: 'Op 5 april weggelopen uit omgeving Kefalos. Ongeveer twee maanden oud. Rood met witte strepen. Opvallend is het kleine scheurtje in zijn rechteroor. Ben erg aan hem gehecht.'

Ik besluit alleen een telefoonnummer te noteren en laat honderd kleurenkopieën maken.

'Hij is weggelopen,' zeg ik tegen de verkoper, 'vandaar.'

'Aw,' zegt hij en houdt even zijn hoofd scheef.

Op de terugweg kijk ik door de achteruitkijkspiegel naar de dode katten op de weg. Het zijn er vrij veel. Om de paar kilometer rij ik terug om te kijken of het hem is, maar godzijdank zijn het altijd andere, meestal ouder en inderdaad nooit rood; mijn katje is een uitzondering hier op het eiland.

Ik begin dicht bij huis. Op het bord waarop SERENITY staat plak ik drie exemplaren, en net boven de krater, tegen een hoge lantarenpaal, aan weerszijden een. Met een rol plakband tussen mijn tanden en de stapel kopietjes tegen mijn borst gedrukt loop ik naar de boulevard. Er staat veel wind en steeds waait mijn voetbalshirt omhoog. Ik plak hier en daar een exemplaar op verkeersborden, midden op witte muren die goed te zien zijn vanaf de weg. Ik heb vreselijke maagpijn, maar zet door; nog niets heb ik gegeten vandaag, maar, mompel ik in mezelf, ik moet me nu eindelijk eens vermannen en doorzetten. Niet ergens een clubsandwich gaan eten en bier gaan drinken. Dan word ik alleen maar moedelozer, lijkt dit opeens een idioot plan, ga ik weer naar huis om daar te wachten op zijn thuiskomst.

Iedereen is heel behulpzaam. De man bij wie ik mijn auto huurde plakt er een op zijn glazen schuifdeur en Sotiris belooft een mooi plekje te vinden, ergens waar iedereen het kan zien. Ik ben bang dat hij het straks vergeet, dus wijs ik naar het velletje papier waarop DON'T FUCK WITH THE BOSS staat. 'Misschien daarnaast?' vraag ik.

'Is goed, chef,' zegt hij en plakt het ernaast.

Ik klim de weggetjes omhoog naar het dorp. Onderweg voel ik me een moment zo vermoeid en misselijk dat ik even op de grond tegen een muurtje ga zitten om uit te rusten. Ik blijf me maar verschrikkelijke dingen in het hoofd halen. Hoe hij ergens ver weg hongerig rondscharrelt tussen het vuilnis, en hoe hij verjaagd wordt op elke plek waar hij op zoek is naar mij. Het idee dat ze niet voorzichtig met hem zullen zijn, maakt me het bangst van alles. 'Ze mogen hem niet aanraken, hij doet geen vlieg kwaad,' mompel ik als ik twee quads met toeristen omhoog zie rijden. Ze zwaaien naar me, maar ik doe alsof ik ze niet zie.

Ik had gehoopt dat de viswinkel waar ik al weken elke dag vis voor hem haal bereid was het aanplakbiljet op te hangen, maar de eigenaar weigert. Als ik vraag waarom, zegt hij dat het tegen zijn principes ingaat. Een weggelopen kat komt óf vanzelf terug, óf nooit meer, zegt hij. Als hij alle weggelopen katten hier op zijn ruit plakt, zien mensen niet eens meer dat hij vis verkoopt, het is onbegonnen werk. 'Het merendeel wordt trouwens doodgereden,' voegt hij eraan toe. Ik moet grote moeite doen om mijn tranen te bedwingen.

Ik loop verslagen door de kleine straatjes van Kefalos. Op de terrassen zie ik oude mannen aan kleine kopjes koffie zitten. Met veel van hen lijkt iets mis te zijn, ze hebben enorme oren en hun ogen staan dicht bij elkaar. Hoe hoger ik klim, hoe afschuwelijker alles wordt. Vooral rond een klein pleintje met een kerk zie ik oude vrouwen met dun haar waar hun bleke schedels doorheen schijnen, mannetjes die achter glaasjes sterkedrank spelletjes spelen en bruine stompjes tanden laten zien. Iedereen groet ik, maar niemand groet me terug.

Heel snel hang ik een velletje aan het hek van de man met zijn Engelse taxi. Van een afstand kijk ik naar zijn voordeur, waarop hij nu de Britse vlag heeft vastgespijkerd. Als ik goed kijk, zie ik in zijn tuin allemaal rare objecten in de bomen hangen. Twee lege blikken Amstel-bier hangen aan touwtjes en klingelen tegen elkaar in de wind. Snel haal ik het vel weer van zijn hek, die man is een gevaarlijke gek.

Op de terugweg kom ik langs een klein voetbalveld aan het ravijn met een ijzeren kooi eromheen. Er is geen kind te zien. Er staan drie kleine witte miniatuurkerkjes op stokken aan de afgrond. Als ik me buk om door de glazen deurtjes te kijken, zie ik ouderwetse kinderfoto's die bij een fotostudio gemaakt zijn. Alle drie de kinderen zijn opvallend netjes gekleed. Een klein jongetje draagt een hoed en een meisje heeft een rieten mand tegen haar zij gedrukt. Er hangt een rozenkrans en een bosjes droogbloemen. Ik hang het velletje ernaast, op een brievenbus.

Voorzichtig kijk ik over de rand en krijg het benauwd als ik zie hoe diep het ravijn hier is. Als ik weer in de miniatuurkerkjes kijk, zie ik dat Manolis, geboren in 1983, hier in 1991 aan zijn einde kwam, evenals Maria en Giorgos.

Zouden ze tijdens het spelen per ongeluk in het ravijn zijn gevallen? Misschien was het nacht, liepen ze naast elkaar en zagen niet dat daar de weg ophield. Zijn ze er zomaar in gestapt.

Tijdens de afdaling kom ik een oud echtpaar tegen dat langzaam omhoogloopt. Ik steek mijn hand op, maar ze reageren niet.

Als ik buiten adem en met een zeurende pijn in mijn borstkas bij de krater aankom, zie ik dat de aanplakbiljetten van de lantarenpaal zijn getrokken. De hoekjes met plakband zie ik nog zitten. Als ik naar beneden loop zie ik dat hetzelfde gedaan is op het bord SERENITY.

'Godverdomme,' mompel ik en trap met mijn voet het hek open, loop met de hand op mijn hart naar de voordeur. Op het moment dat ik de sleutel in het slot steek, hoor ik iemand roepen.

'Hey! Stefan!'

'Godverdomme,' fluister ik en draai voorzichtig mijn hoofd om.

Ik kijk in de witte rij tanden van Robert. Hij draagt latex handschoentjes en heeft een kwast in zijn hand. Hij heeft een ontbloot bovenlichaam en een petje op zijn hoofd. NASA, staat erop.

Ik schud mijn hoofd en haal diep adem, dan loop ik het kiezelpad op naar zijn hek, ik zie hoe hij zijn kwast netjes in een verfpot zet en de handschoentjes afrolt.

'Steve heet ik,' zeg ik, 'niet Stefan.'

'Weet ik,' zegt hij en glimlacht breed naar me.

'Heb jij die aanplakbiljetten weggehaald?' stamel ik.

Robert knikt. 'Hoezo, waren die van jou, Steve?' Ik zie hoe zijn vrouw uit de voordeur komt en achter Robert gaat staan, twee handen om zijn middel legt en verder geen stom woord tegen me zegt.

'Ja, die waren van mij,' zeg ik.

'Sorry man, kon ik niet weten. Ik dacht dat een of andere gek bezig was, toch, Stella, dat zei ik toch?'

'Een gek,' zegt ze zachtjes en glimlacht dezelfde keurig witte tanden bloot. Blijkbaar hebben ze goede genen, die twee, of een prima tandarts.

'Nee, ik dus,' zeg ik hard. Ik wijs met twee wijsvingers naar mezelf.

'Hoe gaat het met je? Rust je een beetje goed uit?'

Ik schud mijn hoofd en veeg het zweet van mijn voorhoofd. 'Ik ben

mijn kat kwijt, dus het gaat helemaal niet zo goed, nee.'
'Vijfhonderd euro beloning, las ik. Hoop geld.'
Ik knik. 'Ik dacht dat jullie vertrokken waren,' zeg ik.
'We zijn op Patmos geweest. Mooi eilandje, hè, Stella?' Zijn vrouw
knikt nerveus.
'Ik ga ze weer ophangen,' zeg ik, 'laat ze hangen alsjeblieft, ik moet
mijn kat terugvinden.'
Als ik wegloop, hoor ik Robert 'viespeuk' mompelen. Ik draai me om
en kijk hem aan. Nog steeds glimlacht hij naar me, maar nu iets ernsti-
ger.
'Ga maar even naar binnen, schatje,' zegt hij tegen de vrouw en geeft
haar een duw tegen haar billen.
'Wat zei je daar?' vraag ik.
'Niets, officer, ik zou niet durven,' zegt hij. Hij houdt zijn handen
stompzinnig in de lucht en grijnst naar me.
'Je zei viespeuk,' zeg ik zachtjes.
Robert schudt zijn hoofd. 'Dat verbeeld je je maar, officer.'
Ik voel woede opkomen, bal mijn vuisten langs mijn lichaam en wil
naar zijn hek lopen en hem een klap verkopen, maar zulke dingen zitten
niet in me, dus schraap ik mijn keel en zeg terwijl ik wegloop: 'Bemoei
je met je eigen zaken, Robert, jij weet niet waarover je praat, echt niet!'
'O nee? Ik kan toch lezen?' hoor ik als ik voor mijn deur sta. Hij is
dichter bij het hek komen staan, heeft zijn petje afgezet en glimlacht nog
steeds op dezelfde manier; eigenlijk is het meer grijnzen, besef ik.
'Wat je leest klopt niet, ik wilde haar...' begin ik.
'Stop maar, Steve, ik hoef het niet te weten,' zegt hij terwijl hij de
kwast weer uit het blik verf neemt en een paar losse streken op een plank
hout zet, 'ik wil het niet eens weten, maar wat ik wel even wilde weten
is wie mijn buurman was, en dat weet ik nu. Wat een ellende heb jij jezelf
op de hals gehaald, man.'
'Weet je,' begin ik, 'daarboven in het dorp is het echte leed aan de
gang, weet je dat wel?'
Hij haalt verbaasd zijn schouders op.
'Ja, Robert, daarboven zijn drie jonge kinderen in een diep ravijn gevallen. Zomaar, tijdens het spelen, omdat ze niet uitkeken, kinderen met
een heel leven voor zich, gewoon in een ravijn gevallen. *Toeval*, Robert,
drie kinderen dood!'
Hij schudt zijn hoofd. 'Nee,' zegt hij kalm, 'dat klopt niet. Die kinde-

ren zaten achter in een auto en die auto is verongelukt. Hij reed te hard en is uit de bocht gevlogen. Hun vader heeft het overleefd, die zit nu in een rolstoel, dat is wat er daar aan de hand was.'

'Hoe dan ook,' roep ik en open mijn voordeur. 'Hoe dan ook,' fluister ik als ik hem zachtjes sluit.

Als ik 's nachts in de tuin de schade probeer te herstellen en met een zaklamp boven de planten gehurkt zit, doe ik een vreselijke ontdekking: waar ik ook iets uit de grond trek, of het nou bij de sla of de bonen, de courgettes of bij de paprika's is, steeds hou ik het beginsel van een witte radijs in mijn handen.

O

Er gaan dagen voorbij waarin ik alleen 's nachts nog mijn huis verlaat. Vaak in stomdronken toestand en meestal met een fles wodka in mijn hand. Op de momenten dat Robert en Stella in diepe slaap zijn, strompel ik langs de weg en hurk neer bij elk lijkje. Soms raast er een auto voorbij en deins ik maar net op tijd achteruit. De hele tijd hoor ik Mark Knopfler zingen en ik word er stapelgek van. Het ritme zorgt ervoor dat ik een gek loopje doe, bijna danspasjes maak. Hoewel ik overdag voornamelijk slaap, voel ik me moe en versleten, licht in mijn hoofd en heb nog steeds verschrikkelijke maagpijn.

'Oppassen, jongetje,' zeg ik als er weer een auto voorbijschiet en ik net op tijd mijn hand wegtrek bij een lijkje. De auto toetert. 'Klootzak!' roep ik de automobilist na, zwaai met mijn fles en steek mijn middelvinger op.

Ik hou mijn mobiele telefoon in mijn vrije hand en kijk er om de paar meter naar. Niemand heeft me nog gebeld. Misschien was vijfhonderd euro te weinig, denk ik een moment, maar meteen besef ik dat dat grote onzin is. 'Onzin, Steve, vijfhonderd euro is een hele hoop geld!' roep ik naar een dode palmboom en neem een slok uit de fles, laat de wodka langs mijn kin druipen, wrijf de alcohol in de synthetische stof van mijn voetbalshirt en voel het maagzuur meteen omhoogkomen.

Ik eindig al dagen bij een Griekse taverna aan de voet van de kronkelweg naar het dorp. Het is een ijkpunt geworden, een mogelijkheid om de zoektocht voor die avond te staken. Er hangt een lichtbak met de menukaart aan de weg. Van elk gerecht is een heel klein footootje afgebeeld. Vooral de gyrosschotel en de spaghetti bolognese zien er goed uit, voor de rest lijkt alles op de mixed grill. Ik heb er de afgelopen dagen al vaak naar staan kijken.

De eigenaar van Supermarkt Jim vertelde me dat katten vooral 's nachts actief zijn. Dat ze dan pas echt tot leven komen. Maar elke nacht kom ik zonder resultaat terug bij Terry's huisje, laat me op het bed vallen en word laat in de middag wakker met een fikse kater en knagende honger.

Ik heb Robert niet meer gesproken na het voorval. Ik heb hem zo goed mogelijk vermeden. Elke keer als ik naar buiten wilde gaan, zag ik hem in zijn tuin staan klussen. Zijn vrouw bracht hem steeds bier en nootjes en als ik dat zag, voelde ik een verlammende angst opkomen waar zelfs geen Oxazepam tegen opgewassen was. Een paar dagen geleden greep ik 's middags de kans toen ik hem hoorde wegrijden. Ik wachtte vijf minuten, rende toen naar de auto en nam snel de weg omhoog, reed met hoge snelheid naar het dorp en deed gehaast boodschappen voor de hele week.

De karbonades waren in de aanbieding en er waren nieuwe ijsjes bij gekomen in het assortiment.

'Het seizoen gaat beginnen,' zei de caissière toen ze ze over de scanner haalde.

'Goddank,' mompelde ik. 'Goddank is het bijna voorbij!' riep ik daarna.

De caissière keek me een beetje verbaasd aan, maar diep in haar ogen kon ik zien dat ze het wel begreep; ik droeg namelijk mijn zwembroek.

Als ik in de middag met een kaart van het eiland aan de eettafel nerveus plaatsen doorkras waar ik al gezocht heb, gaat opeens de telefoon.

'Jaahaa!' roep ik, loop een stoel omver en val hard op mijn knie. Als ik de telefoon vastpak, zie ik dat het Terry Collins is.

'O, ben jij het,' zeg ik als ik opneem.

'Steve?'

'Ja,' zeg ik.

'Sorry dat ik je niet eerder belde, maar er is nieuws, eigenlijk heel goed nieuws,' zegt hij opgewekt.

Ik ga op de vloer zitten en open met één hand een blik bier.

'Wat dan?' vraag ik.

'Ze hebben het hoger beroep toegekend. De processen starten over een maand weer, en jij beste man, jij mag weer getuigen!'

'Mag ik weer getuigen?'

'Ja, Steve, er zijn vreemde ontwikkelingen in de zaak, het is te veel om op te noemen, maar één ding wil ik je zeggen: City Eye.'

'Wat heeft City Eye met de zaak te maken?'

'Alles,' zegt hij en schraapt zijn keel, 'er zijn beelden vrijgegeven van Humbertone Gate, ik heb echt gevochten voor die beelden, maar ik heb ze. Van drie uur 's middags tot twee uur 's nachts, van twee camera's die op de straathoeken staan. Weet je waarop er een gericht is?'

'Nee, vertel me waar die op gericht is, vertel dan,' zeg ik nerveus.

'De Polar Bear, Steve. En wat blijkt? Geen enkel spoor van Jim en Arnold! Nu hebben we een zaak, jongen, echt een megazaak, en dan nog een mooi detail: ze wilden de meisjes nu aanhouden op verdenking van illegale prostitutie, en die zaak is vooralsnog geseponeerd, er is te weinig bewijs. Ruim baan voor Terry Collins, en ook voor jou!'

'Ja,' mompel ik.

'Niet blij?'

'Sorry, ja heel blij.'

'Maar verbaasd.'

'Ja, best wel, maar... Wat kan ik nog doen dan, ik ben volgens de rechter een onbetrouwbare getuige, toch?'

'Maakt niets meer uit. Ik start een procedure om je te rehabiliteren, want ik heb ook beelden van de gevangenis in Tower Street, helaas niet vanbinnen, maar wel vanbuiten.'

'En?'

'En? Snap je het niet? Hun verklaringen kloppen niet, Steve, ik heb ze op beeld. We kunnen bewijzen dat ze daar op dat moment nog waren, en jij staat er ook op. Weet je wat het aller-, allermooiste is?'

'Nou?'

'Dat te zien is dat Jim zijn gulp dichtritst net onder een bord waarop staat...'

'The march of freedom is irreversible,' zeg ik snel.

'Precies! Het mag misschien onzin lijken, maar ik ga zorgen dat die beelden in de media komen, dat zet alles kracht bij, geloof me maar. Ze lachen ook nog eens, die twee klootzakken. De jury zal ervan smullen!'

'En ik?'

'O, jij... Jij staat tegen een muurtje geleund, je ziet er niet al te vrolijk uit.'

'Ik huilde,' zeg ik.

'Je huilde! Nog mooier. Oké, noteer ik even, voor de goede orde. Maar Steve, ja, dit is groot nieuws, man! Je moet zo snel mogelijk terugkomen, in ieder geval voor het einde van de maand. De zaak is op 18 juni gepland en we gaan ervoor. De Attorney General ziet het helemaal zitten... We gaan ze nu echt helemaal inpakken, de rechter, de media, iedereen, let op mijn woorden!'

'En Anca?'

'Die is blij, Steve, vreselijk blij.'

'Ja,' zeg ik, krab aan mijn oor en zucht.

'Ik had een katje, Terry, een zwerfkatje...' zeg ik dan.

'Ja, én?'

'Nou, die is weggelopen, en ik zoek hem al meer dan een week nu. Ik kan moeilijk heel blij zijn, sorry daarvoor, maar het was mijn enige gezelschap hier en mijn tuin is ook mislukt, er is een fout gemaakt met de zaden, alles is radijs.'

'Steve, je hebt nu heel andere dingen aan je hoofd dan radijzen of zwerfkatjes. Jij moet proberen uit te rusten, minder te drinken en te gaan bewegen. Ga zwemmen, man!'

'Nee, het is nog te koud.'

'Ben je er dan in geweest?'

'Nee, maar niemand zwemt, het is te koud.'

'Ja, nou, werk aan je gezondheid. Ik wil een herboren Steve Mellors in het getuigenbankje hebben straks. We gaan je rehabiliteren, beste man!'

Ik hoor tijdens het gesprek steeds een piepje op de achtergrond. Als ik naar het scherm van mijn mobiel kijk, zie ik dat ik drie oproepen gemist heb sinds ik Terry aan de lijn heb.

'Ik bel je zo terug,' zeg ik en druk hem weg.

Als ik het nummer draai, wordt er meteen opgenomen.

'Hallo, u belde mij?' zeg ik.

Een krakerige stem zegt dingen die ik niet kan verstaan.

'Spreekt u Engels?' vraag ik.

'Kat,' hoor ik de stem zeggen.

'Heeft u mijn kat gevonden?' schreeuw ik nerveus door de telefoon, 'heeft u mijn kat?'

'Kat gevonden,' bevestigt de stem.

Mijn hart gaat hevig tekeer en ik sta ongeduldig te trappelen op het vloerkleed. Ik gris de reisgids tussen de kussens op de bank vandaan en lees mijn adres voor, letter voor letter.

'Een moment,' zegt de stem, 'ik kom eraan.'

'Dank u,' zeg ik. 'Ik ben zo blij!' roep ik nog, maar er is al opgehangen.

Ik kleed me snel aan en ga in de tuin staan wachten met een handdoek om hem in te kunnen wikkelen. Ik kijk vol verbazing naar het wit van de honderden radijzen en probeer te glimlachen. Hoewel de tuin mislukt is, heb ik in de afgelopen tien minuten tijd misschien wel meer goed nieuws gehoord dan in mijn hele leven bij elkaar.

Vanaf de rand van de krater schommelt een lichtblauwe pick-up vol stalen buizen naar beneden. Ik zie hoe de bestuurder zijn hand uit het raampje steekt en zwaait. Ik zwaai terug. Als de auto bij mijn hek tot stilstand komt, zie ik een gebruinde man met een grote bos grijs haar en een snor. Hij draagt een lichtblauwe overall en heeft een grote moersleutel in zijn borstzakje zitten.

'Heeft u hem niet mee?' vraag ik.

'Kom,' zegt hij en wenkt me in de auto te gaan zitten.

Als ik plaatsneem naast de man zegt hij: 'Riem,' en wijst naar de veiligheidsgordel.

Op weg naar boven zie ik in mijn ooghoek nog een glimp van de witte radijzen, maar ik wil niet meer kijken, dan word ik alleen maar verdrietig, en vandaag is juist een heugelijke dag.

Onderweg zegt hij geen woord. Op zijn dashboard staan volle en lege blikken Amstel-bier en hij ruikt sterk naar tabak.

'Steve,' zeg ik en probeer hem de hand te schudden, maar hij haalt zijn handen niet van het stuur en zegt: 'Manolis.'

Net voor het dorp buigen we af naar links, rijden een lange zandweg naar het zuiden, richting een afgelegen gebied waar nog nauwelijks huizen staan.

'Waar gaan we heen?' vraag ik.

'Agios Mamas,' zegt de man en wijst naar voren.

'Agios Mamas?'

De man knikt en opent een blik bier.

'Vijfhonderd euro,' zegt hij opeens, zonder me aan te kijken.

'Ja,' zeg ik, 'als u mijn kat heeft gevonden krijgt u vijfhonderd euro, zoals afgesproken.'

Opeens stopt hij de auto.

'Kat,' zegt hij, 'Agios Mamas,' hij priemt met zijn vinger naar een klein wit kerkje op een rots.

'Daar?'

De man knikt en wijst naar de weg die hier opgehouden is. Het landschap gaat verder in zwarte rotsen vol zoutbedden. Hier en daar staan verdroogde plantjes. 'Auto kan niet verder?' vraag ik. De man schudt zijn hoofd en klimt uit de pick-up en wijst weer naar het kerkje. Hij steekt twee vingers in de lucht. 'Kilometer,' zegt hij en houdt weer zijn twee vingers op. 'Twee kilometer, die kant op?' Hij knikt en gaat op de motorkap zitten. Hij wijst naar zijn benen, en zwaait met zijn vinger. 'Kaput,' zegt hij.

De man achter mij wordt steeds kleiner. Eerst kon ik nog zien hoe hij rustig een sigaret rookte en zelfs de rode kleur van zijn blik bier onderscheiden, maar nu ik verder weg ben, zie ik alleen nog maar een lichtblauwe vlek die zo nu en dan opduikt achter de rotsen.

Hoe verder ik kom, hoe moeilijker de weg wordt. Als ik op nog geen tweehonderd meter van het kerkje ben, ga ik heel even zitten om uit te rusten. Ik heb nog steeds maagpijn en ben nu ook misselijk.

'Pss, pss, pss, pss!' roep ik als ik weer opsta om verder te gaan. Geen reactie, alleen de zee die hard tegen de kliffen slaat en heel ver weg het geluid van mekkerende geiten.

Terwijl ik doorloop, denk ik aan Susan en Anca, aan Liana Deller en Bill Morgan. Aan Alice en de siergootspecialist, aan Dave en Sue en Travis Bickle. Hoe zijn al die mensen eigenlijk in mijn leven gekomen? En waarom zijn ze er niet gebleven? Is dat niet juist het vreemdste van alles: dat je iemand leert kennen op een feestje of tijdens het doen van boodschappen, tijdens een bezoek aan een restaurant of zelfs in een bordeel, en dat die iemand een plek verovert in je leven en dan plotseling weer verdwijnt? Maar waarom blijf ik dan aan ze denken, waarom blijven ze wel in mijn hoofd? Zie me nu toch strompelen over de rotsen, denkend aan haar en zoekend naar een katje dat zomaar op een avond op mijn schoot kroop.

Het begint als ik het kerkje bereik en mijn oor tegen de afgesloten deur druk. Ik hoor helemaal niets en adem moeizaam. Voor me zie ik het eindeloze rotslandschap, achter me trouwens ook. Ik voel me een moment ongewoon kalm, kalmer dan in maanden, en luister met gesloten ogen naar de zee. Dan opeens, zonder dat ik het aan voel komen, geef ik over op mijn schoenen. 'Godverdomme,' mompel ik. Ik buk om het braaksel weg te vegen, maar op het moment dat ik gebukt sta, kruipt er een brandende pijn van mijn onderbuik naar mijn maag en borstkas. Binnen seconden wordt het zo hevig dat ik niets anders kan bedenken dan me maar op de grond te laten vallen. Ik geloof dat ik op dat moment ook nog in mijn broek poep, maar ik weet het niet zeker. Ik bal mijn vuisten en sla hard tegen de rotsen, probeer te schreeuwen, maar dat lukt niet, ik heb geen adem meer over en mijn mond is kurkdroog.

Opstaan, denk ik, opstaan en verder, maar op het moment dat ik overeind probeer te komen, lijkt het alsof iemand mijn bovenlichaam verplettert, er iemand boven op me is gaan zitten die me uit alle macht tegen de grond wil houden. Ik probeer steeds omhoog te komen, maar het is onmogelijk. Ik probeer te kalmeren, denk aan het goede nieuws. Misschien komt Anca nu wel bij me terug, kunnen we samen een nieuw leven beginnen. Hier, op dit eiland, weg van alle nare mensen die slecht over me denken.

Ik kijk nog een tijdje dromerig naar de glinstering van het zout in een kuiltje vlak bij mijn gezicht; ik moet nadenken, probeer me beelden voor de geest te halen die iets betekenen, die belangrijk zijn, maar ik kan opeens niets anders meer bedenken dan het veld witte radijzen en de verwoesting van mijn arme lichaam.

Het moet gewoon zo zijn, denk ik nog als ik langzaam het bewustzijn verlies, het kan ook niet anders, zeg ik in mijzelf, dit is het einde.

PROCES-VERBAAL

van bevindingen

Proces-verbaalnummer: 23168216

Wij, Giorgos Moustakas (1452), rechercheur van politie, dienstdoende bij team Kos-stad en Andonis Mariniti (45781), hoofdagent van politie, dienstdoende bij team Kefalos, verklaren het volgende:

Op **dinsdag 17 mei 2011** omstreeks 20:00 werd op het kantoor van wijkteam Kefalos melding gemaakt van een lijkvinding bij Agios Mamas. Aangever is Giorgos Kalokakis, geitenhouder, woonachtig te Kefalos.

- Giorgos Moustakas, rechercheur van politiebureau Kos-stad, werd om 20:12 ingelicht door wijkteam Kefalos.
- Omstreeks 21:10 begon de zoektocht, bestaande uit verbalisanten en het team van de politiehelikopter.
- 21:09: De onbekende persoon aangetroffen op ongeveer tweehonderd meter van Agios Mamas, bij aankomst was er geen pols meer voelbaar.
- 22:12: In het ziekenhuis van Kos-stad is de persoon onderworpen aan lichamelijk onderzoek. Wij, verbalisanten, hebben de kleding onderzocht.
- De persoon droeg:
  - een rood met blauw voetbalshirt met opdruk van voetbalclub 'Walker's' in Leicester.
  - een grijze joggingbroek, maat XXL, merk 'Head'. (Sporen van ontlasting aangetroffen.)
  - witte 'Nike air max'-sportschoenen maat 43,5, waarop sporen van braaksel zijn aangetroffen.
  - 1 witte slip, maat XXL, merk: M&S.
- In de zakken van de joggingbroek van het merk Head troffen wij het volgende aan:

  1 zaktelefoon, merk Sony Ericsson, type K800i.
  1 bos sleutels, waaronder twee Suzuki-autosleutels.

1 plastic zakje waarin resten van vis zijn aangetroffen.

2 tabletten, Oxazepam 30 mg. Fabrikant Sandoz (*).

- 23:05: Patholoog-anatomisch rapport (zie bijlage 1.4 - PA672892-011) opgemaakt met als doodsoorzaak een CARDIO-INFARCT. Tijd van overlijden: ongeveer 18:00. Lichaamsgewicht bij overlijden: 127,5 kg. Bijzonderheden: verwondingen op beide handen, sporen van ontlasting en braaksel. Verwijde pupillen.

- 23:40: Wij, verbalisanten, hebben onderzoek verricht naar de zaktelefoon, merk Sony Ericsson, model K800i: in het logboek stond een aantal gebelde en ontvangen nummers, waaronder een lokaal mobiel nummer en een nummer met het netnummer van Engeland. Ik, verbalisant Moustakas, heb het nummer, toebehorende aan mr. Terry Collins, in Leicester, Engeland, gebeld en kreeg meneer Collins direct aan de telefoon.

- 23:55: Collins zeer geëmotioneerd, kan identiteit vaststellen.

- 00:06: identiteit vastgesteld op:

Naam: Steve Mellors
Geslacht: man
geboortedatum 15-02-1961
geboorteplaats: Dartford, Verenigd Koninkrijk.
Bsn: 727383391

Verblijfplaats: Kombos Kefalos
Reden van verblijf: vakantie

woensdag 18 mei 2011:

- 12:23: Wij, verbalisanten, brachten een bezoek aan de woning waar Mellors verbleef en troffen op enkele kledingstukken een toilettas aan waarin zat:

   - Perindopril, Actavis, 4 mg
   - Crestor Rosuvastine, Astra Zeneca, 20 mg

- Zoloft, 50 mg
- Metoprololsuccinaat, Ratiopharm, 50 mg
- Ascal Brisper Cardio Neuro, 100 mg
- Ibuprofen, 400 mg
- Oxazepam, 30 mg (*ook ter plaatse aangetroffen)

Overige opvallendheden: sporen van alcoholmisbruik, grote
hoeveelheid dierenvoeding. Geen huisdier aangetroffen, wel
een halsband in verpakking.

ZAAK GESLOTEN OP: 18/05/2011 18:47